VERLICHTIN

MAUREEN FREELY

Verlichting

VERTAALD DOOR GERDA BAARDMAN EN LIDWIEN BIEKMANN

AMSTERDAM · ANTWERPEN
2008

Q is een imprint van Em. Querido's Uitgeverij BV, Amsterdam

Oorspronkelijke titel *Enlightenment*
Oorspronkelijke uitgever Marion Boyars Publishers

Omslag Marjan Landman
Omslagbeeld Getty Images

ISBN 978 90 214 3388 2 / NUR 305
www.uitgeverijQ.nl

'De belangrijkste taak van elke inlichtingendienst
is vaststellen waar het gevaar schuilt.'
Thomas Powers in de *New York Review of Books*,
26 september 2002

'De tweede taak van elke inlichtingendienst,
nadat is vastgesteld waar het gevaar schuilt,
is het beschermen van de geheimen.'
Thomas Powers in de *New York Review of Books*,
10 oktober 2002

I

In antwoord op je vraag

1

Ik schrijf dit voor jou, Mary Ann. Bij de anderen zie ik geen gezicht voor me, dus het helpt als ik me bij het kijken naar mijn scherm voorstel dat jij mijn eerste lezer bent.

Laat ik eerst ingaan op alles wat je in je laatste bericht ter sprake bracht. Je vroeg of ik zeker wist dat die vrouw onschuldig was. Daarop is mijn antwoord onvoorwaardelijk: ja. Ze is haar hele leven al overtuigd pacifiste. Als er inderdaad explosieven onder dat dikke jack zaten, dan moeten die daar door iemand anders zijn verstopt. Of anders is de foto die je me stuurde digitaal bewerkt.

Je vroeg ook of ik je een indicatie kon geven waar ik zit. Tot mijn spijt kan dat (althans nu) niet. Het zou op dit moment ook niet verstandig zijn je uit te leggen waarom niet. Maar over mijn paspoorten wil ik je met alle plezier vertellen. Zoals je in mijn gegevens kunt zien (kijk gerust) ben ik Amerikaanse van geboorte, al heb ik ook een Iers paspoort. Ik ben nooit Turks staatsburger geweest en ben ook niet van plan dat te worden. Maar in zekere zin zal dat land toch altijd mijn thuis blijven.

Wat je laatste vraag betreft, die zal ik heel gedetailleerd beantwoorden, want ik kan moeilijk verwachten dat jij of je collega's me geloven als ik niet uitleg wie ik ben, hoe ik dat ben geworden en langs welke kronkelige wegen ik in deze duistere intrige terecht ben gekomen. Ik was acht toen mijn familie naar Istanbul verhuisde. Dat was in 1960, wat (onder andere) inhoudt dat we de oversteek over de Atlantische Oceaan in een propellervliegtuig maakten. Boven Europa vlogen we zo laag dat we de auto's op de wegen konden zien rijden. Maar – en ik neem aan dat dat tien jaar later ook voor Jeannie Wakefield gold – ik was helemaal niet bang. Mijn gedachten waren bij ons gouden reisdoel, dat ik al kende – heel goed zelfs, dacht ik – uit een oude *National Geographic.* Die hele zomer had ik steeds naar de weelderige, gelikte illustraties gekeken en me voorgesteld dat ik daar zelf in rondliep.

Ik heb geen woorden om mijn eerste indruk van de werkelijkheid te beschrijven. Die trof me als een hand die de plaatjes uit mijn hoofd wegrukte en aan snippers scheurde. Ik herinner me nog duizenden wervelende details van dat eerste ritje toen we van het vliegveld vertrokken, maar het totaaloverzicht ontbreekt. De gele mist die van de Zee van Marmara opsteeg, maar niet de zee zelf, de vloot tankers en vissersboten, maar niet de horizon waartegen ze zich aftekenden, de rode, brokkelige gedeelten van de oude stadsmuren, maar niet de geschiedenis die hun aanwezigheid verklaarde. Ik kon nauwelijks ademhalen van de stank van brandend vlees, waarvan ik nog niet wist dat die van de leerlooierijen afkomstig was, de gepijnigde vioolklanken waar ik nog geen muziek in hoorde, de kokhalzende chaos van jeeps, vrachtwagens, paarden, wagens en Chevrolets. Kleine zigeunertjes baanden zich een weg tussen ons door met bloemen die niemand wilde en er liepen kromgebogen oude mannetjes met zitbanken op hun rug gegespt. Tegen de lucht tekende zich een woud van koepels en minaretten af. De Gouden Hoorn die niet van goud was. De Bosporus, zo blauw dat mijn ogen ervan prikten.

De stad dunde uit naarmate we in het Europese gedeelte verder langs de oever kropen, slingerend van baai naar klip en van klip naar baai, door smalle straatjes die hier en daar onverhoeds op kustweggetjes uitkwamen; op sommige plekken kwam je zo dicht bij Azië dat je de ramen van de huizen kon onderscheiden, dan dook je weer zo diep Europa in dat je helemaal geen ramen meer zag, maar tegen die tijd had ik al geen idee meer waar we waren, ik was het helemaal kwijt. Tot die dag had ik nog nooit een landschap gezien dat niet ingericht of beschermd was, of een straat zonder rijbanen en trottoirs.

Na een uur dat wel een dag leek te duren draaide onze bus een smal, steil, met keien bestraat weggetje in. We kropen omhoog, langs een begraafplaats met grafstenen die bekroond waren met een tulband. We klommen nog verder, rakelings langs een donkere toren met kantelen en door een stenen, met klimop begroeide poort. Daarachter lag een koele, weelderige, lommerrijke groene campus, die troostrijk aandeed omdat hij zo op die in Boston leek waar we net vandaan kwamen. Er was een pad. Dat volgde ik, een bocht om. Ik kwam uit op een terras, en daar lag hij: mijn gouden reisbestemming. Het plaatje uit de *National Geographic*. Het kasteel op de beboste helling, de Bosporus met zijn eindeloze stoet tankers, veerboten en vissersbootjes. De villa's en paleizen langs de Aziatische kust leken zo dichtbij dat je ze haast kon aanraken, en daarachter lagen bruine, glooiende heuvels die wel tot in China moesten reiken, dacht ik.

Het terras waar ik stond hoorde bij het Robert College, waar mijn vader natuurkunde zou gaan doceren. Dat instituut, in de negentiende eeuw gesticht door Amerikaanse protestanten om de verwestersende elite van de stad te onderrichten, zou later genationaliseerd en omgedoopt worden. Toen we er in 1960 aankwamen was het nog een particuliere school, die vanuit New York werd bestuurd. De meeste docenten kwamen uit de Verenigde Staten, de meesten met een contract van drie jaar, net als mijn vader.

Maar in 1963 waren mijn ouders verliefd op de stad geworden en konden ze de gedachte niet verdragen er weg te moeten. Stel je voor dat je 's morgens naar buiten kijkt en de Bosporus niet ziet, zeiden ze. Mijn vader tekende dus een nieuw contract, en daarna weer een. Zo slaagden ze erin tot 1970 te blijven, het jaar dat ik achttien werd.

Het Robert College was inmiddels niet meer vredig of afgeschermd – de politieke beroering die zich van Turkije meester maakte, kreeg ook ons in zijn greep. Het enige verstandige wat we konden doen was naar Boston teruggaan. Daar woonden we, Mary Ann, toen jouw zusje en ik samen studeerden. Misschien herinnert ze zich het mooie huis nog dat mijn ouders daar hadden ingericht. Maar hun heimwee naar de Bosporus (en alles wat daarbij hoorde) ging niet over. Dus halverwege de jaren tachtig, toen het in Turkije weer even vredig leek te worden als voorheen, keerden ze terug naar Istanbul. En daar zitten ze nog steeds. Ze wonen maar een paar honderd meter van het huis waar ik ben opgegroeid.

Als alles anders was gelopen, had ik me daar misschien ook wel gevestigd. Dat is dus mijn persoonlijke band met het verhaal waarnaar je vroeg. Ik weet zeker dat ik het er nooit met je zusje over heb gehad, want toen wij met elkaar omgingen, praatte ik er met niemand over. Er was een jongen in het spel, moet je weten. En het was serieus, heel serieus.

Toen ik uit Istanbul wegging, in juni 1970, waren we verloofd. Maar we hielden het stil. Hij verdacht zijn ouders ervan zijn brieven te lezen, dus we schreven er zelfs niet over. Zodra ik in Boston aankwam, nam ik een baantje als serveerster, en ik maakte die zomer lange werkdagen en verwaarloosde dat najaar mijn studie totdat ik genoeg had gespaard om twee weken met hem in een land te kunnen doorbrengen waar niemand ons kende. Halverwege december ging ik naar Parijs, waar we hadden afgesproken. Maar hij kwam niet opdagen. Drie dagen lang heb ik op onze kamer in Hotel des Grandes Écoles zitten wachten op het bericht dat nooit is gekomen.

Thuis in Boston lag er een brief van hem te wachten. Hij had iemand anders leren kennen – iemand, schreef hij, die heel veel op me leek 'maar dan onschuldiger'. Ik schreef terug. Een kaartje met vier woorden: LOOP NAAR DE HEL. Het jaar daarop kreeg ik in het begin van de zomer een envelop zonder afzender, met daarin een schreeuwerig Turks krantenknipsel waarop te lezen stond dat mijn wens was vervuld.

Het woordeloze afgrijzen dat me op dat moment overspoelde – en dat me nog jarenlang bleef overspoelen zodra ik mijn hoofd op het kussen legde – kon ik alleen op afstand houden door alle banden met de plaats van herkomst daarvan te verbreken. Maar nu begrijp ik dat ik het daarmee alleen maar voor me uit schoof. De slingerende paden van het leven hebben me hier nu weer naartoe gevoerd, dus hier sta ik nu, in de wurggreep van mijn eigen principes, door het boosaardig lot gedwongen mijn overweldiger te verdedigen.

Eind zomer vorig jaar ontmoette ik haar voor het eerst. Of liever gezegd, er was een ontmoeting gearrangeerd. Ik was weer eens voor een bliksembezoek in Istanbul, ditmaal om mijn moeder gezelschap te houden terwijl mijn vader in het ziekenhuis lag voor een nieuwe heup. Laat ik de situatie voor je schetsen: het was vroeg in de avond en we zaten op het balkon met een glas. Mijn moeder vertelde me de nieuwste roddels over mensen die ik alleen van naam kende, en terwijl zij praatte, keek ik naar de takken, waarvan ik naar mijn gevoel ieder blaadje kende, al waren die bomen twee keer zo hoog als vroeger, toen ik nog een kind was. Er was iets met het licht – of met iets daarachter. De zon was al achter de heuvels aan onze kant van de Bosporus verdwenen, maar door het blauwgroene gebladerte in de tuin van mijn moeder zag ik bijna de gouden weerkaatsing van de heuvels van Azië.

Niets deed hier denken aan de zee tussen ons in – alleen het zachte zoemen van een passerende tanker, het gepruttel van een vissersschuit, de knallende uitlaat van een auto op de weg naar zee. Beneden in de Burç Club testte een man zijn microfoon. Langs het Witte Pad liepen de eerste gasten van wat volgens mijn moeder sinds woensdag al de derde trouwerij van oud-studenten was die op de club werd gevierd. Een vrouw in een filmsterrenjurk ontweek voorzichtig een roedel lui grommende honden en wankelde op haar naaldhakken, maar werd door de man naast haar opgevangen. Hij keek streng onze tuin in, en toen ik zijn blik volgde, zag ik het merkwaardige tafereel ook: daar poseerde een magere, nerveuze vrouw in buikdanskostuum op iets wat eruitzag als een boomstam. Bij de muur hurkte een fotograaf, die schichtige blikken in onze richting wierp.

'Ken je die man?' vroeg ik aan mijn moeder. 'Mag hij hier wel komen?'

Ze haalde haar schouders op. 'Daar ga ik niet over.'

Ik bood aan iemand van Terreinbeheer te bellen. Ze schudde haar hoofd. 'Ach, dat is de moeite niet. Ze staan trouwens zelf voor schut.' Ze begon een verhaal te vertellen dat aanvankelijk niets met de fotograaf of zijn model te maken leek te hebben: vorig jaar zomer zat mijn moeder op een ochtend nietsvermoedend hier in haar stoel koffie te drinken toen er opeens een ploeg werklui 'zomaar de tuin in kwam banjeren' en zonder iets te zeggen kuilen begon te graven. 'Ze bleken van de stadsriolering te zijn. Ze hadden een rioolbuis te veel meegebracht, en daar zit die buikdanseres nu op. Niet erg fotogeniek als je het mij vraagt!'

Ze draaide zich om in haar stoel, onverschillig, gebronsd, met haar lange slanke benen. Ze wees naar de kaasstengels op het koperen blad tussen ons in en zei: 'Neem!' Terwijl ik haar martini bijschonk, vertelde ze over ene Dodge Ruthwen, die hier van 1960 tot 1963 bouwkunde had gedoceerd, maar ook *stride piano* speelde. 'En een stém dat hij had...!' Zijn zoon ('Die zat op school een klas onder jou, lieverd, maar nu werkt hij bij het Smithsonian) was vorige week even langsgeweest. 'Hij logeert bij de familie Winchall – die ken je toch nog wel? Zij was hoofd van het Amerikaans Cultureel Centrum en hij was historicus. Ze hebben hier eind jaren zestig gewoond, en eind jaren tachtig zijn ze teruggekomen. Ze hebben een huis op de Prinseneilanden gekocht...' De ene naam na de andere die ik me niet herinnerde, al die avonturiers die in golven waren komen aanrollen, hun drie jaar hadden uitgediend en plaats hadden gemaakt voor anderen die net zo waren als zij. Hadden die mensen zich eigenlijk ooit afgevraagd wat ze hier kwamen doen?

Koeltjes herhaalde ik iets wat ik de dichter Derek Walcott vijf jaar geleden bij een lezing had horen zeggen: Amerika was weliswaar een groot rijk, maar voor de meeste ingezetenen was dat onzichtbaar.

'Wat wou je daarmee zeggen?' vroeg mijn moeder.

'Dat we bij een rijk horen waarvan we zelf niet weten dat het bestaat.'

Mijn moeder sperde haar neusgaten open. 'Weet je wat het met jou is, Miss M...'

'Wil je me alsjeblieft niet meer zo noemen?'

'Weet je wat het met jou is, Miss M? Jij hebt het zo druk met het ontwerpen van hokjes dat je de mensen erin niet meer ziet.'

Ze pakte haar glas en staarde naar de ijsblokjes. 'Trouwens, die oude vlam van je...'

'Welke?' vroeg ik.

'Die cineast. Die je zo lelijk heeft laten zitten en toen in al die ellende verzeild is geraakt. Zijn naam is me even ontschoten. Zijn filmnaam, bedoel ik.'

'Yankı,' zei ik.

'Yankee?'

'Niet met "ee" op het eind, maar met "uh". Yankı. Met een i zonder puntje.'

'Goed, schat. Waarom eigenlijk?'

'Dat betekent echo in het Turks. Dat weet je toch wel?' Mijn moeder knikte, niet helemaal op haar gemak, dacht ik. 'En hij is Turks,' ging ik verder. Ik probeerde mijn toon luchtig te houden. 'Maar niet alleen Turks. Hij is ook een echo van iets anders. Hij is in Amerika geboren, weet je nog?'

'Toch klinkt het te veel als Yankee.'

'Daar gaat het juist om.'

'Hoezo?'

'Het is een woordspeling.'

'O. Echt? Ik vind het nogal geforceerd aandoen. Maar goed. Het gaat uiteindelijk om de films. Al moet ik zeggen dat die nogal onbegrijpelijk zijn. Die ene die ik heb gezien tenminste. *My Cold War*. Waar hij die grote prijs voor heeft gekregen.'

'Dat heb ik gehoord, ja.'

'Heb jij hem gezien?'

Ik schudde mijn hoofd.

'Iemand zei dat hij over die verschrikkelijke toestand ging waar hij bij betrokken was, weet je wel, in 1971. Dus ik werd natuurlijk nieuwsgierig. Maar zoals je waarschijnlijk al weet...'

Ik knikte.

'... bleek hij over zijn jeugd te gaan. Hij had zoveel over zijn jeugd te vertellen dat hij al door zijn film heen was voordat hij goed en wel bij 1970 was aangeland. Aan het slot blijven we met een heel scherm vol onbeantwoorde vragen zitten, waarop hij in een toekomstig tweede deel het antwoord belooft. Maar daar lijkt nu weinig kans op.'

'Hoezo?'

'Hij is gearresteerd.'

'Waar?'

'In Amerika.'

'Waarvoor?'

Ze tikte haar sigaret af in de asbak en zei: 'Daar buigt de jury zich nog over, vrees ik. Ik weet alleen dat hij op JFK aankwam – vorige week. Hij was op een soort tournee. Hij is enorm populair bij de studenten daar, heb ik gehoord. Iemand van de universiteit van New York die we kennen, ging hem van het vliegveld halen. Hij heeft eindeloos staan wachten, maar nergens iemand te bekennen die ook maar uit de verte op een moeilijke-documentairemaker leek. Dus uiteindelijk liep hij naar zo'n officieel uitziend Bruinhemd – niet te geloven dat ze het in hun hoofd halen om die mensen een bruin uniform aan te trekken, hè? Hebben ze dan geen besef van historische ironie? Kennelijk niet. Want toen onze vriend naar die *Übermensch* van Homeland Security liep en zei wie hij zocht, brak er een pandemonium uit en werd hij ook gearresteerd.'

'Waarvoor?' vroeg ik.

'Je gelooft het niet – op verdenking van terrorisme. Ze hebben hem niet lang vastgehouden, maar het ziet ernaar uit dat die oude vlam van jou – ze hebben hem bij de paspoortcontrole aangehouden – had ik dat al verteld? Nou ja, hoe dan ook, die zit nog wel even vast. Volgens de geruchten hebben ze hem naar Guadalajara gebracht.'

'Guadalajára?'

'Ik bedoel Guantanamo, dat begrijp je best. Maar even serieus. Als hij een terrorist is, dan is iedereen het. En dat is geen grap, want die kant lijkt het wel op te gaan.' Ze stak een nieuwe sigaret op. 'Maar het ergste komt nog. Toen jouw oude vlam gearresteerd werd...'

'Moet je hem nou echt steeds zo noemen?'

'Toen die oude vlam van jou gearresteerd werd, had hij zijn zoontje van vijf bij zich. Eigenlijk had zijn vrouw er ook bij zullen zijn, maar er was wat gedoe met haar paspoort. Zij is ook Amerikaans staatsburger, maar heb je gehoord hoe het tegenwoordig gaat? Iedereen die vanuit het buitenland een nieuw paspoort aanvraagt moet twee weken wachten, want het consulaat moet de formulieren naar Washington sturen om ze te laten verwerken. En daar moeten we ons nog blauw voor betalen ook. Neem maar van mij aan dat de diplomatieke post niet goedkoop is. Maar goed – je zult je zijn vrouw nog wel herinneren. Jeannie Wakefield.'

Ik schudde mijn hoofd. Mijn moeder nam een trek van haar sigaret.

'Vreemd,' zei ze. 'Want ze wil je spreken.'

2

We spraken de volgende avond vroeg af op het terras van hotel Bebek. Mijn nieuwsgierigheid had het van de angst gewonnen. Een jaar of twee daarvoor had ik een foto van haar in de krant gezien – de Turner Prize in Londen of de Weet-ik-veel in New York of Parijs (de koude douche toen ik in het onderschrift haar naam zag – Jeannie Wakefield, dat hij uitgerekend met haar getrouwd was, na alles wat hij had gedaan, het sloeg nergens op!) dus ik herkende haar meteen. Maar het was onmiddellijk duidelijk dat Jeannie Wakefield niets van mij wist, behalve dat ik journalist en de dochter van mijn ouders was. Ik vond dus dat ik iets moest zeggen.

'O ja?' zei ze. Ik zag aan haar verbaasde frons dat dit nieuw voor haar was. 'Ik bedoel,' ging ze verder, 'hopelijk vind je het niet erg dat ik dit vraag, want het gaat me niets aan. Maar... wát voor vriendin?' Voordat ik antwoord kon geven, kwam de ober met onze bestelling, of er voer een schip voorbij, of misschien zwaaide de zoveelste kennis van de andere kant van het drukke terras. Maar wat het ook was waardoor we werden afgeleid, de gedachte werd erdoor verdreven.

Hoe ze er die dag uitzag: niet zo mooi als ik me vroeger had voorgesteld, en ook niet als de ranke blondine van de foto's, met die spijkerbroek, dat T-shirt en haar haar dat alle kanten uit stond. Maar erg jong voor haar leeftijd, met ernstige blauwe ogen, een intense blik en een scheve glimlach die maakte dat ik althans even spijt had van mijn onwelwillende gedachten. Ze boog zich naar me toe als ze iets zei, alsof we al de beste vriendinnen waren. En als ik iets zei – je zou haast denken dat ik een orakel was – dan hield ze haar hoofd schuin en keek me ernstig knikkend in de ogen alsof ze over ieder woord diep nadacht.

Totdat ik naar haar zoontje vroeg, te abrupt. Toen sloeg ze haar ogen neer en keek naar haar handen, alsof ze zich schaamde. Terwijl ze haar nagels bestudeerde, en de schepen in de baai, en het munttakje in haar gin and tonic, en het servetje dat ze om haar vinger had gedraaid, bedacht ik hoe vreemd het aanvoelde, hoe ontregelend het was en hoe weinig voldoening het gaf haar te zien lijden.

Ik had het fatsoen om 'Sorry' te zeggen.

Dat wuifde ze weg. 'Nee, alsjeblieft, dat is nergens voor nodig. Ik wilde het er trouwens toch met je over hebben.'

Haar zoontje heette Emre en ze wist niet waar hij was. Toen zijn vader op JFK was gearresteerd, hadden ze Emre naar een opvangadres gebracht. Nu woonde hij bij een soort gastgezin ('hij is dus veilig – ik weet niet waar hij is, maar goddank is hij veilig'). Ze hadden nog even gehoopt dat het kind bij een familielid kon worden ondergebracht. Maar dat moest dan beslist een Amerikaans staatsburger zijn, en het enige familielid dat aan die eis voldeed was haar tante van tachtig. Jeannie wist zeker dat ze daar wel iets op zou vinden als ze eenmaal in Amerika was. Ze kende het klappen van de zweep. Ze was tenslotte advocaat – mensenrechtenadvocaat zelfs. Maar zonder haar Amerikaanse paspoort kon ze niets beginnen, en dat was twee maanden geleden opgestuurd om het te verlengen, met de verzekering dat de verwerking niet langer dan twee weken zou duren. Natuurlijk had ze geïnformeerd, dus nu wist ze waarom het mis was gegaan met haar verlengingsaanvraag. Ze stond op de een of andere lijst – 'dezelfde waar mijn man ook op staat, neem ik aan. Dus als ik terugga, met of zonder geldig paspoort, arresteren ze mij ook, heb ik begrepen.'

Hier onderbrak de ober ons om te vragen of we nog iets wilden bestellen. Ze keek naar hem op alsof hij haar een diamanten ring op een kussentje aanbood. Wat zal die man zich verheugen op de volgende keer dat ze komt, dacht ik onwillekeurig. En wat moest ze een kruiperige indruk maken op de dure dames die aan het tafeltje naast ons kil toekeken. Nadat ze de ober wel zeven of acht keer had bedankt voor een drankje dat hij nog niet eens had gebracht, keerde ze zich weer naar mij toe en zei met die scheve glimlach: 'Ontzettend aardig dat je bent gekomen, want je ouders willen vast dat je iedere minuut bij ze bent, maar ik kan niet zeggen hoe dankbaar ik je ben. Ik heb je hulp namelijk echt nodig.'

Ze bleek te willen (verbaasde me dat? Dat kan haast niet, want het gebeurde zo vaak) dat ik een stuk over haar benarde situatie schreef. 'De rechten van het kind – dat is toch een van jouw onderwerpen? Daarom dacht ik aan jou. We hebben iemand nodig die begrijpt wat hier aan de hand is.' Als ik de wereldopinie maar kon mobiliseren en deze schanddaad aan de kaak stellen die ze een jongetje van vijf en dus ook zijn ouders hadden aangedaan, dan zou dat tot algemene verontwaardiging leiden, dat wist ze zeker, zodat de terugkeer van haar zoontje bespoedigd zou worden.

'En wat de rest betreft – die aanklachten tegen mijn man zijn natuurlijk belachelijk. Maar als je dit wilt doen, dan vinden we dat je de vrijheid moet hebben om de zaak zelf te onderzoeken, en we willen je ook graag helpen. We kunnen ons kantoor openstellen. Dan kun je alle documenten lezen, ons archief inzien, alle films bekijken – ook de onvoltooide. Neem ons adressenbestand maar door. Ga met onze vrienden praten. Of zelfs met onze vijanden. We hebben niets te verbergen,' zei ze, al bespeurde ik wel een toon van onzekerheid onder haar verontwaardiging.

'Natuurlijk,' ging ze verder, 'hebben we wel in de buurt van de Irakese grens gefilmd, en ook in steden als Diyarbakır. Het is dus heel goed mogelijk dat bepaalde mensen die in onze films voorkomen, politieke affiliaties hadden waar we niet van wisten. Maar als je onze films wel eens hebt gezien, weet je dat die niet echt politiek zijn. Ze gaan over mensen en de wereld die ze bouwen. Wat we proberen vast te leggen, is het raakvlak – wat ideeën met mensen, en mensen met ideeën doen.'

Ze weidde nog verder uit – al weet ik tot mijn spijt niet meer wat ze allemaal zei. Haar persoonlijke voornaamwoorden irriteerden me te veel. 'We', zei ze steeds maar. Had ze dan zélf geen gedachten? Zijn films waren 'onze' films en hijzelf had geen naam. Als ze Sinan al als zelfstandige entiteit aanduidde, dan had ze het over 'mijn man'. Maar zelfs op dat moment dacht ik niet dat ze dat expres deed. Ze wist tenslotte niet wie ik was. Ze vond me echt aardig en geloofde oprecht dat ik haar ook mocht. Jeannie Wakefield had de tragische tekortkoming, als er zoiets bestaat, dat ze niet bereid was te geloven dat iemand die zij vertrouwde of aardig vond misschien niet helemaal open tegen haar was.

Ze zei dat het niet uitmaakte waar het artikel zou verschijnen dat ik naar zij hoopte ging schrijven, in de Verenigde Staten of in Engeland. 'Daar zit je tegenwoordig toch?' Ze keek me hoopvol aan en mijn ergernis werd nog groter. Het is nooit prettig om iemand te moeten uitleggen waarom zijn of haar verhaal niet interessant is voor het publiek, maar in dit geval – al wist ze niet wie ik was – moest ze toch wel ergens voelen wat de moeilijkheid was.

Of wist ze niet wat haar man vroeger allemaal had uitgehaald, in het voorjaar van 1971?

'Ja,' zei ik, nog steeds moeizaam op zoek naar een beleefde manier om me ervan af te maken. 'Ik besef dat het verschrikkelijk klinkt, maar je vraagt me eigenlijk om een *human interest*-verhaal. Je wilt dat ik het zo opschrijf dat de mensen namens jou kwaad worden en voor je in de bres willen springen. En als je wilt dat dat lukt, moeten ze kunnen geloven dat jij en alle andere betrokkenen al vanaf de wieg een onberispelijk leven hebben geleid. Dat houdt in dat ik het verhaal moet vereenvoudigen en op het sentiment moet inspelen, op alle traanklieren moet werken die ik kan vinden, en sinds 11 september valt dat niet mee. Vooral als het verhaal in een grotendeels islamitisch land speelt.' Ik wachtte even om de juiste woorden te zoeken. 'Vooral als de betrokkenen een verleden hebben dat tegen ze kan worden gebruikt.'

'Maar...'

'Om het maar even bot te zeggen – je moet dus geen strafblad hebben.'

'Maar dat hebben we niet!' riep ze uit.

Ik geloof dat ik haar toen alleen maar heb aangegaapt. Wat was dat voor een huwelijk, als Sinan haar dat had kunnen wijsmaken? En wat was zij dan eigenlijk voor advocate, als ze zelfs voor de juridische feiten blind was? Even flitste er een wraakzuchtige gedachte door mijn hoofd. Als ik haar alles vertelde, was dat zijn verdiende loon. Maar iets in haar ogen – dat vertrouwen, dat blinde, koppige vertrouwen – maakte dat ik een beter mens wilde zijn.

Ik krabbelde dus terug. 'Tja,' zei ik. 'Misschien kan ik in Engeland wel een verhaal slijten. Maar in Amerika, waar je die media-aandacht echt nodig hebt, is het waarschijnlijk niet zo eenvoudig. Turkije ligt te ver van hun bed en te dicht bij Afghanistan en Irak. Het interesseert de mensen geen moer, tenzij er een van deze twee vragen met ja wordt beantwoord: "Kun je er goed shoppen?" en "Biedt Turkije onderdak aan terroristen?"'

'Nou, kijk eens aan! Dat is dan je kapstok!'

Ze leek niet te zien dat ik aarzelde. Of ze zocht er niets achter. Uitkijkend over de baai zei ze: 'Ik begrijp heus wel wat je bedoelt, hoor. Zij geloven dat wij terroristen zijn, en zolang ze dat geloven, vinden ze dus dat we ons verdiende loon krijgen. Ja, er is dus veel weerstand. Maar zeg nu eens eerlijk – dat soort weerstanden maakt je werk toch juist de moeite waard? Vooroordelen ontzenuwen... de opinie van de lezers beïnvloeden... de mensen dwingen hun eigen blinde vlek onder ogen te zien... het onzichtbare zichtbaar maken...' Die laatste opmerking spookt sinds de verdwijning van Jeannie Wakefield door mijn hoofd.

Op dat moment wilde ik alleen wat lucht. Ik keek dus op mijn horloge en slaakte een kreet toen ik zag hoe laat het al was. Ik wilde zo ontzettend graag weg dat ik beloofde toch wat mensen te bellen om te proberen belangstelling voor het verhaal te wekken, en er dan later op terug te komen. Ik bood aan de volgende ochtend even bij haar langs te gaan om haar te laten weten wat ik had kunnen bereiken. 'Waar woon je?' vroeg ik.

'Op het ogenblik,' zei ze, 'zit ik nog in de Pasha's Library.'

Later liepen we samen de helling op. Ik weet niet meer waar we het onderweg over hadden, of waarom ik ermee instemde met haar mee te lopen naar de Pasha's Library, of hoe ik daarna nog lucht kon krijgen. De Pasha's Library! Uitgerekend dat ene gebouw waar ik nooit meer heen wilde, dat ik het liefst wilde vergeten. Ik geloof dat ik Sinan op dat moment oprecht haatte – namens haar en namens mezelf. Omdat hij met haar was getrouwd en haar nooit de waarheid had verteld over wat hij had gedaan, en omdat hij haar uitgerekend in dat huis had ondergebracht... Maar natuurlijk – zoals ze me in herinnering bracht toen we bij het groene ijzeren hek in Hisar Meydan waren – had ze er zelf ook iets mee. Ze had er haar eerste jaar in Istanbul doorgebracht. 'In '70-'71. We zijn elkaar destijds zeker nooit tegengekomen omdat je toen al weg was?' Ik knikte moeizaam. 'Maar je kent het huis dus wel,' zei ze.

'O ja, ik ken het wel,' zei ik.

'En mijn vader?'

'Natuurlijk.'

Ze duwde het hek open en we gingen naar binnen.

3

De Pasha's Library (voor degenen die nooit in Istanbul geweest zijn) is een negentiende-eeuws paviljoen dat als een vogelkooi boven het dorpje Rumeli Hisar hangt. Het gebouw ligt zo hoog dat je de Bosporus bijna tot aan de Zwarte Zee kunt zien. Het is gebouwd door een pasja die zijn leven lang banden had gesmeed tussen oost en west en het familievermogen aan Parijse vrouwen had verkwist, maar daarna afstand van de wereld wilde nemen zonder die helemaal uit het oog te verliezen. Maar op de meeste mensen heeft het uitzicht een tegenovergesteld effect. Zij zien het tussen de cipressen zodra ze de tuin in komen en worden er meteen onweerstaanbaar naartoe getrokken. Ze blijven voor het ravijn staan, maar hun ogen gaan verder. Ze vergeten waarom ze daar zijn of wat ze van de mensen vinden die ze hier komen opzoeken. Als ze eindelijk weer tot spreken in staat zijn, lijkt het alsof ze net wakker worden en zich hun droom niet helemaal kunnen herinneren.

In mei 1970 heb ik hier zeven geheime nachten met Sinan doorgebracht. William Wakefield, Jeannies vader, was op reis, op een of ander werkbezoek, en Sinan had de sleutel van mijn – onze – vriendin Chloe gekregen; haar moeder zou de planten water geven. Toen we bij het vallen van de achtste nacht voor het laatst afscheid namen – hier in deze tuin, op de marmeren bank vlak bij het ravijn – steeg de maan juist boven de donkere heuvels van Azië uit en het water van de Bosporus leek wel gesmolten lava.

Deze avond, vierendertig jaar later, waren de Bosporus en de heuvels van Azië niet veel meer dan schaduwen achter de grote, schitterende bogen van de nieuwe hangbrug. De nachtegalen hadden plaatsgemaakt voor het gestage zoemen van het verkeer. De grote glazen veranda die de oude bibliotheek aan drie kanten omsloot, laaide van licht, net als de ramen in het verhoogde dak waar ik me zo aan stoorde, al was het alleen maar omdat het niet in mijn herinneringen voorkwam. Maar toen we binnen waren, leek ieder kleed, ieder tafeltje, elke stoel precies hetzelfde als toen. We liepen door de bibliotheek naar de glazen veranda. De lucht was van hetzelfde intense blauw, totdat ik te dicht bij het glas kwam en alleen nog mijn eigen gezicht zag.

Ik draaide me om. Daar, op de chaise longue waar ik ontmaagd was, zat Jeannies vader. Hij kwam overeind om me te begroeten. Maar toen we elkaar een hand gaven, voelde ik dat hij mijn gedachten las.

Hij zag er nog steeds vrijwel net zo uit als ik me hem herinnerde: gebruind, stevig en kalend. Ontspannen en innemend, met stralende kraalogen. 'Kan ik iets voor je inschenken?' vroeg hij. 'Zo te zien kun je wel een borrel gebruiken. Wat zal het zijn?'

'Wat u zelf neemt.'

'Nee,' zei hij, 'ik mag al jaren niet meer drinken.' Terwijl hij naar de drankkast liep – ook daar hadden Sinan en ik dankbaar gebruik van gemaakt, herinnerde ik me – praatte hij me bij. 'Nee, ik ben hier niet al die tijd gebleven, mocht je dat willen vragen. Ik ben niet lang na jullie teruggegaan naar Amerika – een jaar later, als je het precies wilt weten. In juni 1971. Natuurlijk had ik nooit verwacht dat ik nog eens terug zou komen, gezien de gebeurtenissen in die tijd. In 2000 heb ik dat toch gedaan, maar alleen om de kleine Emre te zien. Toen ben ik eigenlijk nooit meer weggekomen. Kom maar eens naar mijn huis in Bebek, dan begrijp je wel waarom niet. Het uitzicht is er niet zo mooi als hier, maar...'

Hij gaf me een whisky met water. 'Dat drink je toch altijd?'

'O ja?'

'Vroeger in elk geval wel, als mijn geheugen me niet in de steek laat. Maar fijn om je weer te zien. Ik heb natuurlijk het gevoel dat we altijd contact hebben gehouden. Ik heb dat boek van je gelezen. Gefeliciteerd. En natuurlijk zie ik je naam geregeld in de krant. Al verschijnt er de laatste tijd niet zo veel van je. Krijg je genoeg van het freelancen? Je bent waarschijnlijk ook wel druk met die baan aan de universiteit.'

Dat was de William Wakefield die ik me herinnerde. Hij hield het geen twee minuten uit zonder je te laten merken hoeveel hij wist.

'Maar ik hoop dat je ons kunt helpen,' zei hij toen. 'We kunnen alle hulp gebruiken. Je zult je wel afvragen waarom. Ik bedoel, nu ik zelf een soort publieke betweter ben geworden. Je hebt me zeker wel gezien?'

'Ik heb u gehoord,' zei ik. Dat zal een jaar of twee daarvoor zijn geweest, op Radio Four of op de World Service, vlak voor of vlak na de inval in Irak. 'Het verbaasde me dat u zo kritisch tegenover het beleid van de Verenigde Staten stond.'

'Mooi. Dat was ook mijn bedoeling. Ik weet waar ik het over heb, zoals de grote jongens wel weten. Al kan ik natuurlijk alleen namens mezelf spreken. Ik ben met pensioen. Al jaren. Maar ik ga ze verdomme niet verdedigen.'

'Prima,' zei ik.

'Jij bent in het buitenland opgegroeid. Jij kunt alles als buitenstaander bekijken. Die boerenkinkels in Washington kunnen hun eigen lul niet eens vinden. Als mensen zoals ik ze niet op het goede spoor zetten... Dus ik heb wat vijanden in de hogere regionen gemaakt, zoals ze dat noemen. Maar in godsnaam zeg, hebben ze dan helemaal geen gevoel? We hebben het over een jongetje van vijf! Ze houden hem vast als zekerstelling. Zoveel is wel duidelijk.'

'Welnee, pap!' zei Jeannie handenwringend. 'Er is nog helemaal niets duidelijk. Het is nog te vroeg.'

Haar vader zweeg en keek haar vol verdrietige genegenheid aan. 'Jeannie heeft gelijk,' zei hij toen tegen mij. 'Laten we het voorlopig een vermoeden noemen. Maar het is wél duidelijk dat de grote jongens hun vingers niet aan dit verhaal willen branden. Iemand zal ze wel hebben teruggefloten.'

'Maar pap, dat slaat toch nergens op,' protesteerde Jeannie.

Haar vader zuchtte. 'Als ik in mijn lange, veelbewogen carrière iets heb geleerd, is het dit: als je geen touw aan een toneelstuk kunt vastknopen, moet je achter de coulissen kijken.' Hij boog zich ver naar voren en tikte tegen zijn glas water. 'Of toepasselijker: naar de voorgeschiedenis. Dit is niet het eerste bedrijf. Kijk naar de lijst van personages!' Hij zweeg, ogenschijnlijk om even te glimlachen, maar door de manier waarop zijn ogen de mijne zochten, vroeg ik me af of hij werkelijk meende wat hij zei of alleen maar een proefballonnetje opliet.

'Ja,' zei hij toen, 'deze zaak heeft een raar luchtje – dat moet ik toegeven! Dit gaat heel ver terug. We zijn erin geluisd. Of om het beknopt samen te vatten, ík ben erin geluisd. Maar neem van mij aan...'

Voordat hij verder kon uitweiden, riep er een vrouw op de bovenverdieping. Ik herkende de stem onmiddellijk, al kon ik hem niet direct plaatsen. Ik heb altijd moeite met het plaatsen van stemmen en gezichten die ik ergens aantref waar ik ze niet verwacht, en ik had niet verwacht deze vrouw ooit in dit gezelschap aan te treffen.

William Wakefield – de vader van Jeannie – was in 1966 naar Istanbul gekomen. Hij werkte op het Amerikaanse consulaat. Officieel was hij landbouwattaché, maar daar trapte niemand in. Zijn Turks en zijn verrekijker waren te goed. Iedereen wist dat hij spion was. Maar eerlijk gezegd wel een ongewoon soort spion. Of misschien alleen een gewone spion die in de plaatselijke bevolking was opgegaan. Toen hij hier aankwam had hij een vrouw die uit een eerder huwelijk een dochter had, en een tijdlang waren dat meisje en ik vriendinnen. Altijd als ik in de Pasha's Library kwam, zat William Wakefield op zijn veranda met een whisky in zijn hand een bekommerde jongere te adviseren.

Soms waren dat Turkse jongens met rijke ouders die voortdurend hun doen en laten controleerden, maar weinig contact met hen hadden. Maar meestal waren het verdoolde Amerikanen – ex-militairen of ex-vrijwilligers van het Vredeskorps, of voortijdige schoolverlaters die op weg naar India in Turkije waren gestrand doordat hun geld op was. In de meeste gevallen kende William de ouders. Maar hij deed dingen voor de jongeren die de ouders nooit mochten weten. Een vriendin van mij heeft hij aan een abortus geholpen. Een andere vriendin had een stukje hasj van een politie-informant gekocht, waarna William had gezorgd dat ze snel en in stilte weer op vrije voeten werd gesteld. Hij mocht dan vurig in vrijheid geloven, maar hij geloofde ook dat hij de waakhond van die vrijheid was. En waaks was hij zeker. Het weinige wat hij niet wist, kon hij wel raden.

Maar tegen de tijd dat ik wegging, in 1970, begon hij af te glijden. Hij dronk veel, ging aan de zwier met de pas gescheiden moeder van Chloe, die al snel niet meer mijn beste vriendin was, en ik vermoed dat men in Washington genoeg van hem begon te krijgen. Ze luisterden toen trouwens ook al niet naar zijn adviezen. En het was toen vast geen goede tijd om een Amerikaanse spion in Turkije te zijn. Hoewel de Turkse staat altijd de meest standvastige bondgenoot van Amerika in de Koude Oorlog was geweest en dat ook zou blijven, was de overgrote meerderheid van de Turken tegen het eind van de jaren zestig anti-Amerikaans – vanwege Cyprus, vanwege Vietnam en omdat ze de zeventienduizend Amerikaanse militairen die op hun grondgebied waren gestationeerd, officieel om hen tegen de Sovjetdreiging te beschermen, steeds meer als een bezettingsleger gingen zien. In brede kring werd aangenomen dat het leger en de regering uit marionetten van de Verenigde Staten bestonden. En in de beleving van het volk trok de CIA aan de touwtjes.

Wat het werk van William Wakefield precies inhield weet ik niet. Maar hij deed geen enkele poging zijn belangen bij het Robert College te verbergen. Tegen het eind van de jaren zestig maakten mijn ouders en de meesten van hun collega's zich zorgen over dezelfde kwesties die op de campus van de universiteiten in Amerika zoveel onrust veroorzaakten – burgerrechten, de moord op de Kennedy's en Martin Luther King, Vietnam, Cambodja. Velen hadden net als mijn ouders de Verenigde Staten de rug toegekeerd om aan het McCarthytijdperk te ontkomen. Omdat ze politiek links georiënteerd waren en een beetje als bohemiens leefden, werden ze door de mensen van het Amerikaanse consulaat met een scheef oog aangekeken. Wij waren een communistisch broeinest, zeiden ze vaak. Dat moeten de Russen hebben opgevangen. Ik herinner me in elk geval een hele sliert bijzonder vriendelijke mannen van het Russische consulaat die onuitgenodigd op de feesten van mijn ouders kwamen. De enigen met wie ze uiteindelijk vriendschap sloten, waren de alcoholisten die een bron van Russische wodka in hen zagen. Maar William Wakefield, die ook zelden op die feesten ontbrak, nam mijn vrienden en mij altijd apart om ons te waarschuwen dat we niet met ze mochten praten en geen cadeautjes van hen mochten aannemen.

In die tijd waren de meesten van mijn beste vrienden Amerikanen – en voornamelijk kinderen van collega's van mijn vader. Maar tegen het eind van de jaren zestig was ik van de internationale school naar het American College for Girls gegaan, waar in het Engels les werd gegeven en mijn klasgenoten op twee na allemaal Turks waren. De jongens die we kenden, zaten voor het merendeel op de Robert Academy, het jongenslyceum van dezelfde organisatie als onze school. Of ze hadden al eindexamen gedaan en zaten op het Robert College, waar de studenten in de loop van de jaren zestig geleidelijk steeds linkser waren geworden, net zoals de studenten in Europa en Amerika, daarbij geholpen en aangemoedigd door een handjevol jonge Amerikanen met dezelfde ideeën. Mijn politieke opvoeding begon met de lessen van een lerares uit die hoek, een zekere Miss Broome, van wie we Engels hadden en die aan Mount Holyoke had gestudeerd. Sinan was een protegé van haar geliefde, ene Dutch Harding, die wiskunde gaf op de Robert Academy. Hij had aan de universiteit van Columbia gestudeerd, waar hij aan de roemruchte staking van 1968 zou hebben meegedaan.

Dat zei Sinan tenminste in de korte tijd dat we samen waren.

Toen ik vorig jaar in de nazomer weer in de Pasha's Library kwam, wist ik over de Koffermoord alleen wat in het schreeuwerige krantenknipsel stond dat ik jaren geleden van die kwaadwillige anonieme afzender had gekregen. Dat is niet zo vreemd als het misschien lijkt. In de vroege jaren zeventig waren de contacten tussen Turkije en de buitenwereld streng beperkt. Economisch had het land zich helemaal geïsoleerd, behalve voor de allernodigste invoer. Reizen naar het buitenland was voor Turkse staatsburgers ongebruikelijk en heel moeilijk te regelen. De telefoonverbindingen waren onbetrouwbaar en je kon niet rechtstreeks naar het buitenland bellen. Brieven uit Amerika deden er een maand of langer over om hun bestemming te bereiken. Alle televisie- en radiozenders waren in handen van de staat en droegen de standpunten van de regering uit.

In juni 1971, toen ik dat krantenknipsel ontving, werden de kranten al net zo streng gecensureerd. Toen was inmiddels het leger al ingezet om de linkse studenten aan te pakken wier steeds gewelddadiger rellen, georganiseerde veldslagen, bomaanslagen en ontvoeringen het land volgens de militaire autoriteiten op het randje van de anarchie hadden gebracht. Een groot deel van de intelligentsia (waaronder ook veel vrienden van mijn ouders) en duizenden studenten (onder wie veel oud-leerlingen van mijn vader) zaten in de gevangenis. Daarmee was echter geen eind gekomen aan de bomaanslagen en ontvoeringen. Via oud-leerlingen die in de Verenigde Staten woonden, had mijn vader bij geruchte vernomen dat die incidenten provocaties waren, georganiseerd door de MIT, de beruchte Turkse inlichtingendienst – met hulp van de CIA.

Hoe het ook zij, die geruchten toonden aan dat er bij het publiek nog steeds wel sympathie voor de studenten bestond. In de eerste week van juni 1971 kwam daar abrupt een eind aan toen een cel onder leiding van de student Mahir Çayan de consul van Israël ontvoerde en vermoordde. Later gingen er geruchten dat het lid van de cel dat het geheel op touw had gezet, een kolonel van het Turkse leger was, een agent-provocateur, al werd hij indertijd in de kranten niet genoemd. Hij was, naar men zei, al uit het land gevlucht toen zijn kameraden zich in een flatgebouw in het Aziatische deel van de stad hadden gebarricadeerd en het twaalfjarige dochtertje van een officier gegijzeld hielden totdat de politie het gebouw bestormde en met scherp schoot. Dat was een van de twee schandalen waardoor het publiek zich tegen de linkse studentenbeweging keerde. Het andere, dat nog geen week later volgde, was de zogenaamde Koffermoord.

Het verhaal dat ik in het schreeuwerige knipsel las, ging zo: een maoïstische cel, die bestond uit zoons en dochters van vooraanstaande Turkse diplomaten en industriëlen, had een zekere Jeannie Wakefield, de dochter van een Amerikaanse consulaatsmedewerker, ingelijfd, haar gehersenspoeld en haar, misschien zonder dat te beseffen, bij een complot tegen haar vader betrokken. Alle leden van de cel waren gearresteerd nadat een bom, die in de auto van de consul was geplaatst, alleen de Turkse chauffeur levensgevaarlijk had verwond. Ze werden echter later weer vrijgelaten. (Er werd gesuggereerd dat dit onder druk van de ouders was gebeurd.)

De dag daarop verkasten alle leden van de cel naar de 'garçonnière' in het dorp Rameli Hisar die dienstdeed als hun geheime schuilplaats. Ze waren ervan geschrokken dat de autoriteiten van alle details van hun illegale activiteiten op de hoogte bleken en raakten ervan overtuigd dat een van hen een informant was. Ze 'berechtten' hem, bevonden hem schuldig, vermoordden hem, hakten hem in stukken en stopten hem in een koffer.

Het slachtoffer was hun docent en politieke mentor Dutch Harding.

De jongens van de groep waren direct na de moord ondergedoken en lieten het wegwerken van het lijk aan de meisjes over. Maar toen die de koffer van hun taxi naar het jacht van de ouders van een van de leden sleepten, zag de chauffeur een bloedspoor en lichtte de autoriteiten in. De meisjes werden aangehouden voor verhoor. Een van hen viel uit een raam op de derde verdieping en overleefde de val ternauwernood.

Boven het schreeuwerige artikel stonden eindexamenfoto's van de schuldigen. In hun eendere zwarte toga's en baretten leken ze op het eerste gezicht allemaal afkomstig uit dezelfde geleerde familie. Of misschien kwam het door de schok dat ik hen niet meteen herkende.

De jongens waren namelijk Sinan en zijn beste vriend Haluk. De meisjes waren mijn vroegere beste vriendin Chloe Cabot en twee van onze Turkse klasgenootjes van het meisjeslyceum, ook vroegere vriendinnetjes over wie ik zeer gemengde gevoelens had. Ze heetten Lüset en Suna. Suna was degene die tijdens het verhoor uit het raam was gevallen. En zij was degene die ik nu van boven hoorde roepen.

Misschien heeft iedereen wel zo'n verhaal in zijn leven – iets onzegbaar verschrikkelijks wat een jeugdvriend is overkomen, of een buurjongen, of het meisje dat je niet meer hebt gezien sinds ze in de tweede klas tussen jouzelf en het raam zat. Toen je nog dagelijks met hen omging, waren het doodgewone jongens en meisjes. Hoe diep je ook in je geheugen graaft, hoe genadeloos je het verleden ook belicht, nergens vind je ook maar iets wat erop wijst dat ze voor zo'n lot waren voorbestemd. Maar je móét het vinden – er moet iets zijn – er moet een reden zijn geweest waarom dat toen gebeurde, anders had het jou ook kunnen overkomen. Dus als het antwoord niet in het verleden te vinden is, dan moet je in elk geval proberen voor jezelf het misdrijf te reconstrueren – om tenminste te begrijpen hoe A tot B heeft kunnen leiden.

Ik heb het jarenlang geprobeerd. Jaren vol slapeloze nachten waarin ik probeerde de feiten waarover ik beschikte – waarover ik meende te beschikken – in een patroon te rangschikken dat iets betekende. Maar ik kwam nooit ver. Ik kon me Sinan wel met een ander meisje voorstellen, een meisje zoals ik maar dan onschuldiger. Ik zag ze wel arm in arm in de Pasha's Library, en het brak mijn hart hen samen naar de opkomende maan boven de Bosporus te zien kijken op het marmeren bankje aan de rand van de geheime tuin. Ik zag Jeannies vader in de glazen serre staan; hij klokte hen, maar goedmoedig. En als ik over de rand van het ravijn naar het dorpje Rameli Hisar keek, zag ik daar de garçonnière: de stapels glazen in de gootsteen, de schoenen en sokken verspreid over de vloer, de lakens die nooit gewassen werden. Ik kon me mijn verloren vrienden van vroeger wel aan die tafel voorstellen; ze keken in het koffiedik en deden alsof ze in de uitzinnige toekomst geloofden die ze daarin zagen, hoewel ze aan één stuk door moesten lachen. Ik stelde me voor hoe Suna tegen Sinans koffiekopje tikte en zei: 'Dus die spion heeft ons verraden. Wat zullen we met hem doen?' Maar hoe ik mijn best ook deed, ik kon me niet voorstellen wat Sinan daarop terugzei. Als ik dat probeerde, ging er een gordijn dicht en bleef mijn hoofd leeg.

Af en toe doemde er een tafereel op uit de schaduw. Altijd dezelfde rolbezetting, altijd hetzelfde decor in de garçonnière – maar dan telkens anders gerangschikt. Soms hield Suna het pistool vast, soms Chloe, soms het onbeduidende wicht dat mijn plaats had ingenomen. Soms was Jeannie Wakefield een onschuldige toeschouwster, soms was zij degene die het 'schuldig' uitsprak. Soms zat ze tegenover een leunstoel – ik kon niet zien wie erin zat. Soms stond ze naast het lijk, dat op zijn buik op de grond lag. Soms stond Sinan naast de mentor die hem had verraden, soms Haluk. Soms hield hij niet het pistool in zijn hand, maar de bijl waarvan ik steeds maar niet kon geloven dat hij er Dutch Harding mee in stukken had gehakt. Maar hoe ik me het tafereel ook voorstelde, het wilde maar niet blijven staan. Er waren te veel variabelen en te weinig feiten. Er was een moord gepleegd. Ik meende bijna alle betrokkenen te kennen. Maar ik wist niet wie de moordenaar was. En ik begreep ook steeds maar niet wat hem of haar ertoe kon hebben gebracht Dutch Harding – die arrogant-trage kamergeleerde met zijn zachte stem – te vermoorden.

Ik kon hem onmogelijk als agent-provocateur zien.

Maar ik zag wél de meisjes, aan hun lot overgelaten en voor de taak gesteld het bewijs weg te werken, slepend met die koffer, de trap af en over de kinderhoofdjes naar de wachtende taxi. Hun hart stond even stil toen de taxichauffeur de koffer in de achterbak slingerde en riep: 'Wat zit daar in vredesnaam in – een lijk?' En hun hart stond weer stil toen ze de chauffeur na aankomst bij het jacht van Lüsets vader hadden betaald, de koffer over de stoep sleepten en het bloedspoor op de grond zagen.

Suna in de verhoorkamer. Op de vensterbank met haar benen bungelend over de rand. In het schemerdonker achter haar een mannengestalte. Beneden, op straat, Sinan, zwijgend, maar met zijn ogen smekend. Wat wilde hij dat ze deed? Weer naar binnen gaan of springen?

Alles wat hij in de zeven nachten van onze wapenstilstand had gezegd kwam weer terug. Dingen die onder andere omstandigheden niets hadden betekend. Ik zat in de collegezaal op Wellesley dictaat over Savonarola op te nemen – of ik stond in de kantine bij het saladebuffet – en zag hem in de chaise longue, met zijn pruilende glimlach, hij streelde mijn arm, bracht mijn hand naar zijn lippen, kuste al mijn vingers, één voor één.

'Jij deugt niet. Je bent al net zo erg als ik, hè?'

'Je bent net zoals ik, jij weet ook nooit wanneer je moet ophouden.'

'Hoe ver ben je bereid met me te gaan? Of nee – hoe ver wil je me volgen?'

'Wil je weten wat ik gisteravond heb gedaan? Ik heb

molotovcocktails leren maken... Geloof je me niet? Nou, goed. Volgende keer ga je mee...'

'Wat? Ik dacht het niet. Jij gaat mee omdat ik dat zeg!'

'Ik ben tenslotte een bloeddorstige Turk. Zie je dat mes tussen mijn tanden niet?'

Als ik gebleven was – als hij zich aan zijn belofte had gehouden – als we bij ons plan waren gebleven – zou hij mij dan ook bij die maoïstische cel hebben gehaald en me bij de moord hebben betrokken? En als hij dat had geprobeerd, zou ik dan zo verstandig zijn geweest me van hem te distantiëren of zou ik zijn gesmolten als ik hem weer had gezien, zoals ik duizend keer heb gedaan, al die zeven nachten die we samen hebben doorgebracht? Als er zoiets als een *point of no return* bestaat, zou ik dat dan hebben herkend of was ik dan net als de anderen gewoon doorgegaan? Voor mezelf moest ik geloven dat ik anders was dan zij. Maar ik wist wel beter. Ik had dat meisje in die kamer kunnen zijn – als ik was gebleven, als hij zich aan zijn belofte had gehouden. Ik was alleen gespaard gebleven omdat hij niet meer van me hield – als hij al ooit van me gehouden had – omdat hij voor iemand anders had gekozen. Betekende dat dat ik er niets mee te maken had? Ik had ze ondertussen wel naar de hel gewenst. En mijn droom was uitgekomen.

Een half jaar na de moord, in december 1971, in mijn tweede jaar op Wellesley, liep ik op Harvard Square mijn vroegere beste vriendin Chloe Cabot tegen het lijf. (En ja, zoiets vermoedde je waarschijnlijk al: onze laatste ruzie ging over Sinan. Ze waren weliswaar alleen vrienden, maar wel heel goede vrienden. En zij had dan wel geen reden om jaloers te zijn, maar ze deed tegen mij wel alsof ik hem van haar had afgepikt.) Door die toevallige ontmoeting op Harvard Square wist ik tenminste dat Chloe niet in een gevangenis in Turkije zat weg te kwijnen. Voor iemand die bij een moordzaak betrokken was deed ze verontrustend nonchalant.

Ze zat pas op Radcliffe, zei ze. Ze vond het er natuurlijk verschrikkelijk. Ze dacht niet dat ze het er lang zou uithouden. Ons korte, hortende gesprek viel stil – dit was, wist ik, mijn enige kans om haar te vragen wat er nou echt was gebeurd. Maar terwijl ik op zoek was naar de juiste woorden sloeg er een golf van angst door me heen. Ik was waarschijnlijk bang dat ik van haar de waarheid te horen zou krijgen.

Later die winter deed ik in een verlate uitbarsting van dapperheid een poging haar te vinden, maar ik kreeg te horen dat ze met verlof was.

De volgende zomer – het moet juni 1972 zijn geweest – was ik bij een vriendin, die ik hielp een kamer in een huis op Cape Cod te schilderen, toen mijn oog op het stuk krant viel dat we gebruikten om onze kwast aan af te vegen. Het was een voorpagina van een van de undergroundkranten van Boston, en onderaan stond een zwart kadertje waarin stond dat er op zo- en zoveel juni een stuk over een moord in de krant had gestaan waarbij een medewerker van de CIA betrokken zou zijn geweest die op dat moment in Istanbul gestationeerd was. Omdat de auteur van het stuk, Jeannie Wakefield, alle betrokkenen persoonlijk kende, had de redactie de feiten niet goed genoeg gecheckt. Aangezien sindsdien was gebleken dat er vrijwel niets van haar verhaal klopte, boden redactie en auteur hun welgemeende excuses aan en wilden ze de ambassadeur van Turkije, die zo vriendelijk was geweest aan te bieden de ware feiten achter de geschiedenis binnenkort te onthullen, hartelijk danken. Ik dacht er niet aan mijn verbazing voor me te houden – dat ik uitgerekend hier dit verhaal en die naam tegenkwam! Mijn vriendin, die dolgraag meer over die duistere zaak wilde weten, belde meteen de undergroundkrant in kwestie. Maar om voor de hand liggende juridische redenen – en tot mijn niet geringe opluchting – weigerden ze haar het nummer met het oorspronkelijke verhaal van Jeannie toe te sturen. Ik kon dus weer niets beginnen. Later zou ik in mijn slapeloze nachten soms spijt hebben dat ik er toen niet opnieuw achteraan was gegaan. Maar nooit lang.

Ik was tenminste zo verstandig te erkennen dat het echte probleem in mijn hoofd zat, dat de Koffermoord eigenlijk niets met mij te maken had, en dat ik niet beter zou gaan begrijpen waarom ik er die gevoelens bij had als ik nieuwe feiten te weten kwam. Langzaam maar zeker slaagde ik erin het uit te bannen. Ik leerde me niet te laten meeslepen als de gedachten toch terugkwamen. Geen inwendige reconstructies van de rolbezetting op de plaats delict meer, geen lange nachten meer in de vensterbank, starend in het niets. De scènes kwamen nog wel af en toe terug, maar steeds minder vaak. Langzaam maar zeker werden ze minder levendig, totdat er niemand meer iets zei, totdat niemand meer bewoog, en niets in de schaduwen beneden op straat me nog verontrustte of me zelfs maar bezighield.

Veel later, toen mijn ouders weer in Istanbul zaten, ving ik nog wel eens iets op – zo wist ik bijvoorbeeld dat Sinan (die jarenlang in Denemarken had gezeten) films maakte, dat werd beweerd dat zijn oude vriend Haluk (die jarenlang in Engeland had gezeten en nu in de schoot van zijn industriële familie was teruggekeerd) zijn belangrijkste geldschieter zou zijn, dat Suna (die net als haar vriendin Lüset halverwege de jaren zeventig uit de gevangenis was gekomen) nu op de sociologische faculteit van de universiteit werkte en dat Chloe (die eind jaren tachtig weer naar Istanbul was gegaan) bijzonder gelukkig getrouwd was geweest met een plastisch chirurg, totdat hij aan leukemie overleed. Ik had geen behoefte aan contact en deed dus ook geen moeite.

4

Maar nu waren ze er allemaal, in de Pasha's Library, de hele bezetting, op Sinan na. Ze waren druk bezig op die enorme nieuwe zolder die ze als een soort crisiscentrum hadden ingericht. Ze zagen me eerst niet. En in zekere zin zag ik hen ook niet. Ik vraag me af of het mogelijk is te beschrijven hoe ik me op dat moment voelde – wat voor gedachten er door mijn hoofd gingen toen ik daar stond en de weg overzag die ik niet gevolgd had.

Het eerste wat me opviel, was hoe elegant het hen allemaal afging. Vier gestalten die dicht op elkaar bij een bureau stonden, een beeldscherm, een plas lamplicht. Schouders, hoofden die op het ritme van hun gefluister op en neer gingen. Ieder gebaar getuigde van de jaren die ik niet met hen had gedeeld.

Ze stonden een of ander enorm stuk papier te lezen. Het papier was slap, dus ik nam aan dat het een fax was. Chloe zag ik het duidelijkst, al herkende ik haar aanvankelijk alleen aan de manier waarop ze aan haar vinger likte bij het bladeren door de stapel papieren op haar schoot. En haar voeten – na al die jaren zat ze nog steeds met naar binnen gedraaide tenen. Maar verder leek ze in niets op de onhandige tiener die ik had gekend. Alle bollingen en onregelmatigheden waren weggepoetst. Ze was een en al hoekigheid, gouden armbanden en schuin gesneden linnen. Zelfs geen enkele krul in het gladde, naar achteren gekamde koperkleurige haar. Ze had de 'nonchalante elegantie' waar we het vroeger altijd zo vol vuur, maar wel abstract, over hadden aan onze restauranttafeltjes overal in het Middellandse Zeegebied terwijl onze ouders zaten te drinken en wij allerlei outfits en '*accoutrements*' voor de ideale vrouw ontwierpen.

Ik herinnerde me met name een gesprek over verlovingsringen toen ik twaalf en zij elf was. Chloe wilde 'de op één na grootste smaragd ter wereld'. Toen ik vroeg wat ze zou doen als haar grote liefde met een diamant aan kwam zetten, zei ze: 'Ja, dan moet ik natuurlijk nee zeggen.' Toen ze haar hand naar haar lippen bracht, zag ik een groene flits, waaruit ik opmaakte dat hij haar niet teleurgesteld had.

En die goedige beer die naast haar zat – was dat werkelijk Haluk, de playboy van het oosten? De man leek zo ontspannen en op zijn gemak dat ik me nauwelijks kon voorstellen dat dit dezelfde ongedurige, dwarse jongen was die met een poeslief lachje achter het stuur zat en met zijn voet op het gaspedaal tikte. Pas toen hij zich omdraaide om de vrouw naast hem gerust te stellen, ving ik een glimp op van...

Lüset! Die was nog net zoals toen. Nog steeds hetzelfde porseleinen poppetje. Ze kuste Haluk op zijn wang – wat merkwaardig! Maar ik kreeg geen tijd om daarover na te denken. Want daar was Suna. Geen spat veranderd. Integendeel. Terwijl haar vuur schietende blauwe ogen dwars door me heen keken, hoorde ik weer de laatste woorden die ze tegen me zei: '*Ik verstoot je. Ik verstoot je. En nog een keer: ik verstoot je. Nu heb ik het drie keer gezegd. En je staat nog steeds voor me?*'

Wat had ik toen teruggezegd? Ik weet alleen nog haar antwoord: '*Blijf daar dan maar staan! Blijf daar maar als een kaars staan, tot in de eeuwigheid. Dat verandert er niets aan. Voor mij – en voor alle ware Turkse patriotten – besta je niet meer.*' Hield ze zich nog steeds aan die belofte of herkende ze me gewoon niet? Maar ik kreeg niet de tijd om ernaar te vragen, want Jeannie was naar Suna te gerend. 'Is dit het dan eindelijk?' vroeg ze.

Suna knikte ernstig. 'Maar het is geen goed nieuws.'

'Is dit de eerste pagina?' vroeg Jeannie. Ze plofte op een kruk neer en begon te lezen. Ze balde haar vuisten en een ogenblik later begon ze te snikken. Chloe maakte een gebaar naar Lüset, die zwijgend knikte.

Toen ze Jeannie had meegenomen, wisselden de anderen donkere blikken en nog donkerder woorden. Het zag er slecht uit, heel slecht. Suna had iets op internet gevonden dat ze de anderen wilde laten zien. Ze kwamen om haar laptop heen staan en ik ging op een stoel in de hoek zitten en hield me onledig met het bekijken van het vertrek. In het midden stonden twee kleine zitbanken – een rode en een blauwe – op een kleed in dezelfde kleurstelling. Er tussenin stonden een glazen tafeltje met een grote stapel tijdschriften en kranten erop, een ranke koperen schemerlamp en een gele doos Duplo, die omgevallen was. Op de uitgestrekte parketvloer lagen *Star Wars*-poppetjes, een grote Transformer en een trein, op zijn kant. Naast de trap stond een grote glazen bak. Er zat een grote slang in, die zich om een tak had geslingerd. Onwillekeurig moest ik even lachen. Weer een cobra! Na al die tijd! Aan alle kanten ramen – vanaf mijn stoel zag ik de hele nieuwe hangbrug met onder de glimmende bogen de trage stoet nachtbussen naar Anatolië. Onder de ramen een bureau, dat langs drie van de vier muren liep, groot genoeg voor vijf computers. Aan de muur achter me een verzameling ingelijste posters – voornamelijk van films van Sinan, en eentje van de kortstondige zangcarrière van zijn beeldschone moeder. Boven de ramen hingen de ingelijste foto's van het verhaal dat ik niet zo nodig hoefde te kennen: Sinan arm in arm met Jeannie. Sinan met hun pasgeboren zoontje in zijn armen. Emre die leert te kruipen. Emres eerste stapjes. Emre en een verjaarstaart met drie kaarsjes. Sinan met een zilveren beker, en op de plank waarop iemand – zijn aanbiddende echtgenote? – zijn trofeeën heeft uitgestald nog een foto van Sinan op een winderige heuveltop, blik in de verte, mannelijke glimlach. Zijn postuur was breder dan ik me herinnerde. Zijn gezicht ook. Maar zijn ogen waren nog steeds hetzelfde – donker, broeierig en altijd op zoek naar moeilijkheden. Even wist ik weer hoe ik me toen voelde, samen met hem in die chaise longue, hij achterover liggend met zijn handen achter zijn hoofd, glimlachend en plagerig geduldig, zonder er ook maar een moment aan te twijfelen dat mijn weerstand zou wegsmelten als hij maar lang genoeg in mijn ogen keek.

Snel wendde ik mijn blik af. Chloe zat op een stoel voor een laptop, Suna en Haluk lazen over haar schouder mee. Af en toe slaakte iemand een kreet van ongeloof. Dan keek Chloe ernstig op en zei: 'Moeten we dit gelul eigenlijk wel lezen?' of 'Kan ik al doorscrollen?' Toen ze het uit hadden, rekte Haluk zich uit, haalde zijn vingers door zijn dunner wordende haar en keek uit het raam. 'Waar heb je dit gevonden, Suna?' Dat zei hij in het Engels, maar toen Suna antwoord gaf en Chloe haar in de rede viel, gingen ze over op Turks. Ik ving alleen zo nu en dan iets op, maar dat was op zichzelf al vertrouwd en wonderlijk geruststellend. Het weinige Turks dat ik indertijd had opgepikt, had ik van vriendjes en klasgenoten geleerd: ik had uren, dagen, maanden alleen maar geluisterd en mijn best gedaan woorden bij elkaar te sprokkelen die samen iets betekenden. Maar hun emoties kon ik altijd wel duiden. Al verstond ik niet wat ze zeiden, ik wist wel wat ze erbij voelden. Terwijl ik mijn drie vrienden van vroeger dicht bij elkaar zag fluisteren en hen af en toe met een rukje van hun hoofd een enkel zinnetje in het Engels hoorde zeggen – 'Waarom publiceert het ministerie van Buitenlandse Zaken zoiets?' 'Hoe weten we of dit echt is?' 'Er is natuurlijk maar één vraag die we moeten stellen: *Cui bono*?' – wist ik voor het eerst in vijfendertig jaar weer waarom ik vroeger zo op ze gesteld was.

Cui bono. Vroeger gingen er geen vijf minuten voorbij zonder dat Suna vroeg: '*Cui bono?*' Ik was waarschijnlijk even gaan verzitten, want Chloe keek op. Toen ze me zag, gingen haar ogen wijd open en gaapte ze me op haar oude, vertrouwde manier aan. 'Wat...!'

Suna onderwierp me aan haar felle blauwe blik. Toen brak de warme glimlach door die ik zo doelbewust was vergeten. 'Ben jij het!' riep ze. 'Je bent het echt!' Ze rende op me af om me te omhelzen. 'Hoe lang zit je daar al als een muis in dat hoekje! Waarom zei je niets? Je had iets moeten zeggen! Nee, het is onze schuld. Wij waren onbeleefd. Kom, ga zitten, vertel! En wat kan ik je aanbieden? Thee? Iets te eten?' Ze nam me mee naar de rode bank en ging zelf op de blauwe zitten; ze ruimde het glazen tafeltje af voor de thee, die al snel werd gebracht. Ze vroeg me naar mijn leven en mijn werk en ik vroeg naar het hare. Ze onderbrak zichzelf af en toe om te zeggen dat ik nog wat van de zoete en zoute koekjes moest nemen die tegelijk met de thee waren binnengebracht. Maar als het gesprek even inzakte en ze zich over het tafeltje boog om me een hartelijk kneepje in mijn arm te geven, verdween de nieuwe Suna om plaats te maken voor de oude, die me in de kantine naar zich toe riep. '*Ga zitten. Neem wat van mijn taart. Vind je het lekker? Wat heerlijk. Wat ben ik daar blij om. Maar nu, lieverd, wil ik je iets vragen. Ik vroeg me af of jij kunt uitleggen waarom de kapitalistische honden doorgaan met hun wederrechtelijke invallen in Noord-Vietnam...'*

'*Elma Yanak*,' zei Suna plotseling. 'Appelwangetjes. Zo noemden we je vroeger toch?'

'En je weet vast ook nog wel hoe we jou noemden,' zei ik.

'Hoe dan?'

'Suna de Verschrikkelijke.'

Suna lachte alsof ze aan mooiere tijden terugdacht. 'Ik wás ook verschrikkelijk. Toch? Maar je hebt me vergeven. Mooi. Dan vergeef ik jou ook. Wat je ook hebt misdaan.' Ze stak een sigaret op, keek me met haar nog steeds getuite lippen aan en vroeg: 'Weet je trouwens toevallig nog wat je had misdaan?'

'Ik maakte me schuldig aan cultuurimperialisme,' zei ik.

'Dat is een breed begrip. Kan het niet iets specifieker?'

'Als ik me niet vergis vervuilde ik het land door mijn aanwezigheid.'

'Hah!' zei ze; ze gooide haar hoofd in haar nek en schaterde. 'En wat had ík misdreven?'

'Dat heb ik nooit helemaal kunnen achterhalen,' zei ik. 'Misschien kun jij me dat vertellen.'

Ik was zelf verbaasd dat ik dat had gezegd, maar nog verbaasder toen ik zag hoe weinig het haar deed. Nog steeds met dat glimlachje zei ze heel snel iets in het Turks, waarop Chloe haar ogen ten hemel sloeg en Haluk hartelijk moest lachen. Maar toen Suna me weer aankeek, stond haar gezicht ernstig. 'Je gaat ons helpen, hè?'

'Ik kan niets beloven,' zei ik. 'Maar ik zal natuurlijk mijn best doen.'

'We maken ons heel erg zorgen.' Ze keek de anderen gespannen aan en die knikten somber en bevestigend. 'Het is nog veel erger dan Jeannie denkt.'

'Er gaan nieuwe, gemene geruchten,' legde Chloe uit. 'We menen wel te weten waar die vandaan komen, maar dat is niet zeker.'

'Maar als je de meest voor de hand liggende vraag stelt,' zei Suna, 'kortom *Cui Bono?*, dan is het wel duidelijk dat het de bedoeling is om Sinan in een kwaad daglicht te zetten, dat alles erop gericht is om de indruk te wekken dat hij de terrorist is waar ze zo bang voor zijn. Maar nu komt er iets nieuws bij. Onze vijanden proberen nu Sinans banden met zijn dierbaren te verzwakken – om zelfs twijfel te zaaien bij zijn eigen vrouw! Hier, moet je zien.' Ze liep naar de stapel kranten, pakte de bovenste eraf en wees op een schreeuwerige rode advertentie aan de linkerkant – een welgedane, glimlachende man van middelbare leeftijd, en profil, praatte in een mobiele telefoon en glimlachte tegen een jong meisje dat ook een mobieltje aan haar oor hield en hem vol nederige bewondering aankeek. Onder het tafereeltje stond een enkel woord: 'ŞENLİK'. 'Zegt het gezicht van die man je niets?'

Haluk legde een hand op Suna's schouder. Hij zei iets in het Turks – het klonk als een waarschuwing. 'Je hebt gelijk,' zei Suna. Ze wendde zich weer tot mij: 'We hebben het er nog wel over. Morgen? Maar vertel eens. Jij moet aan je research en wij moeten je helpen.'

'Jeannie wilde me papieren laten zien.'

'Zei ze ook welke?'

'Het was meer een algemene uitnodiging,' zei ik. 'Ze wilde geloof ik duidelijk maken dat ze niets te verbergen heeft.'

'Ah! Ja! We zouden haast vergeten dat wij ook verdacht worden.'

'Dat bedoel ik niet,' zei ik.

'O nee? Wat bedoel je dan? Eens even denken. Ah. Ik begrijp het al. Om de wereld te bewijzen dat wij geen terroristen zijn, moet je eerst doen alsof je jezelf daarvan moet overtuigen...'

'Daar komt het ruwweg op neer.'

'En om je daarvan te overtuigen, moet je diep in het verleden duiken – zo niet in onze prehistorie, zoals die roddelaar die ons leven opnieuw komt verziekken, en dan in die andere geruchten. Je zult wel weten welke ik bedoel.'

Ze draaide zich om naar het raam en trok vervaarlijk aan haar sigaret, en terwijl ik naar haar keek, voelde ik weer die steek van angst in mijn buik. Ik was vergeten hoe dat bij haar ging – hoe een plezierig gesprek opeens in een woordenstrijd kon ontaarden waar geen ontkomen aan was.

'Ik weet niet zeker of ik begrijp welke geruchten je nu bedoelt,' zei ik voorzichtig.

'Niet? O, doe me een lol. Meisje toch! Ben je nou echt zo naïef? Goed, laat maar. Ik ken dit al heel lang. Ik ben gewend om het in de ogen van de mensen te zien en ik zie het nu ook bij jou... Dus doe me een plezier. Lieve meid. Kom eens mee. Toevallig is het niet ver.' Ze pakte me bij de hand, trok me mee naar het raam en wees naar de schitterende huizen en flats op de helling onder ons. 'Zie je dat raam, op de derde verdieping van dat gebouw daar? Met die rode gordijnen, met die kroonluchter binnen. Weet je wat er in die kamer is gebeurd – hoe lang is het inmiddels geleden – afgelopen juni drieëndertig jaar terug? Nee, natuurlijk weet je dat niet. Maar je hebt natuurlijk heel wat gehoord. Zulke verschrikkelijke dingen! Pistolen, ontvoeringen, een volksgericht, politie-informanten, moord in koelen bloede, koffers waar bloed uit liep – maar zeg eens, heeft ooit iemand...'

'Suna! *Allah askina.*'

Dat was Lüset, die naar beneden kwam en bij ons voor het raam ging staan. Had ze eigenlijk ooit iets anders gedaan dan kamers in stormen om haar roekeloze vriendin tot rede te brengen? Ze pakte mijn hand. 'Welkom terug,' zei ze. Ze zweeg even en ging toen verder: 'Alles is momenteel erg moeilijk, dus ik hoop dat je wat geduld met ons hebt.'

'Maar ik...'

Ze legde me met een handgebaar het zwijgen op. 'Het verleden is voorbij. Maar daarom hebben we jou nu nodig. We moeten iemand hebben die onze situatie begrijpt, maar die ook in het buitenland een stem heeft. Ik vrees dat onze journalisten, die er niet zulke hoge normen op nahouden als hun collega's in andere landen, de zaak alleen nog maar erger hebben gemaakt. Ze brengen alleen maar oude geruchten in omloop die allang zijn doorgeprikt. Ze kunnen nog steeds niet over ons schrijven zonder die moord weer op te rakelen die nooit heeft plaatsgevonden.'

Ik draaide me om en keek hen één voor één aan.

Waarschijnlijk hapte ik naar adem. 'Heeft de Koffermoord dan nooit plaatsgevonden?'

'Wist je dat dan niet?' vroeg Chloe.

'Dus je bedoelt dat...'

'Nee – wacht even,' zei Chloe. 'Eerst alles op een rijtje zetten.

Wou je beweren dat niemand je dat ooit heeft verteld? Dat je al die tijd hebt gedacht...?'

Ik keek Suna aan. 'Dus wat is er nu echt gebeurd?'

'Helemaal niets.' Dat was William Wakefield, die boven aan de trap stond. 'Er is helemaal niets gebeurd!' Maar iets in de manier waarop hij daar stond en met zijn handen in zijn zij tegen me grijnsde, zei me dat hij loog.

Zoals beloofd ging ik de volgende dag op de faculteit bij Suna langs. Maar ze zat te bellen en was al laat voor een vergadering, dus heb ik alleen tegenover haar aan haar bureau gezeten en mijn best gedaan me te beheersen, al kolkten de vragen door mijn hoofd. Van alle dingen die ze me moest uitleggen was het eerste: aangenomen dat die moord inderdaad nooit had plaatsgevonden, hoe kon iemand van haar politieke kleur zo vriendschappelijk, zelfs intiem, omgaan met een man van wie ze wist dat hij een spion was? Terwijl ik haar over de telefoon gebogen zag zitten, met haar armen constant in beweging – zat ze te droedelen? iets te onderstrepen? aantekeningen te maken? – begreep ik het ineens: ze was het verleden aan het uitwissen.

Uiteindelijk had ze helemaal geen tijd meer om bij te praten. Maar ze had wel wat documentatie voor me bij elkaar gezocht. Ik ging terug naar Londen, beladen met papieren, dvd's en een enorm pak foto's en krantenknipsels.

Zodra ik thuis was, legde ik alles op de vloer van mijn werkkamer, en daar bleef het wekenlang liggen. Elke keer dat ik de moed bijeen had geraapt om ernaar te kijken, werd ik overspoeld door een golf van misselijkheid. Ik had met Jeannie te doen en mijn geweten zei dat ik haar moest helpen haar zoontje terug te krijgen. Maar als ik aan de anderen dacht, en aan onze vreemde hereniging in de Pasha's Library en mijn beschamende reactie, zakte mijn vastberadenheid weer weg.

Ik zou toch blij moeten zijn dat die moord, waar zoveel goede bekenden bij betrokken waren, nooit was gepleegd. En als ik nog twijfels had, zou ik niets liever moeten willen dan die oplossen – of althans hopen dat het waar was wat mijn goede bekenden zeiden. Maar ik voelde me verweesd, alsof ze me mijn verleden hadden afgepakt.

Wat hield die bewering dat er niets was gebeurd eigenlijk in? Waar was het uitwissen begonnen en waar hield het op? Hoeveel van mijn verleden was fictie in plaats van feit? Dat waren de vragen die aan me vraten als ik me ertoe wilde zetten te doen wat me te doen stond. Ik probeerde wel wat, maar het bleef bij een paar halfhartige pogingen. Ik stuurde een paar redacteuren een berichtje, maar belde er niet achteraan. Ik beantwoordde Jeannies vele quasi-opgewekte en nadrukkelijk niet-eisende mails met aangeklede smoesjes. Ik schreef Sinans advocaten aan met een verzoek om informatie, die ze niet stuurden. Ik hield het verloop van de zaak bij op de website die een studentenorganisatie in de staat New York voor hem had opgezet, maar daar vond ik alleen bevestiging dat er nog geen vooruitgang was geboekt. Ik pakte de dvd's uit en nam me wekenlang iedere avond voor om ten minste één van zijn films te bekijken. Maar de enige waarvan ik uiteindelijk een stukje zag, kwam toevallig langs: een documentaire op BBC2 over een buurt in de heuvels, boven het huis van mijn ouders.

Ik viel er pas tegen het eind in: vier onmiskenbaar Turkse mannen keken vanuit een koffiehuis naar een verkeersruzie. Een arrogante dame in een Mercedes schudde met haar vuist naar een man die de vrachtwagen stond uit te laden die haar de doorgang versperde, en haar chauffeur schold hem uit voor ezelsjong. De mannen in het koffiehuis luisterden onverstoorbaar toe en de camera zoomde uit, de straat uit, de helling af, naar de Bosporus.

Toen de aftiteling over het beeld rolde, zag ik zijn naam, en al wist ik dat het nergens op sloeg, toch voelde ik me genaaid.

De laatste mail die ik van Jeannie kreeg, was verontschuldigend van toon. Ze vroeg of ik het verhaal wilde vasthouden totdat we elkaar weer gesproken hadden. Er was nieuwe informatie boven water gekomen, schreef ze. Ze zou me heel erkentelijk zijn als ik haar kon helpen 'de gevolgen daarvan te bekijken'. Maar ze moest nog een aantal aanwijzingen natrekken voordat ze naar waarheid kon zeggen dat ze het terrein kon overzien, dus het kon wel wachten tot ik weer in Istanbul was. En had ik al tijd gehad om Sinans films te zien? Vooral *My Cold War* was misschien 'interessant om iets over te schrijven'.

Ik stuurde meteen een ontwijkend mailtje terug met de data van mijn eerstvolgende bezoek.

Een paar dagen later ging ik in mijn werkkamer op de grond zitten en doorzocht de stapel dvd's totdat ik *My Cold War* had gevonden. Het was, zoals mijn moeder al zei, maar de helft van het verhaal, en toch was het strikt genomen geen verslag van zijn kinderjaren. Hoewel het verhaal geestig en speels werd verteld en de pratende hoofden werden afgewisseld met fragmenten uit familiefilmpjes en televisiejournaals, oude foto's en ironische citaten uit oude Turkse films, had de film een dreigende vaart, en ik kreeg het gevoel dat ik naast de bestuurder in een auto zat die onstuitbaar op een klip af raasde. Hij begon met Sinans geboorte in Washington, in 1950, en zijn vroege jeugd in een reeks ambassades over de hele wereld – de 'jaren van onschuld', toen hij nog geloofde dat Turkije 'een geweldige wereldmacht was, zo groot als de Verenigde Staten en de Sovjet-unie bij elkaar', en zijn vader 'de held die tussen die twee reuzen in had gestaan om te zorgen dat de Koude Oorlog koud bleef'. Vervolgens kwamen zijn moeilijke tienerjaren in Istanbul ter sprake, toen hij, zoals hij het formuleerde, 'inmiddels had ontdekt wat de werkelijke plaats van Turkije in de orde der dingen was' en dat zijn vader 'helemaal geen held was, maar een lakei die zonder morren alles deed wat zijn Amerikaanse meesters hem opdroegen'. Zijn desillusie werd nog verergerd, zei hij, door het feit dat hijzelf 'ook op een dergelijk lot werd voorbereid'. Daarna beschreef hij zijn jaren aan de Robert Academy, waar hij leerde dat hij 'thuis een Turk moest zijn, maar op school een Amerikaan, totdat ik de hele tent alleen nog maar wilde opblazen en mezelf erbij'. Hij impliceerde dat hij dat misschien zelfs wel had gedaan als zijn vertrouwde, verstandige mentor – hij noemde Dutch Harding niet bij name – er niet was geweest.

Toen kwamen er studentenposters uit de late jaren zestig in beeld – de demonstraties, de rellen, de bommen, de veldslagen, de dag van de mars van de arbeiders naar de stad – en Suna, die de anti-Amerikaanse stemming analyseerde. 'Natuurlijk speelden er politieke elementen mee. Korea, Cyprus, Vietnam. Maar voor ons – allemaal kinderen van de rijke, bevoorrechte, hoogopgeleide heersende elite, die profiteerden van het beste dat onze Amerikaanse bondgenoten te bieden hadden – kwam er nog een persoonlijk probleem bij. Onze vaders waren de collaborateurs. De Turken die zorgden dat Turkije deed wat de baas zei.'

Terwijl er allemaal foto's uit onze jaarboeken van school op het scherm verschenen, voegde Suna eraan toe: 'En erg genoeg maakte dat de glamour van onze Amerikaanse overheersers alleen maar groter. We lachten ze uit om hun te korte broeken, maar ondertussen waren we jaloers op hun zelfvertrouwen, hun vrijheid, hun losse, sportieve kinderen. Zij waren de onaantastbaren!'

Ik bevroor toen ik die woorden hoorde, en ik verwachtte mijn eigen naam te zullen horen, als een klap in mijn gezicht. Maar het gezicht dat nu in beeld kwam, was niet het mijne. Het was dat van Jeannie.

'En van de vele mooie Amerikaanse meisjes die door de handen van deze jongen gingen,' ging Suna's wrede stem verder, 'was de dochter van de spion die ons in de gaten hield natuurlijk de meest onaantastbare.'

Terwijl Jeannies gezicht vervaagde, flitsten er vragen over het scherm:

Hoe ging het verder?
Wie was het ware meesterbrein?
Waar is hij nu?
Wat heeft hij over zichzelf te vertellen?
Wie zijn zijn nieuwe broodheren?
Cui bono?

5

Nog geen week later kwam ik een collega tegen, Jordan Frick. Ik gebruik het woord collega in de ruimste zin des woords. Hij was een gevreesd, alom gerespecteerd oorlogsverslaggever en ik schreef alleen maar stukjes over moeders en kinderen, zo nu en dan, in dezelfde krant als hij. Maar we kenden elkaar al tientallen jaren.

We hebben elkaar trouwens in Istanbul ontmoet, in 1970. En als je je misschien begint af te vragen hoe het mogelijk is dat er zoveel mensen in de marges van mijn bestaan rondlopen die allemaal iets met Istanbul te maken hebben – er zíjn ook heel veel mensen die daar iets mee hebben, en bovendien lijken we ons allemaal aangetrokken te voelen tot werk dat veel reizen met zich meebrengt. Jordan was destijds met het Amerikaanse Vredeskorps naar Turkije gegaan en was er gebleven; hij had in zijn onderhoud voorzien met zijn werk als gelegenheidscorrespondent voor verschillende Amerikaanse kranten. Maar toen onze wegen zich voor het eerst kruisten, in juni 1970 – op een feest in het huis dat Dutch Harding deelde met mijn mentor, de vrome Miss Broome – stond hij op het punt terug te gaan naar de VS: hij ging naar Harvard, om zijn ouders een plezier te doen. Toen ik zei dat ik daar ook in de buurt ging studeren, gaf hij me zijn telefoonnummer. Die winter belde ik hem toen Sinan het had uitgemaakt. We gingen naar Café Pamplona, waar ik twee uur heb zitten huilen; hij luisterde en begreep alles. Niet één keer zei hij dat ik blij moest zijn dat ik van die klootzak verlost was of dat ik vast gauw iemand anders zou tegenkomen, of dat iedereen zoiets wel eens meemaakte, of dat de tijd alle wonden heelt.

Hij zei alleen dat hij het heel naar vond, want zoiets verdiende ik niet, en dat het jammer was dat hij niet in de buurt kon blijven om me in de volgende fase bij te staan, want hij had besloten dat hij zijn ouders nu wel genoeg plezier had gedaan. Hij stopte met zijn studie en zou het komende weekend op het vliegtuig naar

Mexico-Stad stappen om achter een verhaal aan te gaan. Ik zal wel hebben gezegd dat zo'n leven mij ook wel wat leek, want hij zei: 'Mooi. Dan komen we elkaar wel weer tegen.'

En dat was gebeurd, heel vaak zelfs. In oktober 2005 nog in de Frontline Club. Die avond was daar een paneldiscussie over de geheime CIA-vluchten – er gingen geruchten over Amerikaanse vliegtuigen waarmee verdachten naar landen werden gebracht waar folteren niet verboden was, maar het verhaal was nog niet in de openbaarheid gebracht. De wil was er echter wel, vooral die avond in de Frontline Club, dus ik keek niet vreemd op toen ik Jordan zag, die de afgelopen maanden veel van zich had laten horen uit Oezbekistan.

Hoe hij er die dag uitzag: niet zo verwilderd als soms wanneer hij uit de rimboe terugkwam, maar wel nog steeds in de vaal geworden kleren die hij in de bergen had gedragen, en zonverbrand, met wilde leeuwenmanen. Hij leunde tegen de bar achterin de zaal, zijn verweerde gezicht stond ondoorgrondelijk en zijn blik was gericht op een man op de achterste rij die zojuist was opgestaan om een vraag te stellen. Toen de man zich bekendmaakte als woordvoerder van de Oezbeekse ambassade en er een afkeurend gemompel door de zaal ging, reageerde Jordan helemaal niet. Omdat de panelleden niet goed leken te weten wat ze moesten antwoorden, stak Jordan zijn hand op, wat meteen werd opgemerkt. Het voltallige publiek keek zelfs om. Maar toen hij de vragen afdraaide die het panel misschien aan de man van de ambassade zou kunnen stellen, 'om nog maar te zwijgen van de regering die uw ambassade voorgeeft te dienen', keek hij over alle hoofden heen. Niet voor het eerst werd ik van mijn stuk gebracht door zijn vermoeide kalmte; hoewel hij heel doelbewust sprak, klonk er geen verontwaardiging in zijn woorden door. Het leek wel alsof hij was gekomen om een misdaad goed te maken die alleen aan hem bekend was en waarvoor alleen hij boete kon doen – alsof hij ertoe was veroordeeld namens de doden te spreken en in hun plaats de aarde te bewandelen.

'Ik dacht wel dat ik je hier zou zien,' zei hij toen ik hem in de clubkamer op zijn schouder tikte. 'We moeten eens praten.' Hij bood me een glas aan en nam me mee door de rokerige drukte, waarbij hij warm glimlachte tegen iedereen die een gesprek met hem wilde aanknopen en telkens zei: 'We spreken elkaar nog.' Toen we aan de ronde tafel in de hoek zaten, zei hij dat hij net terug was uit Turkije, waar 'een heel vreemde stemming' heerste. Ik vroeg naar details en hij maakte een wegwuivend gebaar. 'Ach, je kent dat wel. Dat gedoe over de Armeniërs. En het gescheld op hun beroemdste schrijver, die een verrader zou zijn omdat hij erover is begonnen. Je hebt nog nooit zoveel vlaggen gezien. Maar dat even terzijde.' Hij keek me aan en zijn wenkbrauwen schoten omhoog, bijna als vanzelf. 'Jeannie Wakefield.'

'Ken jij die dan ook?'

Hij knikte.

'Sinds wanneer?'

Hij knikte weer. 'Ik weet niet of ik je dit wel eens heb verteld,' zei hij, 'maar vroeger – in 1970, of misschien '71, toen ik met mijn studie was gestopt en serieus de journalistiek in wilde gaan...'

'Toen je naar Mexico ging, achter dat verhaal aan...'

Hij hield zijn hoofd schuin, alsof hij naar een vergeten herinnering zocht. 'Ja, nou ja, dat is snel doodgebloed. Ik bedoel, ik moest de stad uit. Uiteindelijk kwam ik weer in Istanbul terecht, min of meer bij gebrek aan een beter idee, omdat ik wist dat ik daar wel aan werk kon komen. Ik had daar contacten. Ik weet niet of iemand het je wel eens heeft verteld, maar een daarvan was Jeannies vader.'

'Hoe dat zo?'

'Toen ik pas in Turkije was – weet je nog, met het Vredeskorps – kregen we eerst een zomercursus op het Robert College, en William Wakefield hing daar zo'n beetje rond, als adviseur of zoiets. Zo heb ik hem in elk geval ontmoet. Toen het mis begon te gaan – maar dat is een ander verhaal – heeft hij enorm veel moeite voor me gedaan. Echt "onze man van het consulaat" – in alle opzichten. Ik was me wel van de risico's bewust, dus ik kan niet zeggen dat ik erin ben gelopen. Maar hij leek mij harder nodig te hebben dan ik hem. Hoe dan ook, hij vertelde me van alles. Dingen waar een freelance journalistje dat net van school komt alleen maar van kan dromen. Je zou kunnen zeggen dat ik de snelle start van mijn carrière aan hem te danken heb.' Hij zweeg even. 'Ik heb me laten vertellen dat je hem hebt gesproken, de laatste keer dat je in Istanbul was.'

'Moet ik daar uit opmaken dat jullie nog bevriend zijn?' vroeg ik.

Een lange stilte. 'Ik zou er een ander woord voor kiezen,' zei hij toen.

Weer een lange stilte. 'Wanneer heb je Jeannie voor het laatst gesproken?'

Ik vertelde hem over haar laatste mail en mijn antwoord.

'Dus je gaat?' vroeg hij.

'Ja, later deze maand,' zei ik. 'Mijn ouders...'

'Als ik jou was,' zei hij, 'zou ik eerder gaan. Of wil je haar niet helpen?' Hij had nog nooit op zo'n woedende toon tegen me gesproken, en ik schrok.

'Kun je misschien uitleggen wat er aan de hand is?' vroeg ik.

'Dat laat ik liever aan haar over.'

'Waarom?'

'Laat ik het zó zeggen – dat ben ik aan haar verschuldigd. Jij ook, trouwens. Je hebt haar iets beloofd. Ze rekent erop dat je dat verhaal schrijft.'

'Als het zo belangrijk is,' gaf ik terug, feller dan ik ooit tegen hem had gedaan, 'waarom doe jij het dan niet?' Hij keek verrast op. Ik vatte moed en ging door: 'Het zou jou veel minder moeite kosten om het geplaatst te krijgen. Jij bent een náám. Jij kunt zelf kiezen waar je mee komt.'

Hij kneep zijn lippen op elkaar. 'Jij zit toch lang genoeg in deze business om te weten dat een verhaal jóú kiest, niet andersom. Maar ik zal je één ding vertellen. Ik zou er een lief ding voor over hebben om in jouw schoenen te staan. Ik zou niets liever willen dan alles zwart op wit zetten – alles wat ik weet, alles waar ik nu al zo lang mee rondloop. Misschien doe ik dat ook nog wel eens. Maar nu niet. Absoluut niet nu.'

'Waarom niet?' vroeg ik.

'Ik weet te veel.'

'Zou ik je mogen verzoeken iets specifieker te zijn?'

'Nee,' zei hij. 'Maar als je daar op tijd heen gaat – en ik bedoel echt zo snel als maar mogelijk is – dan zou je haar misschien kunnen helpen om dit uit te puzzelen.'

'Die nieuwe informatie, bedoel je.'

Hij knikte langzaam.

'Heb je het zelf met haar besproken?'

Hij stond op. 'Het spijt me,' zei hij, 'maar ik moet morgenochtend heel vroeg een vliegtuig halen. Eerst naar Bakoe en daarna weet ik het nog niet, en ik heb geen idee hoe ik zal worden ontvangen. Maar hier heb je in elk geval mijn mobiele nummer. Laat even weten wanneer je terug bent, dan zal ik doen wat ik kan.' Hij draaide zich om, maar keek me toen weer aan. 'Moet je horen. Ze vertrouwt je en dat wil ik niet kapotmaken. Jou vertrouwt ze, en mij momenteel absoluut niet.'

De volgende ochtend deed ik mijn eerste serieuze poging om het artikel geplaatst te krijgen. De redacteur die ik op Jordans suggestie als eerste had benaderd, vond het zo'n geweldig idee dat hij me al halverwege mijn beschrijving van Sinans loopbaan in de rede viel. 'Ik ken zijn films natuurlijk. En ik weet al een hele tijd van die belachelijke tenlastelegging. Maar voordat ik Jordan sprak, wist ik niet dat hij in de CIA ingetrouwd was. Dit is hot!'

Binnen een uur had ik mijn e-ticket. Tegen lunchtijd was ik op weg naar Heathrow. Die avond om tien uur landde ik in Istanbul en tegen elven sleepte ik mijn koffer de donkere trap bij mijn ouders op.

'We zijn allemaal zo blij dat je er bent,' zei mijn moeder de volgende ochtend aan het ontbijt. 'Eindelijk wil er iemand luisteren! En wie kan dit beter doen dan jij? Jeannie is zo opgelucht, je hebt geen idee. Ze belde trouwens gisteravond nog, ik moest je iets doorgeven: ze wacht thuis op je. Ze kan de hele dag voor je uittrekken.'

Het is nooit een goed teken als iemand dat zegt. Een normaal mens hoort geen hele dag voor een journalist uit te trekken. Toen ik over het witte pad naar haar huis liep, telde ik de regels die ik had overtreden door hieraan te beginnen. Schrijf nooit over vrienden. Schrijf nooit over iemand met wie je een gemeenschappelijk verleden hebt. Laat je nooit, door niemand, zelfs niet door iemand die je bewondert, een verhaal aansmeren waarvan je weet dat je er af moet blijven.

Ik repeteerde bij mezelf wat ik moest zeggen. 'Goed, Jeannie. Voordat we verder gaan, moeten we even een paar dingen afspreken, dat is beter voor ons allebei. Jij zegt dat je niets te verbergen hebt. Maar je moet begrijpen dat ik misschien op dingen stuit die je liever niet wilt weten. Als dat gebeurt, behoud ik me het recht voor...'

Al voordat ik de hoek om was hoorde ik de machines.

Er stonden een wit busje en een zwarte personenauto voor de Pasha's Library en het groene metalen hek stond open. In de tuin was een stel arbeiders bezig een gat te graven. Ik nam aan dat er weer eens aan de riolering werd gewerkt, dus ik liep door naar de voordeur. Die was niet op slot, dus ik ging naar binnen. In de keuken was niemand, en in de oude bibliotheek en op de veranda evenmin. Maar boven hoorde ik voetstappen, dus ik ging naar de werkkamer. Daar zat op het rode bankje een man die ik bij mijn weten nooit had ontmoet, al had zijn gladde, vleierige glimlach wel iets bekends.

Hij stond op en stak me zijn hand toe. 'İsmet Şen,' zei hij. Zijn manier van doen was Turks, maar hij had een sterk Amerikaans accent. 'En u bent...'

'Waar is Jeannie?'

'Ah. Dus u hebt het nog niet gehoord,' zei hij met een spijtig gezicht.

Hij ging weer zitten, sloeg zijn handen in elkaar en zei: 'Als u er gisteren al had kunnen zijn... Ik weet dat ze u heel graag wilde zien! Maar wie weet, misschien is ze maar even weg. Als het een beetje meezit is ze tegen lunchtijd wel weer terug, of voor het avondeten. Waarschijnlijk voor het avondeten. U houdt het hier wel even uit?' Hij fronste zijn wenkbrauwen. 'Ze zal wel ergens van geschrokken zijn. Het arme kind is de laatste tijd bijzonder schrikachtig, en niet zonder reden, wel?'

'Is haar vader niet gebeld? Hij zal vast wel weten waar ze is.'

'Ah. Dus u hebt het nog niet gehoord van haar vader,' zei İsmet Şen. 'Wat spijtig. Ik had gedacht dat Jordan Frick wel iets zou hebben gezegd...'

'Hebt u Jordan Frick dan gesproken?'

'Hij is natuurlijk bij ons bekend. We mogen er uiteraard niet van uitgaan dat we hem eeuwig bij dit verhaal weg kunnen houden. Maar tot die tijd proberen we zo veel mogelijk achter de schermen te doen. Jeannies vader was tenslotte iemand die ik als een gewaardeerd collega beschouwde. Zelfs als een vriend.'

'Was...?'

İsmet zuchtte, spijtig. Hij liet zijn schouders hangen, zodat zijn houding beter bij zijn gezichtsuitdrukking paste. Ik vroeg naar de details. William Wakefield was in zijn appartement in Bebek in de rug geschoten. Wanneer het was gebeurd wilde hij niet zeggen. 'Want ook deze tragedie is nog sub rosa. En het wapen, voor zover we hebben kunnen vaststellen, ligt nu hier op tafel.'

Ik keek naar het tafeltje tussen ons in. Tussen de kranten en de *Cornucopia*'s lag inderdaad een pistool.

İsmet Şen pakte het op. Hij liet het speels van de ene hand in de andere glijden en zei: 'Ja, dit was het pistool. Dat weten we tenminste zeker. Maar als u me vraagt wie de trekker heeft overgehaald – dat blijft een open vraag. Maar...' Weer die gladde, vleiende glimlach. 'Misschien niet lang meer, nu u ons komt helpen.'

Langzaam legde hij het pistool weer neer. Langzaam stond hij op. Bij de trap draaide hij zich weer om en glimlachte opnieuw. 'Het kantoor is u als werkruimte aangeboden, dus u hebt mij hier niet nodig, u weet wel wat u verder moet doen. Ik zal volstaan met te zeggen dat ook wij...'

'Wij. Wie zijn toch die "wij"?'

'Ach, neemt u me niet kwalijk, dat had ik moeten uitleggen. De macht van de gewoonte, vrees ik. Ook ik ben natuurlijk alweer jaren met pensioen! Maar ik maak me nog steeds graag nuttig. Vooral bij zo'n tragedie als deze hier. Als zoiets verkeerd wordt aangepakt, kunnen er moeilijkheden van komen tussen uw land en het mijne, en dat op zo'n gevoelig moment! Dus beschouwt u me maar als tussenpersoon. En – dit is natuurlijk mijn huis.'

'Hoezo?'

'Gewoon. Ik ben de eigenaar. Of eigenlijk de stille vennoot van de eigenaar. Maar het komt erop neer – voor het geval dat u dat wilde vragen – dat ik het volste recht heb om hier te zijn. Hoezeer dat Jeannie ook zou verbazen, gesteld dat ze hier nu binnenkwam. Hun huurcontract was trouwens eigenlijk al afgelopen.

Maar nu we het er toch over hebben – ik ben wel een slechte gastheer! Wat mag ik u aanbieden?'

Niets, zei ik. Dat antwoord leek hij al te verwachten. 'Dan laat ik u maar alleen,' zei hij. Halverwege de trap bleef hij even staan en kwam toen weer naar boven. Hij beende naar het tafeltje, pakte het pistool en zei: 'Dat zal ik maar bij me houden. In deze situatie moeten we op alles voorbereid zijn. Als u me nodig hebt, ik ben beneden. Maar neem gerust de tijd. En als u wilt bellen, ga vooral uw gang!'

Ik ben niet iemand die het gevaar opzoekt, maar in de loop der jaren is het toch wel eens voorgekomen dat ik ergens heen ging voor een routine-interview en in een kamer terechtkwam waar ik niet uit kon, doorgaans door toedoen van een man die in ieder opzicht betrouwbaar had geleken tot het moment dat hij de sleutel omdraaide. Je kunt pas weten hoe je in zo'n situatie reageert als je je er zelf in hebt bevonden. Iedereen heeft zijn eigen reactiepatroon. Ikzelf word arrogant. Ik voel geen angst. Ik stel geen vragen. En vooral: ik reageer niet. Nou goed, als je het zo wilt spelen, dacht ik toen ik mijn cipier de trap af zag lopen, best. We zullen wel zien wie er wint.

Maar ik ging niets overhaast doen, dat was zeker. Ik liet mijn stoel draaien, keek de kamer rond en wachtte tot ik weer helder kon denken. De Duplo was weg en de treintjes ook. De cobra was ook verdwenen en er stond maar één laptop aan.

Toen ik probeerde op internet te komen, bleek er geen kiestoon te zijn. Op de vaste telefoon ook niet. Ik had net het nummer van mijn moeder op mijn mobiel ingetoetst – maar het landnummer vergeten – toen ik İsmet weer naar boven hoorde komen. Snel legde ik mijn telefoon op het bureau. Gladjes vroeg hij wat ik bij de lunch wilde eten.

'Onze gastvrouw blijkt een volle ijskast te hebben achtergelaten.'

Ik bedankte hem, maar zei dat ik geen honger had. 'Laat u het me dan weten als u iets wilt,' zei hij. Toen pakte hij mijn telefoon en liet die in zijn zak glijden. 'Die houd ik maar even bij me, als u het niet erg vindt.'

'Wat – sta ik nu onder huisarrest?' vroeg ik.

'Maar mevrouw!' riep hij uit. 'Ik wil u alleen maar beschermen. Niemand – niemand wil deze trieste zaak liever tot op de bodem uitzoeken dan ondergetekende. Heb ik u niet verteld dat ik – onder andere – Sinans oom ben? Alleen aangetrouwd natuurlijk, maar toch, die dingen tellen mee. Ik ken hem al sinds hij zó klein was. Lang genoeg om in zijn film voor te komen! Hier, kijkt u eens.' Hij liep naar de poster aan de muur waar het terrarium met de cobra tegenaan had gestaan. Onder de tekstregel – *My Cold War* in een kinderlijk handschrift, boven een vlag die half uit *stars and stripes* en half uit hamer en sikkel bestond – was een collage van familiefoto's te zien. Hij wees op een foto – Sinan met zijn beeldschone moeder, geflankeerd door drie mannen – en zei: 'Kijk, dat ben ik, in het wit. De man die Sinans handje vasthoudt is zijn vader. En die daar, met dat Hawaïhemd, dat is Jeannies vader! Wat een mooie tijd. Wie had dit toen kunnen denken? Wat kan ik nog zeggen? Ik ben natuurlijk bereid al uw vragen te beantwoorden. Al is dat misschien niet nodig. Misschien kunt u zich de rest wel voorstellen nu u die mooie foto hebt gezien. Is dat niet uw *modus operandi*? De grens tussen werkelijkheid en verbeelding laten vervagen, de waarheid van het hart peilen?'

'Hoeveel weet u over mij?'

'Heel wat meer dan Jeannie Wakefield. Met die gedachte zal ik u maar weer alleen laten.'

Toen hij weg was, deed ik mijn ogen dicht en liet ik vijf minuten lang niets anders in mijn gedachten toe dan mijn eigen ademhaling. Toen deed ik mijn ogen weer open en hoorde de gravende arbeiders buiten. Ik trok de archiefla onder het lange bureau open. Die zag er niet uit alsof erin gerommeld was, zelfs niet alsof er discreet in was gezocht. Maar op de plank waar in mijn herinnering Sinans trofeeën hadden gestaan, stond nu een rij zwarte en rode aantekenboekjes met harde kaft. Het bleek een incomplete reeks dagboeken van Jeannie te zijn. Ze stonden niet in chronologische volgorde. Het eerste, beschreven in een ordelijk, klein handschrift, dateerde uit 1981. Daarnaast stond er een uit 1970, en het handschrift daarin was zo kinderlijk dat ik even dacht dat het van iemand anders was. Het laatste was uit 2005, en het handschrift was zo hanenpoterig dat ik het nauwelijks kon lezen. Toen ik het weer op de plank wilde zetten, viel er een envelop uit. Daar bleken drie afsluitbare plastic zakjes in te zitten. In twee daarvan zaten lokjes goudkleurig haar – van haar zoontje? – en in het andere zat een pluk haar die zo te zien uit een borstel afkomstig was.

Naast de laptop waarop ik niet kon internetten stond een halfvolle kop koffie, en er lag ook een pen bij en een gebruikte tissue, een opengeslagen agenda en een bril. Onder aan het beeldscherm zag ik een taakbalk met de documenten die Jeannie waarschijnlijk had geminimaliseerd voordat ze het huis uitvluchtte. Een Worddocument. Ik klikte het aan en op het scherm verscheen de tekst:

> Gisteravond zag ik ineens de waarheid. Lieverd – ik kan het niet anders formuleren. Ik liep weg, keek naar de lucht, en daar stond het, in de sterren – het verhaal dat hij me nooit heeft verteld. Ik begrijp het nu allemaal. Ik zag plotseling de vorm van mijn leven, zo duidelijk alsof ik erbuiten stond.
>
> En ik moet het vragen. Heeft Suna het altijd al geweten of heeft ze het geraden? Tenslotte was zij degene die me hierheen heeft gelokt, en ik verwonder me nu over haar lichte toon.
>
> O, en trouwens, zei ze: er was een nieuwe site die ik misschien wilde zien. Ik kon doorklikken vanaf de site van het Amerikaanse ministerie van Buitenlandse Zaken. Een enorme cache: tienduizenden vrijgegeven documenten, allemaal in de originele vorm. Alles wat ik ooit had kunnen willen weten over Chili in 1973 en Guatemala rond 1976. Ze had niets over Turkije gezegd en op de site stond er ook niets over, maar door iets in de manier waarop ze het had geformuleerd ging ik doordenken, en waarschijnlijk heb ik daarom de naam van mijn vader ingetikt.
>
> Ik had geen idee waar ik in terecht zou komen, maar het was slechts een kwestie van tijd voordat ik de verschrikkelijke dingen te zien zou krijgen die ik nu zag ver-

> schijnen. Ik weet niet meer precies hoe ik daar terechtkwam, ik heb op *search* geklikt, het beeldscherm ging even op zwart en toen kwam het.
>
> Ik kon mijn ogen eerst nauwelijks geloven. Ik kreeg haast geen lucht. Slapen was uitgesloten. Ik ging dus naar de veranda om naar de auto's en bussen te kijken die over de brug reden, en naar de donkere tankers die er onderdoor gleden. En zonder bepaalde volgorde schoten me alle aanwijzingen te binnen die ik over het hoofd had gezien, alle tekenen die me onderweg hadden toegeknipoogd. Op een gegeven moment werd het me allemaal bijna te veel. Maar nu wordt de hemel weer licht, mijn kracht keert terug en ik weet eindelijk met welk doel ik hier terecht ben gekomen. En hoe jij, mijn lieve vriendin, me kunt helpen.

Ik keek naar de bovenkant van het beeldscherm: Microsoft Word: BRIEF AAN M 31.10.05. Dus ik was die lieve vriendin. Ik keek op mijn horloge – ze had dit op dezelfde dag als haar laatste mail geschreven. Onderaan het scherm zag ik hoeveel bladzijden het document telde. Drieënvijftig. Als İsmet Şen niet beneden had gezeten – als mijn trots me niet had verboden hem te laten merken hoe ik tegen die andere tweeënvijftig bladzijden opzag – was ik ongetwijfeld meteen weggerend. Maar nu dwong ik mezelf tot kalmte. Ik zou achter de waarheid komen. En daar zou ik mee doen wat ík – en niet hij – wilde. Mijn ademhaling werd weer regelmatig en ik ging zitten om verder te lezen. Ik weet niet hoe lang ik daarmee bezig was en ik weet ook niet meer wat er allemaal door mijn hoofd ging terwijl ik het eindeloze document doorscrollde. Toen ik de brief uit had, was ik helemaal koud en licht in het hoofd. Maar ik wist wel waar ik heen moest: naar de plank met dagboeken.

Ik las ze niet in chronologische volgorde – dat had ik niet volgehouden – maar als ik dat wel had gedaan, had het niets uitgemaakt. Want er waren hiaten, veel hiaten. Ik ging van boek naar boek en las vanaf bepaalde fragmenten die mijn nieuwsgierigheid wekten, totdat ik helemaal buiten adem was. Het was al laat in de middag toen ik op de passage stuitte die bevestigde wat ik waarschijnlijk de hele tijd al gevreesd had, al hield ik mezelf voor dat het strikt genomen niets met mij te maken had. Nu had het wél met mij te maken.

Ik liep naar het raam, en daar lag het: het landschap dat ons ooit had gewiegd. Het kasteel, de beboste helling, de daken van Rumeli Hisar, de Bosporus, de optocht van tankers, veerboten, vissersschuiten. Langs de Aziatische oever stonden de villa's en paleizen die zo dichtbij leken dat ik ze haast kon aanraken, en daarachter de glooiende heuvels waarvan ik ooit dacht dat ze wel tot in China moesten reiken. Een bewegende ansichtkaart, een wereld apart. Ik had het nooit vanuit dit hoge gezichtspunt gezien – althans niet werkelijk gezien – en hoewel het het mooiste was wat ik ooit had aanschouwd, werd ik er ijskoud van.

Mijn ogen gleden naar de Aziatische oever – over Kandilli, Anadolu Hisar, en onder de brug naar Kanlıca – totdat ik de *yalı* had gevonden waar ik zojuist over gelezen had. De zon ging onder in de heuvels achter me en de ramen van de *yalı* gloeiden geel op in het verdwijnende licht.

Was dit weer zo'n gerucht of zat er een kern van waarheid in? Ik dacht aan alle dingen die hiermee verklaard zouden zijn, zonder bepaalde volgorde.

Toen schoten me een paar andere dingen te binnen.

Ik bedacht dat ik naar dit raam toe was geleid en er daalde een wolk van angst over me neer – ik kreeg een gevoel alsof mijn hart uitgewrongen werd. Ik had de hele middag in een zorgvuldig gearrangeerd decor doorgebracht.

Maar waarom?

Ik bedacht alle mogelijke antwoorden op die vraag, en het leek wel alsof er een geest met koude vingers langs mijn hals streek.

Ik bleef roerloos staan totdat ik mezelf weer meester was.

Toen draaide ik me weer om naar de kamer en inventariseerde snel (en ook juist, zoals later zou blijken) wat Jeannie zou willen dat ik tegen spionerende ogen en grijpgrage handen beschermde.

Ik liep naar de trap met mijn handtas onder mijn arm geklemd. Beneden was İsmet Şen nergens te bekennen. Op het tafeltje naast de chaise longue vond ik mijn mobiel met het kaartje van İsmet eronder en bizar genoeg een speciale aanbieding van Şenlik, zijn telecombedrijf.

De kuilengravers waren vertrokken en het gat was weer dichtgegooid. Er stond geen busje meer voor het hek en de zwarte auto was ook weg. Met bonkend hart en knikkende knieën liep ik terug naar het huis van mijn ouders. Maar rennen had geen zin. Ik was uit het huis ontsnapt, maar niet aan de waarheid. Toen ik bij het witte pad was, keek ik omhoog naar de trap en zag een verfomfaaide vrouw, die met uitgestrekte armen op me af kwam rennen. Het was Suna. Ze huilde. 'O, goddank! Goddank, je bent er weer!' Voordat ik het wist omknelde ze me in een betraande omhelzing die me de adem haast ontnam. Terwijl ik haar op haar rug stond te kloppen, zag ik eindelijk de contouren van de val die zich om me heen sloot. En van wat ik in mijn onschuld aanzag voor de enige uitweg.

6

Zoals sommigen ongetwijfeld al weten, kreeg ik die zondag de hele voorpagina van de bijlage en het grootste deel van pagina twee. Dat was zeker vier keer zoveel ruimte als ik gewend was, maar het deed nog steeds aan alsof ze me hadden gevraagd het hele verhaal tot postzegelformaat te comprimeren. Ik schreef het op de derde dag van mijn verblijf in Istanbul, wat inhield dat ik geen tijd had om iets te checken of het sterke vermoeden na te trekken dat me een groot deel van de nacht uit de slaap hield. Dan was er ook nog de kwestie-Jordan Frick, die me zelf al had gewaarschuwd dat Jeannie hem heel anders zag dan ik, wat ik erg verontrustend vond. Maar ik dacht ook aan wat Jordan had gezegd: Jeannie zat in moeilijkheden en het was mijn eerste plicht haar daaruit te redden.

> *'De beste manier om een leugen waar te maken,'* schreef ik, *'is eindeloze herhaling; velen geloven de laatste tijd dat er een "oorlog tussen de culturen" aan de gang is doordat we worden geregeerd door leugenaars die ons dat voortdurend voorhouden. In werkelijkheid is er geen duidelijke scheidslijn tussen oost en west: in Europa alleen al wonen vijftien miljoen moslims. Turkije wordt vaak "de poort naar de islamitische wereld" genoemd, maar is al sinds 1923 een seculiere, op het westen gerichte staat. Toch willen we de wereld blijkbaar zo graag in twee vijandige helften opsplitsen dat we de werkelijkheid of de historische feiten het liefst negeren als die dat beeld dreigen te verstoren.*
>
> *Tegelijkertijd zijn we gefascineerd door de enkeling die alleen al door zijn bestaan onze simplificaties op de helling zet. De Turkse filmer Yankı is zo'n raadsel. De naam Yankı is een pseudoniem – in werkelijkheid heet hij Sinan Sinanoğlu. De naam die hij heeft gekozen weerspiegelt zijn hybride afkomst en zijn gemengde loyaliteiten. In het Turks*

betekent Yankı "echo"', maar in onze oren klinkt er een echo in door van een ander woord, dat ons vertrouwder is. Sinan Sinanoğlu werd in 1950 in Washington geboren als zoon van een Turks diplomatenechtpaar en heeft twee nationaliteiten. Hij heeft in zijn beide vaderlanden op school gezeten, in Turkije op een Amerikaans lyceum waar al sinds 1863 de elite van Istanbul wordt opgeleid. Het feit alleen al dat die school bestaat toont aan dat de banden tussen Turkije en de Verenigde Staten oud en ingewikkeld zijn. Maar om dat te kunnen accepteren, moet je over een kaart beschikken waarop je zoiets kunt plaatsen. Je moet tenminste enig idee hebben van de manier waarop de uiteenlopende buitenlandse avonturen van de VS de afgelopen twee eeuwen zijn verlopen. Het trieste is dat zelfs degenen die met die sage zijn opgevoed en erin geloven, er maar heel weinig van weten. We weten van de beide Wereldoorlogen, de Koude Oorlog, Vietnam en Irak. We weten van de miljoenen Amerikanen die in die oorlogen hebben gestreden, maar we weten vrijwel niets over het vredesleger: de talloze onderwijzers en leraren, missionarissen en zendelingen, ondernemers, technici en ingenieurs, diplomaten, ambtenaren, organisatoren en landbouwconsulenten wier bijdragen, lovenswaardig of suspect, een veel diepergaand effect hebben gehad op de landen die hen hebben uitgenodigd.

Maar, zoals Sinan zelf misschien zou zeggen, de kunst voedt zich met schaduwen. Als de dertien films die hij de afgelopen tien jaar heeft gemaakt ergens door zijn geïnspireerd, dan is het wel door de behoefte die verborgen wereld aan het licht te brengen. Misschien wordt de zeggingskracht van zijn films wel aangetoond door het feit dat hij momenteel wegkwijnt in een Amerikaanse gevangenis, vals beschuldigd van banden met een terroristische organisatie.

Dit is het verhaal van een heksenjacht – een heksenjacht die zo typerend is voor de paranoia van deze tijd dat het verleidelijk is er een symbool in te zien. De Commissie voor On-Amerikaanse Activiteiten werpt een schaduw over onze herinneringen aan de jaren vijftig, en we kunnen er zeker van zijn dat Homeland Security *hetzelfde effect zal hebben op de sombere tijden die we nu beleven. Ook nu zijn we geobsedeerd door een vijand binnen onze poorten. Ook nu wantrouwen we alles en iedereen die buiten het vaste stramien valt. En ook nu wekt alles wat hybride is onze diepste argwaan.*

Misschien is dit dus het moment om mijn eigen hybride achtergrond te onthullen. Ik ben de dochter van een Amerikaanse natuurkundige die in 1960 naar Istanbul is gegaan om les te geven aan het college *waar Sinan later heen zou gaan. Iedereen die in dit verhaal voorkomt, ken ik persoonlijk. Als tiener rekende ik mezelf een tijdje tot Sinans vrienden. Ook ken ik William Wakefield, de vader van zijn tegenwoordige echtgenote. Zij en ik waren daar niet tegelijkertijd, maar we bewogen ons wel in dezelfde kringen op het meisjeslyceum waar we allebei op zaten. Vorig jaar zomer hebben we elkaar voor het eerst ontmoet. Tot haar verdwijning hielp ik haar (of liever gezegd, ben ik er niet in geslaagd haar te helpen) met de zaak rond haar man.*

De feiten: Toen Sinan Sinanoğlu eind zomer vorig jaar met zijn vijfjarige zoontje op JFK landde, ondervond hij vertraging bij de paspoortcontrole – maar die ellende had hij sinds 11 september al zo vaak meegemaakt dat hij zich niet al te veel zorgen maakte. Gewoon een paar vragen naar waarheid beantwoorden en beleefd blijven...'

Daarop volgde een verslag van Sinans arrestatie en de verdwijning van zijn zoontje in het systeem, en een zwaar geredigeerde versie van mijn pogingen in de afgelopen twee maanden om Jeannie te helpen Sinans onschuld aan te tonen en Emres terugkeer te bewerkstelligen. Ik vermeldde ook duidelijk dat Jeannie nu ook vermist werd. Ik schreef niet waarom, maar ik zag wel kans om 'geheime' en 'vluchten' in de zin te verwerken.

Ik vermeldde ook de mensenrechtensituatie in Turkije, de beperkingen van de vrije meningsuiting en natuurlijk de beroemde schrijver die later dat jaar voor belediging van de staat terecht moest staan. Maar ik maakte geen melding van Jordan Frick, of van mijn persoonlijke moeilijke verleden met sommige anderen. Ik deed wat er van me verwacht werd: ik greep elke gelegenheid aan om de emotionele kloof tussen de lezer en de mensen over wie het artikel ging, te versmallen. Daar kwam onvermijdelijk wat retoucheerwerk aan te pas. Toen ik moest uitleggen waarom Sinan gearresteerd was en waarom zijn vrouw werd vermist, kwam ik sterk in de verleiding namen te noemen, deze smerige, zinloze vendetta te volgen naar zijn oorsprong zoals ik die nu meende te kennen. Maar ik besefte dat dat niet verstandig zou zijn. En ook onethisch, want ik kon het immers niet bewijzen. Het was nu niet mijn taak eromheen te draaien of de zaken ingewikkeld te maken: ik moest duidelijk en dringend recht vanuit het hart schrijven. Later was er nog tijd genoeg voor de tegenstrijdigheden en inconsequenties, als we Jeannie hadden gevonden en Sinan uit de gevangenis hadden bevrijd.

Ik koos mijn woorden dus met zorg, totdat ik het gevoel kreeg dat mijn hoofd uit elkaar zou klappen. Door mijn voorzichtigheid werkte ik langzaam, en ik moest nog duizend woorden toen de krant de eerste keer belde waarom ik nog niets had ingestuurd. Het was inmiddels helemaal donker; mijn moeder had zich al met haar avondcocktail in haar leunstoel genesteld en tikte met haar voet op een manier die een ander helemaal niet zou opvallen, maar die ik herkende als haar manier om me duidelijk te maken dat haar geduld opraakte. De klok sloeg zeven en ze vroeg hoe lang ik nog bezig dacht te zijn. Ik werd al duizelig van de inspanning haar antwoord te moeten geven. Ik voelde enorme gedachtestromen door mijn hoofd schieten. Terwijl ik me met moeite overeind hield, zag ik een beschuldigende schim door de nevel op me af komen, en ik wist dat ik dat ene nog moest zeggen. Mijn andere furiën moesten misschien stemloos blijven, maar deze moest ik loslaten:

> *'Het is verleidelijk om dit als een verhaal van het hier en nu te beschouwen, een sinistere voetnoot bij de "war on terror", misschien als een inkijkje in de vuile oorlogen die daardoor in de hele regio zijn ontstaan. Een onverschrokken filmer die door Zuidoost-Turkije reist, misschien wel dicht bij de noor-*

delijke grens met Irak, komt toevallig in een arena terecht die sommige machtigen niet gefilmd willen hebben. Misschien zelfs wel een arena waarnaast Abu Ghraib een peuterspeelzaal lijkt. Dat is heel goed mogelijk, en als het zo is, valt dat gemakkelijk te bewijzen. Sinans trouwe bondgenoten hebben al incriminerende filmgedeelten gevonden, en als ze door blijven zoeken, vinden ze vast nog wel meer.

Maar wie het verhaal dat ik hier heb verteld als het eerste hoofdstuk van een heel nieuw verhaal beschouwt – en daarmee de geschiedenis negeert – heeft het niet begrepen. Die heeft vooral niet begrepen wat het betekent om in een land te wonen dat wordt geregeerd door nooit met name genoemde externe belangen, waar denken nog steeds een misdaad is, waar het zeggen van de waarheid heel lang een overtreding is geweest waar gevangenisstraf – van de levensbedreigende soort – op staat. Waar een journalist niets gevaarlijkers kan doen dan hardop suggereren wat alle Turken fluisterend zullen bevestigen: dat dit land alleen in naam een democratie is. Dat het wordt geregeerd door een netwerk van krachten zonder gezicht dat bekend staat als de "deep state".

Wat we over Sinan Sinanoğlu moeten weten – en hetzelfde geldt voor de meesten van zijn vrienden, zelfs voor zijn hele generatie – is dat hij nooit meester over zijn eigen lot is geweest. Zijn hele leven is er om hem gevochten en over hem gelogen; hij is gemanipuleerd, angstvallig bewaakt en in de val gelokt. Zijn hele leven lang is hij gevreesd – om precies datgene waardoor hij nu in de gevangenis is beland. Hij werd gevreesd vanwege de macht die hij nooit heeft mogen gebruiken – de macht van iemand die vertrouwd is met meer dan één denksysteem en heen en weer kan reizen tussen verschillende culturen die beweren lijnrecht tegenover elkaar te staan. In de ogen van degenen die het opportuun hebben geacht hem gevangen te zetten vertoont Sinan Sinanoğlu alle kenmerken van een dubbelspion. Het is dan ook bijzonder jammer dat niemand eraan heeft gedacht de drie of vier mannen eens nader te bekijken van wie we mogen aannemen dat zij hier de hand in hebben gehad.

Ten minste twee van deze mensen geven zelf toe dat ze in 1971 voor inlichtingennetwerken in Turkije hebben gewerkt, toen onbekenden Sinan en een aantal anderen lieten opdraaien voor een moord waarvan later is komen vast te staan dat die nooit is gepleegd. Toen de waarheid aan het licht kwam, hadden twee van de vals beschuldigde, onschuldige jongeren tien jaar ondergedoken gezeten en hadden er drie een aantal jaren in de gevangenis doorgebracht. Een van hen was tijdens iets wat eufemistisch "ondervraging" werd genoemd, uit een raam op de derde verdieping gesprongen en had dat bijna niet overleefd. Ze hadden het geluk dat ze konden terugkeren naar een vruchtbaar en redelijk vredig bestaan, maar ze hebben zich allemaal veel rustiger gehouden dan ze misschien hadden gedaan als ze geen jarenlange marteling en doodsangst hadden hoeven doorstaan.

Allemaal, behalve Sinan Sinanoğlu, die in elke nieuwe film vrijmoediger vragen durfde te stellen dan in de vorige. En nooit eerder was hij zo vrijmoedig als in My Cold War, *waarin hij de camera op zijn eigen kinderjaren richtte.*

Allereerst moeten we ons natuurlijk inspannen voor zijn onmiddellijke vrijlating. Maar we moeten onze aandacht ook richten op de zogenaamde vaders die altijd om hem heen hebben gehangen. Waarom is het voor hen zo belangrijk dat hij zwijgt? Of zoals Cicero zou zeggen: cui bono?'

Deze tekst stuurde ik die vrijdagavond in. Hij verscheen die zondag in Engeland, en vanaf dat moment kon iedereen in Turkije (of waar dan ook) hem ook op internet lezen als hij wilde. Die maandag verscheen er een vertaling van mijn artikel in drie Turkse kranten. Dinsdag volgden er nog drie, en op dezelfde dag werd er in diverse columns furieus geschreven over de zaak en mijn standpunt daarover. Sommigen gingen zelfs zover dat ze Sinan een verrader noemden en Jeannie een zendelinge die naar Turkije was gegaan om 'de droom te helpen waarmaken die voor het eerst gestalte kreeg in het verdrag van Sèvres: de Turkse natie vernietigen en te verdelen onder de westerse machten.' Ik werd uitgemaakt voor een lid van de vijfde colonne, een bemoeizieke mensenrechtenactiviste en een agent-provocateur. En hoe durfde ik zelfs maar te suggereren dat er zoiets als een 'deep state' bestond? Daar trok ik me allemaal niet veel van aan, en Suna leek er ook niet ondersteboven van toen we elkaar spraken (al zei ze wel dat het ongelooflijk stom van me was dat ik de 'deep state' ter sprake had gebracht), en al mijn collega's die de Turkse kranten kennen zullen het hierover ongetwijfeld met me eens zijn. Bij de Turkse kranten is het gebruikelijk om over verhalen over Turkije in de westerse pers te schrijven, en de mindere kranten verdraaien altijd de woorden van het origineel tot iets wat strookt met de agenda van de hoofdredactie op die dag. De misleidende koppen zijn echter niet altijd zo omineus als ze eruitzien. Zelfs relatief naïeve lezers begrijpen dat de kranten liegen: de enige manier om door de leugens heen te kijken, is naar de 'ware bedoelingen' van de auteurs te raden.

Een enkele columnist noemde de naam van mijn vader en zijn adres, en bereidde daarmee volgens mij de weg voor de doodsbedreigingen. Mijn vader nam de eerste twee keer op, maar omdat hij de stemmen niet herkende en het Turks erg slordig was, nam hij aan dat het mensen waren die een verkeerd nummer hadden gedraaid. Ik nam de derde keer op en ik verstond de tekst woord voor woord. Maar de eerste keer dat zoiets je overkomt, weet je zo gauw niet wat je moet doen.

Hoe verstop je je voor iemand die je niet ziet? Wie kan je beschermen? Die vragen waren die avond aan tafel even abstract als onbeantwoordbaar. Zoals mijn moeder zei was het allemaal zo krankzinnig dat je het gewoon niet geloofde. Maar meteen daarachteraan zei ze: 'Tja, zoiets verwachtte ik eigenlijk al.' Ze beschuldigde me niet rechtstreeks, maar dat hoefde ook niet. Ik wist wel dat ik roekeloos was geweest. Maar ik was nooit op het idee gekomen dat ik behalve mezelf ook anderen in gevaar bracht. Ik was letterlijk ziek van afgrijzen om mijn eigen domheid.

Ik zou de volgende ochtend weer naar Londen gaan, maar nu had ik het gevoel dat ik alleen kon vertrekken als ik mijn ouders meenam. Maar dat wilden ze niet. 'Ons leven is hier.' Toen ik aanbood mijn vertrek uit te stellen, wierpen ze elkaar een steelse blik toe die ik zonder moeite begreep. Juist mijn aanwezigheid maakte dat zij gevaar liepen. 'Het waait wel weer over,' zei mijn moeder. 'Zolang je je maar rustig houdt. En waarom zou je je niet rustig houden? Dat kun je met een gerust geweten doen. Tenslotte heb jij nu je best gedaan.' Het was al laat in de avond, maar ik wist dat ik het hier niet bij kon laten, dus belde ik Suna, die meteen kwam. Ze nam de doodsbedreigingen luchtig op – 'Jullie ook al?' zei ze met een brede grijns tegen mijn vader. 'U bent in uitstekend gezelschap! Gisteren heb ik zelf maar liefst vier van die telefoontjes gehad. En een zekere collega van u...' Ze noemde een naam, en toen nog een. Iedereen lachte, alsof het allemaal maar een onschuldig spelletje was. Maar toen ze naar het balkon ging om een sigaret te roken, trok ze me mee. 'Jou hou ik hopelijk niet voor de gek,' zei ze. Ik schudde mijn hoofd. Ze keek de rook na die opsteeg in de kille avondlucht en ging verder: 'Je ouders willen zeker niet mee naar Londen?' Ik zei dat ze dat goed geraden had, en ze zei: 'Jammer. Maar laat het maar aan mij over, lieverd. Ik bescherm ze wel. In Turkije vergeten we onze leermeesters nooit, zoals je weet.'

'Moeten mijn ouders ondertussen niet een instantie bellen?' vroeg ik.

'Ah!' riep ze vol afgrijzen en minachting. 'Welke instantie had je in gedachten?'

'De politie?'

'De politie. Ha. Kostelijk.'

'Of anders het Amerikaanse consulaat. Daar houden ze dit soort dingen vast wel bij. Misschien kunnen ze advies geven.'

'Ja, en misschien hebben ze ook wel iets op te merken over jouw artikel. Dacht je dat ze daar blij mee waren? Nee,' zei ze, 'laat het maar aan mij over. Aan óns. Wij houden van je ouders, waarschijnlijk meer dan jijzelf. We zullen goed voor ze zorgen.' Ze zweeg even en voegde er toen aan toe: 'En we zijn jou ook dankbaar! Ondanks bepaalde smetten op je blazoen... maar daar hebben we het gisteren bij onze lange, heerlijke ruzie al over gehad, dus daar hoeven we niet over door te zeuren. Ik hoef er alleen maar een waarschuwing aan toe te voegen. Uit de reacties wordt wel duidelijk dat je een heel gevoelige snaar hebt geraakt. Misschien heb je er maar een slag naar geslagen, maar evengoed zat je dichter bij de waarheid dan wij ooit hebben geweten. Heel mooi! Maar wees voorzichtig. Je zult ongetwijfeld worden benaderd. Als het niet onderweg naar huis is, dan gebeurt het kort daarna. Kijk uit wat je dan zegt. En pas ook goed op. Hou contact, maar let ook dan op je woorden. Ga er altijd van uit dat onze telefoongesprekken worden afgeluisterd en dat anderen je e-mails meelezen. Alles wat je tegen mij zegt, zeg je ook tegen al die anderen. Dat is mijn eerste gulden regel voor je. En de tweede is: ga gewoon door alsof er niets aan de hand is. Laat je niet bang maken, en laat het ze vooral niet merken als je bang bent.'

'Ik dénk er niet aan,' zei ik.

'Nog één ding dan. Het belangrijkste. Vergeet nooit wie je vrienden zijn.'

'Waarom zou ik dat willen?'

'Goed, en nog een laatste verzoek. Probeer het verleden niet te herschrijven.'

7

In het vliegtuig terug naar huis zat ik naast een Turk van ergens in de dertig die ooit voor Arsenal had gevoetbald, maar door een blessure niet meer kon spelen en nu een stomerij in Noord-Londen had. Hij was naar Istanbul geweest voor de begrafenis van zijn moeder en hij had geen speciale boodschap voor mij. Anderen ook niet, zo te zien. De week daarop, in Londen, zei af en toe iemand dat hij mijn 'geweldige stuk' had gelezen, maar verder had niemand er iets over op te merken. Tegen het eind van de week was het volgende stadium al aangebroken: 'Ik zag laatst nog een stukje van je, maar ik weet echt niet meer in welke krant, of waar het over ging.' Dat vond ik best.

Want ik begreep inmiddels waarom ik naar de Pasha's Library was gelokt, wat de bedoeling was en wat ze wilden dat ik daarvan dacht.

Of met andere woorden: in plaats van te kijken waar zij wilden, keek ik nu achterom.

Ik weet nog steeds niet zeker hoe dat is uitgelekt.

Ik was een week terug toen ik de eerste mail kreeg. Ik herkende de afzender niet, maar de domeinnaam was die van een universiteit in de staat New York. Ik klikte hem open in de verwachting dat hij van een kennis van een kennis was, zoals gewoonlijk, of van een student die me iets wilde vragen.

Er stond maar één zin:

'Wat wil je van me?'

Ik besteedde er geen aandacht aan. Maar de volgende dag kreeg ik er weer een.

'Teringhoer. Als je mijn leven en dat van mijn gezin kapot wilt maken, wees dan tenminste zo beleefd me te laten weten wat je van me wilt.'

Ik probeerde ook deze mail te negeren, maar hij bleef steeds in mijn gedachten. Ik maakte me zoveel zorgen dat ik mijn oude vriend Jordan Frick belde, die weer terug was uit Oezbekistan, en hij maakte zich zoveel zorgen dat hij naar me toe kwam om de mails zelf te bekijken. Toen we in mijn mailbox keken, bleek daar een derde bericht in te zitten. Het was heel lang en ik zal het hier niet citeren. Laat ik volstaan met te zeggen dat er dingen in stonden die maar twee mensen op de hele wereld konden weten, en ik was de ene. Hoe onmogelijk dat ook klinkt. En ja, ik weet dat het voor iemand die van terrorisme wordt beschuldigd technisch onmogelijk is om te internetten. Maar ik neem aan dat het zelfs onder de *Patriot Act* mogelijk is een advocaat te raadplegen. Dus misschien was het via dat kanaal gegaan. In de week dat we communiceerden, leken de hiaten tussen mijn antwoorden en zijn reacties daarop inderdaad te wijzen op een tussenpersoon die onze boodschappen doorgaf.

Ik neem aan dat het niet nodig is die hele correspondentie nu bij te voegen, Mary Ann, want je hebt alles al gezien. En ik wil je graag nogmaals bedanken omdat je de bedreigingen serieus neemt. Het is een bijzonder kwalijke zaak, vooral nu, en je hebt geen idee hoe ontmoedigend het is als je in levensgevaar verkeert en bij de instanties niemand bereid is om je serieus te nemen. Jij was de eerste die daartoe wél bereid was, en ik kan je niet genoeg bedanken. Dat geldt ook voor de anderen van het Center for Democratic Change.

Ik besef wel dat we nog steeds van mening verschillen over Jeannie Wakefield, en ik begrijp wel dat iedereen die haar op die gemonteerde foto heeft herkend tot overhaaste conclusies zou komen.

Maar jij bent tenminste bereid om haar onschuldig te achten tot het tegendeel is bewezen. Ik vind het bemoedigend dat er zelfs nu, zelfs in Washington, nog steeds organisaties zijn zoals het CDC die aandringen op een eerlijk proces. Als we onze krachten bundelen, kunnen en zullen we ervoor zorgen dat het recht zegeviert. Tot dan wil ik je vragen nog wat geduld te oefenen. Om alles te zeggen wat ik te zeggen heb, heb ik tijd nodig. En nog een paar andere luxes.

En dat brengt me op de mail die daarnet binnenkwam, van de correspondent die misschien Sinan is maar misschien ook niet:

'Hoeveel weet je eigenlijk?'

Mijn antwoord: minder dan ik zou willen. Maar wees gerust: wat ik niet weet, kan ik me moeiteloos voorstellen.

II

Het dagelijks leven ten tijde van de Koude Oorlog

8

Ze is geboren in Havana, of all places. Ik weet niet precies wat haar vader in Cuba uitspookte of wat hij volgens het naambordje op zijn deur zogenaamd deed. Hoe dan ook, Jeannies moeder vond het maar niks. Binnen een paar maanden na de bevalling zat ze met de baby weer in Northampton, in de staat Massachusetts. Het duurde niet lang voordat Jeannies vader ook vertrok. Zijn volgende post was Caracas. Daarna wisselde hij van continent en belandde in Ankara. Daarna volgden Delhi, Manilla en Colombo. Ergens onderweg trouwde en scheidde hij voor de tweede keer. De vrouw met wie hij in 1966 hier in Istanbul kwam was zijn derde. In 1970 vertrok zij ook, naar Washington, om rechten te studeren. Er werd gefluisterd (en ik weet nog dat men daar destijds zeer geschokt door was) dat William Wakefield haar studie betaalde.

Hij was dus niet de eerste de beste macho. Hij had zo zijn ideeen over wat een man moest doen en wat een vader moest proberen te bereiken. Ik weet dat hij het jammer vond dat hij zijn dochter niet kende, want dat heeft hij me een keer tot in detail verteld op een feest van mijn ouders toen hij veel te veel gedronken had, wat ik toen erg pijnlijk vond. Hoewel hij zeker wist dat Jeannies moeder haar 'de allerbeste Amerikaanse opvoeding' gaf, was 'er nog wel meer in de wereld' en het zat hem dwars dat zijn dochter niet de kans kreeg daar iets van te zien.

Maar op een dag... Dat was de boodschap die hij haar impliciet of expliciet gaf met elke kaart die hij haar stuurde. Zou het hem hebben verbaasd als hij wist dat ze 971 van die kaarten op de muren van haar slaapkamer had geplakt? Hyderabad, Luxor en Petra. Montevideo, Anchorage, en Hongkong. Havens, bergen en skylines. Beelden, mausolea en schepen. Stuk voor stuk getuigden ze van de grotere, betere wereld die haar vader haar wilde laten zien. Het idee om een jaar bij hem in Istanbul te gaan wonen kwam van haar, niet van hem.

Haar moeder had natuurlijk allerlei bezwaren gemaakt. Istanbul was te ver weg en veel te gevaarlijk – hoewel elke vrijgezellenflat waar dan ook ter wereld minstens zo erg geweest zou zijn. Haar grootste angst (die gegrond zou blijken te zijn) was dat Jeannie aan haar lot overgelaten zou worden. We hadden het over een man die 'niets en niemand belangrijker vond dan zijn werk'. Wat dat werk precies inhield, scheen ze echter niet te weten. Als ze ook maar iets van de waarheid had vermoed, zou ze die zeker als troefkaart hebben gebruikt.

In plaats daarvan had Radcliffe het laatste woord. Daar kreeg ze een studieplaats aangeboden, maar in plaats van te doen wat de meesten zouden doen, namelijk die kans met beide handen aangrijpen, schreef Jeannie terug dat ze pas zestien was en dat ze zich afvroeg of ze niet veel meer uit haar studie kon halen als ze nog een jaartje wachtte. Ze schreef over haar vader en over haar verlangen kennis te maken met de wereld die haar zo lang was onthouden. Ze schreef dat ze Gibbon las en de échte Richard Burton. Gertrude Bell, Rose Macaulay en Freya Stark. Er ging geen dag voorbij, schreef ze, waarop ze zich niet afvroeg wanneer ze eindelijk zou kennismaken met de raadselen van de Cultuur van het Nabije Oosten. Daarmee bewees ze precies het type student te zijn waarnaar Radcliffe op zoek was. Ze schreven direct terug dat ze haar plan van harte steunden. Hun enige voorwaarde was dat ze (in elk geval terwijl ze in Istanbul was) in aanvulling op het dagboek dat ze al had beloofd enige vorm van officieel onderwijs zou volgen.

Zes weken later nam ze op JFK afscheid van haar bezorgde moeder en stapte aan boord van een PanAm-toestel naar Istanbul. Ze begon haar dagboek op wat alleen een adolescent een vergevingsgezinde toon kan noemen ('Het is niet zo moeilijk om mild over je moeder te denken als je vanaf een kilometer hoogte op haar neerkijkt.').

De tweede keer dat ze in het dagboek schreef, op 16 juni, begon ze al even hoogdravend:

> Ik ben nu blij dat ik zo lang heb moeten wachten. Blij dat ik de kans heb gehad iets over de geschiedenis te lezen, in me op te nemen, werkelijkheid te laten worden, in elk

geval in mijn hoofd. Want toen we over dat smalle keienpaadje liepen langs de hoge muren van Rumeli Hisar, en ik voor het eerst de toren met die kantelen zag, had ik het gevoel dat ik helemaal ín het boek van Gibbon zat. Ik weet dat het belachelijk klinkt, maar ik zág het Ottomaanse leger over die muren komen, ik hoorde hun strijdkreten terwijl ze naar beneden stormden om de Bloem van het Oost-Romeinse Rijk af te pakken van de Grieken, de vorige eigenaren. Ik zat er zó in dat ik zelfs begon te hyperventileren. En toen pappa me meenam naar de tuin van zijn huis om me zijn uitzicht te laten zien – toen ik hier op de grote glazen veranda stond en opgewonden en verwachtingsvol naar de verre, mysterieuze bochten van de Bosporus keek, voelde ik dat de Geschiedenis zelf me overspoelde en begreep ik voor het eerst de betekenis van het woord 'ontzagwekkend'...

Toen stopte ze, want ze besefte dat al die dweperige woorden gelogen waren.

9

Voor wie schrijf ik? Later wist ze nog dat ze zich dat afvroeg. Maar ze kende het antwoord op die vraag: ze schreef voor de doorgewinterde, kosmopolitische vrouw die ze ooit hoopte te worden. In werkelijkheid was het zelfs nog erger. Nog verknipter en dubbelhartiger. Ze schreef een verhaal over haar eerste weken in Istanbul zoals ze zich die wilde herinneren. Zoals ze wilde dat ze die had beleefd. Zoals ze later altijd zou doen alsof ze die weken zo had beleefd.

Ze keek op van haar smalle bureautje om haar leugenachtige spiegelbeeld in het raam te bestuderen, omlijst door de ijzeren spijlen; ze keek naar De Neus, en daarna naar De Linkerneusvleugel: die was groter geworden. Ze deed haar notitieboekje dicht, dat haar vervolgens gewichtig bleef aankijken. Alsof het wilde zeggen: een notitieboekje van mijn kaliber – of ben je soms vergeten dat ik van het fijnste leer gemaakt ben? – dient met respect te worden behandeld. Ze wilde zwichten voor de superieure wijsheid van het boekje – stoppen, naar beneden gaan, misschien een vriendin bellen of televisie kijken – maar dat kon natuurlijk niet, ze zat niet in Northampton, maar aan de andere kant van de wereld, opgesloten in een toren met als enige gezelschap haar haperende fantasie, zo voelde dat 's avonds in het donker tenminste, als ze alleen het gestamp van een voorbijvarend schip hoorde en de huilende honden in de heuvels.

Ze hoorde iets beneden. Iets tussen een luid gepiep en een bons in. Een stoel. Hij had vast een stoel omgegooid. Ze kreeg een beklemd gevoel in haar borst toen ze haar vader hoorde vloeken. En nu klonk er een harde, schrille knal die ze niet zo snel kon thuisbrengen: haar vader die de ijsemmer tegen het aanrecht sloeg? Daarna stilte, en voetstappen, die onder aan de trap stilhielden. Ze hield haar adem in, maar toen klonk het piepen van de deur van de bibliotheek. Ze ademde uit.

Ze sloeg de eerste bladzijde op: 'Dagboek van Jeannie Wakefield van haar Eerste Avonturenreis naar het Nabije Oosten, juni 1970 – .' Wat een lariekoek! Zo pretentieus! En zo breedsprakig, alsof ze al van alles had meegemaakt. Maar ze was hier pas twee weken en ze wilde nu alweer weg. Als ze de waarheid zou opschrijven, zou het zoiets worden:

> Het was mijn idee om hier naartoe te gaan, mijn eigen idee, ook al is het wel waar wat mama zei, dat papa me op dat idee heeft gebracht en het met elke kaart verder heeft aangewakkerd. Maar het was toch mijn idee en ik heb heel veel moeite moeten doen om het uit te voeren. Maar nu ben ik er dan, helemaal op mezelf aangewezen, in een huis dat naar havermout ruikt. En gisteravond...

Maar ze kon het niet verdragen om terug te denken aan de vorige avond. Haar hart kromp ineen bij de gedachte alleen al. Ze sloeg het notitieboekje open en ging verder met haar taak, en terwijl ze de grootse monumenten beschreef die ze sinds haar aankomst had bezocht, en de schitterende vergezichten die haar ogen hadden verslonden, was ze opnieuw dankbaar voor de rust en de moed die deze veinzerij haar gaf.

Het duurde niet lang voordat ze elke moskee, elk cisterne en elke brug had beschreven. Toen ze haar verslag doorlas, zag ze wat het in werkelijkheid was: een saaie opsomming van levenloze dingen. Haastig herstelde ze deze tekortkoming:

> Maar genoeg over ons. Mijn volgende opdracht is de stad laten zien als levend, ademend wezen. Je zou denken dat ik nog geen mens had ontmoet, maar ik ga juist veel met allerlei mensen om! Woensdag hadden we een hele leuke avond op de Hiawatha (het jacht van de consul) met een paar collega's van papa, en de avond daarna zijn we naar papa's nieuwe vriendinnetje geweest, een eindje verderop, wat een raar woord trouwens voor een vrouw van in de veertig. Maar ze is eigenlijk een heel leuk iemand. Ze deed er alles aan om me op mijn gemak te stellen.
>
> Chloe, haar dochter, was wat minder toeschietelijk,

> hoewel we toch een soort bondgenootschap hebben gesloten. Want gisteren...

Allemachtig! Alleen dat woord al beroofde haar van haar laatste restje moed. Maar nu kon ze niet meer terug. Ze was begonnen en ze zou doorgaan tot het einde, en als haar dat lukte zou ze er misschien iets van begrijpen.

> ... gisteren heeft Chloe me voorgesteld aan twee jongens met wie ze bevriend is. We zijn de hele dag samen opgetrokken, en ook nog een groot deel van de avond. Het was een groot avontuur, voor mij tenminste. We hadden niet alleen een auto ter beschikking, maar zelfs een speedboot! Het grootste deel van de tijd had ik geen idee waar ik was, terwijl ik vind dat ik dat altijd wel moet weten. Maar al met al ben ik blij dat ik de kans kreeg een kijkje te nemen in de vreemde wereld waarin die jongens leven; het gaf me in elk geval een fascinerend beeld van het leven en de mores van Turkse jongeren. Hoewel ik moet toegeven dat de kennismaking met een vreemde cultuur minder eenduidig is dan ik oorspronkelijk aannam. Met tegenzin breidde ik mijn toch al snel groeiende lijst vragen uit...

En dat moest ze niet doen. Dat moest niet! De snel groeiende lijst achter in haar notitieboekje was voor belángrijke vragen. Vragen over Geschiedenis en Monumenten. Dingen die ze voor haar studie wilde weten. Maar de vragen die ze met tegenzin aan haar snel groeiende lijst wilde toevoegen, waren onbenullig en persoonlijk, en soms zelfs onaardig. Zoals: waarom vonden Turkse tieners het zo fantastisch om een zes jaar oude Mustang te hebben? En waarom reden ze daar als gekken in rond als ze hem eenmaal hadden? Waarom draaiden ze zich om nadat ze je bijna hadden doodgereden en knipoogden dan naar je? Waarom lachten ze terwijl iets echt niet grappig was en waarom vertrokken ze geen spier als ze zelf iets zeiden waarvan zij maar hoopte dat het een grapje was? En waarom deden ze, terwijl ze je het idee gaven...

... genoeg van die onzin. Er is niets wat opweegt tegen de simpele feiten, en die zijn als volgt. Gistermorgen...

Toen ze gistermorgen beneden kwam, zat haar vader met twee vreemden in de bibliotheek. De ene was keurig gekleed en had een kille, oplettende blik. Haar vader stelde hem voor als 'İsmet, mijn tegenhanger'. De ander was een spichtige Amerikaan die zo te zien nog niet lang afgestudeerd was. Hij had scherpe gelaatstrekken met ogen die zo diep lagen dat ze de kleur ervan niet kon onderscheiden. Zijn kortgeknipte haar eindigde ruim twee centimeter voordat zijn gebruinde huid begon, waardoor hij een beetje op een geschoren schaap leek. Hij stond over haar vaders radio gebogen en prutste aan de knoppen, maar toen hij haar zag, schoten zijn wenkbrauwen omhoog, bijna als vanzelf. 'Hoe zit het met de etiquette?' vroeg hij. 'Word ik niet voorgesteld?'

'Nu ik erover nadenk: nee,' zei haar vader.

'Zoals u wilt,' zei de jonge Amerikaan. Hij stak zijn hand uit. 'Prettig kennis te maken. Zeg maar Zonder Naam. En hoe heet jij?'

'Niet op reageren,' zei haar vader.

'Bedankt,' antwoordde Zonder Naam.

'Graag gedaan,' zei haar vader, en Jeannie hoorde dat hij het meende. Ze was geïrriteerd (omdat ze helemaal niet in bescherming genomen hoefde te worden) maar ze schaamde zich ook voor die irritatie, en ze liep naar de keuken. Haar vader kwam achter haar aan en verontschuldigde zich omdat hij 'die sukkels op haar afgestuurd had'. Er had zich iets dringends voorgedaan, vertelde hij. 'En zoals altijd moet ondergetekende dat weer oplossen. Alsof ze niks beters te doen hebben. Gaan ze nooit naar het strand of zo?' Met 'ze' wist ze inmiddels, bedoelde hij niet zijn collega's van het consulaat, maar de Communistische opstandelingen.

'Sorry dat ik je zo in de steek moet laten,' zei hij terwijl hij even door haar haar woelde. Iets wat natuurlijk heel normaal was voor een vader, hoewel er iets niet klopte, want het had iets kils. Daardoor vroeg ze zich af of je vader alleen echt een vader kon zijn als je bij hem in hetzelfde huis was opgegroeid.

Omdat ze merkte dat hij zich hetzelfde afvroeg, probeerde ze zo overtuigend mogelijk naar hem te glimlachen, al moest ze eerlijk toegeven dat die glimlach vooral werd veroorzaakt door het vooruitzicht dat ze de ochtend voor zichzelf had. 'Je bent echt niet de hele dag alleen, daar heb ik voor gezorgd,' zei haar vader, met zijn gebruikelijke (maar daarom niet minder alarmerende) slagvaardige reactie op haar onuitgesproken gedachte. 'Mijn vriendin Amy heeft gevraagd of die leuke dochter van haar je een middag mee uit wil nemen. Als zij je geen leuke middag kan bezorgen, dan kan niemand dat.'

> Veel verwachtte ik er niet van. We hadden elkaar al ontmoet en het klikte niet tussen ons. Ze had er ongeveer vijf minuten voor nodig gehad om mij als 'saai' weg te zetten. Ze was een humeurig, slechtgemanierd meisje met een zwoele blik en een voorkeur voor woorden die het woordenboek niet uit zouden moeten mogen. Daarom zei ik, toen ze na de lunch arriveerde in een klein tie-dye jurkje, met een enorme ronde zonnebril en ongelofelijke pruillippen, alleen maar tegen haar: 'Zeg, we zijn toch niet verplicht om dit te doen?'
>
> 'Nee, vind ik ook,' zei ze. Maar ze voegde eraan toe: 'Wat een mooi uitzicht is dit toch.' Ze verloor zich daarin, zoals de meeste mensen. Toen ze weer tot zichzelf kwam, stak ze een Marlboro op, met stijve, ceremoniële bewegingen die verrieden dat dit ritueel nieuw voor haar was. Daarna schetste ze de mogelijkheden.
>
> We konden naar de overdekte bazaar. Maar daar was het warm en stoffig en 'dodelijk saai, want mijn moeder wilde me geen geld mee geven'. We konden naar de Prinseneilanden, 'maar dat is een heel eind en onderweg word je geheid lastiggevallen, zelfs als je een spijkerbroek draagt.' De derde optie was een strand aan de Zwarte Zee, maar daar was de stroming heel sterk en aan de badmeesters had je niks. 'Of ik zou je kunnen voorstellen aan een paar jongens die ik ken.' Haar pruillippen verdwenen toen ze dit zei, dus ik vroeg: 'Vertel eens wat meer over die jongens?'

'Gewoon, een paar jongens,' zei ze. 'Ze zijn heel leuk.'
'Turks?'
'Ja,' zei ze. 'Maar ze spreken beter Engels dan jij. Nou ja, zo ongeveer, in elk geval eentje. En zelfs die andere heeft Chaucer in het Middel-Engels gelezen en dat kun jij waarschijnlijk niet zeggen.'

Dat gaf op de een of andere manier de doorslag. Een kwartier later waren ze op het Robert College, op het terras waar je een panoramisch uitzicht hebt over de Bosporus. De studenten zaten met hun rug tegen de muur geleund, tegenover de muur van slaapzalen, die vol hing met dezelfde anti-Amerikaanse posters die ze overal in de stad had gezien, en die haar vader graag (al te graag?) voor haar vertaalde. Maar vanmiddag was het te warm om je daarover te verwonderen. De bomen gaven wel wat schaduw, maar de lucht kwam alleen in beweging door de obers die tafelkleedjes uitklopten en de tafels in gereedheid brachten voor een receptie naast het beeld van de man van wie ze nu de naam kende, Atatürk, de vader des vaderlands.

Ze richtte haar aandacht op de twee jongens op de tennisbaan.

Als ik heel eerlijk ben, viel mijn oog als eerste op de jongen die iedereen als eerste opvalt, omdat hij eruitzag alsof hij zo uit de *Sports Illustrated* kwam. Gebronsde ledematen en gouden krullen, een Apollo in witte tenniskleding! Hij lachte gemakkelijk en wekte niet de indruk veel haast te hebben. Als hij een bal miste, barstte hij alleen maar in lachen uit.

Zijn vriend was magerder, donkerder en serieuzer. Hij had geen enkele concessie gedaan aan de tennisgod. Hij droeg een zwart Grateful Dead-T-shirt en een afgeknipte spijkerbroek met verfvlekken en hij bewoog zich als een kat.

Hij had kort, zwart haar met krullen die na een knipbeurt weer de kop op staken, grote, donkere ogen, en een zonnige glimlach die een tikje opstandig was. Toen er een bal over het hek ging en hij daar in de bosjes naar zocht, zag Jeannie dat er een druppel over zijn gezicht gleed. Toen hij zag dat Jeannie naar hem keek, bleef hij staan, en even keek hij terug. Nukkig en afwachtend, alsof er iets tussen hen was. Wachtte hij tot zij naar hem ging lachen of wuiven? Voordat ze dat kon bedenken stond hij op en liep weg.

Ik weet nog steeds niet wat voor spelletje hij toen speelde. Of Chloe. Of Apollo, die Haluk bleek te heten. Ik weet alleen dat er veel gekuch en gedoe was en dat iedereen rondliep en deed alsof ze elkaar niet herkenden, tot ze ineens hun tennisrackets in de kofferbak van een niet meer zo nieuwe Mustang gooiden (hoewel het in deze contreien blijkbaar erg hip is om een niet meer zo nieuwe Mustang te bezitten) en voordat ik het wist zaten wij ook in die Mustang, ik achterin naast de donkere jongen, die zich voorstelde als 'John Reed, auteur van *The shot that was heard around the world*' en het presteerde te verwachten dat ik dat geloofde. Waar ziet hij me voor aan, voor een onbenul?

Zijn echte naam is Sinan.

10

Dat onthulde hij een tijd later, na verscheidene rakelingse aanvaringen met de dood, toen ze illegaal geparkeerd stonden voor het politiebureau van Bebek onder het toeziend oog van een soldaat die een roestig machinegeweer als een baby in zijn armen hield. (Verder scheen niemand dat verontrustend of op z'n minst vreemd te vinden.) Haluk en Chloe (die iets met elkaar leken te hebben, hoewel hun samenzweerderige manier van doen suggereerde dat dat op de een of andere manier controversieel was) waren een niet nader omschreven boodschap gaan doen, en Jeannie had van de gelegenheid gebruik gemaakt om de nukkige katjongen een paar vragen te stellen. Waarop Sinan antwoordde: nee, ze hadden elkaar nooit eerder gezien, hoewel hij van haar vader veel over haar had gehoord. En ja, haar vader kende zijn vader, die momenteel ambassadeur in Pakistan was. Sterker nog: haar vader kende zijn móéder, die momenteel probeerde haar zangcarrière nieuw leven in te blazen in Parijs. 'En nu we het er toch over hebben: ik heet niet echt John Reed.'

'Nee, dat had ik eerlijk gezegd al begrepen,' zei Jeannie. Toen hij haar zijn echte naam vertelde, zei ze: 'Nou, Sinan, jij bent hier dus helemaal alleen.'

Zo was het allemaal begonnen. Hoewel hij was begonnen met de waarheid (zoals de gewoonte scheen te zijn in het kat-en-muisspelletje). 'Alleen? Daar vergis je je deerlijk in. De huishoudster zit me constant op de hielen. En de zus van mijn vader. Plus ongeveer een miljoen andere familieleden. De laatste tijd zit ik vooral bij Haluk. Ik weet niet of Chloe dat heeft verteld, maar wij zijn neven.'

'Dat klinkt allemaal heel gezellig,' zei Jeannie.

Sinan snoof. 'Gezellig. Die is goed.'

'Hoezo?'

'Wil je het echt weten? Oké, dan vertel ik het je. Haluks vader, mijn oom dus, is een gangster.'

'Echt waar?'

'Echt waar. Strikt genomen is hij wapenhandelaar, maar laat me je één ding vertellen. Het is niet prettig als een wapenhandelaar controleert of je je huiswerk wel hebt gemaakt.' Hij zuchtte voor het dramatische effect en zei toen: 'Wij kunnen niets doen zonder dat hij het weet. Zelfs als hij in het buitenland is, zoals vandaag. Laat ik het zo formuleren. In de grote gevangenis die Turkije heet, heeft hij een oneindig lange arm.'

'Dat is nogal een beschuldiging,' zei Jeannie toen, maar op een toon alsof ze er niets van geloofde.

Zijn gezicht betrok. 'We proberen er natuurlijk het beste van te maken. Maar op dit moment hebben we huisarrest. Letterlijk. We zijn namelijk gezakt voor een examen, hetzelfde examen, en toen hebben ze onze zomervakantie geannuleerd. Wij worden geacht te studeren. De grootouders van Haluk worden geacht op te treden als onze bewakers. We mogen er soms uit omdat ze medelijden met ons hebben, maar als Haluks vader erachter komt, vermoordt hij ze. Dat doet hij echt. Hij heeft overal spionnen. We kunnen niet eens een ijsje eten zonder dat hij het weet.'

Ze verloor haar geduld en vroeg: 'Waarom vertel je me dat eigenlijk?'

'Omdat het de waarheid is,' hield hij vol. 'Iedereen weet het.'

'Maar daarom wil hij toch nog niet dat jij het overal rondbazuint?'

'In een land als dit maakt dat niks uit.'

'Waarom niet?'

'Het wordt geaccepteerd. Het is gewoon zoals het is.'

'Dat is precies wat mensen zeggen die zich overgeven aan fatalisme.'

Deze keer verscheen er een vage flonkering in zijn ogen. 'Dus je vindt me een fatalist?'

'Niet alleen een fatalist, maar ook een leugenaar.'

'Zal ik het bewijzen? Goed, dat zal ik doen.'

Hun volgende halte was een zwemclub die het Lido heette, waar onmiddellijk duidelijk werd dat er inderdaad erg veel mensen waren die hen nauwlettend in de gaten hielden. In elk geval moeders. Ze kuierden een voor een langs om de twee jongens gedag te zeggen, naar hun ouders te informeren, te vragen naar 'deze alleraardigste meisjes', en, zo nu en dan, naar een ander meisje, dat Suna heette. Hoewel dat Jeannie niets zei, gold dat niet voor Chloe, die steeds als die naam viel met een ruk opkeek. Toen Jeannie vroeg wie die Suna toch was, legde Sinan uit dat zij iemand was die meende dat ze iets had met Hanuk. 'En is dat zo?' had Jeannie gevraagd. Nee, dat was niet zo. 'Waarom denkt ze dan van wel?' Het antwoord: 'We zijn hier in Turkije.'

Voordat ze om nadere uitleg kon vragen, kregen ze gezelschap van een donkerharige vrouw die Jeannie schatte op een jaar of vijfenveertig. Hoewel ze haar gezicht niet goed kon zien – ze zag vooral een grote zonnebril, blikkerende witte tanden, en rode en gouden nagellak – werd ze nerveus van haar blik. Ze begreep niets van de spanning die daarvan uitging, alleen dat die op haar gericht was.

Toen gooide de vrouw zonder aankondiging haar hoofd achterover en barstte uit in een schorre schaterlach. Ze stak haar hand uit naar Jeannie en zei: 'Wat ben ik toch onbeleefd. Ik zal me even voorstellen.' Het bleek 'de moeder van Suna' te zijn.

'Ik hoorde dat je nog maar pas in het land bent en nog moet wennen aan onze vreemde gebruiken.'

En dus deelde Jeannie haar mee, met een oprechtheid die de vrouw heel grappig scheen te vinden, dat ze haar best deed.

'Ach ja, en daar zul je ook vast mee doorgaan. Maar ik hoor van deze jongens dat je geen woord gelooft van wat zij je vertellen.'

Waarop Jeannie had geantwoord dat dat ook wel erg bizarre dingen waren.

'Bijvoorbeeld dat de vader van Haluk een gangster is?'

Ja, dat bijvoorbeeld. 'Dat vond ik inderdaad niet erg geloofwaardig.'

'Waarom niet?' vroeg Suna's moeder terwijl ze zich glimlachend naar voren boog.

'Omdat je in Amerika zoiets nooit zou vertellen. Daar lieg je over zulke dingen. Je verbergt je achter een dekmantel, begrijpt u?'

'Waar heb je dat meisje gevonden? Wat een schat! Ze is zo onschuldig! Zo lief!'

Ik kan niet zeggen dat het Lido me erg aansprak, maar ik zal er toch over vertellen. Eigenlijk is het een zwemclub, ongeveer halverwege de stad. Er is een groot zoutwaterbad dat lijkt over te lopen in de Bosporus, en ik heb gehoord dat er alleen een selecte klantenkring komt. Maar het met klimop begroeide hotel dat uitkijkt op het zwembad schijnt een berucht rendez-voushotel te zijn waar zakenmannen hun sletjes ontvangen. (Niet de mannen van wie de echtgenotes in het zwembad liggen, hoop ik.) De bizarre situatie werd nog versterkt door Simon en Garfunkel die door de intercom 'parsley, sage, rosemary and thyme' kweelden. Ik was ook niet zo onder de indruk van het meubilair van het Lido. Er stonden lompe tafels en ligstoelen die niet zouden misstaan in een busstation. Maar de obers fonkelden van het wit en de vrouwen fonkelden van het goud, en hoewel ik de ogen achter die donkere glazen niet kon zien, kreeg ik het toch steeds kouder.

Het speet me dus helemaal niet toen we halsoverkop met een noodvaart terug moesten naar Haluks huis, zo'n grote, moderne villa aan het water, vlak buiten Bebek. Het huis heeft grote ramen die uitkijken op het water, gewreven parketvloeren met hier en daar een glazen tafeltje en zwarte imitatieleren banken. We liepen meteen door naar het terras aan de zeekant, een vlakte van wit marmer met aan het eind een pier waar een speedboot genaamd Kitten II op de golven dobberde.

We hadden ons nog maar net in de ligstoelen geïnstalleerd toen de telefoon ging en Haluk weer naar binnen stoof. Sinan vertelde dat het Haluks vader was, die opbelde om te controleren of hij wel thuis aan het studeren was.

Hij was nog steeds aan het bellen toen er een uilig echtpaar de kamer binnenkwam schuifelen. De grootouders van Haluk. Ze droegen dezelfde grijze pantoffels en ze kregen een angstige blik in hun ogen toen Haluk vertelde wie ik was. Ze bleken mijn vader te kennen. Zou er hier iemand zijn die hem niet kent?

Op dat moment kwam er een dienster binnen met een schaal *baklava*. Hoewel ze dat aan iedereen aanbood, was ik de enige die iets nam. Haluks grootmoeder overlaadde me met loftuitingen toen ik dat deed en ze uitte haar wanhoop over de anderen. Het probleem met de jeugd van tegenwoordig was volgens haar dat ze allemaal veel te mager waren. Daar werden ze maar ziek van, en door die ziekte gaven ze zich over aan malligheden. 'Maar jij bent anders. Dat zie ik aan je eetlust, en aan je reine gezicht.'

Ze drong me nog meer baklava op en ik nam er uiteindelijk vier porties van. De anderen aten geen hap. Ik was ook de enige die een poging deed om het gesprek op gang te houden.

In de brief van drieënvijftig kantjes die ze me op haar computer in de Pasha's Library naliet, schreef Jeannie dat ze op dat moment ophield 'me te wapenen, me schrap te zetten voor de waarheid. Maar toen mijn pen weer het papier raakte, weigerde hij om zich naar mijn wil te voegen en sloeg in plaats daarvan over naar het volgende hoofdstuk.' En dat was het volgende: nadat ze had geschreven over haar plannen voor het komende jaar en haar grote en nog groeiende belangstelling voor de cultuur van het Nabije Oosten, en ze verder niets boeiends meer te zeggen had, had Jeannie opgemerkt hoe mooi ze het huis vond. Waarop de grootmoeder had geantwoord: 'Wat aardig van je. Ja, we verkeren in gelukkige omstandigheden. De Bosporus blaast onze ziel leven in.' Daarna had ze gevraagd of zij en haar man daar alleen woonden. 'Of woont uw zoon, de vader van Haluk dus, ook hier?'

'Dat hangt af van zijn reizen en zijn verantwoordelijkheden,' had de grootmoeder geantwoord.

Waarop Jeannie had gezegd: 'Ik heb gehoord dat hij een gangster is.' De grootvader hield abrupt op met kauwen. De grootmoeder slaakte een kreetje. Chloe lachte zwakjes en de jongens bleven boven hun bord gebogen. 'Sinan!' brulde de grootvader. Er volgde een woedende ondervraging. Toen die was afgelopen, had Sinan een dieprode kleur. Daarna was Haluk aan de beurt. De grootmoeder richtte zich weer tot Jeannie en zei: 'O, wat moet er toch van ons worden? O, die vreselijke ondervoeding ook!'

'De honger is hun naar het hoofd gestegen!' riep ze uit. 'Daarom hebben ze je die leugens verteld over Haluks vader!' En dat was nog niet alles. Want volgens de grootmoeder van Haluk was honger er ook de oorzaak van dat 'onze jongens' waren gezakt voor hun examen Turkse geschiedenis. Door de honger had Haluk een vraag over de oprichting van de Republiek beantwoord met een 'nonsensrijm'. Sinan had zelfs nog meer honger gehad, zei ze, want hij had geantwoord met Chinese karakters, die hij, zoals hij later zelf had opgebiecht, had 'overgeschreven uit een boek van niemand minder dan die ondankbare idioot, Voorzitter Mao. Dit is duidelijk een geval van een suikertekort,' zei ze tegen Jeannie. Het verklaarde ook waarom Sinan 'de spot had gedreven met het moederland' door in plaats van de passage die ze van hun leraar Turkse geschiedenis uit het hoofd hadden moeten leren een passage uit de Koran voor te dragen.

Waarop Sinan had gezegd: 'Eigenlijk spotte ik alleen maar met uit het hoofd stampen.'

Waarna de grootmoeder aan Jeannie had gevraagd: 'Ken jij het Turkse woord voor jeugd? Dat is *delikanli*, dat betekent letterlijk "gek bloed". Ik vrees dat het bloed van deze twee jongens wel héél erg gek is.'

Toen ze dat gezegd had, schuifelde ze met haar man weg om een dutje te gaan doen. Na een paar ogenblikken stilte greep Sinan met zijn handen naar zijn hoofd en liet zó'n luide jammerklacht horen dat het leek alsof er iemand was doodgegaan. Maar nee, hij lachte. Hij en Haluk lachten zó hard dat het ze pijn deed. Ze stonden op en sloegen hun armen om elkaar heen. Ze lieten elkaar los, wankelden en grepen naar hun buik, sloegen dubbel, omhelsden elkaar weer; daarna pakte Sinan, bij wie de tranen over de wangen liepen, Jeannies handen vast en gaf haar een kus op haar voorhoofd. 'Dank je, dank je.'

'Dank je waarvoor?' vroeg ze. Waarna ze opnieuw hysterisch begonnen te lachen. 'Hè?' zei ik. 'Iedereen weet dat hij een gangster is behalve zijn eigen ouders?'

'Jezus Christus,' zei Chloe, 'snap je het nog steeds niet? Je bent erin getuind.'

'Sorry, het spijt me echt,' zei Sinan.
'Mij ook!' zei Jeannie, terwijl ze tegen haar tranen vocht. 'Zoiets moeten jullie niet doen, dat weten jullie best!'
Waarop Chloe tegen de jongens zei dat ze zich stupide gedroegen.
'Stupide?' vroeg Haluk. 'Mevrouw, zou u dat misschien nader kunnen definiëren?'
'Ik eet nog liever mijn hoed op,' zei Chloe. Tegen Jeannie zei ze: 'Zeg, als je er genoeg van hebt, gaan we naar huis, hoor.'
Maar de jongens vielen op hun knieën, verontschuldigden zich, beloofden dat ze zouden stoppen met hun stomme spelletjes, en dat ze de meisjes mee uit zouden nemen met de Kitten II. 'Ik dacht dat jullie huisarrest hadden,' zei Jeannie.
'Ja, maar als we heel hard studeren...'
'Jullie studeren helemaal niet hard. Stelletje luiwammesen.'
Dat vonden ze zo'n leuk woord dat ze het een paar keer herhaalden en er ontzettend hard om moesten lachen.
'Waarom heet die boot eigenlijk de Kitten II?'
'Als ik dat zeg, geloof je me toch niet,' zei Sinan.
Ze vertelden het toch, en ze geloofde het.
Maar hoe kon ze ook anders? Alles kwam haar hier even vreemd voor, en alles kon dus ook even plausibel zijn. Was het niet plausibel dat een speedboot die Kitten II heette de opvolger was van een andere speedboat genaamd Kitten I? Je kon toch niet alles wat iemand zei in twijfel trekken? Waarom zou iemand die geen oudere broer had zomaar voor de lol willen voorwenden dat hij die wel had?
Wat ze haar vertelden (ze zorgden ervoor dat ze dat buiten gehoorsafstand van Chloe deden) was dat de oudere broer van Haluk op een middag in Bebek Bay aan de boemel was en een groepje mannen met donkere zonnebrillen had gezien die aan boord gingen van de speedboat waarmee de CIA in Bebek Bay eventuele interessante Sovjetschepen volgde om die te bekijken en te fotograferen. Toen ze hem zagen, hadden ze hem met die speedboat achtervolgd, vertelden de jongens (waarbij ze hun ogen tot spleetjes knepen), waarop de broer van Haluk in paniek was geraakt, in de baan van het Russische schip terecht was geko-

men en zich 'te pletter had gevaren'. Chloe had het zien gebeuren, fluisterden Sinan en Haluk tegen Jeannie. Ze had er nog steeds nachtmerries over, dat was ook de reden waarom ze er in haar bijzijn niet over spraken. Haluk werd intussen klaargestoomd om de plaats van zijn broer in te nemen en toe te treden tot het gangsterdom. In Jeannies brief van drieënvijftig kantjes aan mij vertelde ze dat ze zich 'verplicht voelde' om hen te geloven 'hoewel Sinan mij natuurlijk wel moest meenemen naar de aanlegsteiger bij de moskee om te bewijzen dat daar inderdaad een speedboot afgemeerd lag die voldeed aan zijn beschrijvingen. Toen ik die eenmaal had gezien, leek het me van belang om met hem mee te leven. En toen ik dat eenmaal deed, was ik al halverwege wat ik nu verliefdheid noem.'

Om zes uur 's middags lieten de jongens hun studieboeken voor wat ze waren om een spelletje pingpong te spelen. Het stelde niet veel voor, omdat het balletje vaker in zee dan op de tafel belandde. Steeds als een van hen een balletje kwijtraakte, zei de ander: 'Zoiets moeten jullie niet doen, dat weten jullie best!' waarbij ze Jeannies stem nadeden. Maar zij had er alleen maar bewondering voor dat het lachen hun nog niet was vergaan, want ze hadden de dood in de ogen gezien. De enige keer dat Jeannie de dood in de ogen had gezien, was toen ze haar goudvis had begraven. Ze zag Haluk dagdromen aan de waterkant en kon alleen maar denken: nee, hij ziet er toch helemaal niet uit als een gangster? Ze keek naar Sinan, die lachte terwijl hij zijn laatste pingpongballetje in zee mepte, en ze verwonderde zich over zijn kracht. Om zó te kunnen lachen, op de plek waar hij zijn ten dode opgeschreven neef zijn ondergang tegemoet had zien varen... die kracht zou zij nooit hebben. En nu, terwijl ze keek hoe Sinan zijn vingers door de vochtige krullen haalde die aan zijn nek plakten, voelde ze opnieuw met hem mee. De tragedie had geen sporen nagelaten. Maar toch zag ze die nu, verborgen onder het oppervlak.

Misschien (dacht ze later, toen ze in haar eenzame slaapkamer zat en naar het spiegelbeeld van haar Neusvleugel keek, de Linker), misschien had ze de tragedie onder het oppervlak zien doorschemeren omdat ze dat wílde zien. Misschien omdat ze op dat moment geen idee had hoe ze alles wat ze om zich heen zag moest opvatten. Maar er was nog iets anders aan de hand. Als ze heel eerlijk was, moest ze toegeven dat ze was gebleven omdat ze in Sinans ogen iets had gezien, en had gedacht... Wat had ze gezien? Een belofte of een luchtspiegeling?

Ze wist zelf niet meer wat er in haar omging. Zover was het al gekomen. Als ze het spoor terug volgde naar haar laatste vernedering, zou ze de weg misschien ook kunnen terugvinden. Maar ze moest waakzaam zijn. Ze moest zich wapenen tegen de strategische omissie van details die niet pasten in het beeld waar ze zo wanhopig naar verlangde.

Dit waren de feiten: ze had een vrolijke middag gehad, toen ze daar in haar ligstoel zat, mal en voor de mal gehouden, en wachtte tot de toekomst zich zou ontvouwen.

Ik was betoverd, dat moet haast wel, door de pracht van de avond die zich langzaam openbaarde, terwijl de meedogenloze hitte van die middag oploste tot een gouden licht, en de zee van turquoise verkleurde naar azuur en roze en zilver. De veerboten gleden suizend langs de pier, de glazen trilden als er een tanker passeerde, en de speedboat deinde op en neer in de hekgolf van elk schip en elke boot, groot of klein. Er stak een briesje op, dat de geur van vis, geroosterde maïs en kastanjes meevoerde. De ramen van de huizen op de Aziatische kust kleurden goud in de ondergaande zon.

Toen de zon achter de huizen verdween, en de grootouders terugliepen naar het terras, maakte hun stijve, formele Engels plaats voor het zoetgevooisde Turks van de jongens.

Halverwege de avond ging de telefoon weer. 'Geen moment te vroeg,' zei de grootmoeder toen Haluk naar binnen rende. Zijn grootvader volgde hem al snel. 'Nou, jongen,' zei hij toen ze weer naar buiten kwamen. 'Het ziet ernaar uit dat je hebt gewonnen.' Een paar minuten later wuifden we naar de grootouders terwijl we wegspoten in de Kitten II.

En als ze de waarheid vertelde, zou ze moeten toegeven dat ze niet één moment van aarzeling voelde. Pas nu vroeg ze zich af waarom die overbeschermende grootouders geen bedenkingen hadden toen zij wegvoeren in de replica van een boot waarin Haluks broer om het leven was gekomen, en zij zelf ook niet. Hoewel ze het woord niet in de mond durfde te nemen. Als je over liefde sprak, werd je door de bliksem getroffen en zou iedereen aan haar graf staan te lachen!

Waar waren ze naartoe gegaan? Later, toen haar vader dat vroeg, moest ze toegeven dat ze geen idee had. De eerste discotheek was vrijwel zeker aan de Aziatische kant, de volgende absoluut in Europa, aan de Zee van Marmara, in de buurt van het vliegveld. Het waren beide de geesteskinderen van een krankzinnige interieurontwerper. Veel plastic tuinstoelen en struiken met kerstlampjes. Lampen die leken op paddenstoelen, dansvloeren ter grootte van een dienblad. Tom Jones en Creedence Clearwater Revival. Jose Feliciano en Petula Clark en Adamo. Jane Birkin die *Je t'aime* zingt met Serge Gainsbourg. Serge Gainsbourg en Brigitte Bardot die *Bonny and Clyde* zingen. In de eerste club waren zij behalve de obers de enige aanwezigen. In de tweede was Jeannie de enige in spijkerbroek. Alle Turkse vrouwen droegen iets waar waarschijnlijk een prijskaartje met vier cijfers aan had gehangen, met bijpassende ingewikkelde kapsels en dure sieraden.

Toen Haluk Chloe meenam naar de dansvloer en Sinan aan Jeannie vroeg of ze ook wilde dansen, zei ze: 'Als je het niet erg vindt, hou ik me liever hier in het donker verstopt.'

'Doe niet zo verlegen,' zei hij. 'Dat is helemaal nergens voor nodig, ze hebben je toch allang gezien. En ze hebben het ook al over je.'

'Omdat ik een spijkerbroek aan heb?'

'Ja, dat is vreselijk,' zei hij, terwijl hij met zijn ellebogen op de tafel leunde en zich naar voren boog om in haar ogen te kijken. Donker. Gevaarlijk. Wat zou hij denken? 'Ik heb me voorgenomen om je niet meer te plagen, want als je nog een keer een grap van me gelooft, breek je mijn hart. Daarom zal ik je de waarheid vertellen. Ik vind het hier vreselijk. Ik vind het afschuwelijk zoals ze naar je kijken. Weet je waarom ze dat doen? Niet alleen maar omdat je lang en blond en Amerikaans bent.' Zijn ogen glansden nu als twee zwarte waterputten. Hij ging steeds gehaaster praten. 'Het komt omdat je bij mij bent. Dat vinden ze heel interessant, want ze weten allemaal wie ik ben en hoe slecht ik ben. En het ergste is dat ze kunnen zien dat ik verliefd ben.'

Ze voelde zijn zucht, die ging recht naar haar hart. 'O ja?'

'Natuurlijk,' zei hij. Er klonk ongeduld in zijn stem, alsof ze had gevraagd of hij schoenen droeg. 'Natuurlijk ben ik smóórverliefd op je. Ik zou stom zijn als ik dat niet was.' Hij stak zijn arm over de tafel, pakte haar hand vast en keek opnieuw diep in haar ogen. Ze kon niet blijven kijken.

'Sorry,' zei ze. Piepte ze. 'Dat heeft nog nooit iemand tegen me gezegd.' Ze zei er niet bij dat ze niet één jongen kende die zo openhartig zou durven zijn. Ze waren nooit verder gegaan dan: 'Wat zijn je handen warm...' onder het slowen, en (op het schoolfeest van de bovenbouw): 'Je haar is de kroon op je schoonheid'.

Toen ze genoeg moed had verzameld om weer op te kijken, zag ze nog net het restant van een lach. 'Of is dit weer een grap?'

Hij schudde zijn hoofd. Hij beet op zijn onderlip en kneep in haar hand; toen ze zag dat het echt waar was, kroop ze nog verder in haar schulp. 'Vind je mij dan niet leuk?' vroeg hij. 'Misschien een klein beetje?'

Ze dacht van wel, maar ze wist niet zeker (*niet zeker!*) of het wel slim was om hem dat te vertellen. Hij kneep opnieuw in haar hand, maar zijn gezicht betrok nadat hij een blik over zijn schouder had geworpen. 'Nu krijgen we het,' zei hij.

> We zaten al een tijdje in die disco, we dansten niet, maar zaten aan een tafeltje in de hoek te kletsen, toen ik twee meisjes over de dansvloer aan zag komen. Bij ons tafeltje bleven ze staan.
>
> Maar toen gaf de langste van de twee Sinan een por in zijn rug. Hij sprong op. 'Wat een verrassing!' zei hij gespannen. 'Ik wist helemaal niet dat je er ook was! Jeannie, dit is Lüset.' Hij knikte naar de kleinste van de twee, een elegant, slank meisje met lang, bruin haar, grote

zwarte ogen en een porseleinwitte huid. 'Lüset, dit is Jeannie. En Jeannie, dit is...' Zijn stem stierf weg.

Het langste meisje had broeierige blauwe ogen en een mooie adelaarsneus met wijd opengesperde neusvleugels. Haar haar zat achterover, behalve twee lange, zwarte, gekrulde lokken die dansten toen ze ging zitten.

Sinan schraapte zijn keel. 'Jeannie, dit is Suna.'

'Prettig kennis te maken,' zei Suna. Ze trok haar stoel door het grind. 'Ja, ik ben Suna, en ik ben heel, héél erg blij om kennis te maken met de zoveelste achterlijke stewardess.'

Sinan corrigeerde haar op rustige toon. 'Ze is geen stewardess.'

'O nee?' Suna pakte een sigaret uit haar kralentasje. Sinan boog zich voorover om haar een vuurtje te geven. Ze staarde de nacht in terwijl ze inhaleerde. Toen ze de rook uitblies, wierp ze Jeannie een giftige blik toe en vroeg: 'Nou. Wat ben je dan van plan te gaan doen in ons land? Animeermeisje worden? Ik hoor dat er in de Hidromel een vacature is.'

'Jeannie is hier alleen maar om te studeren,' zei Sinan vlak. 'En om haar vader te bezoeken. Hij werkt voor het Amerikaanse Consulaat.'

'Het Amerikaanse Consulaat. Ha! Wat toepasselijk!' Suna tikte haar sigaret driftig af in de asbak. 'Wat een grap. Eerlijk gezegd snap ik niet dat ik de ironie daar niet eerder van heb ingezien.'

Lüset legde haar hand op Suna's arm en zei op smekende toon iets in het Turks. Suna wuifde haar weg. 'Nou!' zei ze, terwijl ze weer naar Jeannie keek. 'Zullen we elkaar wat beter leren kennen? Hoe oud ben je? Waar woon je? Wat zijn je toekomstplannen? Dat wil ik allemaal graag weten, en nog veel meer. Maar eerst het belangrijkste. Lieve jongen, heb jij enig idee waar Haluk uithangt, onze mooiweervriend?'

Sinan wees in de richting van de dansvloer.

'Ja, je hebt gelijk, ik zie hem nu ook. En met wie danst

hij daar?' vroeg Suna. 'Ah!' zei ze. En ze inhaleerde woedend.

Ik besloot om de touwtjes in handen te nemen. 'Ik neem aan dat Chloe en jij elkaar kennen?'

'We zitten op dezelfde school,' zei Suna.

'En Haluk is echt jouw vriend?'

'Ja, Haluk is mijn vriend, maar hij mag doen wat hij wil. Net als ik. Als ik zin heb, kan ik hem in zee gooien. Waar het om gaat is dat we geen van tweeën geloven dat het in de liefde om persoonlijk bezit gaat. Wat er tussen ons is, is van een veel hoger niveau.'

Hierop kreunde Lüset. Er volgde een woordenwisseling in het Turks. Sinan deed eraan mee, en na veel geschreeuw en gesticuleer nam Suna opnieuw een bedaarde pose aan. 'Sorry voor mijn humeur,' zei ze tegen me. 'Sta me toe een beschaafder onderwerp aan te roeren. Laat me nu een konijn uit de hoed tevoorschijn toveren. Ja, vertel eens. Vertel me eerst eens hoe jij jouw land rechtvaardigt. Laten we beginnen met de soevereine rationalisatie van het leger dat op dit moment het maagdelijke Noord-Vietnam binnenvalt.'

'Ik peins er niet over dat goed te praten,' zei ik. 'Ik vind toevallig dat die oorlog verkeerd is!'

'Dus jij vindt de oorlog verkeerd,' zei ze. Ze zoog de rook zó hard naar binnen dat ik even dacht dat ze de sigaret zou verzwelgen. 'Nou, dat is interessant. Dan heb je wel een bijzondere geest: je komt uit de bakermat van de imperialistische ideologie en je weet toch dat deze oorlog verkeerd is.'

'Ik ben echt niet de enige, hoor. Zo denken miljoenen mensen erover!'

'Des te afkeurenswaardiger dat jullie bereid zijn een serie oorlogsmisdaden te tolereren die met de dag langer wordt. Hoe kunnen jullie morele misstanden van een dergelijke orde rechtvaardigen?' Waarop ik over Kent State begon.

'Ach ja, Kent State. Hoe tragisch. Maar vertel eens, was jij daar soms bij?'

'Natuurlijk niet. Ik zit nog niet eens op de universiteit.'

'Dat is precies wat ik bedoel. Als puntje bij paaltje komt, moet je toegeven dat je helemaal niets hebt gedaan. Je gaat gewoon door alsof er niets aan de hand is, je zwaait met je vlag terwijl je onze schatkamers plundert en onze jeugd corrumpeert.'

'Maar dat is belachelijk! Ik heb helemaal niks geplunderd! Dat is toch absurd?'

'Laten we het dan over een veelbelovender onderwerp hebben. Ja, over de verklikker van de CIA die zich onwettig bemoeit met de binnenlandse aangelegenheden van mijn land en die, maar dat hoef ik jou natuurlijk niet te vertellen, jouw vader is.'

'Suna!' riepen Sinan en Lüset tegelijk uit.

Suna stak haar hand op. 'Alsjeblieft,' zei ze. 'Laat onze vriendin zelf antwoorden. Ik ben benieuwd wat ze te zeggen heeft.'

Maar wat ze had verwacht, kon ik onmogelijk raden. Ik had nog nooit zoiets krankzinnigs gehoord. Ze had evengoed kunnen zeggen dat mijn vader Clark Kent is. Ik kon me alleen maar afvragen waarom ze allemaal zo negatief deden. Dus dat was wat ik zei.

11

Een paar minuten later duwde een woedende Sinan haar in een taxi. 'Ik heb meer dan genoeg van die meid. Het is een vriendin van me, maar ze weet gewoon niet wanneer ze moet ophouden.' De hele terugweg naar Rumeli zat hij zwijgend en verstijfd te zieden van woede. Dit deel van de reis verliep al net zo vreemd als de rest: ze moesten langs verscheidene controleposten van het leger. Jeannie wist inmiddels dat die waren ingericht ter voorbereiding op de grote vakbondsdemonstratie die over een paar uur zou beginnen. Maar uit de koele reactie van Sinan op de soldaten die bij elke controlepost naar binnen keken en met hun machinegeweren zwaaiden, zou je kunnen afleiden dat dit aan de orde van de dag was.

Toen ze bij de Hisar Meydan waren gekomen, nodigde Jeannie hem uit om binnen te komen, maar dat sloeg Sinan af. Uiteindelijk belandden ze in Chloe's huis, waar hij vreemd genoeg een sleutel van had.

Ze zaten zwijgend in de schommelbank op de veranda en deelden een joint waar hij weinig aan leek te vinden, toen hij de woorden sprak – niet zozeer tegen haar als wel tegen de avondlucht – die ze zo onafwendbaar begreep.

'Hoeveel heeft jouw vader je verteld?' was zijn openingsschot. Toen ze de voor de hand liggende vraag stelde 'Waarover?' scheen hij tegelijk geïrriteerd en verbaasd. 'Heeft hij je dan niet eens gewaarschuwd?'

Waarop ze opnieuw vroeg: 'Waarvoor?'

'Voor de geruchten die de ronde doen. Over iedereen die hier toevallig woont en een Amerikaans paspoort heeft. Wat trouwens ook voor mij geldt.' Hij zweeg afwachtend, alsof Jeannie alleen nog maar de conclusies hoefde te trekken waar hij haar zo duidelijk op wees. Toen ze dat niet deed, zuchtte hij dramatisch en pakte haar hand. 'Geruchten over spionnen.'

'Maak je geen zorgen,' zei ze. 'Die neem ik niet serieus.'

'Heel goed! Dat moet je ook niet doen! Maar je moet ook niet onderschatten dat zulke geruchten veel kwaad kunnen doen. Ons allemaal. Er zijn mensen die jou kwaad toewensen. En mij ook. Als je dat niet weet, als je hun slechte bedoelingen niet serieus neemt, dan ben je wel heel kwetsbaar. Gevaarlijk kwetsbaar. Maar maak je geen zorgen. Ik zal je iets beloven. Ik beloof dat ik voor jou zal zorgen. Dat is het minste wat ik kan doen.'

'Weet je het zeker?' vroeg Jeannie suf. Hij keek haar aan, ongelovig. Toen barstte hij in lachen uit. 'Ja, dat beloof ik. Ondanks alles wat je tot nu toe van me hebt gezien.'

Hij nam haar hand tussen de zijne en zei: 'Dus je moet me iets beloven. Beloof me dat je mij waarschuwt als iemand je lastigvalt.'

Daarna verontschuldigde hij zich voor 'alle stomme spelletjes' die ze met haar hadden gespeeld en beloofde hij dat ze zoiets nooit meer zouden doen. Omdat hij nu wist dat zij iets zeldzaams bezat: werkelijke onschuld. Toen hij dat zei, had ze met haar hoofd die fatale beweging gemaakt en het tegen Sinans warme schouder gelegd.

Maar wat had hij dat snel weer tegen haar eigen kussen gevleid! Zijn woorden klonken nog na in haar hoofd. 'Dat meen ik echt. Ik plaagde je alleen maar, ik heb al die leugens verzonnen om te zien hoe jij zou reageren. Dat was wreed van me. Onvolwassen. Maar dat is nu voorbij. Nu wil ik vriendschap sluiten. Echte vriendschap. Begrijp je? Maar meer niet. Want mijn hart is niet meer vrij. Je vindt het toch niet erg? Het is trouwens toch beter zo, om allerlei redenen. Wat jij van mij nodig hebt is bescherming. Een echte vriend. Als we toestaan dat er meer gebeurt...'

'Zoals wat?' vroeg ze.

'Als we toestaan dat er meer gebeurt, vroeg of laat, dan zou ik jou verraden.'

Wat afschuwelijk! Dat ze had gedacht dat het om liefde ging, terwijl het alleen maar vriendschappelijk medelijden was! Ze zou hem nooit meer recht in de ogen kunnen kijken.

Ze had geen idee waarom ze toen niet het restje waardigheid dat ze nog had bijeen had geraapt en was vertrokken. Wat had ze zich idioot gedragen. Wat had ze gehuild. En wat had ze gelogen! De dingen die zij allemaal had gezegd! Dat ze zo bang was, dat het zo griezelig was om niet te begrijpen wat de mensen tegen haar zeiden, om van de ene in de andere val te lopen, dat ze niet wist hoe ze hen ooit nog onder ogen moest komen. Dat het een grote vergissing was geweest om hierheen te gaan, dat het veel te laat was om nog aan een vader te beginnen, en dat de tijd gekomen was om te accepteren wie ze werkelijk was: een meisje dat niets groters aankon dan Northampton. Hij had haar getroost, als de goede, koele vriend die hij inmiddels was geworden. Ze moet tegen zijn schouder in slaap zijn gevallen. Zou ze toen nog hoop hebben gekoesterd, tegen beter weten in, zelfs toen nog? Maar nu ze wakker werd, zag ze de onprettige aanblik van het puisterige jongere broertje van Chloe. En het was ochtend. En haar hoofd bonsde. Toen ze weer opkeek, zag ze Amy, Chloe's moeder. Ze was volledig opgemaakt en het enige woord dat paste bij haar blonde haar was 'gecoiffeerd'. Haar lippen waren opeen geperst en ze fronste haar wenkbrauwen. Maar haar stem klonk zakelijk. 'Je vader is beneden. En ik moet zeggen dat hij een beetje bezorgd is.'

Wat een gênante situatie toen ze beneden kwam en in Amy's keuken haar vader zag, met een gekwetste, bezorgde blik in zijn ogen.

'Leuk gehad?' vroeg hij.

Ze knikte, op haar hoede.

'Nou, daar ben ik blij om. Of niet, eerlijk gezegd.'

Maar toen ze terug waren in de Pasha's Library, nadat hij haar had verteld over de crisis waardoor hij plotseling weg had gemoeten (die vakbondsdemonstratie in de stad) en wat er te gebeuren stond (tanks, opgetrokken bruggen, rubberkogels en massale arrestaties), en dat hij daarom direct weer naar zijn werk moest en alleen maar kon hopen dat de meeste van 'die ratten' aan het einde van de zomer op het strand zouden liggen, zodat zij dat ook konden doen, keek hij haar aan en zei: 'Maar je moet me niet verkeerd begrijpen. Ik vind het niet erg. Het is beter dan ik heb durven dromen.'

Toen ze had gevraagd wat hij bedoelde, had hij zijn schouders opgehaald. 'Gewoon, alles. Dat jij er bent. Dat je een jaar bij me wilt wonen. Dat we van alles samen gaan doen, maar ook dat ik me geen zorgen hoef te maken als ik ergens naartoe moet, omdat jij dan je vrienden hebt. Dat je het daar naar je zin hebt...' Hij knikte naar Amy's huis. 'Het is allemaal te mooi om waar te zijn. De enige kink in de kabel is die jongen van Talat, hoe heet-ie, Haluk. Dat is een rotjoch. Ik hoop dat je niet hebt toegelaten dat hij iets met je probeerde?'

'Ik pieker er niet over.'

Hij keek opgelucht. 'Dus het is Sinan?'

'Nee, niet echt,' zei ze zacht, vol afschuw. *Ze dachten allemaal dat zij de nacht had doorgebracht met Sinan. Ze dachten allemaal dat ze iets had met een jongen die beschamend genoeg alleen maar vriendschap wilde.*

'Dus die ken je ook?' wist ze uiteindelijk uit te brengen.

'Ja, natuurlijk ken ik hem. Ik ken zijn vader zelfs. We gingen vaak samen golfen. Daar zijn we mee begonnen in Caracas, of all places. Daarna meestal in Washington. Heel lang geleden. Voordat jij werd geboren. Heeft hij verteld dat zijn moeder zangeres was?

'Hij zei alleen dat ze een poging deed.'

Daar moest hij om lachen. 'Zei hij dat echt? Ik weet niet hoe het nu is, maar ze was behoorlijk goed. Er is zelfs een tijd geweest dat...' Hij maakte zijn zin niet af. 'Maar ik ben dus echt erg blij, Jeannie. Ook al zijn er een paar minpuntjes. Die neef van hem vind ik niks en als die twee bij elkaar zijn, kun je gegarandeerd op ellende rekenen, maar...' Hij zweeg en zijn blik gleed naar het noorden. 'Ik ben blij dat je omgaat met iemand die ik vertrouw.'

Wat bedoelde hij dáár nou weer mee? Maar ze kon het niet ontkennen. Ze werd door haar eigen vader aan iemand gekoppeld. Ze werd gekoppeld en vernederd. Als ze nou echt iets voorstelde, dan zou ze dat tegen hem zeggen. Dan zou ze hem ook eens een paar vragen stellen. Wat doe je hier nu eigenlijk precies, bijvoorbeeld. En waarom ben ik hier? Tegen de tijd dat ze in slaap viel, had ze het hele gesprek bedacht dat ze bij het ontbijt met haar vader zou voeren. Een nieuw begrip, zou ze het noemen, gebaseerd op een eerlijke gedachtewisseling. Ze zou haar vader vertellen dat Sinan gewoon een vriend was en dat zij daar blij mee was. Heel erg blij zelfs! Ze zou hem terloops vragen of hij dat mysterieuze meisje kende met haar preferente aanspraak op Sinans hart. Daar zou ze het bij laten. Vervolgens zouden ze het over zijn werk hebben. Ze zou dat onderwerp op neutrale en pragmatische toon aanroeren en haar vader allereerst duidelijk maken dat ze ervan overtuigd was dat het serieus en maatschappelijk verantwoord en vaderlandslievend was, en waarschijnlijk gewoon een eenvoudige kantoorbaan, simpel en rechttoe rechtaan, zoals informatie verzamelen die elke regering paraat moest hebben om verstandige beslissingen te kunnen nemen.

Daarna zou ze haar plannen voor het komende jaar schetsen. Geen romantiek. Geen vriendschap. Alleen maar serieuze studie. Dingen leren over een nieuwe wereld was al fijn genoeg. Het was niet nodig om de zaak te vertroebelen met liefde, verlangen, of de schrale troost van vriendschap.

Tot de volgende ochtend, toen onder het ontbijt de telefoon ging.

12

22 juni 1970

Ik vraag me af hoe het zal zijn als ik hier wegga en niet meer de schepen zie als ik wakker word. Ze varen hier in een eindeloze processie voorbij, van tankers, oceaanstomers en oorlogsschepen met glinsterende radar, tot roeiboten en ponten en houten vissersbootjes die als maansikkels op het water dobberen. De kleintjes zijn in felle kleuren geschilderd die doen denken aan kindertekeningen, en de veerboten zijn tachtig jaar geleden in Glasgow gebouwd en zien eruit als kunstwerken uit een onschuldig tijdperk. De Turkse maritieme lijnschepen zijn wit met oranje ankers, de vrachtschepen zijn meestal grijs of zwart of roestkleurig rood, maar er zijn hier geen regels, en dat is juist zo spannend. Je weet nooit wat er nu weer om de hoek zal komen.

De schepen zien er hiervandaan heel statig uit, maar volgens Sinan zijn de Russische loodsen vaak dronken, waardoor de schepen soms aan de grond lopen. Hij heeft een paar plaatsen aan de kust aangewezen – naargeestige braakliggende stukken grond waar ooit prachtige Ottomaanse villa's stonden. Niemand kan er kennelijk iets aan doen. Dit is een internationale vaarroute waar elk schip doorheen mag varen.

Sommige schepen liggen hoog in het water, andere zo diep dat het lijkt alsof ze door de eerste de beste golf overspoeld zullen worden. Met de verrekijker van mijn vader probeer ik te zien onder welke vlag ze varen. De meeste schepen zijn Turks, maar de onheilspellende Sovjetschepen maken de meeste indruk. Als ik het cyrillische schrift beter onder de knie heb, kan ik alle namen ontcijferen, al heb ik er geen moeite mee te zien welke uit de Bulgaarse havenstad BAPNA komen.

Gisteren, toen Chloe en ik Bebek in liepen, zagen we negen mensen van een schip uit BAPNA springen. Overlopers, dachten wij. Volgens Chloe is de Bosporus een soort Berlijn-aan-zee. Ze beweert ook dat ze in 1962 boten met raketten voor Cuba voorbij heeft zien komen, en later weer terug heeft zien varen, toen de crisis was afgelopen. Papa zegt dat de Bosporus veel belangrijker is dan Berlijn. Het is onze laatste buitenpost: niet alleen aan het einde van de vrije wereld, maar ook de plaats waar de vrije wereld het beste zicht heeft op de andere kant. Waar kun je nu Sovjetschepen voorbij zien varen terwijl je zit te ontbijten?

25 juni 1970

Het moeilijkste van wonen in een ander land is wennen aan het ontbijt dat je daar krijgt.

Hier krijg je toast (op zich niet vreemd, al is het brood hier anders: sponzig met een harde, dikke korst en nooit gesneden). Ze eten het met boter, jam, komkommer, tomaat, groene paprika, een dikke plak witte kaas, en zoete thee zonder melk uit kleine glaasjes met een gouden rand.

Ze drinken de hele dag thee uit zulke glaasjes. Als je naar de overdekte bazaar gaat om een kleed te kopen, komt er meteen een jongen aangesneld met thee op een koperen blad, en je kunt hier niet de autopont over de Bosporus nemen zonder een glas thee te drinken, al zit er vaak meer suiker in dan water. Ik neem nooit meer dan een of twee klontjes, maar Sinan neemt er zes. Zes!

Volgens papa nemen de meesten van zijn collega's hetzelfde ontbijt (dezelfde troep) als in Amerika. Hij zegt dat het een tijdje heeft geduurd voordat hij de plaatselijke gebruiken ging volgen, maar dat hij nu niet meer zonder zijn Turkse ontbijt zou kunnen. Meestal komt de hulp om zeven uur 's ochtends, en zij maakt bijna altijd het ontbijt: ik denk dat dat een deel van de charme is.

29 juni 1970

Dat is ook iets waar ik erg aan moet wennen: dat ze overal hulp in de huishouding hebben. Sommigen zijn Armeens en die van Chloe is Grieks, maar de meesten komen vers uit Anatolië. Die van ons heet Meliha, of Meliha Hanim als je beleefd wilt zijn. Haar geboortestad (die ze haar *memleket* noemt, wat 'land' betekent) ligt vlak bij Riza aan de Zwarte Zee, maar ze woont in de sloppenwijk vlak boven Robert College. (Haar huis is een *gecekondu*, dat betekent 'van de ene op de andere dag gebouwd'. Haar man is conciërge op Robert College.)

Meliha's eten is heerlijk: soep, lamsschotel, pilaf, gevulde tomaten, paprika's en courgettes, salades van heel fijngesneden ingrediënten, met ladingen munt – ik vind het altijd jammer als we uit eten gaan en alles overblijft. Ze drinkt geen alcohol en ik vraag me soms bezorgd af wat ze van al die lege whiskyflessen moet denken. Ze wast onze kleren op de hand. Elke dag dweilt ze de vloer, op handen en knieën, en eenmaal per week poetst ze het koper. Ze luistert geduldig naar mijn armzalige pogingen om met mijn drieëntwintig woorden Turks een gesprek te voeren.

Ik heb aan mijn vader gevraagd wat we haar betalen en daar was ik niet van onder de indruk.

We hebben ook een chauffeur. Moet je nagaan, een chauffeur! Hij heet Korkmaz, wat onverschrokken betekent. Hij werkt al twintig jaar voor het consulaat, en steeds als hij me ergens naartoe brengt, zegt hij dat hij zo dol is op Amerikanen. (Misschien is hij wel de enige.)

29 juni 1970

Nog zoiets waar ik aan moet wennen: dat ze hier zo'n hekel aan ons hebben. Vroeger was het juist het tegenovergestelde. Kennelijk is dat in 1964 in één klap veranderd toen Griekenland en Turkije bijna oorlog kregen over Cyprus. Maar president Johnson heeft daar een stokje voor gestoken. Hij zei dat geen van beide partijen wapens van de NAVO mocht gebruiken. Beide landen voelden zich vernederd, zoals papa dat noemde. Het woord dat Sinan en Haluk gebruiken is 'bezet'.

30 juni 1970

Ik probeer te definiëren hoe ze precies praten. Behalve Sinan, want die is op te veel Amerikaanse scholen geweest. Maar de anderen hebben zo'n zangerige intonatie en ze gebruiken nooit het woord dat je verwacht. Niet dat ze fouten maken, want ze hebben een enorme en indrukwekkende woordenschat, maar ze nemen nooit een simpel woord als ze ook een gewichtiger woord kunnen gebruiken, en ze hebben Chaucer echt in het origineel gelezen. Plus de volledige werken van Strindberg. Toen ze nog in de wieg lagen, konden ze al rekenen en ze hebben een paar Europese talen geleerd. Tweetaligheid stelt hier niks voor. Je kunt je hier nauwelijks vertonen als je niet minstens vier of vijf talen spreekt. Ze citeren hier filosofen waar ik nog nooit van heb gehoord en dat doen ze dan ook nog met de nodige ironie.

Maar over wat er in hun hoofd en hun hart omgaat, spreken ze alsof ze het over parfum hebben. Zoals: 'Ergens in mijn achterhoofd voel ik een slepende onrust. Maar daarmee verbonden is een deel waarin ik een vleugje vreugde waarneem.' En ondanks alle nuances die aan mij voorbijgaan, de *insinuaties*, de *speelse toon* waaraan ik had moeten horen dat de vriendelijke woorden van A en

B onoprecht waren en dat hun ware betekenis schuilgaat achter hun *vriendschappelijke façade*, geven ze in een handomdraai allerlei hevige emoties prijs. Sinan ook. Als hij in de stemming is.

Zo bijvoorbeeld: 'Hoe gaat het vandaag met je, Sinan?'

'Ik ben echt wanhopig over de leugenachtigheid van de wereld. Mijn toekomst hangt als een guillotine boven mijn hoofd. Ik stik. Hier...' Hij pakt mijn hand en drukt die tegen zijn borst. 'Zelfs mijn hart wil ontsnappen.'

En dat allemaal in dat soepele Amerikaanse accent, waardoor het nog vreemder klinkt.

2 juli 1970

Nog iets om aan te wennen: de trottoirs. Ik heb nog geen straat gevonden waar je niet om de acht meter op het trottoir een gapend gat tegenkomt, of een stuk ijzer dat als een soort krankzinnige boomtak uit het beton steekt. En niemand die zich er druk over maakt. Ik schijn de enige te zijn die er wel eens over is gestruikeld. Hetzelfde geldt voor het verkeer. Voor zover ik heb kunnen vaststellen is er maar één stoplicht in de stad en toen Sinan en ik dat laatst naderden, stond er een politieagent naast die ons smeekte om te stoppen.

Verder geldt overal het recht van wat Chloe 'voet voor bumper' noemt. Auto's stoppen alleen als je met je voet ergens eerder bent dan de bumper van hun auto. Hoe voetgangers die regel overleven is niet duidelijk. Niemand neemt ooit de moeite om bij het oversteken van een weg uit te kijken, behalve ik. Volgens papa doen ze een schietgebedje. Dat schijnt te werken.

Je kunt je in de stad het beste verplaatsen per deeltaxi. (Die heten in het Turks *dolmus*). Meestal zijn het tweekleurige Chevrolets 58. (Dat zijn trouwens bijna alle andere auto's die je hier ziet ook, ze hebben ze hier waarschijnlijk en masse geïmporteerd en zijn daar toen abrupt mee gestopt, want het is nu vrijwel onmogelijk om een auto te importeren, zelfs als je een buitenlander bent zetten ze een stempel in je paspoort en mag je het land niet uit voordat je vier dagen in een kantoortje thee hebt zitten drinken om toestemming te krijgen je auto in een depot te zetten). De deeltaxi's stoppen bij de bushaltes, maar je kunt ze overal onderweg aanhouden en je kunt ook overal uitstappen. Ze zijn goedkoop en verre te prefereren boven de bussen, want die zijn afschuwelijk, je zit er opeengepakt als sardientjes in een blik.

Helaas zijn de meeste sardientjes smeerlappen. Chloe en ik gingen laatst met de bus en toen duwde een vent naast me zijn hand in mijn kruis. Ik was er totaal van in de war, en wat mij nog het meeste is bijgebleven, is zijn gezicht: dat stond heel erg afwezig en afzijdig, alsof hij geen idee had wat die smerige hand aan het doen was.

6 juli 1970

Als je de PX niet meerekent, zijn er in deze stad geen supermarkten, in elk geval niet wat ik onder een supermarkt versta; er zijn ook geen echte warenhuizen en niets wat in de verste verte aan een winkelcentrum doet denken. Panty's en veters koop je bij de kantoorboekhandel. Boter komt uit een klein dorpje in de buurt van Istanbul dat in de 19e eeuw door Polen is gekoloniseerd. Voor varkensvlees moet je naar de Griekse delicatessenwinkel bij het Britse Consulaat. De meeste mensen kopen bloemen van zigeuners en melk van een mannetje dat drie keer per week met een ezel langskomt. (Die melk moet je wel zelf koken.) Op elke straathoek is een *ECZANE* (apotheek) of een *KUAFÖR* (apotheek) en er zijn ongeveer evenveel banken. Maar heel veel dingen zie je hier nooit. Kattenvoer, bijvoorbeeld. Chloe's kat eet altijd long, die hun hulp heeft gekookt. Bij de slager in Bebek kun je complete longen kopen.

Als je in Bebek boodschappen doet, moet je naar allerlei winkels, maar dat is bijna een poëtische ervaring als je het tenminste niet bezwaarlijk vindt om het eten in zijn natuurlijke verschijningsvorm te zien: lamskarkassen die aan een vleeshaak bungelen, vissen die in fraaie patronen op stukken marmer liggen met opengetrokken kieuwen en wijdopen bekken zodat je kunt zien dat ze heel vers zijn. Maar ik houd het meest van de groente- en fruitwinkels: daar liggen de mooiste perziken, meloenen, kroppen sla, tomaten en komkommers die je ooit hebt gezien hoog opgetast.

Alles wat je koopt gaat in een boodschappennetje, maar volgens Haluk zijn de dagen daarvan geteld. Je ziet steeds meer plastic tasjes en er wordt verontrustend veel op straat gegooid. Als die boodschappennetjes verdwijnen, zal het van kwaad tot erger gaan. Maar toen ik dat gisteren op het strand tegen Haluk zei, was zijn reactie: 'Als de Amerikanen plastic hebben, waarom wij dan niet?' Hij vindt alleen nieuwe dingen mooi.

6 juli 1970

Ik geloof niet dat ik ooit ergens geweest ben waar de mensen zoveel tijd buiten doorbrengen. Als je hier rondrijdt, kom je langs een eindeloze rij winkels en koffiehuizen en restaurantjes die gewoon doorlopen tot op de stoep. Naast de deur staat een stoel waarop iemand met zijn kralenketting zit te friemelen. De uithangborden hangen scheef, het neonlicht is hard, en in veel winkels verkopen ze spullen waarvan je je niet kunt voorstellen dat iemand ze wil kopen: naargeestige bruine pakken en nog naargeestiger ochtendjassen, plastic schoenen en bakken, aluminium lepels die zo dun zijn dat je ze kunt verbuigen door er alleen maar naar te kijken, roze satijnen spreien en rollen glitterstof die zelfs een buikdanseres niet zou willen dragen. Overal zijn zwerfkatten, de meeste schurftig, honden die in roedels rondzwerven en groepjes jongens met kortgeschoren haar die ballen tussen de auto's door trappen. De geur van geroosterd vlees vermengt zich met de stank van uitlaatgassen. De stationair draaiende motoren en claxons vormen de achtergrond van het geklik-klik van de backgammonschijven dat je door de open ramen van een koffiehuis hoort. Het geroep van de *simit*-verkopers weerklinkt tegelijk met de *muezzin* die de gelovigen oproept tot het gebed en het gejuich vanuit een braakliggend terrein waar een jongen een doelpunt heeft gemaakt, terwijl verderop, achter het silhouet van mannen die staan te vissen, een veerboot fluisterend over zee vaart.

Ik kijk ernaar en denk aan Northampton met zijn serene, lege grasvelden.

7 juli 1970

Niemand draagt trouwens binnen schoenen. Behalve wij, barbaren die we zijn. Ik ben de tel kwijt van het aantal keren dat we een van de bodyguards van Sinan bezochten (dat was iets waarover hij niet overdreef, hij heeft echt een heel leger familieleden en 'huisvrienden' die hem constant in de gaten houden) en ik naar mijn voeten keek en zag dat ik mijn schoenen nog steeds aan had. Ik weet niet waarom ik steeds vergeet ze uit te trekken. Het eerste wat je ziet als je hier ergens naar binnen gaat is een dubbele of zelfs driedubbele rij schoenen. En na die schoenenparkeerplaats grote vlaktes marmer en parket. Kroonluchters zijn hier erg in de mode, dus je kunt je blunder niet verborgen houden.

Nooit eerder heb ik zulke kraaloogjes gezien als bij die tantes van hem, ik krijg altijd het gevoel dat ze dwars door me heen kijken en mijn ondergoed zien, waar dan vast iets niet goed aan is.

Sinan vertelt gruwelverhalen over ze. Als ze rijk zijn,

komt dat doordat ze iemand hebben opgelicht of een of ander onbehoorlijk pact hebben gesloten met een gewetenloze politicus. Als ze niet zelf in de wapenhandel zitten, doen hun broers dat wel. Als ze getrouwd zijn, hebben ze een verhouding met iemand wiens echtgenote vorige week dinsdag heel toevallig van een balkon te pletter is gevallen. Als het bankiers of projectontwikkelaars of zoiets in Ankara zijn, blijken ze net bij een fraudezaak betrokken te zijn. En toch kunnen ze hele middagen op een terras zitten met hun bedrogen en bedriegende familieleden, schijnheilig glimlachend, en het ene glas thee na het andere achteroverslaan. Ze gewoon hypocriet noemen, zoals Sinan doet, is niet genoeg.

Ik geloof niet dat ik ooit eerder ergens ben geweest waar mensen zoveel zitten.

8 juli 1970

Ik weet zeker dat ik nooit ergens ben geweest waar ze zoveel kaarten. Het is echt ontzettend! Laatst ben ik zo stom geweest om te gaan kaarten met Sinan en een paar van zijn neven. Toen ik al drie keer achter elkaar had verloren, kwam ik erachter dat ik de enige was die niet elke kaart volgt. Kennelijk telt iedereen hier de kaarten. Dat krijgen ze met de paplepel ingegoten.

Daarna besloot ik alleen maar te kijken. Maar ik kon Sinan helemaal niet volgen. Hij probeerde het spel later uit te leggen, maar het is niet erg geruststellend om zulke omslachtige Byzantijnse trucjes uitgelegd te krijgen nadat die volledig aan je voorbij zijn gegaan.

Ik vraag me, niet voor het eerst, af wat mij nog meer allemaal ontgaat.

10 juli 1970

De zomervakantie is gisteren echt geannuleerd, om redenen die nog steeds niet duidelijk zijn. Officieel, d.w.z. volgens God, d.w.z. Haluks vader, mogen ze helemaal niet naar buiten tot ze dat stomme herexamen hebben gedaan. Niet dat ze zich daardoor laten weerhouden. Maar als ze worden gesnapt, krijgen ze er flink van langs, dus ze pikken een uurtje hier en een uurtje daar en gaan 's avonds nooit weg, wat heel jammer is aangezien de avondklok net is afgeschaft. Ik weet niet waar ze die straf aan verdiend hebben. Het heeft ermee te maken dat Haluk en Sinan op een ochtend stiekem zijn weggegaan terwijl ze eigenlijk moesten studeren, maar over het hoe en waarom willen ze niets zeggen. Alleen dit: 'Er was iets wat we echt moesten doen.'

Wat dat was, schijnt iets te maken te hebben met het appartement van Sinans moeder, waar Sinan kennelijk woont als zij niet in Parijs is. Te oordelen naar de lakens die over de meubels hangen zit ze al een tijd in Parijs.

We zijn er vanmiddag met z'n vieren naartoe gegaan, een halfuurtje maar, en het spijt me te moeten zeggen dat Haluk en Chloe daarvan het grootste deel in de ouderslaapkamer hebben doorgebracht. Ik zat op het balkon, terwijl Sinan ongedurig heen en weer liep. Hij zit ergens mee, maar hij wil me niet vertellen wat het is. En als je er goed over nadenkt, en alles in overweging neemt, welk recht heb ik dan eigenlijk om ernaar te vragen?

12 juli 1970

Weer een bezoek aan het Huis der Sluiers. Ik begin me zo langzamerhand Chloe's chaperonne te voelen. Als dat zo is, ben ik daar niet erg goed in! Ik vraag me soms af of ze wel weet wat ze doet. Maar ook waarom ik op het balkon zit en Sinan mij niet zijn kamer wil laten zien.

13 juli 1970

Vandaag, nadat hij me een tijd op het balkon alleen had gelaten, probeerde ik er een grapje over te maken. Wat spookte hij in zijn slaapkamer uit, hield hij daar soms geweren verborgen? Hij kon er niet om lachen.

15 juli 1970

Toen ik vanochtend wakker werd, voelde ik me ontzettend gelukkig, alsof iemand me een geweldig cadeau had gegeven waar ik altijd al naar had verlangd, maar dat was natuurlijk niet zo. Ik dacht dat ik dat had gedroomd, maar toen ik met mijn thee op de veranda ging zitten en naar de voorbijvarende schepen keek, viel mijn oog op de datum van de krant die mijn vader las en daalde mijn humeur naar het nulpunt. Vandaag is het precies een maand geleden dat ik mijn vriend Sinan heb ontmoet.

Mijn *vriend* Sinan.

Ik hield mezelf voor dat ik niet zo dom moest doen. Dat het zo beter was, omdat vrienden elkaar kunnen vertrouwen, en elkaar kennen op een manier die in de liefde niet mogelijk is. Maar later, toen ik weer op het balkon van dat Huis der Sluiers zat, keek ik op straat en zag ik een man die een mand uit een geparkeerde auto haalde. Pas toen hij een paar minuten later het appartement binnenkwam met diezelfde mand, drong het tot me door dat dat Sinan geweest moest zijn.

Ik had een volle minuut naar hem gekeken zonder hem te herkennen.

WAT IK OVER HEM WEET:

- Vroege jeugd in zeven verschillende ambassades, maar hij zegt dat die allemaal hetzelfde zijn.

· Voornamelijk verzorgd door bedienden, in elke ambassade weer andere.
· Vier verschillende lagere scholen, drie Engelse en een Amerikaanse.
· Op zijn vijfde kwamen hij en zijn chauffeur in een schietpartij terecht tussen demonstranten en de politie en op zijn zevende was hij ooggetuige van een staatsgreep.
· Op zijn elfde ontmoette hij Nasser en Tito.
· Zijn moeder was echt zangeres, wat ongebruikelijk is voor een vrouw van haar klasse en achtergrond, en bijna onbestaanbaar voor de vrouw van een diplomaat.
· Op zijn twaalfde ging zijn moeder ervandoor met een Braziliaanse smartlappenzanger.
· Die man ging er daarna zelf vandoor met iemand anders. Na de scheiding kwamen Sinan en zijn moeder weer naar Istanbul, waar hij na twee ongelukkige jaren op een Turkse school het strenge regime daar niet meer kon verdragen en overstapte naar de Robert Academy, waar hij van zijn vader de Turkse les moest volgen naast de lessen die in het Engels werden gegeven. Dat was een vreselijke misser, want hij kon nog steeds niet tegen het strenge regime. Hij weigerde zich daarbij neer te leggen. En dat leidde tot een openlijke oorlog.
· Ze dwingen hem om herexamen te doen om zijn wil te breken.
· Dat zal niet gebeuren, maar hij moet wel doen alsof, zodat ze hem niet meer op zijn nek zitten.
· Hij heeft nooit een goede band met zijn vader gehad, maar nu haat hij hem als de pest.
· Zijn moeder is veel weg, maar houdt op haar manier van hem.
· Hij gaat techniek studeren maar wil geen ingenieur worden.
· Hij heeft andere plannen. Dat is alles wat hij erover kwijt wil: andere plannen.

WAT IK NIET WEET:

· Wat hij denkt.
· Wat hij voor mij voelt.
· Wat hij voelt voor het meisje dat zijn hart gestolen heeft.
· Wie zij is.
· Waarom zelfs Chloe dat niet weet.
· Waarom dat meisje, wie het ook is, zo belangrijk is, terwijl ze niet hier is.
· Wat hem tegenhoudt.
· Waarom hij altijd weggaat voordat hij weg moet.
· Of ik bij hem pas op de laatste plaats kom.
· Wat ik moet beginnen als het antwoord ja is.
· Waarom ik zo gelukkig word als ik hem zie.
· Waar hij naartoe gaat als hij vertrekt.

21 juli 1970

Zit nog steeds vast op dezelfde plek.

29 juli 1970

Ik heb het er vandaag met Chloe over gehad en ze voelde met me mee, al deed ze een beetje blasé (haar lievelingswoord). Volgens mij zijn zulke dingen voor haar gemakkelijker omdat ze eraan gewend is, want ze is hier opgegroeid. Ik bedoel al dat stiekeme gedoe, geruchten waarvan je nooit weet of ze waar zijn of niet, dat mensen je soms dingen over zichzelf vertellen die je bijna niet kunt geloven, en dan verder overal over zwijgen. Toen ik haar vroeg waarom ze daaraan meedeed, haalde ze alleen maar haar schouders op en zei: 'Om je in onzekerheid te laten?' Toen ik vroeg waarom ze dat zou willen, zei ze: 'Nou, logisch toch. Zodat je mensen in je macht hebt.'

Zij is veel beter in het accepteren van de wereld zoals die eigenlijk is dan ik.

2 augustus 1970

Vanochtend toen ik nog lag te doezelen droomde ik, en die droom zegt precies wat ik voel. Ik zat te kaarten, en hoewel ik op wonderbaarlijke wijze had geleerd hoe ik de kaarten moet tellen, verloor ik toch. Want het spel veranderde steeds, de ene keer waren het alleen maar harten en de volgende keer vijf schoppenvrouwen. Soms waren er in totaal zevenenvijftig kaarten en soms maar eenenvijftig. Dan weet ik dat iemand aan de tafel valsspeelt. Ik weet zeker dat er iets niet klopt. Maar ik weet niet wát, totdat het spel is afgelopen en ik weer heb verloren.

3 augustus 1970

Vandaag zijn we met de Kitten II naar Kanlıca gegaan, naar zo'n yoghurtcafé. Sinan en ik zijn met de pont weer teruggegaan. Ik wilde iets tegen hem zeggen nu we eindelijk een tijdje alleen waren, maar de woorden vervlogen.

4 augustus 1970

Vandaag was het erg warm, ik heb niets gedaan behalve pindakaaskoekjes gemaakt bij Chloe. Het recept kwam uit een boek dat *An American Cook in Turkey* heet.

5 augustus 1970

Wat zou ik een paar maanden geleden hebben gezegd als

iemand me had verteld dat ik mijn zomer zou verdoen met koekjes bakken uit *An American Cook in Turkey*?

6 augustus 1970

Vandaag heb ik geprobeerd om langs de kust naar Bebek te lopen. Maar er lagen honderden jongens te zonnen op de stoep, ze gingen steeds voor me liggen en probeerden onder mijn rok te kijken. Toen ik wilde oversteken, ging een van de auto's langzamer rijden en beet de bestuurder me iets lelijks toe in akelige keelklanken. Ik verstond het niet, maar dat hoefde natuurlijk ook niet. Ik negeerde hem en bleef doorlopen naar Bebek. Uiteindelijk gaf hij het op, maar ik vond het afschuwelijk om zo met gebogen hoofd te lopen.

Ik vind het vreselijk dat ik hier zonder jongen nergens naartoe kan.

PLEKKEN WAAR JE ALS MEISJE IN DEZE STAD NIET ALLEEN MOET KOMEN:

- Bierhallen
- Restaurants
- Cafés
- Straten
- Openbare gelegenheden, behalve de ontbijtzaal in het Hilton, maar na vijf uur 's middags moet je daar ook niet meer komen.

PLEKKEN WAAR JE ALS MEISJE ALLEEN NAARTOE KUNT GAAN ZONDER HET RISICO TE WORDEN LASTIGGEVALLEN:

- Je kamer.

7 augustus 1970

Nou, ik heb zijn kamer gezien, maar die was heel anders dan ik had verwacht.

Ik weet eigenlijk niet wat ik had verwacht.

Het ging heel onverwachts. Ik was het niet van plan. Ik flapte het er gewoon uit: 'Ik wil je kamer zien'. Hij keek me aan en vroeg: 'Waarom?'

'Gewoon, zomaar.'

'Maar waarom speciaal nu?'

'Omdat ik wil zien wat je daar hebt,' zei ik.

Daarna viel er een lange stilte, die werd afgewisseld met nadrukkelijk gezucht. Toen zei hij: 'Oké. Maar ik waarschuw je. Je zult er spijt van krijgen.'

De jaloezieën waren dicht. Je kon alleen een groot, glanzend groen terrarium zien, met allemaal varens om een houtblok. Ik liep erheen om het te bekijken, waarschijnlijk omdat ik niet wist wat ik anders moest doen. Hij kwam naast me staan en we stonden een tijd samen naar die varens te kijken. 'Mooi hè?' vroeg hij. Ik stemde in. 'Ik was ervan overtuigd dat je bang zou zijn,' zei hij. 'Waarom zou ik bang zijn?' vroeg ik. Hij antwoordde: 'Omdat de meeste mensen dat zijn.' Ik moet hem vreemd aangekeken hebben, want hij voegde eraan toe: 'In elk geval in Turkije wel.'

'Wat is dit toch een vreemd land,' zei ik.

'Nee, jij bent zelf vreemd,' antwoordde hij.

Toen zei hij: 'Maar ik ben blij dat je vreemd bent.' En hij kuste me.

Pas later, véél later, keek ik weer naar het terrarium en zag ik de cobra.

Onder normale omstandigheden zou ik doodsbang geweest zijn.

Die cobra is niet van hem. Hij past erop voor een leraar. Maar dat is niet zo gemakkelijk. Vooral niet om muizen te krijgen.

Maar blijkbaar is hij die leraar, die hem 'naar de wereld

heeft leren kijken', veel verschuldigd. Ik koester op dit moment weinig warme gevoelens jegens die man, want blijkbaar heeft hij Sinan voor mij gewaarschuwd.

Toen ik Sinan naar de reden vroeg, antwoordde hij: 'Om wie je bent.'

Terwijl die leraar ook een Amerikaan is. Hij heet Dutch.

15 augustus 1970

Vandaag hebben we de cobra naar Büyükada gebracht, waar een vrouw, Zehra, hem zal verzorgen als Sinan weg is. (Hij heeft dinsdag dat herexamen en vliegt diezelfde middag met zijn vader naar Pakistan.)

Onderweg naar de veerboot kochten we muizen van een man die Rauf heet. Het winkeltje van Rauf (hij is nota bene kleermaker, gespecialiseerd in overhemden) bevindt zich tussen Tünel en Tepebaşı. Beneden zit een louche bar waar we naderhand thee gingen drinken. De vrouw die daar de scepter zwaaide was een jaar of zestig, groot en blond, ze scheen heel goed accordeon te spelen, en ze stroomde over van warmte en vriendelijkheid. Ze sprak Frans, dus het gesprek werd in die taal gevoerd. Het bleek een Russische te zijn die hier in 1917 'in een kozakkenzak' naartoe was gekomen. Toen ik vroeg wat dat betekende, zei ze dat dat een lang verhaal was, maar dat ze het me graag zou vertellen als ik geduld had. Maar eerst moest ze een klant helpen en bovendien kwam Sinan met Rauf de trap af, dus ik moest zonder het verhaal vertrekken.

We liepen naar de brug omdat we nu twee manden bij ons hadden; de deksels zaten er stevig op, maar de muizen maakten zoveel lawaai dat we geen taxi konden nemen. Toch veroorzaakten we heel wat opschudding. Toen we eenmaal bij de kade waren gekomen, werden we achtervolgd door tien honden en twintig schooiertjes.

De veerboot zat stampvol, want het was zaterdag, maar we hadden een hele bank voor onszelf.

Zehra (de slangenoppas) was ook raar: donker, mager en tragisch. Ze lachte niet naar ons, maar wel veel naar de cobra. Ze had zeven honden in de tuin en tweemaal zoveel katten, en na middernacht gaat ze het hele eiland rond om eten neer te leggen voor zwerfdieren. Hoewel ze erg arm is, woont ze in een prachtig, zij het vervallen oud huis dat een oude man haar heeft nagelaten nadat in een droom een engel aan hem was verschenen. Toen Zehra een van de muizen pakte om te aaien, rolde er een traan over haar wang.

Ze had wel een aquarium, maar dat was niet groot genoeg, dus we moesten eerst naar de andere kant van de stad om er een te lenen van een man met een doorgroefd voorhoofd, dieper dan ik ooit heb gezien. Hij schijnt een ex-gevangenisbewaker te zijn die is gaan schilderen nadat hij zelf gevangenisstraf had gekregen omdat hij een gevangene had gedood die zijn moeder had beledigd. Op zijn schilderijen staan kinderen die in tuinen spelen; ze zijn wat je noemt primitief, maar Sinan kocht er een, wat ik bijzonder aardig vond.

De veerboot terug naar de stad legde aan bij Heybeli, Burgaz en Kinaı. Terwijl ik naar de mensen keek die daar langs de waterkant liepen, was het alsof ik hun geheime verhalen als kometen achter hen aan zag komen.

We gingen niet rechtstreeks naar huis, omdat Zehra Sinan medicijnen had meegegeven voor haar zus in Kumkapı. Het was heel lastig om haar appartement te vinden, ook al kregen we hulp van elf forse mannen, allemaal in onderhemd en met een zware snor. Ze was te ziek om naar beneden te komen, dus ze liet vanuit haar raam een mandje zakken. Het was al na middernacht toen ik thuiskwam. Papa zat op me te wachten. (Wel een beetje verfomfaaid, ben ik bang.) Hij zei dat mama had gebeld. Er had kennelijk een stuk in de *New York Times* gestaan over cholera in Azië en ze was bang dat ik het eerste slachtoffer van Turkije zou worden.

'Ze overdrijft een beetje,' zei hij. 'Maar ik hoop toch dat je vandaag geen mosselen hebt gegeten.' Dat had ik wel. Bergen.

Mama heeft gezegd dat ik naar huis moet als het een epidemie wordt. Ze kan me nog meer vertellen.

Vanavond heb ik geprobeerd haar te schrijven, voordat ik dit schreef, om uit te leggen waarom ik hier wil blijven. Maar ik kon het niet goed onder woorden brengen.

Ik ben niet meer degene die negen weken geleden afscheid van haar heeft genomen.

Ik ben met Sinan voorbij de grenzen van mijn oude leven gegaan, en wat ik heb gezien heeft me onverbiddellijk en voorgoed veranderd.

Ik zit op de rand van de wereld en staar in het onbekende; elk lichtje dat in de verte schemert, elke schaduw daarachter, wijst op iets groters, iets waarachtigers en diepers.

Ik moet me verder wagen.

13

Jeannie hield in de herfstmaanden van 1970 haar dagboek fragmentarisch en sporadisch bij, en zelfs nu, terwijl ik het doorblader, zie ik dat ze veel te veel hooi op haar vork nam. Er staan geen openhartige uitbarstingen meer in, geen maffe visioenen, geen details over de plaatsen waar zij en Sinan elkaar ontmoetten of wat ze wel en niet deden, het wordt niet duidelijk wat ze van hem vond, wat ze van zichzelf vond, of van haar vader. In plaats daarvan zijn er schetsjes: van een filmploeg die ze op een middag een liefdesruzie zag opnemen aan de voet van de Aşıyan, een vrouw die ze bij een groente- en fruitstalletje zag en die courgettes inspecteerde alsof het verdachten waren. Een artikel in de krant over een man die blind werd toen hij met een mes in zijn hoofd werd gestoken en zijn gezichtsvermogen weer terugkreeg toen de dokter het mes uit zijn hoofd trok. Wat ze vond van het gedicht van Nâzim Hikmet dat Sinan haar in het Turks voorlas en later voor haar probeerde te vertalen, op de dag voordat hij naar zijn vader in Pakistan zou gaan. (Het ging over een reis, dat je daar geen spijt van moest hebben, zelfs al leidde hij tot de dood.) Tussen die bladzijden zat een papier met twee gedichten die Sinan in het vliegtuig naar Pakistan schreef ('De tragiek van de onschuld' en 'De onrust in mijn hart kent geen meester') en een ansichtkaart van een moskee. Op de bladzijden daarna staan Jeannies indrukken van Alexandroupolis, Kavala, Thasos en het korte uitstapje dat ze eind augustus samen met haar vader naar Griekenland maakte:

> Als ik een halfjaar geleden in de toekomst had kunnen kijken en ons – mijn vader en mij – voorin die auto had kunnen zien zitten, in een haarspeldbocht, met verderop een eenzame geit onder de enige boom op de bruine terrassen van de heuvel, dan zou ik me hebben afgevraagd hoe het zou zijn als een droom zo precies zou uitkomen.

Ik denk niet dat ik me ooit met die geit zou hebben geïdentificeerd.

Dan volgt een lange beschrijving van de soldaat met het machinegeweer die op de terugweg naar Turkije aan de grens hun auto doorzocht. En een nog langere beschrijving van de tombe van Nafi Baba, met de fraaie boogramen met daarin kleine kaarsstompjes en geknoopte lintjes, de desolate schoonheid, en Jeannies gedachten toen ze op de lege heuvel daarnaast zat en naar het kasteel keek en naar het blauwe lint van de Bosporus die zich daaromheen kronkelt. Maar geen woord over Sinan, die haar daar op de dag van zijn terugkomst naartoe gebracht moest hebben. En alleen een zijdelingse opmerking over het 'gesprek' dat ze diezelfde avond met haar vader had.

Hij wilde haar vragen om Sinan een van die dagen uit te nodigen. Misschien het daaropvolgende weekend? Misschien voor het eten? Hij wist dat dat hier niet gebruikelijk was, maar Sinan was niet echt van hier, 'dus hij denkt vast niet dat ik verwacht dat hij mij om jouw hand komt vragen.' Toen Jeannie naar uitvluchten zocht ('Ik blijf het raar vinden') zei hij: 'Hoor eens, als je toch met hem blijft omgaan, wil ik niet dat hij buiten in het donker blijft rondhangen, zoals vanavond. Dan moet hij maar eens keurig binnenkomen, kennismaken, beleefd zijn. Als een volwassene. Hij is per slot van rekening geen vreemde.'

'Ik snap niet wat je bedoelt,' hield Jeannie vol.

'Laat ik het zo zeggen. Heb jij hem wel eens gevraagd wat hem ervan weerhoudt om hier binnen te komen?'

Dat had ze niet. Daar had ze gewoon niet genoeg zelfvertrouwen voor. Ze dacht dat ze hem zou kwijtraken als ze naar de waarheid zou vragen. Daar heb ik geen schriftelijk bewijs voor. Maar ik weet het zeker. Dat is het enige deel van het verhaal waarin ze echt in mijn huid kruipt.

Op de eerste maandag in september 1970 werd Jeannie Wakefield toehoorster op mijn oude school. Ze ontleende haar bijzondere status aan dezelfde omstandigheden als ik: hoewel Engels de voertaal was tijdens de meeste lessen aan het American

College for Girls, waren de reguliere leerlingen verplicht om bepaalde vakken in het Turks te volgen. Iedereen die dat niet deed, werd bestempeld als toehoorder. We waren maar met een handjevol. We waren allemaal buitenlanders die zonder diploma vertrokken. In mijn geval was dat geen teleurstelling, want ik had een goede universiteit bereid gevonden mij aan te nemen op basis van mijn scriptie. In Jeannies geval deed het er ook niet toe, want zij had al een plek op Radcliffe.

Op mijn laatste dag in Istanbul, in november 2005, bijna een week na Jeannies verdwijning, en twee dagen nadat mijn beschuldigende artikel in de *Observer* was verschenen, ging ik terug naar de school om daar nog eens rond te kijken. Ik was er vijfendertig jaar niet meer geweest. Toen ik over het lange, steile pad naar Gould Hall liep en naar de hoge, ontzagwekkende pilaren keek, was ik nog steeds te laat voor de wiskundeles. Op de laatste treden schuurden mijn schoolboeken nog steeds tegen mijn ribben. Ik duwde de deur open en daar was de Marble Hall, nog even koel en wit en mausoleumachtig als vroeger. Daar, in de hoek, was een glazen deur met geplooide vitrage ervoor. Daarachter was het kamertje waar we de schoolkrant maakten en waar de bijeenkomsten van de discussiegroep waren. De leesgroep van Miss Broome kwam daar ook bijeen. Chloe, Suna, Lüset en ik dronken daar in de ochtendpauze altijd koffie, en nu ik voor de deur stond, voelde ik weer de gloed van onze discussies.

Ik deed de deur open. Daar zat Suna, met vlammende blauwe ogen. Mijn mond moet opengevallen zijn van verbazing, want dit had ik echt niet verwacht, maar ze stelde me snel gerust. Met een licht-spottende glimlach zei ze tegen me dat ze 'uit vriendschap' was gekomen en dat ze me met hulp van mijn ouders had opgespoord. Ze moest hier toch zijn, want ze ging lunchen op de alumniclub. Had ik die niet gezien, aan de andere kant van de campus? Dat maakte ook niet uit, zei ze terwijl haar glimlach wat verzachtte. Dit was 'ons nostalgische uurtje'. Op de tafel lag een groot plakboek met herinneringen aan onze eerste, opwindende jaren samen.

Ten eerste onze krant. Of liever gezegd: Suna's krant, waarin ze onder een duizelingwekkend aantal pseudoniemen haar denkbeelden verkondigde. Salome, Mrs Rosenthal, Emma Goldman, Mata Hari. Allemaal in dezelfde, stormachtige stijl. Vooral als het over de vergaderingen van de studentenraad ging. Het leek Moskou van 1917 wel. NOG MEER DODEN BIJ BLOEDIGE COUP. YASEMIN AĞAOĞLU IN DE VOORHOEDE .VP MERVEY AKYOL WEIGERT VERBOD PRIJSSTIJGINGEN KANTINE: VOLK HONGERT.

Tussen die traktaten in stonden Lüsets beroemde cryptische cartoons. Op eentje stond een man met een fez naast een man met een hoge hoed. Beiden keken naar een koe met een vrouwenhoofd. IS DIT ECHT WAT WE WILLEN? luidde het onderschrift.

Op een andere cartoon stond een dood meisje afgebeeld met haar hoofd in een oven; er stond een politieagent naast haar. Achter hem stonden de radeloze handenwringende ouders. MAAR WAAR IS HET WAPEN? stond eronder.

Ik denk dat het door de verrassing kwam dat ik moest lachen. 'Die was ik helemaal vergeten.' Suna wierp me een mysterieuze glimlach toe en sloeg de bladzijde om. 'Maar deze kun je niet vergeten zijn, want die kwam na jouw tijd,' zei ze tegen me. Ik keek naar de datum: oktober 1970. Toen zat ik al op Wellesley en was Jeannie in mijn voetsporen getreden.

Op de voorpagina stonden de gebruikelijke exposés van de studentenraad. Op pagina twee zag ik tussen een paar cryptische cartoons drie pijnlijk ernstige artikelen van mijn vervangster. Een korte biografie van de kleine Wit-Russische die koffie voor ons maakte. Een bespreking over ayran, de yoghurtdrank. Het derde was een essay met de titel: 'Waarvoor dient het Onderwijs?'

Toen ik de cartoons bij deze artikelen eens goed bekeek, zag ik dat ze niet van Lüset waren en ook helemaal niet cryptisch van aard. Er werden jonge vrouwen op afgebeeld met tekstballonnetjes waarin hun gedachten stonden. Die waren in het Turks, waardoor de meeste van onze leraren niet hadden begrepen wat er stond. Ze varieerden van 'Wat is dit voor geleuter?' tot 'Als die kapitalistische honden zo snel zijn, moeten ze maar snel naar huis (waar ze horen)' Het verbaasde me allemaal niets. De Suna die ik in 1970 kende, had extreme ideeën over wie waar hoorde en ze zou haar heiligdom niet graag met iemand willen delen, al helemaal niet met Jeannie: dat zou ze zeker niet uit vrije wil doen. 'Je moet me toch eens vertellen hoe ze jou precies heeft overgehaald,' zei ik tegen Suna.

'Ik had de pest aan haar, dat lijkt me duidelijk,' zei Suna. 'Niet aan Jeannie persoonlijk, maar aan alles wat ze vertegenwoordigde. En Jeannie en Chloe waren in die tijd onafscheidelijk. En als je je bedenkt dat Chloe en ik destijds nog steeds om die ondankbare Haluk vochten, dan snap je wel dat het heel pijnlijk was. Ik was inderdaad verschrikkelijk. Ik heb wat dat betreft mijn naam eer aan gedaan. Vooral toen die arrogante nieuwkomer van een Jeannie bij haar vader ging klagen dat ik haar geen ruimte gaf in mijn krant. Toen ging hij verhaal halen bij Chloe's moeder! En die gaf de klacht door aan onze mentor! Die herinner je je vast nog wel, de heilige Miss Broome. Daardoor was ik gedwongen om plaats te maken voor Jeannie. Maar je begrijpt zeker wel dat ik haar dat betaald heb gezet.'

Suna vertelde het met een zekere trots: 'Ja, ik heb haar een verschrikkelijke prijs laten betalen. Toen ze op de volgende vergadering kwam, heb ik haar eerst uitgedaagd om ons te verklikken omdat wij tegen de regels in binnen de schoolmuren onze moedertaal spraken. Waarop ze heel hooghartig zei dat ze geen klikspaan of spion was. Dat woord gebruikte ze, spion. Ze zei dat ze een gewone studente was en dat ze 'gewone rechten' had, net als ieder ander. Dus toen wij allemaal overgingen op het Turks, maakte ik grapjes ten koste van haar waar iedereen om moest lachen, behalve Jeannie zelf. Maar! Ze liet zich er niet door afschrikken! Daarom moest ik wel minder cryptisch worden. Ik begon mijn Turks te doorspekken met Engelse woordjes en frases. Bijvoorbeeld: 'menselijke microbe' en 'buitenlandse sirenes die zich tegoed doen aan de bloem van onze jeugd.' En ik leverde eindeloos veel kritiek op wat zij naar voren bracht, wat mij, zoals je begrijpt, niet veel moeite kostte.' Opnieuw lachte Suna.

'Maar toen deed Jeannie iets verrassends. Ze kwam voor me op!' Suna sloeg een bladzijde om. Het was de laatste bladzijde van het plakboek. 'Je kijkt naar het laatste nummer van ons dappere schoolkrantje en het stukje dat het de das heeft omgedaan.'

Het artikel in kwestie, door 'L.A. Internationale', had als kop:

ONDERHOUDT MISS MARKHAM BANDEN MET KAPITALISTISCHE HONDEN? Miss Markham was onze oude schooldirectrice. En die 'band' was haar broer, een Amerikaanse piloot die in Vietnam gestationeerd was. Volgens L.A. Internationale had zij weer kleur op de wangen van die boef gebracht door toe te staan dat haar school werd geïnfiltreerd door de dochter van een 'bekende CIA-spion'.

'We moesten natuurlijk direct bij onze geachte directrice komen,' vertelde Suna me. 'En Miss Markham droeg me uiteraard op om mijn excuses aan te bieden aan Jeannie. Maar tot mijn verbazing hield Jeannie vol dat ze absoluut niet beledigd was en dat het gewoon een practical joke was! En een grap moest toch kunnen onder vriendinnen? Miss Markham was niet overtuigd. 'Wel een vreemde vriendin die je vader in de schoolkrant te schande maakt.' Dat zei ze tegen ons. Maar Jeannie hield vol. Ze zei tegen Miss Markham dat ik, Suna de Verschrikkelijke, haar niet kon kwetsen. Ze was niet bang voor me, omdat we in elk opzicht elkaars gelijke waren.

Op het moment waarop ze dat zei, dacht ik: 'Ja, dat is waar'. En dus werden we vriendinnen. Hoewel ik je er vast niet aan hoef te herinneren dat dat woord voor mij iets anders betekent dan voor de meeste mensen.

En dat was nog zacht uitgedrukt. Maar het zette me wel aan het denken. Toen ik over het steile, kronkelige pad terugliep naar de Bosporus, en zo nu en dan bleef staan om naar de knoestige, kromme takken van de Judasbomen te kijken en (uit eerbied voor een oude gewoonte) op de 138ste tree bleef staan om een eerste blik op de zee te werpen, vroeg ik mezelf af of Suna en ik ooit vriendinnen waren geweest. Wat als ik net als Jeannie Suna's slechte kanten had genegeerd en haar had aangesproken op haar betere ik, zouden wij onze verschillen dan hebben kunnen overwinnen? Als ik alles afwoog, dacht ik van niet. Suna had goede redenen om mij te wantrouwen. Maar de voornaamste was dat ze het bij het verkeerde eind had.

Zoals ze maar al te goed weet. Zoals ze wel zou moeten toegeven als ik genoeg tijd, moed en energie had om dat duidelijk te maken. Mijn ouders zijn niet uit koloniale overwegingen naar

Turkije gegaan. Mijn vader kwam hier om les te geven. Hij was niet in dienst van de Amerikaanse overheid en hij was hier niet om zijn ambities na te jagen. Hij was geen verantwoording aan Washington verschuldigd. Hij was geen spion.

Dus toen Suna jaren geleden in de kantine van de ACG naast me kwam zitten en beweerde dat mijn vader een spion was, of in elk geval *zoiets als een spion*, of *in zekere zin nog erger dan een spion*, kon ik me koesteren in de zinderende verontwaardiging van de vals beschuldigden. Ik kon stampvoeten. Met mijn vinger wijzen. Tekeer gaan!

Jeannie kon dat allemaal niet. Voor haar waren er maar twee mogelijkheden. Ze maakte haar excuses – voor Suna, voor Sinan, voor haarzelf, haar vader, iedereen – en 'waagde zich verder'. Of ze zag de waarheid onder ogen, de volledige waarheid, ze pluisde haar leven uit tot er niets over was dan de waarheid.

14

Maar nog niet. Alstublieft nog niet, God. Wie kan er nu vrijwillig zo'n keuze maken? Als ik haar dagboek lees, voel ik haar angsten elke zin binnensijpelen. Niet één beschrijving is neutraal. Zelfs de stad is verdoemd.

In oktober 1970 had de cholera Istanbul bereikt. Hoewel alle geregistreerde gevallen in de sloppenwijken aan de westkant waren, werden er draconische maatregelen genomen om verspreiding te voorkomen. Alle restaurants en kantines in de stad werden gesloten.

> Nu werd de stad, met zijn gesloten, naar binnen gekeerde luiken, mijn metafoor. Want elke dag wordt mijn bewegingsvrijheid meer beperkt. Elke dag is er een anti-Amerikaanse demonstratie in Taksim of gaan er geruchten over een mars waar geen toestemming voor is verleend en die op een rel zou kunnen uitlopen. De universiteiten in de stad zijn oorlogsgebied geworden. Op Robert College is het nog steeds relatief rustig, maar de ene boycot volgt op de andere en om de paar dagen wordt er een luidruchtig forum gehouden in Albert Long Hall om over de boycot te discussiëren. Het is niet ongebruikelijk dat een paar studenten elkaar beginnen te duwen of elkaar zelfs tegen de schenen schoppen, terwijl hun vrienden ze uit elkaar proberen te halen.
>
> Maar als ik op het terras kom, tref ik Sinan alleen aan. Hij is gereserveerd en leest een boek. Nooit een studieboek. Dat is een erezaak, zelfs als we in de bibliotheek studeren. Hij heeft een enorme hekel aan techniek, in theorie, maar nog meer in de praktijk. Hij gaat nog wel naar school, maar hij kan zich moeilijk concentreren, hij treuzelt en voelt zich ellendig. Wat hij nog moeilijker kan verdragen zijn de volwassenen die hem bedreigen, berispen

en bepraten en ons voortdurend bewaken. Ik vind dat ontstellend. Sinan haalt zijn schouders erover op, misschien omdat hij wel moet. Maar soms zie ik zoveel woede in zijn ogen dat het lijkt alsof ze in brand zullen vliegen.

Dat dagboekfragment is geschreven op 23 oktober 1970. Het volgende stukje op 7 januari 1971, en daarin wordt alleen vluchtig verwezen naar de tussenliggende maanden. Maar in de brief die ze op haar computer voor me achterliet, vlak voordat ze verdween, beschrijft Jeannie die maanden voor me in scherpe, verbitterde bewoordingen.

Elk detail onderstreept de moraal van haar vol zelfkwelling geschreven verhaal: mensen die de waarheid niet onder ogen kunnen zien, zoeken een zondebok. En de beste zondebokken zijn de mensen die je nooit persoonlijk hebt leren kennen. 'Dus het was onvermijdelijk (schreef ze) dat Dutch Harding de mijne werd.'

Het ging langzaam, in etappes. Het zou nog maanden duren voordat hun paden elkaar kruisten. Gebeurde dat door toedoen van Sinan? En zo ja, waarom? In haar brief wist ze dat nog steeds niet precies.

In elk geval deed hij geen pogingen om hem bij haar weg te houden, of haar bij hem. Toen ze die herfst aan Sinans arm over de campus wandelde, wees hij haar een paar keer op een man met lang haar en een schapenvachtjas die door de bibliotheek van Robert College schoot, of aan de overkant van het sportveld tussen de mensen door liep, en zei: 'Kijk, dat is Dutch Harding. Zie je hem?' Hoewel hij altijd te ver weg was om echt goed te kunnen zien, had Jeannie toch het gevoel dat ze hem kende, want zij en Sinan konden nauwelijks een serieus gesprek voeren zonder dat Dutch erin voorkwam. 'Nou, je weet wat Dutch daarover zegt,' zei Sinan dan bijvoorbeeld. Of 'Dutch heeft daar een heel interessant idee over.' Of 'Dat vond ik ook altijd, totdat Dutch me vertelde dat...' Maar hij zei nooit: 'Het wordt tijd dat jullie elkaar eens ontmoeten.'

In het begin zat dat haar echt dwars:

> Ik begreep toen nog niet hoe belangrijk het voor Sinan was om iemand in zijn omgeving te hebben die niet exact van zijn hele doen en laten op de hoogte was. Ik wist ook niet hoe ver zijn familie zou gaan in het bepalen en beïnvloeden van zijn studie, zijn sociale leven en zelfs zijn toekomst. Dat veranderde toen Sinans vader half november de stad binnenviel en met dat beschamende verslag zwaaide.

De confrontatie vond plaats bij Süreyya, wat toen het duurste restaurant van de stad was, ook al was het gevestigd boven een BP-station. Het was de enige keer dat Jeannie Sinans vader ontmoette: ze herinnerde zich hem als een 'grijze, barse, verheven man, met ernstige, keurende ogen'. Ze herinnerde zich ook dat Sinan een marineblauw jasje droeg dat ze nog nooit had gezien en daarna ook nooit meer zou zien. Hij zat alsof er een plank in zijn overhemd zat en hij schilde een sinaasappel met mes en vork.

Wat Jeannie ook zei, het antwoord van zijn vader was steevast: 'Aha! Wat interessant!' Hij glimlachte veel, zelfs toen het gesprek op Sinans studie kwam. Sinan was een en al eerbied. 'Ja, vader.' 'Natuurlijk, vader.' 'Zeker, vader.' Zijn antwoorden waren waarheidsgetrouw, maar wel gespannen en ingestudeerd. Hij ging naar de lessen, hield zijn huiswerk bij, beleefde er geen plezier aan, maar stelde zich ervoor open.

Toen stak zijn vader zijn hand in zijn zak, haalde er een envelop uit en schoof die over de tafel. Er zat een getypte brief in. Toen Sinan hem had gelezen, gooide hij hem op tafel, sloeg zijn armen over elkaar en staarde boos door de groene vitrage naar de Bosporus. 'Nou,' zei zijn vader. 'Ik wacht op een verklaring.'

'Er is geen verklaring,' zei Sinan. 'Ik ga om met wie ik wil.'

'In een vrij land zou dat misschien mogelijk zijn. Maar in het onze helaas...'

'Ik heb recht op mijn eigen leven,' antwoordde Sinan vinnig.

'Je vergeet wie je bent.'

'Wie ben ik dan?'

'Je bent een Turk.'

Daarop pakte Sinan het vel papier, maakte er een prop van en gooide die over de tafel. Jeannie schrok van zijn ongemanierdheid, raapte de prop op en streek hem glad. Hoewel de brief in het Turks geschreven was, zag ze de naam Dutch Harding. Toen ze Sinan vroeg wat er aan de hand was, antwoordde hij schamper: 'Mijn vader heeft me bespioneerd. Of liever gezegd: hij heeft een stuk schorem ingehuurd om dat voor hem te doen. Hij vindt dat ik niet in goed gezelschap verkeer. Hij denkt dat iemand me op het verkeerde pad brengt.'

Waarop Sinans vader protesterend zijn hand opstak en zei: 'Toe! Niet overdrijven! Dit heeft niets met u te maken, Miss Wakefield. Helemaal niets!' Maar hij zei het op een manier die haar aan het twijfelen bracht. Wat had die man tegen haar? Die avond, na het eten, toen haar vader het onderwerp ter sprake bracht ('Ik hoorde dat je mijn oude golfmaatje hebt ontmoet') probeerde ze de woorden te vinden om ernaar te vragen. Maar die woorden kwamen in opstand en vormden een andere zin: 'Wat heeft die man tegen zijn zoon?'

'Niets,' antwoordde haar vader. 'Het lijkt misschien vreemd, maar hij houdt zielsveel van die jongen.'

'Waarom bespioneert en intimideert hij hem dan?'

'Tja,' antwoordde haar vader. 'Om dat goed te kunnen uitleggen, moet ik je eerst wat meer over zijn achtergrond vertellen.' Hij leunde achterover in zijn schommelstoel en vouwde zijn handen achter zijn hoofd. 'Sinan heeft je daar niets over verteld, neem ik aan?'

Hij legde uit dat Sinans ouders al lang voor hun scheiding op voet van oorlog met elkaar stonden. 'Dat is zelfs al begonnen voordat die arme jongen werd geboren.' De oom van Sinans vader was een generaal die in de Onafhankelijkheidsoorlog naast Atatürk tegen de Grieken had gevochten. Hij had geholpen bij de oprichting van een extreem nationalistische politieke partij die later openlijk fascistisch werd. Sinans vader was daar nooit lid van geweest, maar hij had wel onbuigzame ideeën over nationale eer en patriottistische plicht. Zijn zoon mocht zijn leven niet vergooien aan de kunst. Sinan had drie opties: het leger, de diplomatieke dienst of de techniek.

Sinans moeder daarentegen kwam uit een beroemde artistieke Ottomaanse familie van bohemiens die ('net als Atatürk zelf') tot het einde van het Ottomaanse Rijk in Thessaloniki woonden. Ze waren in de jaren twintig naar Istanbul verhuisd, en hoewel ze enthousiaste voorstanders van de republiek van Atatürk waren, wilden ze niet hun voorliefde voor allerlei Griekse zaken opgeven. Ze stuurden Sibel en haar broertjes en zusjes zelfs naar een van de Griekse scholen in Istanbul. Volgens mijn vader was er geen verband tussen die excentriciteit en 'een later politiek schandaal' dat erin resulteerde dat een van de tantes van Sinans moederskant met haar echtgenoot overliep naar de Sovjet-Unie, 'hoewel sommige kwaadsprekers daar anders over schijnen te denken.'

'De twee kanten van Sinans familie hebben dus altijd ruzie over hem gemaakt. Zoals in families wel vaker gebeurt. Maar in dit geval zit er een addertje onder het gras.' Hoewel Sinans moeder misschien graag had gewild dat haar zoon in haar voetsporen zou treden in de kunst, was ze net zo bang voor het communisme als haar ex-man. 'Vandaar al die heisa over zijn vriendschap met Dutch Harding. En vandaar dat rapport.'

'Dus daar wist jij al van?' vroeg Jeannie.

'Dat niet alleen: ik heb het zelfs gelezen,' zei hij trots.

'Hoezo?' vroeg Jeannie. 'Hoe dan?'

Hij glimlachte en tuitte zijn lippen. 'Toevallig ken ik die vent. Die het geschreven heeft, bedoel ik. We werken niet altijd samen, maar het is handig om elkaar een beetje op de hoogte te houden. We staan per slot van rekening aan dezelfde kant. Hoewel ik in dit geval van mening ben dat mijn vrienden aan de Turkse kant nogal overdrijven.'

Want (zoals hij zijn dochter nu meedeelde) het was belangrijk voor jongeren om zich een eigen mening te vormen. Als je de leiders van morgen respectvol benadert, trekken ze uiteindelijk wel bij. Als je ze met harde hand aanpakt, kiezen ze juist de andere kant. 'Hoe meer gedoe ze over Dutch Harding maken, hoe aantrekkelijker hij juist wordt. En dat is treurig, en tegelijk lachwekkend, want...'

Hij liet de zin in het luchtledige hangen en weigerde te vertellen wie het rapport had geschreven. Maar later die week ontmoette Jeannie hem. Of liever gezegd: hernieuwden ze de kennismaking.

De zaterdag voor Thanksgiving gaf William Wakefield een feest. Het was een jaarlijkse happening waar men maar al te graag voor uitgenodigd werd, hoewel dat meer te maken had met het beroemde uitzicht dan met warme vriendschappelijke gevoelens voor de gastheer. Het was een van de weinige gelegenheden waarbij de docenten van het Robert College mensen van het consulaat en de zakenlui uit de stad ontmoetten. Williams Turkse 'vrienden' waren ook van de partij.

Sinan kwam samen met zijn moeder, die inmiddels uit Parijs was teruggekeerd om hem 'in de gaten te houden'. Ze was net zo betoverend als op de foto's: rank en fraai gevormd, met grote, zwaar aangezette ogen, dik zwart haar dat recht was afgeknipt à la Cleopatra, en een houding die de indruk wekte dat ze veel verdriet te verwerken had gekregen en dat nooit was vergeten. Iedereen keek naar haar toen ze met uitgestrekte armen door de bibliotheek liep om Jeannies vader op beide wangen te kussen.

> Daarna was het mijn beurt. Er ging een hartelijke maar grondige inspectie vooraf aan de omhelzing. Ik voel nog steeds haar handen: die hadden iets waarschuwends. 'Eindelijk! Nu zien we elkaar!'
>
> Sinan stond naast haar en keek ernstig. Waarom? Omdat ze mooi was? Omdat hij haar wilde beschermen? Omdat ze hem belemmerde in zijn gewone manier van doen? Ze pakte steeds zijn hand vast en trok hem mee om hem voor te stellen aan een 'lieve vriend of vriendin', of ze ontdekte een pluisje op de boord van zijn overhemd en zei iets vertwijfelds terwijl ze het eraf tikte. Ze kuste hem op zijn voorhoofd en vroeg de lieve vriend of vriendin of die ooit eerder 'zo'n knappe jongen' had gezien, en daarna zag ze een nog lievere vriend of vriendin aan de andere kant van de bibliotheek en zeilde weg.

Ze bleef niet lang. Sinan bracht haar naar het hek en kwam heel langzaam terug; hij liep tussen de bomen een sigaret te roken. Toen hij zich weer bij Jeannie voegde, knikte hij in de richting van een elegant geklede man van middelbare leeftijd die op de veranda stond.

İsmet glimlachte, alsof hij hen al had verwacht. Hij gaf Jeannie een stevige hand. Op dat moment herkende ze hem als de man met de politieogen, de man die op die ochtend in juni een werkbespreking met haar vader had. Toen ze hem daaraan herinnerde, zei hij: 'Wat een goed geheugen!'

Sinan beet hem iets toe in het Turks.

'Ho ho, jongen, doe eens rustig,' antwoordde İsmet. 'Dat is nogal een mondvol.'

Dat veroorzaakte opnieuw een uitbarsting.

'Luister eens,' antwoordde İsmet. 'Ik vind dit niet behoorlijk tegenover onze lieftallige vriendin hier.'

Sinan antwoordde in het Engels: 'Maakt u zich geen zorgen. Zij weet hoe ik erover denk.'

'O, wat heerlijk om twintig te zijn,' zei İsmet, en hij lachte zijn tanden bloot. 'Je vriend is wel erg romantisch, zeg. Echt een dichter.'

'U weet niets van mij,' snauwde Sinan.

'Jawel hoor,' zei İsmet scherp. 'Maar wat ik verkies prijs te geven is weer een heel andere kwestie.' Hij keek naar Jeannie. 'Hoe lang ben je hier nu? Drie maanden? Vier? Nee, al bijna een halfjaar, toch? Dan is het nieuwe er zeker al een beetje af. En je vraagt je vast af waar je in terechtgekomen bent!'

Hij zweeg en stak een sigaret op. Hij had een grote, zware, gouden aansteker. 'Neem nou bijvoorbeeld ondergetekende. Je hebt me via je vader ontmoet. Je hoort dat ik zijn "tegenhanger" ben. Later ontdek je dat ik ook iets met Sinan te maken heb. Je hoort dat zijn vader en ik samen in militaire dienst zijn geweest. Heeft hij je dat niet verteld? O jee. Dan heeft hij je er zeker ook niet van op de hoogte gebracht dat ik met zijn tante getrouwd ben geweest.'

'Tot ze stierf,' zei Sinan. 'Vraag hem maar hoe ze is gestorven.'

Nu was het İsmet die iets in het Turks zei. En toen Sinan antwoord gaf, ook in het Turks, klonk zijn stem luid genoeg om de aandacht van hun gastheer te trekken.

William Wakefield drukte zijn hand op İsmets schouder om zijn 'tegenhanger' duidelijk te maken dat hij moest ophouden. Tegen Sinan zei hij: 'Dat geldt ook voor jou, jongen.' Misschien sloeg hij daarmee wel een verkeerde toon aan, misschien was die toon alleen acceptabel als je het tegen je eigen zoon had.

'Ik heb net de vriend van je dochter ontmoet,' hoorde Jeannie een onopvallende Amerikaanse vrouw enige tijd later tegen haar vader zeggen. 'Hij is wel erg opvliegend, vind je niet?' Toen William zei dat dat wel meeviel, maar dat hij gewoon in een slecht humeur was, vroeg ze: 'Vind je hem niet een beetje oud voor haar?' William antwoordde opnieuw dat hij het niet met haar eens was. Dat zijn dochter zeventien was en Sinan net twintig was geworden. Waarop de Amerikaanse opmerkte: 'Drie jaar is op die leeftijd heel veel. En dan is er nog het cultuurverschil.'

William zei dat ze zich daar niet zo druk om moest maken. 'Sinan heeft overal ter wereld gewoond.' Maar de vrouw bleef volhouden. 'Wat me waarschijnlijk nog wel de meeste zorgen baart is dat Jeannie hem zo bemoedert.'

'Vind je dat?'

'Als ik haar moeder was, zou ik zeggen dat ze een beetje gas moest terugnemen.'

'Ik zou niet durven,' antwoordde William. 'Jeannie weet heel goed wat ze wil. Bovendien is ze dol op die jongen. Ze zijn onafscheidelijk.'

'Reden te meer om voorzichtig te zijn,' zei de vrouw. 'Want uiteindelijk...' Maar meer kwam Jeannie niet te weten, want Sinan nam haar mee naar de deur.

Er zaten kerstlichtjes in de bomen, dus iedereen die naar buiten keek kon zien dat ze elkaar kusten. Toen Jeannie dat zei, drukte hij haar alleen nog maar dichter tegen zich aan. 'Als ik je niet beter kende, zou ik denken dat je dit voor de show deed,' zei Jeannie.

'En wat dan nog?' vroeg hij. 'We zijn onafscheidelijk, weet je nog?'

De volgende dag nam hij haar mee naar het Huis der Sluiers om bij zijn moeder te lunchen. Sibel was uiterst beleefd toen Jeannie binnenkwam; ze bedankte haar voor het meesterlijke feest, vroeg naar haar vader, naar haar 'passies en interesses', overlaadde haar met eten en lette niet op haar zoon die zich in een hoekje zat op te vreten. Jeannie begreep later niet waar de ruzie vandaan kwam, want de eerste uitval was net zoals zovele die nog zouden volgen in een taal die zij niet kende. Ze luisterde er zoals altijd naar, gespitst op bekende namen en woorden. Hoewel Dutch Harding vaak ter sprake kwam, hoorde Jeannie ook haar eigen naam. En dus vroeg ze, zonder erover na te denken: 'Wat hebt u eigenlijk tegen me?'

Sibel pakte haar hand vast. 'Lieverd, je bent een engel! Het is alleen...' en ze liet haar hand los. 'Onze jongen is nog zo jong. Begrijp je me, lieverd? Ik wil zijn plezier niet bederven. Wat is het leven zonder plezier? Plezier is waar het om gaat, toch?'

Omdat niemand daarmee leek in te stemmen, keek ze weer naar Sinan en zei in bijtend Frans: 'Ze is niet zo mooi als ze boos is. Eigenlijk lijkt ze wel op een geit.' Dat verstond Jeannie maar al te goed.

Sibel scheen dat te begrijpen. Want ze strekte glimlachend haar hand uit en streek met een vinger langs Jeannies kin. 'Zo, dat is beter,' zei ze in het Engels. 'Als je je onderlip niet naar voren steekt, ben je heel engelachtig, zoals ik al zei.'

Ze keek weer naar haar zoon en ging over op wat Jeannie als Grieks in de oren klonk. Haar stem, die eerst zacht en vleiend klonk, werd steeds harder en doordringender. Sinan gaf alleen korte antwoorden en hield zijn stem onder controle, totdat ze iets zei wat hem ertoe bracht met zijn vuist op tafel te slaan. Ze hief haar armen ten hemel, alsof ze tot God smeekte. '*Ah, mais ça suffit. Vraiment j'en ai assez!*'

Nadat ze met slaande deuren uit het appartement was vertrokken, plofte Sinan in een stoel, hulde zich in een stomend stilzwijgen en stak steeds zijn hand op als Jeannie hem vroeg wat er aan de hand was. Toen kwam hij tot bedaren. Hij nam haar mee naar zijn kamer en zei: 'Dit is er aan de hand.' Waar het terrarium had gestaan, lag een stapel sokken en gestreken overhemden. 'Weet je nog die boeken die hier in de kasten stonden? Waar denk je dat die nu zijn? Mijn moeder heeft ze weggedaan. Toen ik gisteravond thuiskwam, waren de kostbare boeken van Dutch weg. Wat moet ik nou tegen hem zeggen?'

Hij ging op zijn bed zitten. Jeannie ging naast hem zitten, maar hij duwde haar troostende hand weg. Ze was inmiddels gewend aan zijn buien, ging naast hem op het bed liggen en wachtte af. Was dit wat ze bedoelden met bemoederen, vroeg ze zich af. Ze staarde in de donkere hoek waar het terrarium had gestaan en dacht terug aan de dag waarop ze het voor het eerst had gezien. Ze dacht aan de slang, aan hun tocht met die slang naar de eilanden, en het glinsterende water dat ze vanuit de avondboot had gezien. Ze stelde zich voor dat de avondboot op het laatste moment van gedachten veranderde en hen terugbracht naar de Zee van Marmara, naar de schitterende havens van Kınalı, Burgaz, Heybeliada en Büyükada... dat ze over de donkere zee naar Yalova zouden varen, naar Bandırma en de Marmara-eilanden, naar de Dardanellen, Çanakkale, Gallipoli, Imbros, Samothraki, Alexandroupolis, Kavala...

Er sloeg een deur dicht. Toen nog een. Het grote licht ging aan. Daar was Sinans moeder, ze torende boven hen uit. Nog meer Griekse woede. Maar Sinan weigerde om in te binden. 'Je kunt zeggen wat je wilt,' zei hij in het Frans. 'We doen niks. Weet je waarom? Dat kunnen we niet eens! In een panopticum zouden we nog meer privacy hebben!'

'Dan ga je toch naar een panopticum!'

'Je weet niet eens wat dat is.'

'Natuurlijk wel! Waar zie je me voor aan?'

'Voor een volgeling van Bentham, wat dacht jij dan?'

'Aha! En wie mag die Monsieur Bentham dan wel zijn?'

'De auteur van een van de boeken die jij hebt weggesmeten.'

'Op een dag zul je me dankbaar zijn! En dan zul je me misschien ook kunnen uitleggen waarom je van alle meisjes ter wereld nu net háár hebt gekozen!'

'Ik heb haar "gekozen" omdat ik meteen zodra ik haar zag wist dat jij de pest aan haar zou hebben!'

'Ah! Mais vraiment, c'est insupportable. Vraiment ça suffit!'

Nu wist Jeannie wat ze Sinan wilde vragen. Ze wist alleen niet hoe.

> Ik stond dus maar op en deed het licht uit, ging weer naast hem liggen en reisde verder. Ik keerde terug naar Büyükada, ik trad in onze vrolijke voetsporen, maar na ons bezoek aan de gevangenisbewaker die gevangeniskunstenaar was geworden, nadat we naar het oudere, Ladino-sprekende echtpaar op de naastgelegen veranda hadden gewuifd, wuifden zij terug en nodigden ons uit voor een wandelingetje in hun tuin. En onder het eten, want we bleven natuurlijk eten, vertelden ze over hun voorouders, die naar Istanbul waren gevlucht voor de Spaanse Inquisitie. We vergaten de tijd en plotseling moesten we enorm opschieten om de laatste veerboot te halen... maar onderweg ontmoetten we een man met een Albanese grootvader, een Circassische grootmoeder en een Armeense vrouw. Ze hadden allemaal verhalen te vertellen en hoewel die verhalen weer bij zichzelf terugkwamen, uit hun baan raakten en om blinde hoeken verdwenen, werd de ketting nooit verbroken. Elk verhaal leidde tot een ander verhaal en het laatste leidde weer terug naar ons uitgangspunt. Toen we bij de kade kwamen, lag de veerboot nog te wachten en was ik ver van de echte wereld, zo ver alsof ik op de staart van een komeet was meegevoerd.

'Jeannie? Slaap je?'

'Nee. Ik lag te denken.'

'Waaraan?'

'Aan een reis. Ik wilde dat we die hadden gemaakt.'

'Waar naartoe?'

Ze vertelde het hem.

'Daar kun je voor de gevangenis in, wist je dat?' zei hij.

'Voor een dagdroom?'

'Je zou versteld staan.' Hij kwam een stukje overeind en leunde tegen het kussen. Ze legde haar hoofd op zijn borst. 'Ik ben kwaad op mijn moeder. Maar ik begrijp haar redenering wel. Je hebt het gehoord van mijn tante, hè? Ik bedoel Emine. Die moest overlopen. Misschien vertel ik je op een dag het hele verhaal nog eens. Nu alleen dat İsmet daar de hand in heeft gehad. En İsmet is nog niet klaar. Hij is pas klaar als hij mij heeft gezuiverd. Het is logisch dat hij mijn moeder verdenkt. Zij is namelijk niet zuiver, snap je? İsmet gelooft dat Turken zuiver moeten zijn. Maar Dutch zegt dat *de Turk* niet bestaat.'

'Wat een onzin,' zei Jeannie.

'Wat hij bedoelde is dat de Turk geen historische realiteit is, maar een ideologische constructie. Die constructie is bedacht door onze stichter, om zijn nationalistische project te legitimeren. Heb je enig idee wat mijn vader zou doen als hij me dit zou horen zeggen?'

'Lachen?'

Hij stompte tegen de muur. 'Wat een stelletje hypocrieten! Oké, ik heb een paar boeken gelezen! Denken ze soms dat er een geweer uit die bladzijden tevoorschijn zal komen om de staat te bedreigen? Alleen omdat ik een boek lees, wil dat toch nog niet zeggen dat ik het ermee eens ben! Hoe moet je ánders kritisch nadenken?' Hij sprak heel snel. 'Dutch zegt dat de hele westerse beschaving is gebaseerd op kritisch denken. Wist je dat? Hij zegt dat je nergens komt tenzij je altijd tot op zekere hoogte aan de kant blijft staan en vraagtekens zet.'

'Waarom zet je bij hém dan nooit vraagtekens?'

'Dat doe ik wel! Natúúrlijk doe ik dat wel! Je begrijpt er nog steeds niks van! Dutch doet nooit alsof hij de wijsheid in pacht heeft. Als hij zich in de klas wel eens vergiste, en wij dat zeiden, weet je wat hij dan deed? Dan begon hij gewoon te lachen. Weet je wel hoe zeldzaam dat is in Turkije?'

'Je laat hem nog steeds jouw gedachten bepalen,' waagde Jeannie.

'O, denk je dat? Laat me jou dan eens iets vragen. Als ik hem mijn gedachten zou laten bepalen, als ik wie dan ook mijn gedachten zou laten bepalen, denk je dan dat wij hier samen op dit bed zouden liggen?'

15

Wat bedoelde hij daar precies mee? Dat durfde ze niet te vragen. Alleen al van het idee dat ze dat zou doen, werd ze helemaal leeg in haar hoofd. Maar er begonnen haar wel dingen op te vallen. Dingen die zich niet tot een beeld wilden vormen en die haar om die reden dwarszaten.

Ze merkte bijvoorbeeld dat zij en haar vader niet echt een band hadden. In elk geval niet de natuurlijke band die er volgens haar tussen vader en dochter moest zijn. Dus ondanks zijn blijdschap, zijn trots zelfs dat zij bij hem woonde, zijn bijna overdreven gretigheid om bij een fles whisky en een stapel boeken te peinzen over wat hij de brandende kwesties van tegenwoordig noemde, voelde ze geen echte band. Nee, het was zelfs nog erger. Ze had het gevoel dat ze meer een idee voor hem was dan een echt mens.

> Dat kwetste me. Misschien wel omdat hij voor mij ook altijd meer een idee was geweest dan een echt mens. Dat kon ook moeilijk anders, aangezien we elkaar tot nu toe maar zo weinig hadden gezien. Het probleem was dat ik het niet kon verdragen om barsten te zien verschijnen in het beeld van mijn vader dat ik altijd bij me had gedragen. Met elke barst was het moeilijker om te vermijden dat ik hem zag zoals hij werkelijk was. Of als de vader die hij niet was.
>
> Een voorbeeld. We vierden Thanksgiving bij Chloe. Toen Sinan twee uur te laat met een gezicht als een donderwolk binnenkwam, vroeg ik of alles goed was. Maar mijn vader ging met hem naar buiten om even met hem te praten.
>
> Hoewel Sinan vrolijker keek toen ze weer binnenkwamen, klonk hij nog steeds bits, en hij sloeg drie glazen whisky achterover. 'Dat begint erop te lijken,' zei mijn vader, en hij schonk hem een vierde glas in. 'Kom op, dan

bouwen we een feestje!' Ik hoor nog steeds zijn zorgeloze lach. De anderen lachten mee. Ik zie zelfs nog steeds voor me waar iedereen zat, wat ze aanhadden, of hun glazen halfleeg of halfvol waren. Wat helemaal niet zo gek is als je erover nadenkt. Als je je dochter nooit iets vertelt, kan ze alleen maar haar toevlucht nemen tot een fotografisch geheugen.

De situatie was als volgt: het is zes uur 's avonds, maar door een storing van het gas is de kalkoen pas tegen negenen gaar. Amy is druk in de weer, ze ziet er charmant en exotisch uit met haar paarse fluwelen blouse met wijde mouwen en haar harembroek. We spelen het waarheidsspel. Mijn vader heeft net drie verhalen verteld en nu wil hij dat wij hem aan de tand voelen om erachter te komen welk verhaal we moeten geloven. Een ervan gaat over een huurmoordenaar, een ander over een gestolen baby, het derde over een moordaanslag die werd voorkomen. Als Sinan aandringt op meer details, zegt Chloe's broer, Neil (de patriot van de familie) tegen mijn vader dat hij geen antwoord moet geven. 'Dan breng je de staatsveiligheid in gevaar!'

Amy komt tussenbeide. 'Kunnen jullie geen stichtelijk onderwerp verzinnen, op een dag als vandaag? Ik heb nog nooit zoiets belachelijks gehoord.'

Mijn vader zucht. 'Vrouwen! Die verpesten altijd de lol.'

Dat zegt hij natuurlijk voor de grap. Maar tegelijk meent hij het ook.

Dit is de man die zijn masker beu wordt, die tegen beter weten in hoopt dat iemand het van zijn gezicht trekt. Hij is het beu om geheimen te bewaren, om te zwoegen op rapporten die niemand behalve zijn gehate superieuren ooit onder ogen krijgt, om het altijd maar beter te weten dan de verkeerd ingelichte massa, hij heeft genoeg van de witte boorden in zijn vaderland die hun superieuren verkeerd informeren als zijn informatie strijdig is met hun politieke agenda.

Hij is de consulaten en de diplomatieke partijtjes zat, en de uitstapjes naar de overdekte bazaar met de groep nieuwelingen die naar Turkije zijn gestuurd, ook al zijn ze gespecialiseerd in Latijns-Amerika, want dat is de manier waarop Washington ervoor zorgt dat hun diplomaten trouw blijven.

Hij wil eruit. Geen politiek meer. Hij wil een nieuw leven beginnen met Amy, hier wortel schieten, de geschiedenis van deze stad echt begrijpen. Een boek schrijven misschien. Wat reizen. College geven. Plezier maken. Hij verlangt er vooral naar om de telefoon te pakken en een bepaald kantoor buiten Washington te bellen en dan te zeggen 'dat ze de pot op kunnen'.

Maar voorlopig voelt hij zich al getroost als hij zich druk kan maken om iemand anders die zich aan alle kanten ingesnoerd voelt, die een groter, beter leven verdient en nog de kans heeft dat te krijgen, mits hij de juiste begeleiding krijgt.

'Kom even een slaapmutsje halen,' zegt mijn vader tegen Sinan als we naar huis gaan. Hij stuurt mij naar boven. 'Even maar,' zegt hij.

Maar als ik om vier uur 's ochtends beneden kom, zijn ze nog steeds diep in gesprek. Er hangt een verschaalde lucht: rook, met de geur van whisky. Sinan zit op het puntje van zijn stoel, hij fronst maar knikt ook als mijn vader hem vriendelijk terechtwijst omdat hij misbruik maakt van het probleem, dat hij 'stiekem doet' en 'dubieuze vrienden maakt' in plaats van zich 'als een man' tegen zijn vader te verweren, dat hij zijn gedachten laat bepalen door 'modieuze rebellen' in plaats van zich af te vragen wat hij de wereld te bieden heeft, wat hij voor bijzonders heeft. Bij elk nieuw verwijt zakken Sinans schouders verder omlaag. Dan voel ik de verdovende schok van herkenning.

Dit is het.

Dit is precies wat een goede vader doet.

> Dit is wat mijn vader tegen mij zou hebben gezegd als ik een jongen was geweest.

Naarmate de herfst vorderde, werd er meer gezeurd over veiligheid. Wat alles te maken had met het feit dat Jeannie geen jongen was. Hoewel haar vader haar vertrouwde, hoewel hij absoluut geloofde in haar 'gezonde verstand', hoewel hij haar niet wilde beperken, kon hij haar toch niet zomaar 'haar gang' laten gaan zoals hij zou kunnen doen met de zoon die hij nooit had gehad. Dit was altijd al een gevaarlijke stad voor vrouwen, maar nu, in deze verhitte tijden, wilde hij niet dat zij dacht dat ze overal maar naartoe kon gaan. 'Ik zou het vreselijk vinden als je iets akeligs overkwam,' zei hij. 'Zelfs als er niets gebeurde, zou je er toch door van slag raken.' Toen het aantal bommen die herfst toenam en de schermutselingen tussen studenten en politie op de universiteiten in de stad uitliepen op gevechten waarbij werd geschoten, voegde hij meer namen toe aan de lijst van plekken waarvan Jeannie moest beloven dat ze er niet naartoe zou gaan.

Als ze hem vertelde waar ze naartoe wilde, schudde hij zijn hoofd en zei: 'Nee, niet op zaterdagmiddag,' of 'dat is geen plek voor een blonde paardenstaart'. Zijn vijf categorieën van gevaar in aflopende volgorde waren: 'geen sprake van', 'dat meen je niet', 'alleen als het echt niet anders kan', 'dat mag wel, maar je moet ontzettend goed uitkijken' en 'wat een opluchting'.

> Natuurlijk vond ik dat gruwelijk. Natuurlijk snapte ik niet dat het niet alleen maar om fysieke veiligheid ging. Hij wilde me beschermen tegen de realiteit. Hij wist, misschien uit eigen ervaring, dat een te grote portie realiteit alles alleen maar erger zou maken. En dat was inderdaad het geval.

Een plek waar ze onder geen enkele voorwaarde mocht komen was het Beyazıt-plein in de Oude Stad. Maar op de donderdag na Thanksgiving was er iets met de verwarming op school en mochten ze eerder naar huis. Lüset vroeg aan de club of ze met haar mee naar de overdekte bazaar gingen om een leren jas uit te zoeken.

Meestal moest je je een weg banen door drommen mensen, wankelende sjouwers en voortsnellende jongens met bladen thee. Maar vandaag was het hoofdpad bijna leeg: voor elke klant waren er tien opgewonden winkeliers die probeerden hun mooiste halsketting, kleed of koperen blad aan de man te brengen. Ze gebruikten allemaal dezelfde gebaren en dezelfde oogtrucs. Jeannie kon bijna de touwtjes zien waarmee ze in beweging kwamen. In het begin, toen Chloe en zij voorop liepen, werden er nog pogingen gedaan om hun nationaliteit te raden. Frans? Nederlands? Duits? Engels? Amerikaans? Maar bij het horen van Suna's scherpe, vermanende Turks maakte hun gegrijns plaats voor kruiperig gemompel, onderdanig geknik en gebogen hoofden.

Ze gingen naar alle leerwinkeltjes in de bazaar: Lüset, die winkelen als een verachtelijk karwei beschouwde, kon geen enkele jas vinden die haar beviel. Bij elke nieuwe jas die Suna vond, tuitte Lüset haar lippen, ging te rade bij haar spiegelbeeld, en schudde haar hoofd. Suna snoof verachtelijk en stak een sigaret op. Chloe pakte de jas van haar dromen: een monsterlijk zachtleren geval dat ze in een impuls zou hebben gekocht als ze rijk was geweest, zoals Lüset. Suna wierp er één blik op en zei: 'Dat kun je toch niet menen, lieve meid? Dat ding is walgelijk! Kijk eens naar die knopen! Die naden! En dat leer! Is dat eigenlijk wel leer of plastic voor de prijs van leer?'

Toen ze onverrichter zake de andere kant van de bazaar hadden bereikt, herinnerde Suna zich ineens dat ze een boek nodig had voor de inleiding die ze de volgende middag moest houden op de discussiegroep. Ze wilde 'een parallel trekken tussen de bomaanslag op de Amerikaanse officiersclub in Ankara van vorig weekend en de vergeten wreedheden tijdens de oorlog in Korea'. En dus gingen ze naar Sahaflar, de tweedehandsboekenmarkt, waar Suna en Lüset de kraampjes afzochten. Het was fris, en hoewel er in de meeste kraampjes een komfoor stond, huiverde Jeannie toch. Zou het daardoor zijn gekomen dat ze haar opmerkten? Zo nu en dan vroeg een marktkoopman aan Suna wie 'die buitenlanders' waren. Zonder op te kijken antwoordde ze dan dat het Amerikanen waren. Als de andere klanten – allemaal serieuze klanten, veel ernstige linkse studenten met Che Guevarasnorren en jassen uit de legerdump – dat hoorden, wierpen ze hun boze blikken toe.

'Ik weet niet wat jij vindt,' zei Chloe tegen Jeannie. 'Maar ik voel me ineens een beetje... eh... hoe zal ik het noemen?'

'Amerikaans?' zei Jeannie.

Toen er opnieuw een klant boos opkeek, begonnen ze te giechelen. 'Wat denk je,' zei Chloe. 'Tijd dat de Amerikanen naar huis gaan?'

Ze waren van plan om rechtstreeks naar de kade te gaan en daar de veerpont uit Eminönü te nemen, maar ze sloegen een zijstraatje in om twee mannen af te schudden die hen leken te achtervolgen, en al snel waren ze helemaal verdwaald. In de meanderende steegjes in die buurt krioelde het overdag gewoonlijk van de mensen, maar het was er nu nog drukker dan anders en de sfeer was opgewondener dan ooit. Ze sloegen een hoofdweg in en werden toen bijna onder de voet gelopen door een groep mannen die de tegenovergestelde kant op renden. Ze hoorden een gebrul in de verte, gedempt geroep, een sirene, glasgerinkel – vanaf het Beyazıt-plein, dat moest haast wel – en keerden ook om. Maar ze waren zo stom om een doodlopend steegje in te rennen. Toen ze zich omdraaiden, blokkeerden meer dan twintig mannen de doorgang. Een van hen had een knuppel bij zich.

De mannen waren donker, kwaad, hongerig, verward. 'Laat mij maar,' zei Chloe. Ze sprak de mannen aan in het Turks. Maar ze kwamen geen van allen van hun plaats.

Ze waren zo dichtbij dat Jeannie ze kon ruiken. Een van de mannen kwam naar voren en tilde een lok van Jeannies haar op. Er klonk gemompel, hetzelfde woord van drie lettergrepen ging van mond tot mond. Maar op het moment waarop de man die het dichtst bij Jeannie stond dichterbij kwam, ging een andere man opzij om de meisjes langs te laten. Chloe greep Jeannie bij haar hand en trok haar mee, de hoek om. Ze renden door de straat de heuvel af, naar de volgende straathoek, waar ze zo stom waren om achterom te kijken. Daar waren ze, allemaal. Donker, kwaad, hongerig, verward, en ze wachtten tot iemand zei wat ze moesten doen. De man met de knuppel slaakte een kreet, en daar kwamen ze over straat aanrennen.

We werden uiteindelijk gered door de eigenaar van een knopenwinkeltje. Hij kwam naar buiten om te zien waar het lawaai vandaan kwam. Toen ik struikelde over een kei, hielp hij me overeind en trok ons mee naar binnen.

Ik herinner me nog dat ik om de hoek van zijn toonbank keek en onze belagers voorbij zag rennen. En ik herinner me ook de bezorgde, ons goedgezinde mensen die zich naderhand om ons heen verzamelden, de thee die ze ons gaven, de prikkende jodium die mijn redder op mijn knie deed. De vraag die steeds als er iemand binnenkwam mompelend werd gesteld: 'Waar komen ze vandaan?' En het antwoord dat door de propvolle winkel en over straat golfde. 'Het zijn Amerikanen. Amerikanen. Amerikanen.'

Een donkere man tuurde door het raam naar binnen. Onbeschaamd, minachtend, vol afkeer. Wat was het aan mijn gezicht waardoor hij me zo haatte? Hoe kon hij me haten terwijl hij me helemaal niet kende?

De knopenverkoper stond erop dat zijn zoon ons naar de veerpont bracht. Ik denk dat we in shock waren, want toen de veerboot wegvoer, barstten we allebei in lachen uit.

Dat deden we ook toen we Chloe's keuken binnenkwamen. Toen haar moeder vroeg wat er zo grappig was, zei Chloe: 'O, niks.'

'Weet je het zeker? Jullie zien er anders erg verfomfaaid uit.'

'Nee hoor, echt. Ik voel me prima,' zei Chloe. 'Ik zou zelfs durven beweren dat ik me... Amerikaans voel.'

Chloe's moeder vond het niet grappig. Ze stond in de deuropening, met haar handen in de zij. 'Amerikaans zijn, dat is geen grapje hoor. Je moet trots zijn op wat je bent.'

Die nacht droomde ik dat ik Sisyphus was, en niet één rotsblok die heuvel op rolde, maar twee.

Maar het duurde niet lang meer. Toen Jeannie de volgende dag de kleine eetkamer naast de Marble Hall binnenliep, was Suna papieren aan het klaarleggen voor de discussiegroep. Normaal gesproken ging dat gepaard met luide bevelen, maar vandaag was ze zo geestdriftig dat ze de anderen nauwelijks opmerkte. Want ze had eindelijk 'de volmaakte illustratie van ons probleem' gevonden.

Naast een vluchtig rapport over de bomaanslag op de Amerikaanse officiersclub in Ankara het vorige weekend (uit de *International Herald Tribune* geknipt, ze had de woorden 'geen slachtoffers' met een gele stift gemarkeerd) lag een vel papier met het aantal doden in de oorlog in Korea, per nationaliteit. Boven aan de lijst stond Turkije. Boven Bewijsstuk A en Bewijsstuk B lag nog een vel papier waarop Suna had geschreven: 'VERBIND DE PUNTJES .

> Alleen al de aanblik van die drie woorden maakte me razend. Dus ik vroeg het haar. Wat ze precies bedoelde. Haar antwoord was: 'Dat is mijn stelling voor vandaag.' Mijn antwoord: 'Dat slaat nergens op.'

'O, zeker wel,' zei Suna stellig. Maar alleen als haar geachte Amerikaanse vriendin dapper genoeg was om 'de puntjes te verbinden'.

> Ik zag aan haar zelfvoldane glimlach dat ze wist wat die drie woorden voor mij betekenden. Daarom vroeg ik haar: Wat heeft een oorlog van bijna twintig jaar geleden te maken met een bomaanslag van vorige week?

'Voor een Amerikaan misschien niks,' zei Suna hautain. 'Maar voor een Turk alles. Jullie hebben ons Turken gebruikt als kanonnenvlees. Maar hebben jullie daar ooit excuses voor gemaakt?'

'Maar ík heb jullie toch niet als kanonnenvlees voor Korea gebruikt?' antwoordde Jeannie.

Suna gaf geen antwoord. Maar ze begon wel te neuriën. Daarom zei Jeannie het nog eens. Deze keer schreeuwde ze het: 'IK HEB DAT TOCH NIET GEDAAN!'

Ik heb een hekel aan huilen (verklaarde ze in haar brief). Ik vind het vreselijk als mensen mij zien huilen. Of als ik ze moet vragen om mij een zakdoekje te geven omdat ik het mijne thuis heb laten liggen. Om mijn neus te snuiten en weer zonder zakdoekje te zitten en het medelijden in hun ogen te zien. Ik wilde het liefst de kamer uit vluchten, het gebouw uit. Ik wilde niet dat iemand zag dat mijn ogen rood waren, vooral Miss Broome niet. Die nu elk moment kon binnenkomen. Die zo bezorgd en zo attent zou zijn, en er vast graag over zou willen praten. Ik geloof dat Suna dat wel begreep. Toen ze mij een zakdoekje had gegeven en fluisterend had overlegd met Chloe en Lüset, zei ze: 'Laten we maar een eindje gaan wandelen. Maak je geen zorgen, niemand zal ons zien. We gaan achterom.'

Ze vertrok geen spier toen het alarm afging. 'Als je gewoon doorloopt, merkt niemand iets.' En dus liepen we gewoon door naar het eind van het plateau. We gingen op het marmeren bankje zitten en keken naar de voorbijvarende schepen.

'Het spijt me van gisteren,' zei ze. 'Ik had geen idee. Ik had niet zo ongevoelig moeten zijn. Maar ik ben een beetje een rare, ik heb rare buien en ik zeg vaak dingen die ik niet moet zeggen. Ik weet het.'

Ik zei tegen haar dat ik het fijn vond dat ze zo openhartig was, maar daarna stortte ik weer in.

'En nu ophouden met huilen! Dat is een bevel! Van de generaal! Kijk, hier heb je nog een zakdoekje. Alsjeblieft. Want ik moet nog iets zeggen.'

Ze wilde me iets opbiechten. Iets wat zo vreselijk was dat ze het nauwelijks over haar lippen kon krijgen. 'Ik vind het heerlijk om met jou te bekvechten. Vind je me nu een monster?'

'Nee, gewoon een mens.'

'Niet lachen. Ik meen het. Ik vind het fijn om met jou te discussiëren omdat jij tenminste luistert. Jij zegt nooit: "Kom op, Suna," of "Nou zeg, Suna!" zoals alle anderen. Alsof ik een soort marxistisch-leninistische circusclown ben. Nee, jij luistert echt en dan stel je een goede vraag, een vraag waardoor ik soms wou dat ik een opportunist was. Want zie je, wij zijn gelijken, meestal tenminste. Behalve vandaag. Vandaag raakte je uit je doen.'

Dat was niet haar schuld, zei ik. Maar dat deed er niet toe, antwoordde zij. 'Ik had het moeten merken.' Aan een detail, aan een verandering in de manier waarop ik gebaarde, of ademhaalde, gewoon een van de duizenden dingen die Lüset wel opmerkte.

'Maar ik stoomde maar door. Als een stoomwals, om met Lüset te spreken. Wat ik zei was niet alleen stom, het was ook niet waar. Jij hebt die Turkse soldaten niet naar Korea gestuurd en jij was ook niet degene die ze als kanonnenvlees heeft gebruikt. Maar weet je? Zelfs als je dat wel had gedaan, zou ik je altijd hebben verdedigd.'

Ze pakte mijn hand. 'Zullen we weer vriendschap sluiten? Wil je me mijn *huzursuzluklar* vergeven, en de zinloze stormen die onze toekomst bedreigen? Zeg alsjeblieft ja, Jeannie. Ik wil zo graag weer met je bekvechten.'

Toen Jeannie die avond naar huis ging, was de lucht opgeklaard. Ze liep over het steile, kronkelige pad naar de Bosporus en bleef zo nu en dan staan om naar de knoestige takken van de Judasbomen te kijken. Op de 138ste tree bleef ze staan om de eerste blik op zee te werpen. Ze maakte haar plan. Ze koos haar woorden zo zorgvuldig dat ze pas halverwege de Aşıyan, toen ze alweer uit de bus was gestapt, had besloten wat ze precies zou zeggen. Voor de verandering vond ze het niet steil. Voor de verandering struikelde ze niet over een keitje en dook ze niet weg in de schaduw van het kasteel of van de grafstenen met een tulband die langs de muur van het kerkhof stonden.

Ik wist wat me te doen stond, ik wist het net zo zeker als ik de wind in mijn rug voelde.

Wat had de *meydan* in de namiddagzon een prachtige gouden kleur. Wat leek het groene hek stoffig. Wat was de avondlucht scherp en vochtig toen ze over het pad liep. En wat kolkte het donkere water van de Bosporus. Wat was het gemakkelijk om een stoel bij het grote bureau van haar vader te schuiven en de vraag te stellen. Toen de woorden in de lucht hingen, toonde hij geen verbazing. Ze had evengoed kunnen vragen wat ze gingen eten. Hij schoof zijn stoel naar achteren en zei: 'Laat me eens raden. Iemand heeft je erop aangesproken?' Maar het viel haar niet moeilijk om aan te dringen op een echt antwoord.

Dit was zijn antwoord: 'Ik zit vooral op kantoor. Ik zit achter mijn bureau informatie te analyseren.'

Maar dat was geen afdoend antwoord. En dus bleef ze aandringen. Wat hij niet erg scheen te vinden. 'Het simpele antwoord is dat er geen simpel antwoord is. Het varieert. Soms betalen we voor onze informatie, of soms zijn mensen ons iets verschuldigd. Of ze willen wraak. Meestal liegen ze gewoon. En het is verbijsterend saai. Dat is ons grootste geheim, dat is de thriller die niemand kan doorgronden...'

'Maar ik snap nog steeds niet wat je nou precies de hele dag doet.'

'Ik zit meestal de hele dag te vergaderen, Jeannie, echt waar.'

'Wat voor vergaderingen dan?'

'Vergaderingen met nitwits.'

'En dan?'

'Dan schrijf ik een rapport over die vergadering voor andere nitwits die geen idee hebben waar ik het over heb en het ook geen moer interesseert.'

'Maar wat heeft dat dan voor zin?' vroeg ze. 'Waarom doe je jezelf dit aan?'

'Nou ja, je moet het zo zien...' begon hij.

Maar ze onderbrak hem. 'Waarom zijn we hier als ze ons hier niet willen, pap?'

'Het leger heeft ons hier graag. Het leger is dol op ons!'

'Ja, maar de bevolking dan?'

'De bevolking mag ons misschien niet, maar ze zouden het Sovjetalternatief nog veel minder leuk vinden, neem dat maar van mij aan.' Hij leunde achterover en dreunde zijn versleten mantra op. 'Daarom zijn we hier, Jeannie. Ter bescherming van onze vrijheid, rechtvaardigheid en democratie, de principes die ons land groot hebben gemaakt. Leven, vrijheid, het streven naar geluk, weet je nog? Niet dat jij er de laatste tijd erg gelukkig uitziet trouwens.'

'Met mij gaat alles goed,' zei ze.

'Wat is dan het probleem?'

'Er is helemaal geen probleem!'

'Ik vraag me af of die bolsjewistische klasgenote van je hierachter zit.' Ze schudde haar hoofd, misschien een beetje te heftig. 'Dus het is Sinan?' Ze schudde opnieuw haar hoofd. 'In dat geval moeten het zijn ouders zijn,' zei haar vader.

'Waarom zeg je dat?'

'Ouders bemoeien zich hier overal mee. En niet zonder reden.'

'O ja, wat is dat dan voor reden?'

Hij zwaaide met zijn hand alsof hij een vlieg wilde verjagen. 'Ach, wie zal het zeggen? Misschien zijn ze bang dat wij Sinan ontvoeren naar de Verenigde Staten. Wat niet eens zo'n slecht idee zou zijn! Even onder ons gezegd en gezwegen trouwens. Hetzelfde geldt voor die andere kwestie waar we het over hadden. En dat meen ik. Begrijp je?'

'Wat, moet ik ook een leugenaar worden, net als jij?'

'Ik bedoel dat je voorzichtig moet zijn. Kijk, geruchten kunnen je op zich geen kwaad doen. Schelden doet geen pijn en wat je zegt ben je zelf. Maar als je het aan de grote klok hangt...'

'Dat hoeft niet. Iedereen weet het toch al.'

'Ik bedoel dat je niet moet laten merken dat jij het óók weet.' Hij ging staan, Jeannie volgde zijn voorbeeld, en toen wierp hij haar een blik toe.

Die blik kende ze niet van hem. Hoe keek hij eigenlijk, bezorgd? Beteuterd? Bekommerd? Nee, neerbuigend. Hij legde een hand op haar hoofd en zei: 'Arme Jeannie. Met al dat wereldleed op haar schouders. Wordt het je allemaal teveel? Ik bedoel... Je was zo energiek toen je hier net was. Zo nieuwsgierig, zo vrolijk. Je keek naar de horizon en droomde wat daarachter zou liggen. Je keek naar de mensen die langs het water liepen en zag hun verhalen als de staart van een komeet achter hen aan vliegen. Maar nu...' Hij keek haar met een vermanende en spijtige blik aan.

‘Met mij is er niks aan de hand,’ zei ze.
‘Je weet het zeker.’ Dat was een vraag.
‘Ik ben alleen moe,’ zei ze. ‘Ik slaap niet zo best.’
‘Nou, misschien helpt dit dan wel.’

Die nacht hielp het inderdaad. Maar toen ik de volgende ochtend over het lange, steile pad naar Gould Hall liep, voelde ik een verwarde euforie omdat hij me de waarheid had verteld toen ik dat van hem had geëist (*Ik had gelijk, ik heb het mezelf niet wijsgemaakt, ik heb hem getrotseerd! Ik heb gezegd wat ik op mijn lever had! Maar het is minder erg dan ik vreesde, het is gewoon een baan en iemand moet dat werk doen, en als hij alleen maar gegevens analyseert kan het toch nooit heel erg zijn?*) en zweefde de vreemde opmerking die mijn vader aan het einde van het gesprek had gemaakt weer in mijn gedachten. En ineens begreep ik het. Ik had met mijn vader nooit gesproken over de horizon en de waterkant en over verhalen die mensen volgden als de staart van een komeet. Hij kon dat allemaal alleen maar weten als hij mijn dagboek had gelezen.

III

De staatsgreep

16

Hier las ik even een pauze in, Mary Ann, om een vraag te beantwoorden die een collega van je laatst mailde. Als moeder van twee grote kinderen begrijp ik dat wel. Het moet voor iemand in Washington heel moeilijk zijn om zich zoiets voor te stellen – zeker voor iemand die in de luxueus ingerichte, goed bewaakte burelen van het Center for Democratic Change werkt. Een meisje van zeventien, bijna vermoord of ernstig verwond door een anti-Amerikaanse meute in de straten van Istanbul. Waarom was ze niet op het eerste vliegtuig naar huis gestapt? Om je collega te citeren: ze had tenslotte twee ouders. Als William Wakefield het teken aan de wand niet wilde zien, waarom kwam Jeannies moeder dan niet in actie toen duidelijk werd dat de stad in hoog tempo veranderde in een no-go-area voor Amerikanen?

Maar ze kwam wél in actie, al duurde het even doordat ze niet goed was ingelicht. Om te illustreren wat ik bedoel moeten we even teruggaan naar het eerste incident waar je collega het over had: de bomaanslag in de NCO-club in Ankara door linkse studenten, eind november 1970. Die heeft de *New York Times* helaas niet gehaald, zodat Jeannies moeder er niets van wist.

Wat het incident eind december betreft, toen een andere groep linkse studenten in het centrum van Istanbul brandbommen naar de auto van de premier gooide: de *New York Times* meldde in een kort berichtje dat hij ternauwernood aan de dood was ontkomen. Nancy Wakefield, bezorgde moeder die ze was, belde meteen naar Istanbul om haar ongerustheid uit te spreken. Maar haar ex-man hield vol dat er niets aan de hand was. Die bom, zei hij, was een storm in een glas water.

In januari bleef het even rustig – al stond er halverwege die maand in de *New York Times* een groot artikel waarin werd gezinspeeld op gevaarlijke extremistische studenten die het land op het randje van de burgeroorlog brachten. Maar de auteur vertrouwde erop dat de premier het schip van staat wel op koers zou weten te houden, en toen William Wakefield zijn ex weer sprak, citeerde hij uit dat artikel.

Een week later bezetten studenten de faculteitsgebouwen van een universiteit in Ankara en bevochten de politie met vuurwapens, brandbommen, dynamiet en stenen. Er raakten acht mensen gewond en er werden vijfenveertig arrestaties verricht. Er stond niets over in de *New York Times*, dus er kwam ook geen telefoontje uit Northampton.

In februari werd Turkije een 'verhaal'. Toen premier Demirel een wet invoerde waarbij gevangenisstraf stond op 'het belemmeren van economische activiteiten, het bezetten van fabrieken, het maken van bommen, belediging van en verzet tegen de politie, het belemmeren van publieke dienstverlening of vervoer en het beschadigen van aanplakbiljetten van de overheid', wijdde de *New York Times* er bijna een hele pagina aan om het besluit in zijn context te plaatsen. Weer werd de bedreiging vanuit het standpunt van de premier beschreven: de universiteiten zaten vol gevaarlijke anarchisten en subversieve en extremistische elementen. De leiders waren het gevaarlijkst, want dat waren geen echte studenten, schreef de auteur, maar 'agents-provocateurs'. Hun eisen hadden niets met hervormingen op de universiteit te maken, schreef hij, maar alleen met 'extreem-marxisme en maoïsme'. En ja, dat zette Jeannies moeder aan het denken.

Stel je dus haar ontzetting voor toen ze vier dagen later in haar ochtendblad las dat een bende extreem-linkse studenten, gelieerd aan de Revolutionaire Jeugd, in Ankara een Amerikaanse sergeant had ontvoerd. Weliswaar lieten ze hem zeventien uur later weer los, maar de Turkse autoriteiten moesten nu wel duidelijk zichtbare actie ondernemen om een eind te maken aan de golf terroristische aanslagen op Amerikaanse staatsburgers, dus werd er op de grootste universiteiten van het land een reeks huiszoekingen op wapens gedaan. Ze stuitten op hevig verzet. Bij een inval op de medische universiteit Hacıttepe in Ankara vielen twintig gewonden en werden tweehonderd arrestaties verricht.

In een reportage over de golf bomaanslagen in andere delen van het land had de *New York Times* het over 'een groeiende stadsguerilla', toenemende afkeer van het 'Amerikaanse imperialisme' en het steeds grotere gevaar waaraan Amerikaanse staatsburgers in Turkije blootstonden. Toen Nancy Wakefield dat las, begon ze pas echt serieus aan haar campagne, maar ze had nog weinig vooruitgang geboekt toen een groep die zich het Turkse Volksbevrijdingsleger noemde in maart vier Amerikaanse piloten ontvoerde toen die bij een luchtmachtbasis in de buurt van de hoofdstad wegreden. De ontvoerders stuurden een brief naar de krant waarin ze meedeelden dat ze 'het land zuiverden van alle Amerikaanse en andere buitenlandse vijanden' en dat ze de gijzelaars zouden doden tenzij ze uiterlijk de volgende avond vierhonderdduizend dollar losgeld ontvingen.

De regering reageerde daarop door tweeduizend agenten en soldaten naar de universiteiten te sturen, waar ze 'een enorme hoeveelheid' explosieven, vuurwapens en munitie zeiden te hebben gevonden. In Ankara probeerden de bezetters van een studentenhuis de politie met schoten en dynamiet op afstand te houden. Twee van hen kwamen daarbij om het leven, twaalf raakten gewond. De volgende dag werden ook verkenningsvliegtuigen en jeeps die de VS voor de opiumcontrole had gestuurd, ingezet bij de zoektocht naar de ontvoerde piloten. Een dag later keerden de gijzelaars ongedeerd op de basis terug: hun ontvoerders waren in paniek geraakt en gevlucht. De zoektocht naar de ontvoerders ging onverdroten voort, maar een woordvoerder van de regering zei dat die werd bemoeilijkt door het feit dat de daders vrijwel zeker 'studenten van goeden huize' waren. Volgens hem waren ze waarschijnlijk 'ergens in een kapitale villa' ondergedoken.

Het grootste deel van die week was dit voorpaginanieuws, dus er kwam dagelijks telefoon uit Northampton. William Wakefield scheepte haar aldoor af, en als je je afvraagt waarom dat hem verantwoord leek: dat was omdat maar een paar van de zestienduizend Amerikaanse staatsburgers in Turkije last hadden van het geweld en omdat de acties geen van alle tegen de duizenden minderjarige Amerikaanse kinderen gericht waren.

Hij verzekerde zijn ex dat er 'van alles' achter de schermen gebeurde: het leger begon zijn geduld te verliezen en stond al bijna klaar om in te grijpen. Dat hing ook samen met de CENTO-topconferentie die eind maart in Ankara zou plaatsvinden. De overheid was beslist niet van plan de Amerikaanse minister van Buitenlandse Zaken en nog een stuk of twintig vooraanstaande westerse staatslieden aan gevaar bloot te stellen, zei hij. Hij had gelijk: twee weken voor de topconferentie, op 12 maart 1971, stelde het opperbevel van het Turkse leger een ultimatum en Demirel trad af.

Maar de gewelddadige acties gingen door, en in de nacht van 14 maart werden er vier bomaanslagen gepleegd op organisaties die aan Amerika gelieerd waren: een Turks-Amerikaanse handelsbank, twee kranten en het Amerikaanse consulaat. De volgende ochtend raakte de Amerikaanse bedrijfsleider van een Engelstalige boekhandel gewond toen hij door twee studenten werd beschoten. Later die ochtend kwam er weer een telefoontje uit Northampton; ditmaal eiste Nancy in tranen dat Jeannie onmiddellijk terugkwam.

William Wakefield begreep dat zijn ex zich ernstige zorgen maakte, maar hij was vastbesloten haar niet haar zin te geven en ging in de aanval. Hij zei dat ze nu eens moest ophouden met het trekken van wilde conclusies uit artikelen in een 'krant die niet eens de moeite neemt hier een bureau te openen'. 'Ja, de universiteiten in het centrum van Istanbul waren inderdaad oorlogszones,' en 'niemand kan beweren dat ik dat voor jou verborgen heb willen houden. Maar Jeannie komt daar nooit en dat wil ze ook helemaal niet. En ik verzeker je dat er op Robert College niet geschoten wordt.' In letterlijke zin was dat waar, maar er was wel sprake van een aantal kleine bomexplosies, een lange reeks luidruchtige boycots en een felle campagne om de universiteit te nationaliseren. Minstens de helft van de studenten zat bij de Revolutionaire Jeugd. Maar dat hoefde hij niet uiteen te zetten: het had tenslotte niet in de *New York Times* gestaan.

Jeannie was de dans dus weer ontsprongen. Maar er zat een prijskaartje aan haar vrijheid – zoals haar vader, die nog steeds wrok koesterde, maar al te graag memoreerde. Ze kon alleen in Turkije blijven zolang ze goed vond dat hij over de toestand loog.

17

15 maart 1971

Lieve moeder,
Ik hoop dat je het niet erg vindt dat ik je zo noem. Het voelt gewoon volwassener. En ik hoop ook dat het weer beter met je gaat nu je papa vanmorgen hebt gesproken. Met mij gaat het goed – echt. Meer dan goed zelfs! Ik begrijp wel dat je dat misschien moeilijk kunt geloven als je net zulke vreselijke dingen in de *New York Times* hebt gelezen. Maar als je hier was, zou je weer moeite hebben om die verhalen te geloven.

Ik schrijf je dit in Nazmi, een prachtig tuincafé even buiten Bebek aan de Bosporus waar ik met mijn vrienden zit. Het is vier uur in de middag en het licht...'

Hoe moest ze het licht beschrijven waar ze in baadden? Hoe kon ze de werkelijkheid in woorden vangen voordat die weer veranderde? De rijp die op ieder vensterruitje glinsterde, de gouden flitsen aan de randen, de felblauwe plekjes daarachter, de hitte die van de kachel achter haar af sloeg, het schrapen van de stoelpoten en het vrolijke geroezemoes, de geur van *böreks*...

Ze keek naar de tafel. In het midden zat een stel studenten dat ze pas had ontmoet. Aan het uiteinde zaten Haluk en Chloe tegenover elkaar; ze hielden elkaars hand vast. Tussen hen in, aan het hoofd van de tafel, zat Suna knorrig in een schoolboek te turen. Ze hielp Haluk met zijn huiswerk; hij had moeite met de stof en nog meer met het feit dat iedereen dat zag. Ondertussen probeerde Chloe met wisselend succes de indruk te wekken dat zij hier ver boven stond. Lüset had het drietal stiekem op een servetje heel treffend geschetst: Haluks opgetrokken schouders, de pruillip van Chloe en het vuur in Suna's ogen terwijl ze ter verhoging van het didactische effect met een potlood op het schoolboek tikte.

> 'We gaan hier vaak na school naartoe. Je kunt hier heerlijk eten en je mag blijven zitten zolang je wilt, ook al bestel je alleen maar iets te drinken met een klein hapje erbij. We nemen ons huiswerk mee...'

Stop de persen! Chloe had zich omgedraaid naar de jongen links van haar. De jongen met de grote groene ogen en de lome lach. Daar was Haluk niet blij mee. Hij sloeg zijn boek dicht en keek zijn rivaal woedend aan. Daarmee lokte hij een preek over jaloezie uit.

'Maar dat is toch menselijk,' zei hij in het Engels.

'Het is jouw taak om verlicht te zijn, niet menselijk,' antwoordde Suna.

Hij sloeg zijn handen voor zijn ogen. Dat was aanleiding voor een nieuwe tirade, maar die ging al snel als een nachtkaars uit, want de jongen met de groene ogen begon aan een lange, ingewikkelde mop.

> 'We zitten hier met een leuke groep mensen bij elkaar en iedereen heeft een goed humeur, ondanks al het slechte nieuws in de krant – alle kranten zijn trouwens bevooroordeeld – en de regering heeft last van paranoia en reageert waanzinnig overtrokken, want de studenten willen alleen het recht op vrije meningsuiting en ze willen zelf uitmaken welke boeken ze lezen...'

De ramen waren inmiddels zo beslagen dat de gouden randjes haast niet meer zichtbaar waren. De obers hadden net een nieuwe schaal *böreks* op tafel gezet, maar die waren nog te heet. 'Heb je je mond gebrand?' vroeg Sinan. Een beetje maar, antwoordde ze. Hij streek een sliert haar uit haar gezicht, sloeg een arm om haar heen en keek weer naar de jongen met de groene ogen. Jeannie verstond inmiddels wel vrij veel woorden, maar de zinnen waren erg lang en de achtervoegsels verwarrend, en iedereen praatte zo snel. Was het meisje naast Haluk stiekem verkikkerd op hem? Toen ze Jeannie zag kijken, wierp ze haar een woedende blik toe.

Ze onderbrak het gesprek om te vragen wie Jeannie was. Sinan antwoordde scherp: zijn vriendin. Na een gespannen stilte ging het gesprek weer verder. Toen Jeannie de draad kwijt was, richtte ze haar aandacht op de andere gasten.

Aan het tafeltje naast hen zat een stelletje dat al bijna een uur geen woord had gewisseld. De man leek in de veertig, de vrouw ongeveer half zo oud.

Rechts van haar zat de man van het consulaat van de Sovjet-Unie die 's middags vaak bij Nazmi kwam en volgens Chloe graag onuitgenodigd op de feesten van haar ouders binnenviel met flessen Russische wodka en een stapel exemplaren van *And Quiet Flows the Don*. Sinan leek hem ook te kennen, al wilde hij niet zeggen waarvan, alleen dat hij niet te vertrouwen was en dat ze hem moest negeren. Toen Sinan zag dat ze naar zijn tafeltje keek, zette hij zijn voet op de hare.

De man stond net bij de deur zijn astrakanmuts goed te zetten toen Jeannies vader binnenkwam. 'Sergei! Jou zocht ik net!'

Ze bleven even staan praten. En Jeannie zond een schietgebedje omhoog. Niet binnenkomen, pap. Alsjeblieft pap, loop door en neem je vriend mee.

Toen William Wakefield omkeek en zijn dochter zag zitten, veinsde hij verbazing.

'Hé, kijk eens aan. Braaf aan de studie, zoals gewoonlijk?' Hij keek iedereen glimlachend aan. Niemand glimlachte terug. Hij deed alsof het hem niets uitmaakte en wendde zich tot Jeannie.

'Zeg, hoe laat kan ik je thuis verwachten?'

'Om een uur of acht?' antwoordde ze met een ijl stemmetje.

'Acht uur, niet later.' Als een generaal. Terwijl hij naar de deur liep, vroeg het meisje dat stiekem verkikkerd was op Haluk iets aan Sinan. De jongen met de groene ogen gaf antwoord. '*Casus*,' zei hij. *Casus* betekende spion. De jongen met de groene ogen keek Jeannie recht aan. Maar ze was dat spelletje inmiddels wel gewend. Hoe je je gezicht uitdrukkingsloos maakte. En hoe je de bedoelingen van je vijand kon peilen, ook al keek die ook uitdrukkingsloos. Hoe je minachting kon suggereren terwijl je je op de vlakte hield. Hoe je iets kon insinueren – op een elegante manier – terwijl je vriendelijk bleef glimlachen. Hoe je op je gevoel kon blijven zitten en het platdrukken tot het zo dun was dat je je vinger erdoorheen kon steken... Maar Jeannie, dat is toch verkeerd! Daar kan niets goeds van komen! En het recht op vrije meningsuiting dan? Heeft Tom Paine dan voor niets geleefd? Waar ben je als ik je nodig heb, John Henry? De vrijheid of de dood! Geef me mijn gedachten terug!

Waar zouden ze het in vredesnaam over hebben? Eerst praatten ze met stemverheffing en nu weer zacht. Af en toe leunde het meisje dat in het geheim op Haluk verkikkerd was even achterover en zei: 'Ah!' alsof dat echt iets betekende. Uiteindelijk wendde Suna zich tot Jeannie en zei: 'Maak je geen zorgen, mijn onschuldige meisje. We verdedigen je. We hebben ook uitgelegd dat je in opleiding bent.'

'Opleiding tot wat?' vroeg Jeannie.

'Ah...' zei Suna. 'Nu is het mijn beurt om "Ah!" te zeggen!' Iedereen lachte – om haar? Lachten ze haar uit? Het gesprek stierf weg. Jeannie ging verder met haar brief. Maar het waren leugens, allemaal leugens. Een nieuw velletje dan maar. Diep inademen.

> 'Lieve moeder,
> Allereerst mijn excuses voor mijn lange stilte. Hopelijk kan ik het goedmaken! Ik zal maar beginnen bij...'

Maar ze had geen idee meer waar ze zou beginnen. Ze wist niet meer wat ze dacht. Nee, zo zat het niet helemaal. Ze was het hardop denken verleerd. Ze wist nu hoe gevaarlijk dat kon zijn, hoe een woord soms een eigen leven ging leiden als je het eenmaal had gezegd. Maar geen paniek. Ze zouden zo wel opstappen. Even geduld. Of althans de indruk wekken dat ze geduld had. Blanco blijven. Alles aan Sinan overlaten. Zo zei hij het toch?

Door het beslagen raam zag ze de zon uit de tuin verdwijnen in de richting van de Bosporus. Over het donkere pad kwam een elegante gestalte aangelopen. De deur ging open en daar was hun docente moderne literatuur, de verheven Miss Broome.

Iedereen viel stil. De obers, niet gewend een mooie jonge vrouw in haar eentje in het openbaar te zien, leken wel versteend van verbijstering. Het was alsof er een groot licht op hen neerscheen.

Dankbaar gaven ze hun ogen de kost; ze keken naar haar grote, zachte, pijnlijk ernstige bruine ogen en de lange bruine vlechten die over haar linkerschouder hingen. Ze had een lange paarsfluwelen jas aan en een fluwelen kapje met een randje van zilveren munten op. Ze trok de jas bevallig uit en onthulde een lange zwarte jurk. Wat was dat voor stof? Vilt? Nee, daar was het te zacht voor. Kasjmier waarschijnlijk. Kon er iets zachters bestaan dan een lange jurk van zwarte kasjmier?

Miss Broome zag haar favoriete leerlingen en zwaaide ze luchtig toe. Toen de ademloze obers haar naar een tafeltje hadden gebracht, haalde ze uit haar zwartfluwelen tas een vulpen en een gemarmerd aantekenboekje tevoorschijn. Ze tuurde langdurig door het beslagen raam en boog zich er toen naartoe om een van de ruitjes schoon te vegen.

Waarom was zijzelf nu niet op dat idee gekomen? Jeannie boog zich naar voren om te zien wat Miss Broome zag. Maar de deur ging alweer open. Nu kwamen er twee jongemannen in spijkerbroek binnen, allebei met een jasje van geborduurde schapenvacht. De ene droeg een ziekenfondsbrilletje en had lang bruin haar en een mager gezicht met geprononceerde jukbeenderen dat wees op lange jaren in de studiezaal van de bibliotheek. De andere had kort maar warrig blond haar, en pas toen zijn wenkbrauwen bijna als vanzelf omhoog schoten, herkende Jeannie hem: Zonder Naam, het geschoren schaap, de jonge Amerikaan die ze die ochtend in juni bij haar vader in de bibliotheek had gezien.

Ze liepen recht op het tafeltje van Miss Broome af. De asceet met het ziekenfondsbrilletje boog zich naar haar toe en fluisterde iets in haar oor. Zonder van haar gemarmerde notitieboekje op te kijken glimlachte ze. Hoe was het om helemaal vrij te zijn, zoals Miss Broome? Om jezelf te zijn, waar je ook was? Hoe je ook werd behandeld en wat ze ook tegen je zeiden?

Een tikje op haar schouder. Dat was het teken: Haluk had Sinan de sleutel gegeven. De sleutel van Haluks nieuwe flatje in Rumeli Hisar. Zijn 'garçonnière'. Suna wist er nog niets van, vandaar de geheimzinnigheid. Maar...

Het was al zes uur. Jeannie moest om acht uur thuis zijn. Maar toen hij opstond, deed Sinan alsof hij zeeën van tijd had. Toen ze langs het tafeltje van Miss Broome kwamen, bleef hij ietwat stijfjes staan om de man met het ziekenfondsbrilletje gedag te zeggen. 'Dutch, dit is Jeannie Wakefield. Jeannie, dit is Dutch Harding.'

'O!' riep Jeannie uit. Maar Dutch zei niets. Zijn blik was open, bedachtzaam, afstandelijk. Ze had net zo goed een object in een natuurhistorisch museum kunnen zijn.

'Waarom kijk je zo naar me?' vroeg ze.

'Omdat je anders bent dan ik had verwacht,' antwoordde Dutch. Hij boog zich naar haar toe. 'Gelukkig maar. Saaiheid is het ergste wat er bestaat. Vind je niet?'

'Maar Dutch. Wat heb jij? Zie je dan niet dat ze daar onzeker van wordt?' Met een bezittersgebaar legde Miss Broome een hand op Dutch' arm. 'Let maar niet op de jongens, hoor Jeannie. Ze zijn gewoon zenuwachtig omdat je zo mooi bent.'

'Nou, bedankt, Billie!' zei het geschoren schaap. Hij boog zich naar Jeannie toe, stak zijn hand uit en zei: 'Je weet toch nog wel wie ik ben?'

'Natuurlijk,' zei Jeannie. Zonder erbij na te denken glimlachte ze. Sinan drukte zijn vingers in haar hand. 'Maar goed,' zei ze tegen Miss Broome.

'Ja,' zei Miss Broome. 'Jullie hebben haast, zo te zien. Tot morgen dan. Zelfde tijd, zelfde plaats? O, en Jeannie,' voegde ze eraan toe, 'dat zou ik nog haast vergeten.' Ze dook in haar fluwelen tas. 'Ik heb weer een boek voor je.'

Welk boek was het die keer? *The Tragedy of American Diplomacy* van William Appleman Williams, of *The Politics of War* van Gabriel Kolko? Ze las inmiddels zo snel ze maar kon en toch lag ze nog op de anderen achter – en ze was stuurloos, volslagen stuurloos – al wist ze wel wat ze zocht, en al zocht ze er met de dag krampachtiger naar.

Miss Broome deed haar uiterste best om tactvol te blijven en niet te vergeten 'wat Jeannies achtergrond was'. Maar in elke discussie kwam er een moment dat ze even haar adem inhield, haar handen ineensloeg en strak voor zich uit keek als een vogel op zoek naar een worm. 'Hoeveel weet je over onze buitenlandse avonturen in de negentiende eeuw?' vroeg ze dan bijvoorbeeld.

Dan zei Jeannie: 'Niet zoveel.' Waarop Miss Broome antwoordde: 'Tja, dat geldt voor veel Amerikanen, vrees ik. En dat is jammer, want wat we nu zien gebeuren is een rechtstreeks gevolg van de *Open Door Policy*, volgens mij.' 'De *Open Door Policy*?' vroeg Jeannie dan. Waarop Miss Broome zuchtte, opstond, haar werkkamer in liep en even later terugkwam met een boek. 'Misschien moet je dit maar eens lezen.'

Ze nam niet altijd alles wat ze las voor waar aan, en dat verwachtte Miss Broome ook niet. Maar stukje bij beetje drong er toch iets tot haar door. Niet dat ze nu haar illusies kwijt was of niet meer van haar land hield. Maar ze had wel vragen. Over wie er aan de macht was, en wat die mensen in hun naam deden. Hoe meer ze ontdekte, hoe meer ze wilde weten. En hoe meer ze wist, hoe meer ze zich afvroeg wie de 'volksvertegenwoordiging' eigenlijk vertegenwoordigde. En waarom we zo weinig wisten over de mensen op wie we stemden, als die volksvertegenwoordiging dan de democratie vertegenwoordigde. Stukje bij beetje kregen haar vragen steeds meer lading. Het kwam voor dat ze iets tegen haar vader zei wat hem de uitroep ontlokte: 'Christus! Waar heb je dát nu weer vandaan?'

Repressieve tolerantie. Dat was een nieuw begrip. De bezittende klasse. Nog eentje. Polymorfe perversiteit. Materialisme. 'Nou, definieer dat maar eens,' zei hij dan. En als ze dat deed, vroeg hij: 'Is dat weer het werk van Miss Broome?'

'Gewoon, een collectief begrip,' zei ze dan.

'Collectief. Zoals in *Animal Farm*, bedoel je?'

'Nee hoor,' zei ze, 'Miss Broome gelooft in de democratische discussie.'

'Je meent het,' zei hij.

Dan zei zij: 'Nee, echt. Ze wil dat we zelf denken. Maar ze wil ook dat we weten wanneer de kranten ons voorliegen of wanneer ze dingen weglaten. Of als ze aan geschiedvervalsing doen.'

'Waarom zou een weldenkend mens zoiets doen?'

'Wil je dat echt weten?' vroeg Jeannie.

'Kom eens hier zitten. Vertel eens wat over dat boek dat je daar hebt.'

En dat deed ze dan. Vaak had hij het ook gelezen. Dan vertelde hij haar wat hij ervan vond, want dat hoorde er toch ook bij? Hij hoefde natuurlijk niet altijd te weten waar ze was, maar ideeën, dat was iets anders. Als ze het niet met hem eens was, deed ze ook niet alsof. Tegenover deze man kon ze alleen overeind blijven als ze zei wat ze op haar lever had. Ze zei dus wat Miss Broome erover had gezegd, waar Suna aanstoot aan had genomen, wat Sinan erover had gezegd, welk geweldig nieuw inzicht Dutch daarop uiteengezet zou hebben en wat zijzelf had gezegd toen Sinan haar dat later had verteld. En dan werd hun vrije uitwisseling van ideeen nóg vrijer. Want hij had een nieuw begin gemaakt. Hij praatte nu met haar als met een gelijke. Hij moest wel! De tijd dat hij in haar dagboek kon kijken was voorbij. Dat hield ze nu goed verstopt. En haar gedachten ook. Wat ze aan het verraderlijke papier toevertrouwde had niets te maken met wat ze werkelijk dacht. Je kon veel beter over boeken debatteren, vond ze.

Maar als ze alles hadden doorgespit en hij haar vroeg wat zij er nu van vond, vergat ze wel eens dat hij niet het recht had om dat te vragen. Dan vertelde ze hem hoe verloren en eenzaam ze zich voelde nu haar ideaalbeeld van haarzelf en haar land vernietigd was. Dan vertelde ze hem wat ze in al die boeken zocht: hoe je dat allemaal goed kon maken, waar je moest beginnen. Het deed zo'n pijn, zei ze. En die pijn zou pas weggaan als ze een nieuwe manier had gevonden om Amerikaanse te zijn. Een góéde Amerikaanse. Begreep hij dat?

Ze praatte en praatte, en hij zat te fronsen, te knikken, over ieder woord na te denken. Maar af en toe liep hij naar de veranda, pakte zijn kijker en richtte die op het dorp beneden.

18

Een korte geschiedenis van de garçonnière: zoals ik al eerder zei, lag die in Rumeli Hisar, vrijwel recht onder de Pasha's Library, op de tweede verdieping van een betonnen flatgebouw waarvan Haluks vader de eigenaar was. Toen Talat *Bey* het kocht – ergens halverwege de jaren zestig, toen hij getrouwd was en soms behoefte aan privacy had – had hij het voornamelijk voor zichzelf gehouden, al is het mogelijk dat een paar collega's er soms ook gebruik van maakten. Het is niet waarschijnlijk dat de huishoudster van de familie ooit werd gevraagd om er te komen schoonmaken, en ik vond het er niet best uitzien toen de sleutel begin 1971 aan Haluk werd overgedragen.

Aanvankelijk gebruikte Haluk het appartementje voor dezelfde doeleinden als zijn vader vroeger, en ook hij gaf de sleutel soms aan een enkele goede vriend. Later dat voorjaar, toen de overheid serieus tegen de studenten begon op te treden, gaf hij hem aan een handjevol vertrouwde klasgenoten die bij een verboden studentenbeweging met onbekende sympathieën hoorden. Volgens sommigen noemden ze zich 'De Witte Verlichting'. Volgens anderen behoorden ze bij een factie die zich 'De Groene Verlichting' noemde. Sommigen beweerden dat het maoïsten waren, anderen noemden de groep een wolf in maokleren. Tot de 'Koffermoord' hadden de leden geen van allen ooit rechtstreeks met geweld te maken gehad.

Ook na voornoemde moord bleef de garçonnière in het bezit van Haluks familie – wat je daar ook over mag denken. Ergens in de jaren negentig droeg Talat *Bey* de eigendomstitel over aan zijn zoon. Nu woont Haluks zoon er. Zijn huisgenoot is de stiefzoon van Chloe. De jongens studeren bouwkunde.

In november 2005 – de dag na Jeannies verdwijning, de dag voordat ik mijn incriminerende artikel voor de *Observer* schreef – nam Chloe me mee zodat ik het appartement zelf kon zien. Dat had ik natuurlijk gevraagd. Dat gezegd zijnde – onze voornaamste reden om die dag langs te komen was niet om mij bij mijn onderzoek te helpen, maar om te vragen of de jongens Jeannie misschien hadden gezien. Ze schrokken verschrikkelijk toen ze hoorden dat ze verdwenen was en beloofden uit alle macht te helpen zoeken. De ene ging meteen online, de andere pakte zijn telefoon en begon zijn hele adresboek te bellen. 'We vinden haar wel,' verzekerden ze ons. Ondertussen moesten wij gaan zitten en thee drinken. Dus ja, ik heb het appartement goed kunnen bekijken, en het deed sterk denken aan de studentenflatjes die ik me uit mijn eigen studietijd herinnerde. De jongens zelf leken trouwens ook griezelig veel op de jongens uit mijn studententijd.

De gootsteen stond vol vuile glazen, maar er kwam al snel een heel jong meisje met grote, droevige ogen om ze te wassen en af te drogen. Naast de deur lagen allemaal schoenen en slippers op een hoop. Rode gordijnen en een goedkoop uitziende kroonluchter aan het plafond. Op de bank lagen allemaal boeken; daaronderuit stak een hoekje van iets dat verdacht veel op een pornoblad leek. Het rook er muf.

Chloe wees op de breedbeeldtelevisie in de hoek en zei: 'In 1971 stond daar onze stencilmachine.'

'Dé stencilmachine?'

'Ja, die we van school hadden gestolen.' Ze gaf toe dat ze niet meer precies wist wanneer 'die gruwelijke misdaad was gepleegd'. Ze was trouwens alleen medeplichtig geweest. 'Suna heeft 'm achterovergedrukt. En Jeannie heeft hem hierheen gesjouwd.'

Toen ik vroeg waarom, haalde ze haar schouders op en zei: 'In april 1971? Dat was een paar weken nadat het leger toesloeg. Een van de eerste dingen die ze deden was de studentenorganisaties verbieden. Vooral de verenigingen die gevaarlijke pamfletten stencilden en verspreidden. Dus toen heeft Haluk er een paar uitgenodigd om ze hier in het geheim te stencillen. Of in elk geval eentje.'

Ik vroeg of ze nog wist welke dat was. Ze haalde haar schouders op. 'Wat maakt het nog uit? Ze veranderden trouwens om de dag van naam. Terwijl ze toch eigenlijk allemaal hetzelfde waren. Althans voor zover ik zag. Maar misschien vergiste ik me. Ik had toen nog geen lenzen.'

Ze lachte kort en pijnlijk. 'Sorry,' zei ze, maar zonder uit te leggen waarvoor. 'Dat was niet de gelukkigste tijd van mijn leven, zoals je wel begrijpt. Ik leefde voortdurend in doodsangst.'

'Was het echt zo erg?'

Ze wierp me een onderzoekende blik toe. 'Weet je dat dan niet meer?' vroeg ze. 'In godsnaam zeg, jij hebt hier toch ook gewoond! Weet je dan niet meer hoe het was? Of heb je alles uitgewist toen je op het vliegtuig stapte? Kom op zeg. Denk eens terug. Eind jaren zestig, en jij bent een Amerikaans meisje in Turkije. Je ligt met een jongen in bed, maar je durft het niet met hem te doen. Je bent zó bang dat je helemaal niets voelt. Je bent bang om het met hem te doen, want dan heeft hij geen respect meer voor je en dan wil hij je niet meer. Maar je bent ook bang dat je reputatie je vooruit is gesneld. Je bent tenslotte een buitenlandse. En buitenlandse meisjes doen het toch allemaal? Dus als je het niet met hem doet, is hij dubbel beledigd. Als je het niet doet, vindt hij wel een ander die wél wil. Je bent bang dat dat al gebeurd is, want het laken waar je op ligt is geel. Hard. Met vlekken. Walgelijk! Wat een nachtmerrie! Jak! Je moet er niet aan denken! Je wilt weg! Maar als... als je met alleen dat lelijke gele smerige laken om je heen naar de wc rent, kijken al zijn vrienden zo naar je. Want die weten alles over je. En het kan ze niets schelen dat het allemaal niet waar is. Klinkt dat helemaal niet bekend, M? Was ik dan echt de enige?'

19

Eén vraag heeft mijn vader me nooit gesteld. Ik neem aan dat hij het ergste vermoedde, maar in die tijd was het ondenkbaar dat een vader aan zijn dochter zou vragen of ze wel voorzichtig deed. En dat deed ik wel, op mijn manier dan, maar ik wist niets van anticonceptiemiddelen en kon er ook niet aan komen. Wel kende ik het hele repertoire aan fabeltjes, gruwelverhalen en onwetenschappelijke waarschuwingen die scholen, moeders en tienerbladen in de jaren zestig nog met kwistige hand verspreidden, en er zullen niet veel meisjes zo laat zijn ontmaagd als ik.

Ondanks al Sinans steeds dringender geruststellingen was ik bang dat hij geen respect meer voor me zou hebben. Ik had behoefte aan 'zekerheid' – maar ik was er bepaald niet zeker van dat ik de schande, de spijt en de eenzaamheid zou overleven. En vooral: ik wilde 'mezelf niet te grabbel gooien'.

Ik had zijn lichaam net zo goed leren kennen als het mijne, hij kon me een vraag stellen door me even langs mijn wang te strelen en ik kon die vraag beantwoorden door zijn arm aan te raken, ik kon een hele middag met hem in het donker liggen zonder ook maar één keer het gevoel te hebben dat ik iets moest zeggen, ik kon me aankleden, de kamer opruimen, mijn haar doen en door een andere uitgang dan hij het gebouw waar we waren geweest verlaten en intussen toch nog steeds zijn handen op mijn rug en zijn adem in mijn oor voelen, maar ik kon toen nog niet weten dat ik hem daardoor al alles had gegeven wat ik te geven had.

We hadden afgesproken te wachten totdat ik eraan toe was. Uiteindelijk koos het moment zichzelf. 'Gaat het?' vroeg hij na afloop. 'Weet je het zeker?' Hij ging overeind zitten en streek mijn haar uit mijn gezicht. Hij hield nog van me! Ik hield nog van hem! Ik voelde geen schaamde, geen spijt. Ik was niets kwijtgeraakt. We hadden de liefde bedreven en er bestond niets mooiers. Dat hadden ze voor ons achtergehouden. Ze hadden ons voorgelogen!

De volgende dag moet er iets op Jeannies gezicht te zien zijn geweest. Of misschien had het wel helemaal niets met haar te maken. Maar op de een of andere manier had Suna lucht gekregen van Haluks garçonnière. Op een middag ging ze met Lüset 'voor de gezelligheid' langs en trof Haluk met 'een vrouw' aan. Suna was woest, en natuurlijk ging ze linea recta naar Chloe om haar deelgenoot te maken van haar verdriet. Die deed haar uiterste best om zich te beheersen, maar was net zo ontsteld als Suna. De volgende dag gingen ze samen verhaal halen bij Haluk.

Dat gebeurde in de kantine van het Robert College in het bijzijn van een groot, verrukt publiek. Jeannie was er ook bij, en haar euforie deed haar gevoel voor tact blijkbaar geen goed. Toen ze tegen de betrokkenen zei dat ze niet eerlijk over hun gevoelens waren, werd haar dat niet in dank afgenomen. Suna was er zo erg aan toe dat ze door haar benen zakte, en Haluk moest haar naar huis brengen.

We liepen over het sportveld; ik ondersteunde haar en bood mijn excuses aan omdat ik alles nog erger had gemaakt, maar het klonk erg dunnetjes. Tegen de tijd dat we bij Haluks Mustang waren, troostte Suna mij: ze was nog steeds dol op me, al was ik een gefrustreerde, vreugdeloze, puriteinse, valse trut met oogkleppen op.

Die avond aan tafel bood ik Chloe mijn excuses aan. Dat was stom, want haar moeder werd gevaarlijk nieuwsgierig. Chloe ging met opgestreken zeilen van tafel, en al zei Amy dat het niet mijn schuld was ('Die dingen gebeuren nu eenmaal, daar doe je niets aan!'), zag ik best dat ze uit haar doen was.

Ongeveer een week later waren we weer met ons zessen in de kantine – de sfeer was nog steeds gespannen – toen de jongen met de groene ogen van die middag laatst bij Nazmi naast Chloe ging zitten en met haar begon te flirten. Toen ze samen wegliepen deed Haluk alsof hij het niet zag. Maar vanaf dat moment praatte hij niet meer met haar, keek hij haar niet meer aan en ging hij niet meer met haar aan dezelfde tafel zitten, hoe we ook op hem inpraatten.

Ik koos de kant van Chloe – uiteraard. Waarom zouden er voor Haluk andere regels bestaan dan voor haar? Maar ik vond dat ze het niet goed aanpakte. Elke middag kwam ze met de ene jongen de kantine in en ging met een andere weer weg. Daarna deden de verhalen de ronde. Suna vertaalde ze voor me, en ik kan in elk geval zeggen dat ik er niet intrapte.

Maar ik maakte me wel zorgen over haar. Ik vond dat ze weinig gevoel voor eigenwaarde had. Het zal half april zijn geweest toen ik dat in haar gezicht zei. De omstandigheden werkten niet mee: we hadden net een feestelijk etentje met champagne achter de rug omdat ze op Radcliffe was toegelaten. Haar moeder was onuitsprekelijk opgelucht – het was die winter 'erg spannend' geweest, want Chloe had zich nergens anders willen inschrijven. Maar nu waren we allebei toegelaten, en wat zou het heerlijk zijn dat er daar een paar deuren verderop iemand zou zitten die bijna een zusje was.

Ons laatste gesprek als bijna-zusjes begon zo: ik zei dat er in ons jaar op elk meisje vier jongens zouden zitten. 'Maar je moet me iets beloven. Je moet weer wat gevoel voor eigenwaarde krijgen en niet met iedereen de koffer in duiken.'

Ze keek me aan alsof ik had gezegd dat ze niet meer in hoelarokjes moest rondlopen. 'Maar ik ben nooit met iemand de koffer ingedoken,' zei ze.

'Nooit? Maar waarom niet?'

'Ik ben nog maagd.'

'Echt?'

'Ja, natuurlijk.' Ze trok haar knieën op. 'Jij niet, dan?'

Ik gaf geen antwoord. En dat was natuurlijk al een antwoord.

Die nacht sliep ik niet. Mijn hoofd tolde. Ik dacht steeds maar aan al die middagen dat zij en Haluk samen waren geweest, in het huis van Sinans moeder en toen in Haluks geheime appartementje in Rumeli Hisar. Als ze niet met elkaar naar bed waren geweest, wat hadden ze dán gedaan? Waarom had Chloe het tegengehouden? Waar was ze bang voor? En hoe moest dat voor Haluk zijn geweest? Die arme Haluk, dacht ik nog. Geen wonder dat hij zich ingeperkt voelde. Iedereen benijdde hem, iedereen noemde hem een pasja, maar als de deur dicht was gebeurde er niets. Ik sprak tegenwoordig nauwelijks meer met Haluk, en de volgende dag maakte ik het nog erger door tegen hem te zeggen dat ik het zo zielig voor hem vond nu ik wist hoe het echt zat.

Hij zag haar op een avond in de buurt van Akıntıburnu lopen, achtervolgd door de gebruikelijke langzaam rijdende automobilisten die haar lastigvielen. Toen ze veilig in zijn Mustang zat, stapte hij uit om hun de les te lezen. Jeannie verstond niet alles, maar het kwam erop neer dat ze een schande voor het vaderland waren. Toen ze eindelijk doorreden, was Haluk nog steeds ziedend. Ze wilde hem wilde bedanken, maar hij grauwde: 'Je zou beter moeten weten.'

'Het lijkt wel alsof je kwaad bent.'

'Natuurlijk ben ik kwaad!'

Dat vatte Jeannie op als een toespeling op hun eerdere meningsverschil. Ze zei: 'Ja, ik vind het ook heel triest. Ik bedoel – ik had geen idee dat Chloe alles zo tegenhield. Dat heeft ze me pas gisteren verteld. Ik moet toegeven dat ik niet wist wat me overkwam.'

Ze wist ook niet wat haar overkwam toen Haluk weer stopte. Het had weinig gescheeld of ze waren de Bosporus in gereden. Haluk omklemde het stuur en keerde zich naar haar toe. 'Wat heeft Chloe dan gezegd?'

'Dat ze nog nooit met iemand naar bed was geweest. Niet eens met jou.'

Hij kneep nog harder in het stuur. 'Ze liegt.'

'Ik dacht het niet.'

'Ze liegt!' Hij ramde met zijn vuist op de claxon.

Hij scheurde in zijn achteruit de weg weer op en reed met gierende versnelling omhoog naar de *meydan*. Jeannie bedankte hem voor de lift.

'Ik moest wel,' zei hij, 'maar nu moet jij eens even luisteren.'

Het was inmiddels donker; ze zag alleen zijn ogen glinsteren in het donker. 'Ik wil je dit zeggen. We hebben elkaar vandaag niet gezien. Ik heb niet gezien dat jij jezelf nodeloos in gevaar bracht en jij hebt mij ook niet gezien. Sinan krijgt hier niets over te horen. Begrepen?'

Toen Jeannie het portier opendeed, voegde hij eraan toe: 'O, en nog iets. Zeg tegen dat stuk vullis van een vriendin van je dat ze een vuile leugenaar is.'

Dat deed ik natuurlijk niet. Maar uiteindelijk moet Haluk toch iets tegen Sinan hebben gezegd, en Sinan moet iets tegen Suna hebben gezegd, en omdat Suna nu eenmaal Suna is, kon ze het niet voor zich houden. Toen we de volgende dag bij Miss Broome in de voorkamer zaten te wachten terwijl zij mijn nieuwe belangrijke boek aan het halen was, draaide Suna zich om naar Chloe en vroeg: 'Dus het is waar dat je nooit met onze arme Haluk naar bed bent geweest? Is het waar dat je ook nooit met al die anderen naar bed bent geweest?' Ik zal nooit vergeten hoe Chloe me toen aankeek. En ze had gelijk dat ze me haatte.

Als ze me toen flink de waarheid had gezegd, zoals ik verdiende, zou ik dan mijn lesje bijtijds hebben geleerd – dat ik mijn ongefundeerde opinies voor me moest houden – en had ik ons dan allemaal kunnen redden?

Maar Chloe was Chloe, dus er volgde geen leerzame tirade. Haar waardigheid berustte op haar onverschilligheid en op het feit dat iedereen die zag. Dus de dag nadat ik haar sociale leven de vernieling in had geholpen werden we samen door de chauffeur van mijn vader naar school gebracht. We zaten naast elkaar in de klas en maakten tekeningetjes in elkaars dictaatcahier, lunchten aan dezelfde tafel, giechelden, roddelden en hielpen elkaar met ons huiswerk, net als altijd. Na school gingen we samen langs de kantine. Zij ging bij haar vrienden zitten die ze toen had en ik bij de mijne. Zodra ik ging zitten, ging Haluk met een smoesje weg. Suna slaakte een diepe zucht, pakte haar spullen en wenkte Lüset dat zij hetzelfde moest doen.

Toen waren alleen wij er nog – Sinan en ik – wat een onverwachte weelde! Ons hele leven strekte zich voor ons uit, en het was pas vier uur.

Er kwam juist een enorme, zwarte tanker achter de zuidelijkste toren van Rumeli Hisar vandaan toen ze voor de graftombe van Nafi Baba gingen zitten. Even trilde de hele heuvel. Ze keken hoe het gevaarte zich een weg over de Bosporus baande en geleidelijk in de verte van zwart naar grijs verkleurde. Het schip kruiste het pad van een andere tanker, die van de Zwarte Zee kwam, en er klonk een scheepshoorn. Terwijl de scherpe, heftige klaroenstoot tot een klaaglijke echo wegstierf, hoorden ze een uitlaat knallen. Toen stierf ook dat geluid weg. Een vogel, misschien een nachtegaal, begon boven hen in de boom te zingen. Kon het een nachtegaal zijn? Het was nog geen nacht. Kon er iets mooiers bestaan dan de Bosporus als de judasbomen in bloei staan?

'Eén ding begrijp ik nog niet,' zei Jeannie. De middag was tot avond versmolten en ze waren in de werkkamer van Dutch in de Robert Academy. Dutch was weer eens weg en Sinan zorgde weer voor de cobra. Het terrarium stond vlak onder het raam en ze zaten op het bureau Russische wodka te drinken uit de fles die Sinan uit de archiefla had gevist en blowden het restje van de hasj op die Dutch Sinan voor zijn slangenoppasdiensten had gegeven. Jeannie was nog nooit zo stoned en zo stompzinnig gelukkig geweest.

Kasten vol boeken langs alle muren en stapels boeken overal op de grond. Ik had uitgerekend dat er wel meer dan drieduizend boeken in die kamer moesten zijn, en daarvan gingen er maar een stuk of honderd over wiskunde. De rest, zei Sinan, ging over 'de revolutie'.

En zo kwamen we in dat domme, roekeloze, zinloze gesprek terecht dat ons leven zou veranderen – ik keek naar de rijen sombere titels en er was één ding dat ik niet begreep. Hoe had Dutch die revolutie van de grond willen krijgen als hij alleen maar boeken las?

'Hij hoeft niets te doen,' zei Sinan. 'Een revolutie begint vanzelf.'

'Wat handig,' zei Jeannie.

'Niet lachen,' zei hij. 'Ik meen het serieus.' Maar toen glimlachte hij ook.

'Goed, even recapituleren. Dus hij zit hier revolutionaire dingen te denken, kijkt af en toe op zijn horloge en wacht op het telefoontje?'

'Een intellectueel moet geduld met de geschiedenis hebben. Hij moet zijn moment met zorg kiezen!'

'Je lacht,' zei Jeannie.

'Natuurlijk. Als ik niet lachte werd ik gek.'

'Echt?'

'Ik citeerde Dutch. Hij zegt hele mooie dingen namelijk. Hij zegt dat het met een revolutie net zo gaat als met de lente. Die komt ook uit het niets, maar...'

'De zaadjes zijn al lang geleden geplant?'

Hij knikte. 'En?'

'De wortels spreiden zich onder de grond? De zaailingen moeten de tijd krijgen om te groeien? Maar als het sap eenmaal begint te stromen...'

'... kun je de loop van de geschiedenis net zomin tegenhouden als de lente.'

'De judasbomen moeten in bloei staan...'

'... totdat op een dag alle heuvels van Istanbul roze kleuren! Nee – rood!'

'En dan?' vroeg Jeannie, nog steeds giechelend.

'Dan staat de stad op!' zei hij. 'En de vijand smelt weg als sneeuw voor de zon!'

'En als hij niet smelt?'

'Dan weten we hem te vinden!'
'En dan?'
'Wat dacht je? Dan begin ik met İsmet. Pardon, İsmet *Bey*.' Hij kromde zijn wijsvinger en deed alsof hij op de muur schoot. 'Of misschien draai ik hem zijn nek om. Of ik breek 'm, zo. Net als bij een kip.'
'Dus dat zijn de plannen?'
'Er zijn geen plannen.'
'Hoe kan dat nou.'
'Dat is niet nodig.'
'Waarom niet?'

Hij boog zich over me heen en pakte een willekeurig boek van de plank. Het had een zachte kaft en het was getypt, niet gedrukt. Ik weet niet meer hoe het heette, al sloeg je me dood. Alleen dat de schrijver Manfred Berger heette. 'Lees Manfred Berger,' verkondigde hij, 'en al je vragen worden beantwoord. Maar pas op dat niemand je ziet. Vergeet niet: denken is een misdaad!'

'En deze gedachte dan?' vroeg ik, maar zonder vooropgezette bedoeling – dat durf ik op mijn leven te zweren: die gedachte kwam zomaar uit het niets. 'Als jouw dierbare Dutch Harding nu eens wel degelijk een plan had, maar jou daar gewoon niets over heeft verteld?'

'Wat een rare gedachten!' zei Sinan.

'Nee, echt,' hield ik aan. 'Als hij nu eens niet is wat hij beweert? Als hij een rol speelt?' Ik zwaaide met de wodkafles voor zijn neus en zei: 'Is het wel eens bij je opgekomen om te vragen of hij misschien, heel misschien...?'

Hij griste de fles uit mijn hand. Nog nooit had ik zijn gezicht zó op storm zien staan. 'Wie heeft je dat ingefluisterd?' snauwde hij. 'Wat zegt jouw vader allemaal tegen je? Waarom laat je je gedachten door hem vergiftigen?'

Het was alsof hij me een klap had gegeven. Maar waarom? Ik had geen idee. Ik meende het niet zo. Ik plaagde hem maar wat.

'Natuurlijk,' zei hij ijzig, 'voor jou is het allemaal één

grote grap. Kom, we gaan.' Hij haalde mijn hand van zijn arm en zette de fles weer in de la. Bij de deur draaide hij zich om en zei: 'Hij had me nog gewaarschuwd.'

'Waarvoor?'

'Hij zei dat jij vroeg of laat wel, zoals hij dat noemde, je ware kleuren zou laten zien.'

'En wat mag dat wel betekenen?'

'Wil je weten wat hij precies zei? Goed dan. Luister.'

Hij wachtte tot we halverwege het donkere pad rond de Bowl waren. Hij liep achter me en zijn stem klonk hard en koud.

'Zuivere liefde bestaat niet, Sinan. De strijd bezoedelt alles wat ermee in aanraking komt. Wat jij met dat meisje hebt is een gevaar voor ons allemaal. Snap je dat dan niet? Vroeg of laat zal ze haar ware kleuren laten zien. Tegen de tijd dat ze met ons klaar is, zitten we allemaal achter de tralies, jongen. Of erger. Let op mijn woorden.'

En ze had niet alleen op zijn woorden gelet, ze had ze ook opgeschreven. Zodra ze weer thuis was. Ze sloeg het maagdelijke aantekenboekje open dat het dagboek van haar laatste weken in Turkije zou worden en begon haar eerste dagboekaantekening met de vernietigende woorden van Dutch. Toen schreef ze op wat ze daarvan dacht. En wat ze van de 'vuile, opgeblazen intrigant' vond die ze had uitgesproken:

> Maar waarom zou ik hem de eer gunnen over hem na te denken? Hij snapt niets van gevoel, en op een dag zal zijn trouwe volgeling Sinan wel ontdekken dat hij ook HELEMAAL NIETS van de revolutie begrijpt.

Ze verstopte haar dagboek goed. Onder een vloerplank, waar het na haar vertrek nog meer dan dertig jaar zou blijven liggen. Maar het was te laat voor kleine voorzorgen. Iemand had hen gehoord. Iemand had dat vastgelegd. Ze hadden die beladen woorden gezegd en nu begonnen de dominostenen te vallen. Klik klik klik.

De dag na haar bezoek aan de werkkamer van Dutch Harding trof Jeannie haar vader bij thuiskomst op de glazen veranda aan. Hij zwaaide met een opgerolde krant. 'De *New York Times* steunt ons!' Hij liet haar een lang, buitengewoon bevooroordeeld artikel lezen waarin de militaire staatsgreep en de afkondiging van de noodtoestand in elf provincies werd gerechtvaardigd: er zou acuut gevaar bestaan voor wat een woordvoerder van de regering 'een krachtige, serieuze opstand tegen het vaderland en de republiek' noemde. Misschien zelfs wel meer dan één – in het zuidoosten zaten de Koerden en de rechts-extremisten, en de Syriërs die hun begerige oog op de provincie Hatay hadden laten vallen, en dan waren er de extreem-linkse studenten, van wie men beweerde dat velen naar Palestijnse trainingskampen waren geweest. Zoals gewoonlijk werd er geen moeite gedaan om uit te leggen waarom.

Daar zei Jeannie juist iets over tegen haar vader toen ze voetstappen in de bibliotheek hoorden. Sinan. Een mokkende, zwijgzame Sinan. William had destijds uitdrukkelijk tegen Sinan gezegd dat hij hun huis als zijn 'tweede thuis' moest beschouwen, maar daar was nu weinig van te merken.

'Wie heeft jou binnengelaten?'

Sinan ging zitten en vroeg of hij Jeannie even onder vier ogen mocht spreken. 'Ga je gang,' zei haar vader. Maar hij ging niet weg. Ze liepen dus de tuin in, waar Sinan Jeannie het laatste nieuws vertelde. Die middag was Dutch bij de rector geroepen, die had gedreigd hem te ontslaan omdat hij zonder toestemming op het terrein van de school een cobra hield.

> Mijn eerste reactie was opgetogen. Opgeruimd staat netjes! zei ik bij mezelf. Maar dat zei ik niet tegen Sinan. Nee, tegen Sinan deed ik alsof ik het vreselijk vond. Maar kennelijk niet zo overtuigend als de bedoeling was, want hij zei: 'Er is meer. Je vindt het vast niet zo grappig meer als je de rest hoort.' Want nadat de rector Dutch over de cobra had onderhouden, haalde hij een lijst met boektitels tevoorschijn. Was het waar dat Dutch die gevaarlijke boeken in zijn kamer op school had staan? En klopte het

dat hij geheime samenkomsten met een groepje uitverkoren leerlingen hield om ze op te hitsen tot een gewapende opstand tegen de staat? En hoe zat dat met die drugs? En wat was die 'Operatie Judasboom' precies? Hij wilde niet zeggen hoe hij dat allemaal wist, maar het papier dat hij in zijn hand had was duidelijk een transcriptie van ons gesprek in de kamer van Dutch. En die had hij vrijwel zeker van İsmet.

Nu was ik ook verontwaardigd. Maar helaas kon ik niet helder denken. Terugkijkend op de tumultueuze dagen en weken daarna vraag ik me soms af of ik toen überhaupt wel iets dacht. Is het onterecht dat ik mezelf verwijten maak? Is dit nu wat ze bedoelen met ingehaald worden door de gebeurtenissen?

Maar die avond leek alles nog heel eenvoudig. Het was gewoon onrechtvaardig. We zouden op ons recht staan! Mijn vader zou het wel in orde maken. Mijn vader zou İsmet wel bellen en hem stevig de waarheid zeggen. Maar toen we weer binnen waren, vroeg Sinan of ik even naar boven wilde gaan, want hij wilde mijn vader alleen spreken.

Het werd geen prettig gesprek. Het begon met stemverheffing en eindigde met slaande deuren. 'Het spijt me,' zei haar vader toen Jeannie naar beneden kwam stormen, 'maar nu moest ik hém even de waarheid zeggen. Voor zijn eigen bestwil.'

Ze pakte haar jas. Haar vader hield haar tegen.

'Als ik jou was, zou ik hem even de tijd geven om af te koelen.' Toen ze doorliep in de richting van de deur, pakte hij haar bij haar arm. 'Luister als ik tegen je praat,' zei hij. Die toon had hij nog nooit tegen haar aangeslagen.

Toen kwam de preek. Er waren die nacht in Istanbul honderd linkse jongeren gearresteerd. De meesten behoorden tot studentenorganisaties die nu verboden waren. De beroemdste was Deniz Gezmiş, de leider van de bende die begin maart de vier Amerikaanse piloten had ontvoerd. Hoewel ze hun gijzelaars geen haar hadden gekrenkt, bestond er een grote kans dat hij de doodstraf zou krijgen.

'Maar het is nog maar een student!' riep Jeannie verontwaardigd.
'Toch hangen ze hem op,' antwoordde haar vader.
'Het klinkt niet alsof je dat erg vindt.'
'Ik vind het heel erg. Vooral voor de arme misleide stakkers die ze in hun val hebben meegesleurd. En dat brengt me op het volgende. Ik ben niet blij met die nieuwe vriendjes en vriendinnetjes van je.'
'Wie bedoel je precies?'
'Dat weet je best.'
'Je zou er versteld van staan hoeveel namen ik niet ken.'
'Mooi, houden zo. Ik moet je waarschuwen: vooral dat verlichte zooitje vráágt om moeilijkheden. Dat zijn maoïsten, dat weet je toch?'
'Nee, toevallig niet. Maar wat dan nog, als het maoïsten zijn? Ze doen niets wat verboden is.'
'Sinds wanneer moet je iets verbodens hebben gedaan om in de gevangenis te komen?'
'Wat cynisch,' zei Jeannie. 'Nee, erger nog, het is ziek.'
'Dat kan wel zijn. Maar de regering is in elk geval niet van plan om die opstand op zijn beloop te laten. Er moet stevig worden opgetreden.'
'Wat – door mensen in de gevangenis te gooien die niets hebben gedaan?'
'Ze vinden heus wel een voorwendsel, wees daar maar gerust op.'
'Wou je zeggen dat ze zo ver gaan dat ze ze in een val laten lopen?'
William Wakefield leunde achterover.
'Maar dat is krankzinnig,' zei Jeannie.
En hij zei: 'Maar zo is het nu eenmaal.'
'Dat meen je niet,' zei ze.
'Was het maar waar.'

In het kader van de noodtoestand was er weer een avondklok ingesteld: niemand mocht na negenen nog op straat zijn. Om kwart over negen ging de telefoon. 'Als je over de duivel praat,' zei haar vader. Maar het was iemand uit Amerika. Hun enige toestel stond op het bureau in de bibliotheek; Jeannie zag dat hij een vermoeid gezicht trok voordat hij hartelijk 'hallo' riep. Degene aan de andere kant had heel wat te vertellen. Haar vader onderstreepte zijn 'jaja' en 'zeker' met een grimas. Eén keer sloeg hij zich met de vlakke hand tegen het voorhoofd. 'Als je de taal sprak, Bob, zou je wel begrijpen wat er aan de hand is. Het komt erop neer dat judasboom in het Turks niets te maken heeft met...' Er volgde weer een tirade. Haar vader hield de hoorn van zich af zodat zijn dochter het woedende geschreeuw ook hoorde.

'Je bent een volslagen idioot. Weet je dat?' riep haar vader in de richting van de telefoon toen hij had opgehangen. 'Het spijt me, Jeannie. Ik laat je hier niet graag alleen achter. Maar er heeft iemand op de paniekknop gedrukt en ik moet even weg.'

'Hoe komt het dat jij wél na de avondklok de straat op mag zonder dat er op je geschoten wordt?'

'Om de een of andere reden heb ik een speciale pas.'

'Ik was toch al van plan om naar bed te gaan,' zei ze. Maar ze kon niet slapen voordat ze Sinan had gevonden. Ze probeerde alle telefoonnummers waar hij zou kunnen zijn, maar niemand wist waar hij was. Ze pakte haar boek, maakte een kop warme chocola en nestelde zich op de bank naast de telefoon.

Om een uur of elf werd er aangebeld. Door de intercom vroeg ze wie er was. Geen antwoord. Ze ging naar boven om naar de *meydan* te kijken en ving een glimp op van een jonge man die het betegelde pad langs het huis af liep. Ze rende naar beneden en was juist op tijd op de veranda om te zien hoe hij onder de laatste lantaarn door liep. Het was Sinan. Wat deed hij buiten na de avondklok? Er kon zomaar op hem geschoten worden – wist hij dat dan niet?

Ze liep naar de andere kant van de veranda en ging op haar tenen staan, rekte zich uit en dwong haar ogen om de hoek te kijken die het uitzicht op het flatje van Haluk belemmerde. Ze zag alleen het dak. Maar toen ze op een stoel ging staan, kon ze de twee bovenste verdiepingen zien. Haluks ramen waren eerst donker, maar toen ze terugkwam met de kijker van haar vader was het licht in de voorkamer aan, en daar was Sinan. Hij zette stoelen rond de tafel. Toen deed hij de deur open. Er kwamen drie mannen en twee vrouwen binnen. Studenten, zo te zien. De deur ging opnieuw open, en nu kwam de man binnen die ze inmiddels meer haatte dan wie ook.

Dutch. Hij ging niet zitten, maar krabde op zijn hoofd en leek iets te vragen. Sinan wees naar de gang. Hij liep de kamer uit en Jeannie zag het licht in de badkamer aan gaan. Met moeite kon ze door het matglas het silhouet van Dutch onderscheiden.

Nu stond er een andere man in de deuropening. Hij wreef over de zijkant van zijn gezicht en glimlachte erbij alsof dat pijn deed. Hem herkende ze ook, maar ze kon hem niet meteen plaatsen. Net toen ze zich realiseerde dat het Sergei was, de man van het Russische consulaat, verdween hij ook in de donkere gang.

Ze richtte de kijker nu op het derde raam. De slaapkamer. De gordijnen waren dicht. Maar... waren ze eigenlijk altijd dicht? Had ze daar ooit op gelet?

Ze kreeg het gevoel dat ze moest kotsen.

20

De volgende dag begon als altijd met het ontbijt, stipt om zeven uur, op de glazen veranda. William Wakefield nam een gekookt ei, twee geroosterde boterhammen, een reepje geitenkaas en zwarte koffie, Jeannie twee geroosterde boterhammen met jam, een reepje geitenkaas, drie olijven en een glas Turkse thee. Toen ze klaar waren, bracht William de borden naar de keuken en kwam terug met een dikke stapel kranten. Bovenop lag de nieuwe *International Herald Tribune*. Die gaf hij aan zijn dochter; zelf bladerde hij de volgende vijf minuten door de vijf, zes Turkse kranten die eronder lagen. Jeannie herkende hier en daar een woord: anarchie, leger, grondwet, wet, vastberaden. In alle kranten stonden dezelfde foto's van dezelfde mannen op de voorpagina. Een daarvan herkende ze als de nieuwe premier. Ze nam aan dat de anderen de generaals waren die het nu voor het zeggen hadden. Zwijnen, allemaal. Zwijnen.

'Gaat het weer een beetje?' Ze verwaardigde zich niet antwoord te geven.

Hij lachte haar toe alsof ze iets beleefds had teruggezegd. Ondanks haar stilte ging hij verder: 'Maar goed, nu zal het wel weer rustig worden. Voorlopig althans.' Hij legde de laatste krant weer op de stapel.

De telefoon ging. 'Maar misschien heb ik te vroeg gejuicht.' Hij nam op, legde zijn hand toen om de hoorn en beduidde Jeannie dat ze naar binnen moest gaan. 'Dit duurt wel even,' zei hij, 'dus ga jij maar...' Ze liep recht langs hem heen naar de deur.

Het was een zonnige morgen, met de heldere, zuivere lucht die alleen de noordenwind aanvoert, maar toen ze in de auto wilde stappen, hield Korkmaz haar tegen. Hij was nog niet klaar met controleren of de auto wel veilig was. Ze ging naast Chloe op de marmeren bank onder de plataan zitten terwijl hij de onderkant van de auto onderzocht, en ze vroeg zich af wat vijf meter eigenlijk voor verschil maakte en of haar dat eigenlijk wel iets kon schelen.

'En, wat zijn de plannen voor vandaag?' vroeg haar vader toen ze over de steile kinderkopjesweg naar de kust hobbelden. Ze haalde haar schouders op. Toen hij hen bij school afzette, maakte hij zijn gebruikelijke grapje: 'Denk erom, meisjes, hou je ogen open. En niet met communisten praten!'

'Ik maak zelf wel uit met wie ik praat,' zei Chloe. Met een hooghartig gezicht liep ze het pad op. Toen Jeannie het portier dicht wilde doen, hield haar vader het tegen. 'Gaat het?'

Ze keek hem niet aan.

'Ik begrijp het wel – het is niet niks wat ik je allemaal heb verteld. Maar het is beter dat je het weet.'

Inmiddels wist ze dat haar vader over alle vrienden die ze in Istanbul had leren kennen een dossier had. Hij wist hoe oud ze waren, wat voor ijs ze lekker vonden, wat de politieke overtuiging van hun ouders was en tot welke organisaties, openbaar of geheim, ze behoorden. Hij wist hoe ze het op school deden. Wie een maîtresse had, wie op een faillissement afstevende, bij zwendel betrokken was of zich voor jongens interesseerde. Hij wist ook precies waar Jeannie was geweest en wie ze gesproken had – en bovendien veel gedetailleerder dan ze het zich zelf herinnerde.

En hij wist exact wat Dutch tegen wie had gezegd.

Die dossiers had hij aangelegd om haar te beschermen, zei hij. Hij vroeg haar zoals gewoonlijk het aan niemand te vertellen. Alsof dat had gekund: o, jongens, wat ik zeggen wou, mijn vader houdt jullie in de gaten. Gewoon, voor alle zekerheid, om op de hoogte te blijven. Tussen haakjes, hij weet ook al jullie familiegeheimen. En dankzij hem weet ik daar ook heel wat van.

Hoe moest ze haar vrienden waarschuwen? Hoe kon ze hen beschermen? Hoe had ze zo verblind, zo eigenzinnig, zo koppig, zo dom kunnen zijn? Het was natuurlijk geen halsmisdaad dat ze ervan uit was gegaan dat er grenzen waren waar een vader niet overheen ging – zelfs háár vader niet – maar wat was de prijs van haar blindheid? En het ergste was nog wel dat haar vrienden, als ze vertelde wat ze had ontdekt, alleen maar zouden zeggen dat ze dat altijd wel geweten hadden.

Die middag in de discussiegroep dwaalden haar gedachten aldoor af. Terwijl Suna haar 'Amerikaanse vrienden' bijpraatte over de inhoud van de Turkse kranten en vertelde wat er allemaal niet in stond over de nieuwste maatregelen en de rol die de VS daarbij had gespeeld of over de waarschijnlijke afloop voor de bende van Deniz Gezmiş en wat die voor de linkse studentenbeweging voorspelde, moest Jeannie de hele tijd denken aan alles wat haar vader over haar wist – en over haar familie, en die van Lüset, en die van Miss Broome.

Na afloop zat ze in het kleine eetzaaltje naast Marble Hall in haar koffie te roeren, naar het lepeltje te staren en aan de lijsten te denken waar ze nu op stonden, niet omdat ze zo gevaarlijk waren, maar omdat zij bevriend met hen was. Toen kwam Suna binnenstormen. 'Ah, daar ben je. Mooi. Je moet ons helpen.'

Miss Broome had aangeboden een stencilmachine voor hen 'vrij te maken' en Suna had besloten dat Jeannie die het gebouw uit moest sjouwen. 'Jij hebt een speciale positie. Jouw vader redt je overal uit. Dus schiet op.'

Als ik word gepakt kunnen ze me niets maken. Die mantra hield haar op de been terwijl de wind om Akıntıburnu gierde, auto's met ostentatief kijkende mannen achter het stuur stapvoets naast hen bleven rijden totdat Suna ze met een minachtende blik wegjoeg, en zij haar best deed om niet te horen wat Suna zei omdat dat niet veilig meer was. Sinan stond op het terras van het *college* te wachten. Zo te zien had hij die nacht ook niet geslapen. Hij keek Jeannie niet aan. Waarom? Had hij geraden wat zij nu wist? Ze durfde het niet te vragen – hij was met een groep vrienden. Zij waren ook bepakt en bezakt. Ze maakten grappen, zoals altijd, maar ze keken bang. In de tassen zaten boeken en spullen die ze uit de kamer hadden weggehaald waar hun 'vereniging' bijeenkwam. Ze zeiden niet welke vereniging, alleen dat die nu verboden was.

Haluk had hun zijn flatje aangeboden. Toen ze halverwege waren, realiseerde Jeannie zich dat de jongen naast hem de beruchte Rıfat was, de jongen met de groene ogen die Chloe van hem had afgepakt. Maar nu wees niets meer op spanningen tussen Rıfat en Haluk. Het leek er eerder op dat Haluk zich gevleid voelde dat hij zich nuttig kon maken.

Vlak voordat ze bij de *meydan* waren, begon de plastic tas met de stencilmachine van Miss Broome onstuitbaar te scheuren, dus nam Jeannie de hele groep mee naar de tuin van de Pasha's Library en ging ze naar binnen om iets stevigers te zoeken. En daar, in de gang, stond de koffer die haar vader de vorige avond tevoorschijn had gehaald – de koffer met de dossiers. Misschien moesten ze die maar eens zien, dan wisten ze tenminste wat hij wist. Maar toen ze de koffer opendeed, bleek hij leeg te zijn.

'Die is prima,' zei Suna.

'Maar mist je vader hem straks niet?' vroeg Rıfat.

'Welnee,' zei Jeannie.

'Heerlijk, zo'n rijke Amerikaan,' zei Rıfat. Haluk lachte.

In de flat ging het al net zo – Haluk wist van gekkigheid niet wat hij moest doen om het zijn voormalige rivaal naar de zin te maken. Rıfat en zijn vrienden moesten de eetkamer maar als hun nieuwe hoofdkwartier inrichten. Jeannie ging aan tafel zitten en haalde haar lepeltje door de zoveelste kop koffie. Voor haar was het grote raam waardoor ze de glazen veranda van haar vader kon zien als ze zich helemaal uitrekte, en als ze dan helemaal omhoog keek, zag ze ook de muur waaraan hij altijd zijn kijker hing.

Toen ze opstond om de gordijnen dicht te doen, zei Suna: 'Niet doen. We hebben licht nodig.' Hoe moest ze hen waarschuwen? Zou ze het erger maken als ze hen waarschuwde? Wat deed ze hier trouwens?

Toen hoorde ze dat Rıfat dezelfde vraag stelde. 'Waarom hebben we een Amerikaanse op bezoek? Is dat onder deze omstandigheden niet dom?'

'Helemaal niet,' zei Suna. 'Om twee redenen. Om te beginnen is ze een vriendin – een lief, onschuldig kind, en we vertrouwen haar. En ten tweede kan ze ons beschermen.'

'Ah. Hebben we nog niet genoeg Amerikanen die ons beschermen?'

'Dit is iets anders,' zei Suna. 'Zij is het met onze ideeën eens.'

'Maar haar vader is een spion,' zei Rıfat.

En Suna antwoordde: 'Ja, haar vader is een spion. Erger nog, hij is een vijand van het volk. Maar dat zijn al onze vaders toch ook?' Ze spraken Turks – ze dachten dat Jeannie dat niet verstond.

Maar – kwam het doordat ze langzamer spraken dan anders? – ze verstond het woord voor woord.

'Je hebt haar toch niet verteld wat we van plan zijn?' vroeg Rıfat.

'Ah!' zei Suna. 'Dacht je nu heus dat ik zo dom was? Nee, om je vraag te beantwoorden: ze kan maar het beste zo weinig mogelijk weten.'

'Maar in dat geval...' Pas toen Jeannie die woorden eruit had geflapt, realiseerde ze zich dat zij ook Turks had gesproken. Het leek Suna of Rıfat niet te zijn opgevallen. Maar Sinan wel.

Langzaam, heel langzaam, bracht hij een vinger naar zijn lippen om haar het zwijgen op te leggen. Toen rekte hij zich uit met zijn armen in de lucht en gaapte. 'Ik verveel me,' zei hij in het Turks. 'Ik ga een dutje doen.'

'Onze wereld stort in elkaar en jij gaat een dutje doen,' zei Suna.

Sinan glimlachte loom. Toen draaide hij zich om naar Jeannie en vroeg in het Engels of zij 'geen slaap had'.

'Ik begin te begrijpen waar een Amerikaanse in huis goed voor is,' zei Rıfat in het Turks.

'Let op je woorden,' snauwde Sinan. 'Je hebt het wel over mijn vriendin.'

'Is ze goed?' vroeg de jongen.

'Beter dan jij ooit zult weten,' zei Sinan.

'Waarom zouden we haar dan niet delen?'

Dat was voor Jeannie de druppel. In het Engels zei ze: 'Voor geen goud...' Sinan greep haar bij haar arm en trok haar mee de gang op. Pas toen hij de deur van de slaapkamer had dichtgedaan liet hij haar los. Hij leunde tegen de muur en liet zich op de grond zakken. 'Dat scheelde maar een haar,' zei hij. 'Een haartje. Je hebt geen idee.'

'Vertel,' zei Jeannie.

'Dat wil je niet weten.'

'Maar als ik je in gevaar breng door hier te zijn, dan...'

'Niet zeggen,' zei Sinan. Hij kuste haar op haar voorhoofd, op haar lippen, in haar hals. 'Dat mag je niet eens dénken. Laat mij dit maar afhandelen, ik maak het wel in orde. Maar wees alsjeblieft voorzichtig. Alsjeblieft, geen Turks meer. En je moet proberen je gezicht in de plooi te houden. Je mag ze nooit, nooit ofte nimmer laten merken hoeveel... Jeannie, waar ga je naartoe? Wat doe je?'

Ze trok de gordijnen dicht.

21

> Als je je naam hoort – niet reageren. Niet opkijken. Gewoon omlaag blijven kijken, naar je handen. Concentreer je op je lippen, hou ze stil. Zelfs als je moet lachen. En vooral als je zin krijgt om te gillen. Probeer je gedachten te laten afdwalen, want het is makkelijker vol te houden als je ook in werkelijkheid niet luistert. Pak een boek als dat mogelijk is. Maar blijf ook dan op je hoede. Als je een taal eenmaal verstaat, dringt die altijd tot je door. Een taal die je verstaat, kun je niet meer buitensluiten.

In haar laatste drie weken in Turkije, op 17 mei, was Jeannie echt door het oog van de naald gekropen, en ze had een goede reden om die datum te onthouden. Ze waren die dag met zijn allen naar Burgaz gegaan. Sinans moeder was over uit Parijs en logeerde op het eiland bij haar twee beste vriendinnen. Ze hadden 'de kinderen' voor 'een dagje zon en zee' uitgenodigd. Pas op de veerboot ontdekte Jeannie dat die beste vriendinnen van Sinans moeder de moeders van Suna en Lüset waren.

Het huis waar ze waren uitgenodigd was van de familie van Lüset. En nog een nieuwtje: de familie van Lüset was joods. Hoe was het mogelijk dat niemand daar ooit iets over had gezegd? Een vooruitgestoken onderlip, schouderophalend: 'Misschien was het niet belangrijk.'

Het huis was een enorme moderne bungalow met overal veranda's en een eigen aanlegsteiger. Aan de overkant van de vaargeul lagen de beboste heuvels van Heybeliada. Het seizoen was nog niet begonnen en twee dienstmeisjes waren de stofhoezen aan het uitkloppen toen ze de salon binnenkwamen. In de keuken was een stel andere meisjes *böreks* aan het rollen. Op de televisie in de hoek – een pronkstuk, een van de eerste in het land – was het laatste nieuws over de verschrikkelijke aardbeving te zien die de provincie Burdur een paar dagen daarvoor had getroffen en waarbij zo'n duizend mensen zouden zijn omgekomen. De dienstmeisjes hielden even op met kloppen en schudden hun hoofd. Ze waren verbaasd dat Jeannie dat niet deed. 'Het is een buitenlandse,' zei het ene meisje tegen het andere. 'Ze begrijpt het niet.'

'Hebben buitenlanders dan geen hart?' vroeg het andere meisje.

'Natuurlijk wel! Vast wel! Maar ze verstaat niet wat die man zegt.'

'Wat voor leven heb je dan?'

Zeg dat wel, dacht Jeannie. Zeg dat wel! Ze vluchtte de kamer uit. Ze had geen idee waar ze heen moest, dus ze besloot naar de wc te gaan. Ze deed een deur open, maar dat was niet de wc. Suna zat op een bed met haar rug naar haar toe. En wat stond daar op het ladenkastje tegenover haar, een juwelenkistje?

Ze schrok op. Keek om. Doodschrik in haar ogen, totdat ze zag wie het was. 'Sorry,' zei Jeannie. Ze deed de deur dicht en probeerde het vertrek ernaast. Kennelijk een studeerkamer. Lüset zat aan het bureau. 'Ik kom zo,' zei ze in het Turks zonder op te kijken. 'Ik moet alleen even bellen.' Maar toen Jeannie de deur weer dicht had gedaan, hoorde ze duidelijk dat Lüset de archiefkast opendeed.

'Genoeg lange gezichten!' zei Suna's moeder, die de gang in kwam huppelen. 'De zon wacht heus niet op ons! Hup, de zee in, jullie!' En zo begon de trage processie naar de zee. Toen ze een uurtje later druipend terugkwamen, zaten de moeders vrolijk te wachten met grote badlakens en hoge glazen abrikozensap. Ze hadden kleurige korte jurkjes aan en zongen mee met alle liedjes die ze op de platenspeler draaiden. Jacques Brel, Adamo, Christophe, Peppino di Capri, Jose Feliciano, Petula Clark, the Monkees. Af en toe stond er een op om een nieuw danspasje uit te proberen. Dan wenkte ze de andere twee om mee te doen. En tegen de kinderen: 'Wat zit jullie toch dwars? Wat heb je aan je jeugd als je geen plezier maakt?'

Tijdens de lunch haalde Sinans moeder een rood boekje uit haar handtas. *Het* rode boekje. 'Sinan. Lieverd. Kijk eens wat ik heb.'

Hij keek, maar zei niets.

'En dat niet alleen, lieve jongen, ik heb het ook gelezen. Maar ik kan niet zeggen dat ik er iets van begrijp.' Ze sloeg het op een willekeurige plaats open. '"De revolutie is geen dinertje". Is dat een code, of een metafoor? Een diepe gedachte of gewoon kletskoek?'

In het Turks zei hij dat hij wegliep als ze zo doorging en dat ze hem dan nooit meer zou zien. Sibel wendde zich tot Jeannie en vroeg: 'Wat moet ik met zo'n jongen beginnen die zulke dingen tegen zijn moeder zegt? Jeannie, wat ziet de jeugd van tegenwoordig toch in dat gezwatel?'

'Het is geen gezwatel,' deelde Suna mee.

'Nog veel erger – onzin!' riep haar moeder.

'Is het onzin om naar een betere wereld te streven?'

'Welke wereld is er nu beter dan deze?' vroeg ze met een weids gebaar naar de zee, de beboste heuvels van Heybeliada, de onbewolkte lucht. 'Wat kun je nog meer verlangen?'

'Vrijheid bijvoorbeeld,' zei Suna. 'Misschien wil ik wel zelf kiezen hoe ik wil leven.'

'Ah. Wat ben je op die school Amerikaans geworden!' Suna's moeder wendde zich tot haar vriendinnen. 'Wie had dat ooit gedacht? Mijn dochter! Een Amerikaanse!'

'Wat is er Amerikaans aan dat ik wat menselijke waardigheid wil?' riep Suna uit. 'Is het soms Amerikaans om vrije meningsuiting te willen – of me af te vragen waarom ons dierbare land een slaaf van het westen is?'

'*Terbiyesiz*,' siste haar moeder. 'Denk aan je manieren.'

'*Bırak, canım*,' zei de moeder van Lüset. 'Laat nou maar. We zijn hier voor ons plezier.'

Plotseling was het dus weer tijd om te gaan zwemmen. Ditmaal gingen de moeders ook mee. 'Een wedstrijdje,' zei Suna's moeder. 'Hoe ver zullen we gaan?'

'Tot China,' zei Suna. Ze sprong als eerste in zee. De drie moeders volgden. Jeannie zette koers in tegenovergestelde richting en klauterde op een vlot om uit te rusten. Sinan kwam naar haar toe en zo zaten ze samen zwijgend te kijken naar een veerboot die van Heybeliada kwam. Hij greep haar hand. 'Weet je nog, vorige zomer, toen de veerboot in Burgaz aanlegde?' vroeg hij zacht, met een stem die ze een tijd niet van hem gehoord had. 'En dat jij de verhalen van de mensen als kometen achter ze aan zag komen?'

'Nou, dat heb ik nu niet meer,' zei ze.

'Hoe kan dat nou? Je zit zelf midden in zo'n verhaal.'

Ze was niet van plan geweest om het te zeggen, maar de woorden stroomden gewoon naar buiten. 'Ik heb Suna in een juwelenkistje zien rommelen.'

'O?'

'En Lüset doorzocht een archiefkast.'

'Vreemd,' zei Sinan.

'Waar zijn ze mee bezig?'

Stilte.

'Zeg nou in godsnaam waar ze mee bezig zijn!'

Een zucht. 'Dat kan niet.'

'Waarom niet?'

'Ik heb beloofd dat ik mijn mond zou houden.'

'Luister. Je moet een besluit nemen. Als je me niet vertrouwt...'

'Het ligt niet aan jou. Dat weet je best.'

'Bewijs dat dan.'

'Ik moet even nadenken.'

Eindelijk zei hij: 'Goed dan. Ze had gelijk, legde hij uit, er was inderdaad iets aan de hand. Iets belangrijks. Ze moesten dus voorbereid zijn. Op alles. Daarom 'zamelden ze geld in' voor een noodfonds. Als hij straks naar de kant zwom, wilde hij de sleutel van de kluis in de kamer van zijn moeder uit haar handtas halen.

Kon Jeannie dan voor afleiding zorgen? Hield ze van hem? Maar tegen de tijd dat ze weer in het huis waren, was de gewenste commotie al ontstaan.

De hele huishouding stond bij de televisie. Toen de man op de beeldbuis het nieuws herhaalde – dat de Israëlische consul in Istanbul zojuist ontvoerd was – slaakte Lüsets moeder een gil.

Er kwamen een paar afgetobde mannen en vrouwen in beeld die ook gegijzeld waren, maar hadden weten te ontsnappen. Ze beschreven hun gijzelnemers. Studenten, zeiden ze. Studenten! dacht Jeannie. Waarom kregen de studenten altijd de schuld? Ze richtte zich tot Haluk en vroeg: 'Hoe weten ze dat zo zeker?'

Haluk keek haar aan. 'Hoe weten ze wát zo zeker?' vroeg hij.

'Dat het studenten waren. Hoe zijn ze zo snel achter hun

namen gekomen?' Haluk zweeg even en antwoordde toen: 'Versta je dat dan allemaal?' Hij krabde achter zijn oor. 'En Sinan weet dat?'

22

Twee dagen later, op 19 mei, zat Jeannie om vier uur 's middags met Sinan en Suna op het terras van het *college*, op het grasveldje bij het beeld van Atatürk, toen er een bom ontplofte. Ze werd tegen de grond gesmakt voordat ze de dreun hoorde. Toen ze overeind kwam, was de lucht helemaal donker van het roet. Het terras lag bezaaid met boeken, schoenen, tassen en zwartgeblakerde stronken waarvan ze begreep dat het mensen moesten zijn. Even was het doodstil en verroerde niemand zich.

Ze hoorde een kat jammeren. De kat bleek een meisje te zijn. Een van de stronken draaide zich kreunend om, een andere stronk stond op, hinkte naar hen toe en riep: 'Ayla, waar ben je?' Een derde zwartgeblakerde gestalte kwam naar haar toegerend. 'Hij was daarnet nog hier, naast me! Je hebt hem toch gezien?'

'Kijk!' riep Suna. Ze wees naar de Mustang. Die stond in brand. 'Haluk!' riep ze. Ze greep Jeannies hand en samen renden ze tussen de zwarte stronken door het terras af. Toen ze Haluk en Chloe zagen – ongedeerd en hand in hand – snelde Suna naar hen toe en omhelsde hen. Voor één keer kon het haar niets schelen waar ze mee bezig waren. 'Alleen dat jullie het hebben overleefd!' Toen holde ze weer weg, al roepend: 'IJs! We hebben ijs nodig!'

Inmiddels bracht iedereen die kon lopen iemand die dat niet kon in veiligheid. Een jongen had een diepe snee in zijn been en Jeannie en Sinan brachten hem naar de EHBO-post. Toen ze weer buiten kwamen, was de lucht nog steeds donker van het roet en het gras was grijs. Her en der stonden groepjes vrienden; sommigen huilden, maar de meesten stonden alleen naar de vlammetjes te staren die nog aan de grauwe, verwrongen resten van de Mustang likten. Toen ze door de Hisarpoort de campus af liepen, hoorden ze gebel in de verte. Er kwam een oeroude brandweerwagen de hoek om. De brandweerlieden op de treeplanken hadden helmen met veren op.

Ze troffen Haluk, inmiddels alleen, in de garçonnière. Toen

Jeannie vroeg hoe het nu met hem ging, schoten zijn ogen vuur. 'Prima natuurlijk!' Maar je auto dan, hield Jeannie aan. 'Een auto is een auto. Waarom zou ik me daar druk over maken?' Dat zei hij telkens weer tegen de vrienden die het flatje binnenliepen. Wat keken ze allemaal verbaasd! Ja, natuurlijk! Deze keer was het niet bij woorden gebleven. Dit was echt! Ze konden het haast niet geloven. Ze konden nauwelijks bevatten hoe het zover had kunnen komen, zelfs na het maandenlange georakel over 'het onvermijdelijke'. Terwijl Jeannie naar haar nagels keek, probeerden zij de puzzelstukjes in elkaar te passen – wat was er nu precies gebeurd, wie was er gewond geraakt en wie was er 'op het nippertje ontkomen', wie had hen iets willen aandoen en waarom. Er waren theorieën te over, maar ze waren het er allemaal over eens dat ergens iemand hen zover probeerde te krijgen dat ze iets doms deden, iets waar ze later spijt van zouden hebben. Maar ze waren vastbesloten om geen domme dingen te doen. Ze moesten sterk blijven. En vastberaden. Vastberaden tot het bittere eind.

Er waren tien gewonden – een conciërge en negen studenten. De meesten waren lichtgewond, maar een meisje moest een been missen. Die details hoorde Jeannie later die dag van haar vader. Die was koppig tegen haar blijven praten. Ook als ze zich niet uit haar tent liet lokken, praatte hij door.

Ze had hem nog nooit zo kwaad gezien.

Die avond, toen ze al naar bed was, praatte hij met nog veel meer mensen. Voornamelijk aan de telefoon, met het getinkel van ijsblokjes in zijn whiskyglas op de achtergrond. Jeannie deed haar best om zich ervoor af te sluiten. Ze dommelde weg, maar werd (een uur later?) wakker van stemmen onder haar raam. Ze keek naar beneden, naar de *meydan*, en zag twee mannen op de marmeren bank onder de plataan zitten. Eigenlijk zag ze alleen hun opgloeiende sigaretten.

Eerst verstond ze er niets van. Ze begreep alleen dat een van de twee haar vader was. De tweede stem was ook Amerikaans. Maar jonger. Rustiger ook. Hij zei af en toe: 'Wat? Meen je dat nou?' En dan lachte hij alsof haar vader dingen zei die volkomen uit de tijd waren. Haar vader ging steeds harder praten.

Totdat hij zei: 'Ik zeg dit nog één keer, jongen! *Je bent nu te ver gegaan*. Dit moet ophouden, of ik trek de stekker er helemaal uit. Versta je?'

'Ja hoor, ik versta je,' zei de Amerikaan. Hij stootte een overmoedig lachje uit.

'Kom, dan gaan we.' Gerinkel van sleuteltjes, een motor die werd gestart. De schaduw van een auto die over de *meydan* gleed. En daarna een stilte die de lucht uit haar longen drukte.

> Ik wil dat je dit heel goed begrijpt (schreef ze in de drieënvijftig bladzijden lange brief). Ik heb het gezicht van de jonge Amerikaan helemaal niet gezien. Maar alles wat ik wél zag en hoorde – de slungelige gestalte, die overmoedige lach, de losse, brutale manier waarop hij zijn sigaret rookte – wees op mijn oude vriend Zonder Naam. En ik wist dan wel niet precies waar hij mijn vader zo kwaad mee had gemaakt – maar ergens wist ik het wél. Zonder Naam was de loopjongen van mijn vader. Zonder Naam knapte het vuile werk voor hem op. Zonder Naam had op uitdrukkelijk bevel van mijn vader met Dutch Harding aangepapt. Het hele jaar had Zonder Naam hem onder het mom van vriendschap bespioneerd en aan mijn vader verslag uitgebracht. Of nee, het was nog erger. Zonder Naam had Dutch Harding opgehitst. Hem aangezet tot geweld. Had hij hem ook de spullen gegeven om bommen mee te maken?
>
> En nu was Zonder Naam volgens mijn vader te ver gegaan. Maar wat was 'te ver' voor iemand als mijn vader? En waar dreigde hij de stekker uit te trekken? Ik was nog nooit zo bang geweest. Of zo in de war. Maar één gedachte hield ik vast: ik moest mijn ijkpunt zien te vinden. Ik moest Sinan vinden.
>
> Wat ik toen deed was levensgevaarlijk: ik stormde naar buiten, ondanks de avondklok, met alleen een trui over mijn witte pyjama, en rende over de kinderkopjes, langs onverlichte begraafplaatsen en grauwende honden, langs de kust, waar ik ieder moment door een zoeklicht kon worden opgepikt of door een passerende patrouille kon

> worden neergeschoten. Maar het geluk is met de dommen en lafaards zijn snel, en ik was zo helder als alleen iemand kan zijn die helemaal niet meer denkt.

Het zal een uur of drie zijn geweest toen Jeannie bij het appartement in Bebek arriveerde waar Billie Broome en Dutch Harding woonden. Sinan had haar al vanaf het balkon gezien en wachtte haar op bij de deur. Achter hem was het huis fel verlicht en er klonk geroezemoes van stemmen. Grace Slick zong zacht. Miss Broome riep er iets bovenuit. Was dat Suna die iets terugriep, en Lüset die protesteerde, en Chloe die haar bijviel? 'Wat is dit, een feest?' vroeg Jeannie. Tijdens haar lange voettocht door het donker was ze geen moment bang geweest, maar nu ze dit feest hoorde waar ze niet voor was uitgenodigd...

Sinan liep de vestibule weer in en trok de deur achter zich dicht. 'Wie heeft je hierheen gebracht?' snauwde hij. Ze antwoordde naar waarheid, en even leek het alsof hij haar ging slaan.

'Je had wel doodgeschoten kunnen worden! Je had wel ontvoerd kunnen worden! Of verkracht! Je hebt hier niets te zoeken. Wat loop je me nou na. Waarom vertrouw je me niet gewoon? Hoe denk je dat ik me voel als ik ergens op bezoek ben, de telefoon gaat en jij bent het? Je bent nog erger dan mijn moeder, weet je dat?'

'Ja, en ik begin te begrijpen hoe zij zich voelt!'

Maar toen ze hem vertelde wat ze in de *meydan* had gehoord, viel hij stil.

'Als ik zometeen weer naar binnen ga,' zei hij eindelijk, 'moet je meekomen. Maar blijf in de voorkamer. Ik wil Dutch alleen spreken. Hij is achter aan het pakken. Wij proberen hem te helpen. Hij mag je pas zien als hij begrijpt dat jij ook wilt helpen.'

Ze deed wat hij vroeg. En daar, in de voorkamer, zaten haar vriendinnen. 'Wat doe jíj hier?' vroeg Chloe.

'Dat zou ik jou ook kunnen vragen,' antwoordde Jeannie. 'Weet je moeder dat je hier bent?'

'En de jouwe?'

'Meisjes. Alsjeblieft.' Dat was Miss Broome. 'Het spijt me, maar ik ben nog altijd jullie lerares, dus ik moet dit vragen. Jullie hebben toch wel met jullie ouders gesproken? Ja toch?'

'Waar ziet u ons voor aan? We zijn toch geen kinderen meer? Natuurlijk hebben we onze ouders gesproken,' zei Suna. 'Officieel logeer ik bij Lüset en zij logeert bij mij. We zijn negentien, ja? We kunnen heus wel een smoes verzinnen. En dat brengt ons weer bij ons onderwerp van gesprek.' Bizar genoeg ging dat gesprek over spieken bij examens. Suna (die nog nooit van haar leven had gespiekt) legde Miss Broome uit waarom dat in de Turkse cultuur geen schande was. 'Je helpt een vriend, zo zien wij dat,' zei ze. En Miss Broome riep uit: 'Wat – ten koste van de eer van die vriend?' Suna legde uit dat er in de Turkse cultuur niets eerlozers bestond dan een vriend in nood laten zakken. 'Maar dat slaat toch nergens op!' riep Miss Broome, een tikje aangeschoten. 'Daar heb je toch niets aan? Het gaat er toch niet om dat je feitjes op kunt lepelen? Wij proberen het denken van de mensen te veranderen!'

'Ja,' zei Suna hooghartig, 'als dat nu maar tweerichtingsverkeer was...'

Miss Broome bleek gevoelig voor de toon en voor het verwijt. 'Het spijt me dat ik zo verstrooid ben,' zei ze, 'maar het is een gruwelijke week geweest. Al zijn jullie vast net zo geschokt door die toestand met de Israëlische consul als ik.'

'Waarom zouden we nu al in zak en as zitten?' zei Suna. 'Het is nog niet afgelopen. Het zijn goedhartige jongens die op hem passen – we moeten ze vertrouwen.'

'Helemaal niet!' riep Miss Broome. 'Juist niet. Ze hebben gedreigd die man te vermoorden.'

'Ah!' zei Suna. 'Maar wie is er nu gewelddadiger, de ontvoerders of het leger? De militaire bevelhebbers of hun Amerikaanse broodheren?'

'Je draait er omheen, Suna, en dat weet je best,' zei Miss Broome. 'Je denkt in zwart-wit omdat je bang bent. Je bent bang om in jezelf te kijken. Je weet nog niet wie je bent, lieve kind. Je voelt je alleen goed als je een vijand hebt die je kunt haten. Je voelt je alleen deugdzaam als je...'

'Wat – meen je dat nou?' Er zweefde een coole – losse, brutale – Amerikaanse stem de kamer in. Het was Zonder Naam, die de gang in kwam lopen. Hij had een doos boeken in zijn armen.

Hoe kon hij zo kalm zijn na wat hij had gedaan? Daar stond hij luchtig te doen tegen de mensen die hij diezelfde middag bijna de dood in had gejaagd met de bom van haar vader...

'Sorry. Ik snap niet wat ik opeens had,' zei Miss Broome. Ze veegde haar vochtige voorhoofd af.

'Je zult wel dorst hebben,' zei Zonder Naam. 'Ik pak wel een biertje voor je.'

'Ik weet niet of dat wel zo'n goed idee is,' zei Miss Broome. 'Ik denk dat ik daar nu juist zo loslippig van geworden was.'

'Maakt niet uit,' zei Zonder naam. Hij dook de keuken in, en toen hij weer tevoorschijn kwam met twee biertjes, zag Jeannie dat Sinan haar wenkte vanuit de gang.

Dutch stond in een vertrek dat eens een studeerkamer was geweest. Nu stond het er vol stapels dozen. Hij zat in de enige stoel met zijn benen op het volgestapelde bureau. Zag ze hem nu voor het eerst zoals hij echt was? Vertrouwde hij haar eindelijk? Hij bestudeerde haar openlijk en het duurde even voordat hij iets zei.

'Dus volgens jou was het Jordan?'

'Jordan,' zei Jeannie, 'wie is Jordan?'

'Die jongen met de biertjes,' verklaarde Sinan. Tegen Dutch zei hij: 'Zij noemt hem Zonder Naam.'

Dutch glimlachte bijna. 'Ach. Leuk.' Hij pakte zijn hasjpijpje en inhaleerde diep bij het aansteken. Hij bood hem aan Jeannie aan. 'Jij ook wat?' Het was sterker dan ze gewend was. Ze moest even tegen de muur leunen.

'Dus – vertel eens,' zei Dutch terwijl hij zijn stoel naar achteren kantelde. 'Hoe voelt dat nou? Ik bedoel, je zit nu al – hoelang? Een jaar? Je zit nu al bijna een jaar op dat hek. Horen, zien en zwijgen. Toch?'

'Dit is iets anders,' zei Jeannie. 'Als mijn vader bomaanslagen laat plegen...'

'Nee, natuurlijk. Ik begrijp het helemaal. En we zijn je dankbaar. Heus.'

'Ik zal alles doen wat nodig is. We moeten hem tegenhouden,' zei Jeannie.

'Er is wel iets wat we kunnen doen,' antwoordde Dutch. 'Er is zelfs iemand bij de *Washington Post*... maar laten we bij het begin beginnen. We moeten zeker weten dat hij het is. Ga jij dus weer naar de voorkamer. Luister goed naar die 'Zonder Naam' van jou. Maar wees voorzichtig. Het heeft geen zin om iets te doen voordat we zeker weten...'

'Maar ik wéét het al zeker,' protesteerde Jeannie.

'Dan kun je ons helpen door hem bezig te houden. Doe je voordeel met de avondklok! Pak een biertje!'

Hij stond op, als om aan te geven dat het onderhoud afgelopen was. Maar toen ze zich omdraaide naar de deur, zei hij: 'Wacht. Nog één ding. Jeannie – dit gesprek heeft nooit plaatsgevonden. En we spreken elkaar ook nooit meer. Als ik iets moet weten, zeg het dan tegen Sinan. Dat zal ik ook doen als ik jou iets moet laten weten.'

> En dat was dat, voor zover ik het toen kon overzien. Ik was de grens over gegaan. Nu hoefde ik alleen nog maar stand te houden. Denken, er omheen draaien, de 'alsen' en 'mitsen' en 'maren' doornemen, dat was luxe voor later. Het moeilijkste had ik achter de rug, zei Sinan. Ik had het belangrijkste gedaan wat de dochter van een spion maar kon doen, en nu moest ik me rustig houden, doorgaan alsof er niets aan de hand was en 'alles laten gebeuren'.
>
> Nu kwam het kritieke moment, zei hij. Op de marmeren bank in de *meydan* – dezelfde bank waar mijn vader een paar uur daarvoor zijn coole Amerikaan de les las – waarschuwde hij me dat dat betekende dat ik misschien een paar dagen niets van hem zou horen.

'Maar waarom?' protesteerde ze. Hier had ze niet op gerekend. Ze was de grens toch over gegaan? Nu kon ze naast hem staan, met opgeheven hoofd, net als hij!

'Binnenkort,' zei hij, 'maar nu nog niet. We kunnen nu niets doen waar je vader iets wijzer van wordt. Die rol moet je nu spelen. Nog even geduld.'

Dat beloofde ze dus. Hij bezegelde de belofte met een kus. Een heel lange kus. Een kus waar ze even mee toe kon, zei hij. En misschien proefde hij haar verdriet.

'Luister,' zei hij ten slotte. 'Ik kan je niet alles vertellen, maar wel zoveel mogelijk. Je hebt gezien dat Dutch aan het pakken was. Snapte je waarom? Ze hebben hem gisteren meegenomen naar de stad. Naar het kantoor van İsmet, bedoel ik. Ze hebben hem opnames laten horen. Opnames van bezoeken aan het Russische consulaat. Weet je nog, die Sergei uit Nazmi? Voor wie ik je heb gewaarschuwd?' Hij legde uit dat ze Dutch met gevangenisstraf hadden gedreigd 'omdat hij zijn studenten had opgehitst om de wapenen op te nemen tegen de staat, en omdat hij ze bommen had leren maken'. Nu was hij weer op vrije voeten, maar niemand wist voor hoelang.

'Als hij van spionage wordt beschuldigd...' Sinan huiverde. 'Weet je wat ze met spionnen doen? We moeten hem het land uit zien te krijgen. Misschien moet ik mee.'

'Waarom?'

'Dat kan ik niet zeggen. Maar Jeannie – je moet voorbereid zijn. Als ik weg moet en jij bent er niet als ik terugkom...'

'Ik zal er zijn.'

'Dat kun je niet zeker weten. Als je vader...'

'Hij kan me niet wegsturen.'

'Jeannie, we zijn hier in Turkije. Hij kan je overal heen sturen waar hij maar wil.'

'Hij doet zijn best maar,' zei ze.

'Maar stel dat het hem lukt,' hield Sinan aan. Zijn stem was hees, alsof hij tegen zijn tranen vocht. 'Als er nu iets gebeurt. Wacht je dan op me?'

'Natuurlijk. Ik wacht op je. Natuurlijk!'

'Wat er ook gebeurt, wat voor leugens je ook te horen krijgt?'

'Hij kan me niet naar huis sturen,' zei ze. 'Mijn thuis is hier.'

'En als er iets ergs gebeurt en ze sturen je weg, kom je dan terug om me te zoeken? Wat de mensen ook zeggen?'

'Wat er ook gebeurt,' zei Jeannie. 'En hoe lang het ook duurt.'

Maar ze wist nog niet dat ze hem al kwijt was.

De volgende dag werd er in het kader van de noodtoestand een avondklok van vijftien uur ingesteld en er werden vijfentwintigduizend soldaten en politieagenten ingezet om de stad uit te kammen op zoek naar de ontvoerders. Die zondag vonden ze de Israëlische consul in een flat, op maar vijfhonderd meter van het consulaat. Zijn handen waren op zijn rug gebonden en hij was drie keer door het hoofd geschoten.

De eigenares van de flat zei dat ze hem aan twee jongemannen had verhuurd die zeiden dat ze ingenieur en architect waren. Volgens de huismeester waren er de avond daarvoor vijf jongemannen het gebouw uit gegaan. De premier sprak zijn afkeer en ontzetting uit en kon nauwelijks geloven dat de daders 'Turken of idealisten' waren. Er klonk een roep om 'snelrecht' en de veiligheidstroepen hingen overal in de stad twintigduizend posters op met foto's van de acht mannen en de vrouw die tot de cel zouden behoren die verantwoordelijk was voor de dood van Elrom.

Dan was er nog een lijst van zo'n zestig mensen, voornamelijk studenten, die werden gezocht voor verhoor. Die dinsdag waren er al zes arrestaties verricht. Op vrijdag werden bij een inval in een flat aan de Europese kant van de Bosporus drie mannen en een vrouw aangehouden van wie werd aangenomen dat ze bij de ontvoering betrokken waren. Er werden drie pistolen, munitie en een pruik in de flat aangetroffen. Er gingen vage geruchten over 'andere arrestaties' in 'andere delen van het land'. De heksenjacht was begonnen.

'Ze gaan door tot we allemaal achter de tralies zitten,' zei Suna. Dat was op zondagmiddag, toen Jeannie de kantine van het *college* in liep, in de vage, maar hardnekkige hoop Sinan daar te treffen. Toen ze Suna in haar eentje in de hoek zag zitten, vertelde ze haar het laatste nieuws: agenten van de militaire politie hadden in de voorstad Maltepe twee jongemannen aangehouden en naar hun identiteitspapieren gevraagd. Ze waren gevlucht en hadden met halfautomatische geweren om zich heen geschoten, waarbij een van de agenten en een vrouw uit het publiek gewond raakten. Ze waren een gebouw in gerend en hadden ingebroken in een appartement op de tweede verdieping. Dat was toevallig het appartement van een kolonel, die op dat moment niet thuis was. Zijn vrouw en zoon waren ontsnapt, maar de schutters hadden zijn veertienjarige dochter gegijzeld. Even later lieten ze een tas uit het raam vallen, waarin de identiteitskaart en het paspoort van Elrom bleken te zitten en ook een pistool met munitie.

Inmiddels was het gebouw omsingeld door duizend soldaten, en achter hen stond een bloeddorstige menigte. 'En dat arme meisje?' vroeg Jeannie. 'Is zij wel veilig?'

Suna haalde haar schouders op. 'Ze zeggen natuurlijk dat haar leven in gevaar is. Maar wij kennen die jongens. Die zouden een kind nooit iets aandoen. Zelfs jij snapt inmiddels wel dat ze verschrikkelijk gemanipuleerd zijn. En degene die ze tot al dit verschrikkelijks heeft aangezet zit nu natuurlijk hoog en droog in Europa met een vette bankrekening en een vals paspoort. Wat heeft die zijn land een dienst bewezen! In één klap heeft hij gezorgd dat het hele land is opgehitst tegen alle studenten die vrijheid willen! Nu willen ze ons achter de tralies hebben. Ze hadden alleen deze aanleiding nodig, Jeannie! Snap je dat dan niet?'

Maar het kostte Jeannie steeds meer moeite om überhaupt iets te snappen. Waarom ontliepen Suna en de anderen haar? Dat was wel het laatste waar ze op had gerekend. Ze had haar leven op het spel gezet, haar vader aangegeven – had ze daar niet een béétje respect voor verdiend? Of waren Dutch en Sinan de enigen die wisten wat ze voor hen had gedaan?

'Je hoeft alleen die ene simpele vraag te stellen,' ging Suna door, '*Cui bono?* Wie heeft er het meeste belang bij die twee ontvoeringen? De generaals met hun Amerikaanse broodheren? Of die arme jongens? We moeten om hén treuren. Zij zijn door agents-provocateurs kapotgemaakt. Ja, we leven nu in de tijd van de verklikker en de informant. Zelfs al krenken onze vrienden dat meisje geen haar, toch staat hun lot al vast. Ze moeten hangen...'

'Maar toch niet zonder proces?'

Suna sloeg op de tafel. 'Wat is dat nou voor vraag?' riep ze. 'En van jóú nog wel.' Ze griste haar boeken bij elkaar. 'Je mag doodvallen, Jeannie. Jij en je soort!'

Dus nu was ze alleen in de Pasha's Library. Ze zat naar de telefoon te staren en te wachten op bericht van Sinan, die nu al zes dagen, elf uur en vijfenvijftig minuten weg was en zijn woord gestand deed – hij had niets laten horen – toen haar vader belde om haar te laten weten dat er een tweede autobom was ontploft, ditmaal onder zijn eigen auto. Het was puur geluk dat hij ongedeerd was. Korkmaz, de chauffeur, had zijn baas zojuist afgezet voor een lunchafspraak en stond bij een kiosk een geroosterde boterham met kaas te eten toen de bom afging. Alleen de man van de kiosk en Korkmaz waren gewond, en alleen Korkmaz ernstig. Hij lag nog in coma. 'Maar ik heb hem in een privékliniek laten opnemen, dus laten we er het beste van hopen.'

Toen viel er een lange stilte. Wachtte hij tot Jeannie iets zou zeggen? De verleiding was groot. Als ze hem nu eens op de man af vroeg of zijn coole Amerikaan soms weer te ver was gegaan? En of het geen tijd werd om de stekker eruit te trekken, wat dat dan ook mocht betekenen?

Net op tijd herinnerde ze zich haar belofte. Ze speelde haar rol. En alles wat ze over de arme Korkmaz zei, meende ze oprecht.

Maar er vielen te veel stiltes, en toen haar vader die avond thuiskwam, leek hij nog steeds achterdochtig. Terwijl hij van de caesar salad zat te knabbelen die ze voor hem had klaargemaakt, gaf hij haar alleen een complimentje omdat het lekker was, maar verder zei hij niets. Toen ze een omelet met zes eieren op tafel zette, ging het net zo. Daarna vroeg hij naar Sinan. Praatten ze nog steeds niet met elkaar? 'Dat moet wel een flinke ruzie zijn geweest. Het is toch niet uit? Dat zou echt jammer zijn.'

Pas een stuk of acht whisky's later was hij zover dat hij haar kon vertellen hoe verdoofd hij zich voelde. Verdoofd omdat zij in de auto had kunnen zitten. Of zij allebei. 'Maar hier zitten we, levend en wel...'

Ondertussen lag Korkmaz in coma in het ziekenhuis. En dat arme meisje van veertien in Maltepe – de schutters zeiden dat ze haar als hun zusje behandelden. Maar buren die naar binnen konden kijken, zeiden dat ze haar op een stoel hadden vastgebonden. 'Ze wordt nu al meer dan een dag gegijzeld. Afschuwelijk.'

De toestand met Korkmaz vond hij al net zo verschrikkelijk, vooral ook voor het grote gezin dat van hem afhankelijk was. En toen kwam de woede, de woede op de mensen die dit op hun geweten hadden. 'Als ik niet wil dat we hieraan kapotgaan, moet ik die klootzakken opsporen en te grazen nemen. Flink te grazen nemen, voorgoed.'

Hij keek haar strak aan met zijn kraalogen.

'En, vertel eens,' zei hij. 'Wie is er nu aan de beurt?'
'Hoe moet ik dat weten?' zei ze.
'De taal van de onschuld.'
'Wat bedoel je daar nu weer mee?'
'Wat dacht je?'
Ze slikte moeizaam. 'Ik zou bijna denken dat je mij de schuld geeft.'
'O ja? Hoe kom je daar zo bij?'
'Door de manier waarop je tegen me praat misschien?'
'Jeannie toch.' Hij sloeg de rest van zijn whisky achterover. 'Jij denkt ook maar aan één ding.' Hij keek uit over de Bosporus, volgde met zijn ogen een tanker die de bocht nam en barstte toen in tranen uit.

Maar ze bleef overeind. Het was nu een week geleden dat ze voor het laatst iets van Sinan had gehoord, maar ze voelde nog steeds zijn armen om haar heen. Ze moest gewoon moed houden.
Korkmaz ontwaakte die dinsdagmorgen uit zijn coma. Meteen na de lunch gingen Jeannie en haar vader hem opzoeken in het Admiral Bristol Hospital. Er zaten wel tien treurende familieleden in zijn kamer. Ze waren erg aardig. Heel warm. Heel lichamelijk. Ze pakten Jeannies handen en zeiden dat de politiek verdorven was. Ze knikte. Ze was het roerend met hen eens. Ze zeiden dat haar vader zo'n goed mens was, zo'n vriendelijke, gulle werkgever. Ze knikte net zo enthousiast als eerst. Toen kwamen ze op veiliger terrein: wat een goede man Korkmaz was, en wat een goede zoon, wat een goede vader. Toen ze wegging, begoten ze haar handen met eau de cologne.
'Fijn dat je mee bent gegaan,' zei haar vader later. 'Dat waardeerden ze heel erg. En natuurlijk nemen ze jou niets kwalijk.'

Ze moest Sinan zien te vinden. Ze moest tenminste weten waar hij was! Ze stelde zich voor dat haar kracht wegsijpelde tot niets haar meer kon tegenhouden om al zijn telefoonnummers te draaien, de campus af te zoeken, naar de garçonnière te rennen en daar hard en lang aan te bellen. Maar ze hield zich in. Ze speelde haar rol zo goed ze maar kon. Ze liet zich niet bang maken. De speldenprikken van haar vader deden haar niets. Ze hoefde alleen maar rustig te blijven zitten en de gebeurtenissen afwachten.

Maar ze kon niet stilzitten. Ze moest Sinan vinden! Als ze het eens aan Chloe vroeg. Als ze bij haar langsging en geen rechtstreekse vragen stelde, liet Chloe misschien iets los, want zo was ze wel. Of zelfs al zei ze niets, het zou toch verlichting geven om even te babbelen, gewoon, over niets in het bijzonder. Het isolement begon aan haar te vreten. Dat isolement was het enige waar ze geen rekening mee had gehouden.

Toen ze die middag in huize Cabot de keuken in liep, trof ze Chloe, die op een stuk kaas stond in te hakken, en haar vader, die aan tafel zat.

'Je zult het wel hebben gehoord,' zei hij. Het meisje was gered. 'Een van de schutters is op weg naar het ziekenhuis bezweken. Die andere grapjas leeft nog, maar waarschijnlijk niet lang meer. Zegt de naam Mahir Çayan je iets?'

'In godsnaam!' krijste Chloe.

'Wat is hier aan de hand?' vroeg Jeannie.

'Hij zit me door te zagen over die achterlijke auto van 'm,' zei Chloe. 'Hij wil mij die hele toestand in de schoenen schuiven!'

'Dat zeg ik niet,' zei haar vader. 'Maar het feit blijft dat ik Chloe gistermorgen bij school heb afgezet. En toevallig heeft ze toen een tas in de auto laten staan. Daar vroeg ik net naar. Naar die tas en wat erin zat.'

'Er zat godverdomme helemaal niks in, alleen de *Norton Anthology*!'

'Dat kan best zijn, maar ik wilde het toch even vragen.'

'Wat moest je met die *Norton Anthology*?' vroeg Jeannie. 'Dat tentamen heb je drie dagen geleden toch al gedaan?'

'Wat – ben jij soms het hulpje van je vader?'

Jeannie keek haar vader aan. 'Wilde je zeggen dat je Chloe ervan beschuldigt dat zij die bom in je auto heeft geplaatst?'

'Dat durft ze niet eens!' riep Jeannies vader. Hij sloeg met zijn vuist op tafel. 'En dat geldt voor jullie allebei! Jullie hebben geen idee waar jullie je mee hebben ingelaten. Jullie weten niet wie die mensen zijn! Ongelooflijk!' zei hij. 'Het lijkt goddomme wel alsof ik op een stel peuters moet passen.'

Hij stak een sigaret op. 'Neem me niet kwalijk,' zei hij, 'ik ging wat te ver.'

Ze bleven even zwijgend zitten. Toen vroeg hij Jeannie wat haar plannen waren. Hij en Amy moesten met de Hiawatha een tochtje over de Bosporus maken met een delegatie uit Washington. Had Jeannie soms zin om mee te gaan?

Dat had ze absoluut niet.

'Goed dan,' zei hij. 'Zoals je wilt.'

Terwijl hij en Amy op de Hiawatha uit varen waren en Jeannie en Chloe in de keuken zaten te eten en deden alsof ze nog vriendinnen waren, klopten er twee beleefde, goedgeklede mannen aan om te vragen of ze even mee wilden gaan naar de stad om 'het eens over die autobom van laatst te hebben'. Hun zwarte auto stond voor de deur, met draaiende motor. De goedgeklede mannen bleven tijdens de hele rit, een halfuur, nietszeggend beleefd. Toen ze voor een mosterdgeel gestuct gebouw stopten, sprong de man naast de chauffeur eruit om het portier voor hen open te houden.

23

De gang was lang en kaal, en het rook er naar ontsmettingsmiddel. Helemaal aan het eind was een man met een mop bezig en de vloer was nog vochtig. De meisjes werden naar een wachtkamer gebracht. Daar troffen ze Suna, Haluk, Lüset en een man in uniform met een lichte mitrailleur.

Waar was Sinan? Haar stem galmde door het vertrek, maar niemand gaf antwoord. Stonden ze onder arrest? Er was niemand aan wie ze dat kon vragen. Jeannie ging dus maar tussen Chloe en Haluk zitten. Buiten op de gang hoorde ze voetstappen, zware en lichte. De mannen die langs hun deur liepen, fluisterden. Af en toe ging er een deur open en dan hoorden ze een zacht gekerm. Een gekwelde kreet. Een flard van een vloek. Dan werd de deur weer dichtgeslagen.

Toen er weer een deur dichtging begon Suna te snikken. Lüset stootte haar aan en ze hield weer op. Ze keken Jeannie geen van beiden aan.

Op een dag zouden ze er wel achter komen wat ze voor hen had gedaan. Op een dag zouden ze met open armen op haar af komen om haar te bedanken. Maar nu was het zoals het was. Gerechtigheid kreeg je niet cadeau.

Ze zat al haast een uur naast de onbewogen, uitdrukkingsloze Haluk toen er een bode binnenkwam die haar naam oplas en zei dat ze mee moest komen. Toen ze aarzelde, gaf Haluk haar een zetje. ‘Ga maar mee, voordat hij je iets aandoet.’

Ze ging dus mee. Ze werd in een kamertje gelaten, een antichambre. Op het naambordje op de deur stond İSMET ŞEN, maar hij was blijkbaar niet thuis.

‘Lang niet gezien,’ zei İsmet. Ze zat er al minstens een uur. Hij stak haar zijn hand toe. ‘Ik hoop dat je een beetje prettig hebt kunnen zitten. Wat luxe betreft laat het hier nogal te wensen over, maar het is niet anders en het is maar voor even.’

Hij bood haar thee aan en gaf zijn assistent demonstratief opdracht daarvoor te zorgen. Toen de thee niet meteen werd gebracht, verontschuldigde hij zich. 'Even een paar schoppen uitdelen.'

Hij was nog niet terug toen haar vader verscheen. Grimmig nam hij plaats, hij keek Jeannie aan en vroeg: 'Heb ik het theespelletje al gemist? Of komt dat nog?'

'Hij is nu de thee aan het halen, geloof ik.'

William snoof. 'Hij heeft de pest aan me. Natuurlijk – in zijn plaats zou ik ook de pest aan mij hebben. Maar goed. Hij mag zijn theespelletje even spelen. Maar laat je niet in de luren leggen. Als je me iets wilt vertellen, is dit je laatste kans.'

Maar ze bleef standvastig.

'Goed dan. Maar zeg niet dat ik je niet heb gewaarschuwd.'

Toen İsmet weer naar binnen huppelde, waren zijn eerste woorden: 'Zit je nu nog steeds op thee te wachten?' Verbijsterd gaf hij een klap op zijn bureau. 'Ongelooflijk! Die jongens willen me zeker op de kast hebben.' Hij drukte op een bel. Zijn assistent verscheen in de deuropening. 'De thee!' schreeuwde hij. De assistent schuifelde heen en weer en keek naar zijn voeten terwijl İsmet hem de les las: mijnheer Wakefield was een drukbezet man die je niet liet wachten, en nu ging hij straks naar huis met het idee 'dat wij hier allemaal luie nietsnutten zijn.' De assistent vluchtte. İsmet wendde zich tot William. 'Goh, het spijt me echt heel erg,' zei hij. 'Soms snap ik die jongens niet. Het lijkt wel alsof je door dikke stroop moet waden als je hier iets gedaan wilt krijgen.'

'Je hebt dus niets voor me, als ik het goed begrijp.'

'Integendeel, beste vriend! De thee is onderweg! Maar laten we bij het begin beginnen.' Hij boog zich over zijn bureau om William een Marlboro aan te bieden.

'Nee, dank je, ik heb mijn eigen merk,' zei William.

'Verdomme,' zei İsmet. 'Ik doe ook niets goed vandaag, hè? De volgende keer dat je langskomt, zorg ik dat ik jouw merk in huis heb. Als je tijd van leven hebt!' Hij stak een sigaret op en zei: 'Nu we het er toch over hebben, ik hoop wel dat je het met de grote baas over een overplaatsing hebt gehad. Je bent hier een wandelende schietschijf, William. Vooral in dat huis waar je zit. Je kunt zó in bed worden vermoord.'

'Niet als jij ze niet meer steunt.'

'Je bedoelt...?'

'Hou nou maar op met je spelletjes, İsmet. Je zei dat je ze zou oprollen.'

'Op grond waarvan?'

'Die bom,' zei William.

'In jouw auto, bedoel je?' İsmet legde zijn voeten op zijn bureau. Met zijn rechtervoet drukte hij een knop in. De bode kwam binnen met één kopje Turkse koffie. İsmet barstte zowat uit zijn vel van gespeelde woede en vroeg waar de thee bleef. De man vluchtte weg, bezorgd en in de war.

İsmet nam een grote slok koffie. 'Waar waren we gebleven? O ja. Die bom.' Hij trok een gezicht. 'Ja, misschien moeten we het zo stellen. Denk je in dat we een flapover hebben. Ik zeg "denk je in", want Turkije is nog steeds een arm land en we hebben geen geld voor luxeartikelen zoals een flapover. Maar goed, waar beginnen we op onze denkbeeldige flapover? Laten we eens naar de vijanden van buiten kijken.'

'İsmet, dit weet ik allemaal al.'

'Ja, maar je moet het ook helemaal vóélen! De Grieken in het zuiden, de Arabieren in het oosten, de Sovjets in het noorden. Bondgenoten in het westen, maar hoe vaak...'

'Wij betalen de rekeningen toch?'

'Jawel, als het jullie zo uitkomt. Maar laten we nu eens naar de vijanden binnen de poorten kijken. Die zijn ontelbaar, dus laten we ons in het belang van deze discussie maar even concentreren op het studententuig dat de grondvesten van ons geliefde land met hun subversieve acties probeert te ondermijnen.'

'Hèhè,' zei William.

'Ja, ik wist wel dat je dat zou zeggen. Goed. We slaan de flapover nu om, dan hebben we een schoon vel. We tekenen vijf kolommen, een voor de bommen, een voor de moorden, een voor de beschietingen vanuit een rijdende auto, een voor rellen, demonstraties en stakingen en eentje voor de twee schaamteloze ontvoeringen van de afgelopen tien dagen. Als we die kolommen naast elkaar bekijken, zien we een aantal patronen. Een daarvan is dat de activiteiten de laatste paar maanden zijn toegenomen. Een ander patroon: de noodtoestand heeft nog geen effect op die toename.'

'Wiens schuld zou dat zijn?'

'Tja, wie zal het zeggen? Onze guerrillabeweging in de dop onderhoudt banden met bekende Palestijnse trainingskampen in Syrië. De werkwijze van de beesten die de Israëlische consul hebben vermoord is daar het duidelijkste bewijs van. De reikwijdte van dit subversieve netwerk begint nu duidelijk te worden. Maar mijn onderzoekers hebben al bewijs van nieuwe aanslagen waar die affaire met Elrom en dat meisje Sibel kinderspel bij zijn. Er zijn plannen voor een moordaanslag op de premier, een bomaanslag op de voornaamste elektriciteitscentrales in Ankara, een paar vliegtuigkapingen, het gijzelen van een complete ambassade...'

Glimlachend boog hij zich voorover. 'Bij onze naspeuringen zijn we ook heel wat te weten gekomen over het kleine ongemak waar jij net naar vroeg. Een voetnoot bij een voetnoot, een autobom die niemand het leven heeft gekost en waarbij alleen een onbelangrijke chauffeur gewond is geraakt die de mensen van Langley nog onbelangrijker vinden omdat hij de pech had als Turk ter wereld te komen.'

'Beperk je tot de hoofdzaken, İsmet,' zei William.

'Als de tijd rijp is, zullen we gepaste maatregelen nemen.'

'Ik hoef je er niet aan te herinneren dat je me moet waarschuwen als het zover is?'

'Komt in orde,' zei İsmet, alsof ze samen bij de barbecue stonden en William hem had gevraagd of hij het vlees even wilde omdraaien.

'Je hebt een verklaring van die vrienden van haar opgenomen?'

'Van degenen die we konden vinden, ja.'

'De anderen vind je ongetwijfeld ook nog wel.'

'Ongetwijfeld!'

'Dus we zijn hier klaar?' vroeg William. 'Ik wil weer 'ns naar huis.'

'Ach! Ik schaam me dood! Zonder thee kan ik jullie niet laten gaan!'

Op dat moment werd de thee gebracht. Maar die was koud. Dat wist İsmet al voordat hij eraan had gevoeld. Dat was aanleiding tot nog meer quasi-verontschuldigingen en nog langer wachten. Toen was de thee wel warm, maar was de bode de suiker vergeten.

'Hindert niet,' zei William. 'Ik neem toch nooit suiker.'

'Wat een vreemde gewoonten hebben jullie toch. Dat blijft me verbazen.'

Toen ze opstonden om weg te gaan, wendde İsmet zich tot Jeannie: 'Het was een genoegen je te ontmoeten. Maar ik wilde dat je eerlijk tegen ons was geweest. We weten namelijk alles, zie je. Dat je in de *meydan* iets had gehoord. Dat je ondanks de avondklok bent uitgegaan. Dat je naar een zeker huis bent gelopen. Dat je daar voor een behoorlijke paniek hebt gezorgd. Ja, kindje, zo komen de bomaanslagen in de wereld!'

'Maar ik heb nooit...'

'Nee, natuurlijk niet. Maar toen je daar was, heb je wel belangrijke informatie doorgegeven, hè.'

'Dat is niet waar. Ik heb alleen gezegd...'

'Jeannie. Ik godsnaam.' Dat was haar vader. 'Laat mij dit nu afhandelen.'

'Maar hij zei...'

'Hij wilde je erin laten lopen. De oudste truc ter wereld, en jij bent erin getrapt. Daar moet je je conclusies maar uit trekken. En hou nu in godsnaam je mond.'

Toen Jeannie de volgende ochtend wakker werd, stond haar vader naast haar bed. 'Wat ik nu ga zeggen zal je wel niet verbazen, maar zelfs jij begrijpt ongetwijfeld dat ik niets meer voor je kan doen. Ik zet je vanavond op het vliegtuig.'

Ze schoot overeind. 'Dat kan niet! Ik ga niet!'

'Je hebt geen keus.'

'Je kunt me niet dwingen!'

'In godsnaam, Jeannie. Denk nu eens na. Waar had je naartoe gewild?'

'Naar mijn vrienden.'

'Welke vrienden?'

‘De mensen die jij met alle geweld achter de tralies wilt hebben.’

‘Niemand heeft een haar op hun mooie hoofdjes gekrenkt, als je het weten wilt. Niet dat ik daar dankbaarheid voor verwacht. Ik hoop alleen dat ze er lering uit hebben getrokken. Maar jij bent hier klaar, jongedame. Of had je dat nog niet door? Ik moet nu naar kantoor, maar ik wil dat je om een uur of vijf gepakt en gezakt klaarstaat. Begrepen?’

Ze wachtte tot hij weg was, kleedde zich aan en ging naar beneden. Ze moest Sinan vinden! Maar ze kwam niet verder dan de deur.

Aan de marmeren tafel in de tuin zat de duivel.

‘Het spijt me,’ zei Zonder Naam. Hij klonk helemaal niet spijtig.

‘Het kan me niet schelen wat je tegen hem zegt,’ zei Jeannie, ‘maar ik ga de deur uit.’

‘Dat dacht ik niet,’ zei hij. Hij liet haar zijn pistool zien. ‘Voor je eigen veiligheid, naar ik vrees. Maar dat weet je vast wel. Dus als ik jou was, zou ik maar naar boven gaan om te pakken.’

Toen ze naar boven was om te pakken, probeerde ze het hekwerk voor haar raam. Toen probeerde ze de telefoon. ‘O,’ zei Chloe’s moeder toen ze Jeannies stem hoorde. ‘Ben jij het? Er wordt de hele ochtend gebeld – dat was jij zeker?’

‘Kunt u me zeggen waar Sinan is?’ vroeg ze.

‘Ik ben wel de laatste die je dat kan zeggen, jongedame.’

‘Wat heb ik misdaan?’

‘Wat heb je níét misdaan?’ zei ze. En ze smeet de hoorn op de haak.

Maar ze moest de moed niet verliezen. Ze verzon er wel iets anders op. Toen ze klaar was met pakken, ging ze met een glas ijsthee op de glazen veranda zitten wachten. Zonder Naam lag in de tuin in een ligstoel met de *New Yorker*. Het was een stralende dag, en kort na de lunch leek hij in slaap te zijn gevallen. Ze wachtte vijf minuten en pakte toen de kijker van haar vader. Alle gordijnen van de garçonnière waren dicht, maar dat zei niets.

Het zal tegen drieën zijn geweest toen ze het pad af keek en hem zag. Het was maar een glimp, een silhouet dat de hoek om gleed, maar aan de manier waarop hij zijn armen bewoog herkende ze hem. Het was Sinan! Ze keek in de tuin. Zonder Naam sliep nog. Weer pakte ze de kijker van haar vader.

Twintig minuten later waren de gordijnen nog dicht, maar toen ze de kijker op het raam richtte waarvan ze nu wist dat het van de badkamer was, zag ze twee handen tegen het donkere glas. Zodra ze ze zag, wist ze dat het zijn handen waren. Toen zag ze zijn gezicht. Zijn prachtige gezicht! Hij keek naar haar. Dat wist ze zeker. Maar ze wist ook dat hij haar niet kon zien. Misschien zag hij haar als ze zwaaide. Ze stak dus haar hand op. Een andere hand pakte hem vast.

'Als je eens wist hoe vervelend ik het vind om dit te moeten doen,' zei Zonder Naam. Toen ze zich probeerde los te rukken, drukte hij zijn handen alleen maar krachtiger tegen haar schouders. 'Ga zitten,' zei hij. 'Ga zitten, dan praat ik je even bij.'

Ze was zo woedend dat ze wilde schoppen en schreeuwen, maar Sinan kon trots op haar zijn. Ze bleef kalm en ze zweeg.

'Moet je luisteren,' zei hij toen hij meende dat hij haar aandacht had. 'Er is een misverstand in het spel en dat wil ik graag ophelderen. Maar ik zal open kaart met je spelen. Ik heb mezelf ook in gevaar gebracht.'

Haar gezicht betrok waarschijnlijk onwillekeurig, want hij voegde eraan toe: 'Maar dit is belangrijk. Het is niet zo erg als je denkt. Ik heb alleen wat boodschapjes voor hem gedaan. Ik moest wel, weet je. Ik moest tenslotte eten. Je zult het nauwelijks geloven met alle toestanden hier. Maar ik raak de laatste tijd mijn artikelen aan de straatstenen niet kwijt.'

Ze dacht bijtijds aan de rol die ze had beloofd te spelen en deed haar best verbaasd te kijken.

'Heeft hij je dat niet verteld? Ik ben freelance correspondent. Dat wil zeggen, ik doe mijn best, maar ik kom niet aan de bak. Ze zijn niet blij met mijn standpunten. Misschien ken ik het hier inmiddels te goed. Je zult ook wel niet weten dat ik hier met het Vredeskorps ben gekomen. Zo heb ik hem leren kennen. Je vader, bedoel ik. Hij heeft me uit de nesten gehaald. Zo hebben we elkaar leren kennen. Hij heeft echt moeite voor me gedaan.'

'Nou, mooi.'

'Goed,' zei hij, 'ik snap wat je bedoelt. Eerlijk is eerlijk. Op het ogenblik háát je hem waarschijnlijk, maar hij heeft ook goede kanten. Slechte, maar ook goede. Maar ik heb gemerkt dat dat soms erger is dan iemand die puur slecht is. Als iemand echt slecht is, weet je tenminste waar je aan toe bent.'

'Precies,' zei Jeannie.

De glimlach gleed van Jordans gezicht. Hij boog zich naar haar toe en fluisterde: 'Ik weet wat je denkt. Wat je hebt gezegd.'

'Tegen wie?'

'Dat weet je best.'

'En...?'

'Eerlijk gezegd ben ik behoorlijk kwaad. Weet je waarom? Dat was ik niet. Ik ben niet degene die je onder die boom hebt gezien.'

'Hoe weet je dat allemaal?'

'Van je vader.'

'Van mijn vader?' Ze deed haar best om haar stem vlak te houden en haar verbazing voor zich te houden. 'En van wie weet hij het?'

'Van wie dacht je?'

Jeannie leunde achterover en probeerde te achterhalen wat ze eigenlijk dacht. 'Ik geloof je niet,' zei ze tenslotte.

'Dat had ik ook niet verwacht. Maar weet je – misschien krijg je nog één kans om het hem te vragen.' Jordan stak zijn arm uit naar de muur waar haar vaders kijker hing. Hij liep naar het raam en richtte de kijker op de garçonnière. 'Yep. Precies wat ik dacht. Daar is hij, met de anderen. Zo te zien heerst er een behoorlijke paniek. En zal ik je eens wat zeggen? Ik wil wedden dat híj daarvoor heeft gezorgd. Ga er maar even heen, dan kun je horen wat voor leugens hij ze op de mouw heeft gespeld en waarom.' Hij keek op zijn horloge. 'Als ik nu een halfuurtje wegdommelde? Beloof je dat je om vier uur terug bent?'

> Ik zag meteen dat dit mijn enige kans was. Pas toen ik het hek achter me had dichtgeslagen en over het pad liep, keek ik naar mijn voeten en zag dat ik mijn sloffen nog aan had. De deur van de garçonnière stond open en de ramen ook. Er was zo te zien niets verbrand, maar er hing

wel een zure brandlucht. Er klonken kreten uit de badkamer, maar Sinan stond in de eetkamer voor het raam. Hij had ook een kijker. Toen ik zijn naam riep, ging er een schok door hem heen, alsof hij een geest hoorde.

Ik rende naar hem toe en omhelsde hem, maar zijn armen hingen slap naar beneden. Ik deed een stap naar achteren en keek in zijn ogen. Het waren grote donkere poelen vol tranen. Ik vroeg wat er aan de hand was, en hij zei dat ik heel goed wist wat er aan de hand was. Hij had het met zijn eigen ogen gezien. 'Je lag in zijn armen!'

Het duurde even voordat ik begreep dat hij mijn worsteling met Zonder Naam op de glazen veranda had gezien en verkeerd had geïnterpreteerd. Ik probeerde het uit te leggen, maar hij weigerde me te geloven. En ik weigerde zijn weigering te accepteren. Ik was toch weggegerend? Ik had Zonder Naam voor de gek gehouden – door te doen alsof ik naar zijn leugens luisterde en hem geloofde – maar we hadden maar een halfuur. Dit was onze laatste kans om te ontsnappen! Toen Sinan dat hoorde, sloeg hij zijn armen om me heen en barstte in tranen uit. 'Onze laatste kans is al voorbij, Jeannie. Dat had je gisteravond moeten begrijpen!'

Weer had ik geen idee wat hij bedoelde. Hij wilde het niet uitleggen en zo verdeden we nog meer kostbare tijd. Eindelijk zei hij dat hij wist dat ik gisteravond een paar uur met mijn vader bij İsmet had gezeten en wat ik daar had gezegd.

Wat had ik dan gezegd? Of liever: wat hadden ze tegen hem gezegd dat ik had gezegd? 'Jeannie, dit heeft geen zin. Ik weet wat je hebt gedaan. Ik weet wat je hebt gezegd. Je hebt ons er allemaal bijgelapt, en nu...'

Nu klonken er voetstappen – kousenvoeten.

Ik keek op, en daar, in de deur opening, zag ik Suna staan, en Lüset, en Haluk, en Rıfat met de diepgroene ogen.

'Dit is een misverstand,' zei ik. 'Ik heb jullie er niet bijgelapt. Ik heb helemaal niets gezegd. Het is zelfs zo...'

'Het is zelfs zo dat je ons erbij hebt gelapt,' zei Suna. 'En denk maar niet dat je ons kunt voorliegen! We zijn wel teerhartig, maar we zijn niet gek!' Ze had rubber handschoenen en een duster aan. Ze voelde in de zak van de duster en haalde iets tevoorschijn wat ik voor een speelgoedpistooltje aanzag. 'Jij en die Jordan,' snauwde ze. 'Jullie waren dit al de hele tijd van plan, hè? Ik had het moeten weten. Ik had het moeten begrijpen – waarom zou hij anders...' Maar ze maakte haar zin niet af. Het zou dertig jaar duren voordat ik de tweede helft te horen kreeg.

Want Dutch Harding kwam binnen. Hij zei meteen tegen Suna dat ze het pistool weg moest doen. 'Je hebt geen ervaring met vuurwapens. Straks doe je nog iets waar je spijt van krijgt.' Met tegenzin legde ze het op de eettafel. 'Goed zo,' zei hij. Klonk er ironie in door? Moeilijk te zeggen. Toen hij zich met een glimlach naar me omdraaide ook.

'Zo,' zei hij. Heel even was ik opgelucht: ik dacht dat hij nu alles recht ging zetten. Of dat hij hun tenminste ging uitleggen dat we aan dezelfde kant stonden. Maar hij zei: 'Zo. Laat me eens raden. Je stapt vandaag op het vliegtuig naar huis. Zo is het toch?'

'Dat denkt mijn vader, ja. Maar ik ben niet...'

'Nee, natuurlijk niet. Maar laat me nog eens raden. Hij laat je om vijf uur ophalen, hè? En tot die tijd moet een zekere lakei op je passen?'

'Hoe weet je dat allemaal?'

'Dat heb ik uitgezocht. Misschien sentimenteel van me, maar ik blijf mijn vijanden graag een stapje voor.'

'Ik ben je vijand niet.'

'Dat beweer jij. Maar goed. Het was leuk om je te leren kennen. En nog wat,' zei Dutch, 'nog bedankt dat je ons om de tuin hebt geleid. Of nee, dat is te zwak uitgedrukt. Bedankt dat je ons achter de tralies hebt gekregen.'

'Je zit helemaal niet achter de tralies.'

'Dat is een kwestie van tijd. Dat kan elk moment

gebeuren! En dat is nog niet de helft van het verhaal. Als ze me schuldig verklaren aan spionage hoef ik niet lang in de gevangenis te blijven, hè? Want dan word ik al snel opgehangen. Allemaal dankzij jou.'

'Hoe kun je dat nou zeggen – na alles wat ik heb gedaan?'

'Heel geestig, Jeannie. Want je hebt inderdaad heel wat gedaan. Tenminste – dat heb je geprobeerd. Maar toen durfde je niet meer, hè, toen dat bommetje onder de auto van je vader was ontploft. Toen werd het je te eng, hè? Je kon de gedachte niet verdragen dat je iets had gezegd wat je lieve papa in gevaar kon brengen. Toen liet je je ware kleuren zien. Precies zoals ik had voorspeld. Toen heb je alles verteld. Aan hem en zijn slaafjes İsmet en die Zonder Naam. Toen heb je gezegd dat ik het had gedaan. Hè?'

'Je weet best dat dat niet waar is. Dat weet je best!'

'Nee, dat weet ik niet,' zei hij. 'Bovendien kun je het helemaal niet bewijzen.' Hij leunde tegen de muur en sloeg zijn armen over elkaar. Dat was dan dat. Hij ging me dus niet helpen. Ik wendde me tot Sinan.

'Zeg jij dan wat ik heb gedaan. Vertel ze wat je weet.' Maar voordat hij een woord kon zeggen, viel Dutch hem al in de rede. 'Eén ding wil ik nog weten. Waarvoor heeft je vriendje Zonder Naam je eigenlijk hierheen gestuurd?'

'Hij heeft me hierheen gestuurd,' zei ik, 'om eens te kijken wat voor leugens jij de mensen hier op de mouw probeerde te spelden.'

Hij lachte. 'Dat meen je niet.'

Toen begon het me te duizelen.

'Dát is een interessante woordkeus,' zei ik.

'Werkelijk? Verklaar je nader.'

'Dat zijn precies de woorden die zeker iemand tegen mijn vader zei.'

'En?'

'Nou – misschien heb ik me vergist,' zei ik. Ik vergat na te denken voordat ik verder sprak. 'Misschien heb ik de verkeerde aangewezen,' zei ik in het wilde weg. 'Misschien was jíj wel degene die die avond in de *meydan* met hem zat te praten!'

'Maar misschien ook niet.' Zijn stem klonk nog steeds cool. Zijn ogen twinkelden. Alsof hij wilde zeggen: benieuwd wat ze nog meer gaat beweren. Maar ondertussen taxeerde hij de situatie.

Nu moest ik me dus afvragen – ja. Alle grieven, alle verdenkingen die ik tegen deze man had gekoesterd schoten me weer te binnen. Als ik nu eens de hele tijd gelijk had gehad dat ik zo'n hekel aan hem had, als dat nu meer was dan alleen jaloezie? Als ik me nu echt had vergist in de coole jonge Amerikaanse gedaante in de *meydan*? Als Dutch degene was geweest die ik had gezien...

'Je begint je zorgen te maken, hè?' zei ik met een knikje naar de anderen, die roerloos en met donkere, uitdrukkingsloze ogen stonden te kijken. 'Je zit erover in wat zij nu denken. Dat zie ik.'

'Zij weten wel wat ze moeten denken,' zei hij. 'En ze weten ook wat ze van jou kunnen verwachten. Jij komt hier binnenwandelen zonder zelfs maar een blauwe plek op je Amerikaanse lijfje en je gooit ons je vergif toe. En wat heb je nou helemaal verteld? Een of ander fietsverhaal over twee mannen die je volgens mij helemaal niet kon zien, een hele tijd geleden, op een avond die je niet eens meer zou kunnen plaatsen, al sloegen ze je...'

'Het was 19 mei,' zei ik. 'De avond nadat je die bom onder de Mustang van Haluk had gelegd.'

'Heb je dat op film?' Hij sloeg zijn armen weer over elkaar en lachte. 'Ik weet niet wat jullie ervan vinden,' zei hij tegen de anderen, 'maar ik heb hier wel lang genoeg naar geluisterd.'

Suna nam het van hem over. 'En nu eruit. Eruit voordat ik je eruit gooi!' Ze zwaaide weer met het pistool. Ditmaal deed Dutch geen poging om haar tegen te houden. Ik keek naar Sinan. Eerst vroeg ik of hij Suna wilde vragen het pistool neer te leggen. Toen vroeg ik of hij Suna en de anderen wilde uitleggen wat ik had gedaan.

Hoe ik mezelf in gevaar had gebracht. En dat ik het weer zou doen, en dan nog eens en nog eens, net zolang tot ze me geloofden. Maar hij keek me niet eens aan. Hij gaf geen antwoord. Hij stond daar maar naar de grond te kijken. Totdat ik vroeg of hij mee naar buiten ging. 'Nee!' schreeuwde hij. 'Nooit!' Toen ik hem vroeg waarom hij zich tegen me liet opstoken, richtte hij zijn brandende ogen op me en zei hij dat ik weg moest gaan. 'Je hebt geen idee wat je ons hebt aangedaan.' Dat waren zijn laatste woorden.

Ik keek naar Dutch. 'Denk maar niet dat het hiermee afgelopen is. Denk maar niet dat je dit straffeloos kunt doen. Als ik mijn vader spreek...'

'Doe geen moeite.'

'Waarom niet?' schreeuwde ik. 'Omdat hij je wel beschermt? Omdat je de hele tijd al voor hem werkt?'

Ik stel me achteraf graag voor dat ik onderweg, toen ik de heuvel weer op liep, nog even nadacht over wat ik had aangericht – wat ik had ontketend, alleen om mijn jaloezie en mijn woede te koelen. Maar daar staat me niets van bij. Ik herinner me alleen de roes. En de pijn, de pijn die sindsdien nooit meer is weggegaan.

Pas toen ik een andere coole Amerikaanse stem hoorde roepen, kwamen de eerste twijfels. Het was Zonder Naam, die me opwachtte, in een auto met draaiende motor.

Hij keek op zijn horloge en glimlachte. 'Heb je afscheid genomen? Klaar om naar huis te gaan?'

IV

Hoe een verhaal onder het tapijt te vegen

24

Ten eerste mijn excuses omdat ik zo lang niets van me heb laten horen, Mary Ann. En wat je vraag betreft: ik denk dat ik gewoon aan vakantie toe was. Een paar dagen in mijn eigen schoenen. Het heeft namelijk nogal wat van me gevergd, om dit allemaal op te schrijven. Ik liep het gevaar te vergeten waar mijn leven eindigde en het hare begon. Je zou zelfs kunnen zeggen dat ik het gevaar liep haar te wórden. Dat kun je zelfs aan mijn woordkeus zien. Iedereen die mijn journalistieke werk kent – en dat geldt geloof ik in elk geval voor een paar collega's van je in het Center for Democratic Change – weet dat ik meestal niet zo schrijf. (Al heb ik wel de neiging om me met mijn onderwerpen te identificeren.)

Ik heb dit allemaal in november 2005 met Hector Cabot besproken. Laat me dat even voor je plaatsen: dat was vlak na mijn bezoek aan de garçonnière. Ik had Chloe nogal onbesuisd gevraagd wat zij zich herinnerde van de dagen voorafgaande aan de Koffermoord. Ze had scherp geantwoord: 'Dus je vraagt me nu de dagen te beschrijven die voorafgingen aan een *gerucht*?' Ik bood mijn verontschuldigingen aan. Daarna had ze toegeeflijk gezegd dat haar vader in juni 1971 in Northampton bij Jeannie was geweest, 'dat wil zeggen niet lang na de moord die nooit werd gepleegd'. Ze bood aan om me met de auto terug te brengen naar haar huis zodat ik hem kon spreken, misschien om haar geïrriteerde uitbarsting een beetje goed te maken.

Chloe woont in een villa van een paar miljoen in Emirgân. Het glazen paleis noemt ze het. Onnodig erbij te zeggen dat het uitkijkt op de Bosporus. Ze woont met haar stiefkinderen ('de ondankbaren') boven. Haar ouders ('de jongeren') wonen daaronder en Chloe vindt het belachelijk dat zij erop staan huur te betalen. Hoewel ze vindt dat ze dat moet aannemen ('je weet hoe precies mijn moeder is') stort ze het stiekem op een rekening die op hun naam staat. 'Ze zullen het maar al te snel nodig hebben,' zei ze tegen me toen we de trap afliepen die de twee verdiepingen met elkaar verbond, en ik dacht er – niet voor het eerst – aan dat haar ouders waren 'vergeten' om een pensioen te regelen.

Vergeten hebben Hector en Amy tot een kunst verheven, en de lichte, luchtige tuinkamer die ze bewonen is hun meesterwerk. Als je kijkt naar de foto's die hier aan de muur hangen, van kinderen en kleinkinderen en stiefkleinkinderen, bruiloften en doopfeestjes en besnijdenissen, Amy en Hector voor de Sfinx, het Parthenon en de door de wind gegeselde muren van Troje, dan zou je nooit vermoeden dat hun huwelijk een gat van vijfentwintig jaar vertoont. Dat ontkennen ze niet, maar ze weigeren allebei om erbij te blijven stilstaan. Het verleden is een immense, ongeorganiseerde zolder. Ze halen alleen tevoorschijn wat het leuk doet op het dressoir.

We arriveerden tegen theetijd, en de kamer zat vol bezoek (zoals bij mijn eigen ouders op dit uur ook vaak het geval was). Een van hen (een oud-leerling) was natuurkundige en werkte nu in Denemarken. Een andere (ook een oud-leerling) had net een budget-luchtvaartmaatschappij gekocht in het zuidwesten van Amerika. Hij had een Engelse reisjournaliste meegenomen, die in Istanbul was om onderzoek te doen naar een boek over de reisjournalisten die haar waren voorgegaan. Toen zij weg was, voegden zich een Griekse politicus en een Turkse toneelschrijver bij ons. Ze waren hier om een culturele uitwisseling te bespreken die door de stichting van Hector werd gefinancierd. Toen ze ontdekten wat ik deed, hadden ze natuurlijk van alles te zeggen over de zonden van de media, en vooral over de manier waarop hun eigen land in de Amerikaanse en Europese pers werd afgeschilderd. 'Het lijkt wel alsof ze elke hoop op vrede de nek om willen draaien!'

Ik probeerde het probleem van de andere kant te belichten: hoewel ze daar een paar zeer goede journalisten hadden, kregen die niet altijd voldoende aandacht. Hun lezers hadden alleen een zeer vaag beeld van het Ottomaanse Rijk met zijn problematische nalatenschap. Over het algemeen negeerden ze alles wat niet strookte met hun vooroordelen. Dan had je nog de poortbewakers: de redacteuren, de adverteerders en de vele onbeduidende mensen daartussenin, die besloten wat nieuws was en wat niet, en die iets zelden belangrijk vonden tenzij een belangrijk persoon het als zodanig had bestempeld, en die talloze manieren kenden om een verhaal onder het tapijt te vegen.

Hector luisterde veel en zei weinig, hoewel hij zo nu en dan met zijn wijsvinger zwaaide en zei: 'Maar daar moet een einde aan komen! Europa of niet: Turkije moet weer op de kaart worden gezet!' Of: 'Je móét ervoor zorgen dat ze de geschiedenis gaan begrijpen. Dat ze inzien dat de kloof niet de islam is!' Het deed me denken aan mijn tienerjaren, toen deze man zo ongeveer een tweede vader voor me was. Er woonden in die tijd maar een stuk of tien gezinnen van faculteitsleden op de heuvel. We kwamen allemaal bij elkaar over de vloer en er waren weinig scheidslijnen. Waar de volwassenen het ook over hadden, de Balfour-verklaring, de weg naar Damascus, of de muziekleraar die op een recent feestje van de bank was gerold en van wie niemand meer iets had vernomen: ze waren net zo geïnteresseerd in onze denkbeelden als in die van henzelf.

In die tijd was Hector de gangmaker van elk feest. Maar op een avond laat, toen hij erg dronken was, liep hij de tuin in om een dolle hond neer te schieten en schoot per ongeluk zijn eigen moeder neer. Daarna was het afgelopen met de feestjes. Hij stopte met drinken, raakte in de Heer, en verhuisde terug naar de vs. Ik had hem die desertie nooit helemaal vergeven. Maar nu, terwijl hij me betrok in een gesprek dat we een jaar of dertig geleden hadden afgebroken, bedacht ik dat ik van geluk moest spreken dat ik was opgegroeid met volwassenen die ons en onze ideeën zo serieus namen.

Toen de natuurkundige en de directeur van de luchtvaartmaatschappij weggingen, vroegen ze aan Hector of er nog nieuws was van het 'Sinan-front'. Het bleek dat ze vroeger bij elkaar in de klas hadden gezeten. Ze luisterden bedroefd naar Hectors update, die voor mij ook nog nieuws bevatte. Hector vertelde dat William Wakefield op het punt had gestaan om terug te gaan naar de vs om de kleine Emre te redden. 'Hij was zo blij toen ik hem de laatste keer zag. Hij had eindelijk de touwtjes gevonden waar hij aan moest trekken. Hij dacht dat het probleem opgelost was!' Nu hij niet meer 'onder ons was' waren ze weer 'terug bij af', want geen rechter zou het kind overdragen aan iemand, 'met hoeveel verantwoordelijkheidsbesef ook' die geen ingezetene was van de vs. Maar dat was Hector wel. Daarom zouden hij en Amy dat weekend naar de vs vliegen om uit te zoeken of de autoriteiten bereid waren het zoontje van Sinan uit de pleegzorg te halen en aan hen over te dragen. 'Maar van Jeannie, die arme ziel, hebben we niets gehoord.' Hector keek naar mij. 'Tenzij jij nieuws hebt?'

Ik schudde mijn hoofd. 'Ik probeer nu vooral vast te stellen wat er is gebeurd. Ik hoop dat ik daaruit kan afleiden waar ze naartoe is gegaan.' Ik voegde eraan toe dat ik me niet alleen zorgen maakte over het recente verleden, omdat elk pad dat ik insloeg naar juni 1971 leidde.

Dat leek Chloe's moeder niet te bevallen.

'Probeer het maar te begrijpen,' zei Hector toen ze een beetje verongelijkt naar de keuken ging om iets aan het eten te doen. 'Ze vindt het niet prettig als die zomer ter sprake komt en daar heeft ze alle reden toe. Ze was toen net gescheiden, die arme vrouw. En ze kreeg iets met een man die haar dochter, ónze dochter, bij een duister politiek spel heeft betrokken, ook al deed hij dat niet met opzet. Amy heeft toen zelfs een paar weken huisarrest gekregen, wist je dat? Maar ze is moedig, dat moet je niet vergeten. Ondanks de politiebewaking heeft ze toch de moed gehad jouw oude vlam te verbergen toen die op de vlucht was.'

'Heeft Sinan bij haar ondergedoken gezeten?'

'Wist je dat niet? O jee. Misschien had ik dat dan beter niet kunnen zeggen. Zou je misschien kunnen doen alsof je het niet weet? Luister, ik zal open kaart spelen. Ik heb ernstige bedenkingen over dat graafwerk van je. Ik weet dat je uitstekende bedoelingen hebt: je wilt Jeannie opsporen. En je wilt ons helpen bij onze pogingen om de kleine Emre terug te halen en zijn vader vrij te krijgen. Maar ik ben bang dat wat jou voor die taak kwalificeert – je kent de geschiedenis, de plek en de mensen die erbij betrokken waren uit de eerste hand – je juist berooft van wat je nodig hebt om te kunnen slagen. Objectiviteit. Want lieve schat, objectief kun je in dit geval niet zijn.'

'Volgens mij wel,' zei ik.

'Misschien dénk je van wel, maar jezus, M, die vrouw heeft je vriendje ingepikt!'

'Ja,' zei ik, 'dat is waar. Ik heb haar heel wat ellendigs toegewenst. Sinan ook. Maar toen dat ook echt gebeurde... Begrijp je dat niet? Niemand wil zoiets op z'n geweten hebben.'

'Maar lieve meid, dat heb je ook helemaal niet op je geweten.' Hij herinnerde me eraan dat de Koffermoord ('de *zogenaamde* Koffermoord') niets met mij te maken had. Ik knikte instemmend, maar legde uit dat Jeannie Wakefield en ik desondanks wel een gemeenschappelijk verleden hadden. Dat dat een onzichtbaar en niet-erkend verleden was, maakte het niet minder belangrijk. Bovendien was het niet eenmalig, vertelde ik. Zoals zij in 1970 in mijn schoenen was gestapt, zo was ik tien jaar eerder ook in de schoenen van een ander gestapt, 'en tot op de dag van vandaag weet ik niet, *en heb ik zelfs nooit gevraagd*, wiens schoenen dat geweest konden zijn'. Je zou dit verhaal steeds verder terug kunnen volgen, helemaal tot aan het midden van de 19e eeuw, als je dat zou willen. 'Pas als je al die schoenen op een rijtje naast elkaar zet, begin je te snappen wie we zijn en wat we voorstellen.'

'Wat wil je daar nu precies mee zeggen?'

'Dat Jeannies verhaal ook mijn verhaal is. Of althans aan mij om te vertellen.'

Hij dacht diep over deze stelling na.

'Of misschien moet je het zo bekijken,' zei ik. 'Als ik geen beter beeld kan krijgen van Jeannies leven, van wat ze heeft gedaan met het leven waar ik uitgestapt ben, en wat dat met haar heeft gedaan, kan ik ook niet goed het leven begrijpen waarvoor ik zelf gekozen heb.'

Hij grijnsde, met zijn handen om zijn kin en zijn ogen nog steeds gesloten, en vroeg: 'Wat denk je dat zíj zou zeggen als ze dat zou horen?'

'Dan zouden we het op bepaalde punten niet eens zijn,' gaf ik toe. 'Maar luister, Hector, ik doe dit omdat zij het me gevraagd heeft. Ze heeft me nota bene een brief van drieënvijftig kantjes geschreven...'

'Ja,' zei hij, 'maar waarom?' Hij zweeg weer en dacht na. 'Toen je dat allemaal had doorgespit, wat verbaasde je toen het meest?'

Dat waren vooral drie dingen. Ik begon met de simpelste: William Wakefield. Wat voor man behandelde zijn dochter zoals hij toen had gedaan? 'Hij liet haar de hort op gaan en ging haar vervolgens bespioneren.'

'Daar vind ik niets raars aan,' zei Hector. 'Dat was gewoon arrogante beroepsdeformatie.'

'Alsof hij God zelf was,' zei ik.

'Een mindere god misschien,' zei Hector. 'Het had trouwens ook veel te maken met drank, wist je dat?'

Dat wist ik. En dus ging ik verder met mijn tweede vraag. Sinan. 'Ik hoop dat je dit niet zult afdoen als een kwestie van zure druiven, maar er zijn veel dingen die hij Jeannie niet vertelt. En afgezien van deze krankzinnige crisis lijkt ze dat te accepteren. Het zelfs heerlijk te vinden. Maar waarom?'

'Het huwelijk is een vreemde aangelegenheid,' zei Hector. 'Vooral als je er van buitenaf tegenaan kijkt.'

'Vooral,' voegde ik daaraan toe, 'als je vader spion is.'

'Hè, dus ze waren allebei spion?' Toen hij zag dat ik het niet begreep, verduidelijkte hij: 'Ik bedoel Sinans vader ook.' Maar eigenlijk bedoelde ik dat helemaal niet. Hoewel (zoals ik nu hoorde) daar altijd geruchten over de ronde hadden gedaan. 'Ik neem aan dat je weet dat Sinans vader een vroeger legermaatje was van de gevreesde İsmet?'

Dat bevestigde ik. Hector schudde opnieuw zijn hoofd.

'İsmet. Dat is nog eens een taaie. Heb ik je wel eens verteld dat hij een keer langskwam op kantoor en me uitgebreid begon te onderhouden over alle feesten tussen 1955 en 1969 die ik had verpest en daarna was vergeten?'

Hoewel het een ingewikkeld verhaal was met meerdere subplots – in elk daarvan schitterde een eigen mindere god – was hij aan het eind ervan toch niet vergeten dat ik drie vragen had beloofd en er nog maar twee had gesteld. 'Voor de draad ermee!' Toen ik aarzelde, balde hij zijn vuisten en zei: 'Vergeet niet dat ik het voor je eigen bestwil vraag. Als je je twijfels niet onder woorden brengt, dan gaan ze aan je vreten, hoor!'

Daarom formuleerde ik het zo tactvol als ik kon. Hoe ik ook in haar oprechtheid geloofde en hoe zeker ik ook wist dat Jeannie niet meer over de Koffermoord wist dan ze in haar dagboeken en brieven had verteld, bleef ik toch het gevoel houden dat haar verhaal iets heel vreemds had.

25

Northampton
10 juni 1971

> Mijn kamer. Wat hebben ze daarmee gedaan? Mijn plafond gaat op en neer. Mijn posters trekken krom. De knuffelhond op mijn luie stoel zwaait en zucht en de stem van mijn moeder golft als een rookgordijn over me heen. Soms is ze in de kamer, voelt mijn temperatuur, verschoont de lakens, geeft me water, penicilline, aspirine. Soms is ze in de naastgelegen studeerkamer aan de telefoon, en vroeg of laat zal ze binnenkomen en tegen me zeggen wat ik verkeerd heb gedaan.

Ze was al drie dagen thuis toen ze dat schreef. Toen ze uit het vliegtuig stapte, had ze veertig graden koorts. Maar ook al golfde het plafond en trokken de posters krom: ze moet geweten hebben dat haar moeder haar niets kwalijk nam. Het was haar onverbeterlijke ex-man die Nancy Wakefield wel kon wurgen. Hoe durfde hij hun dochter in die toestand op het vliegtuig te zetten? Het was zijn táák als váder om uit te leggen wat er was gebeurd. Het was háár taak als móéder om hem dat kwalijk te nemen.

Vooral tijdens die eerste dagen. Ze kon er niets aan doen! De woede kwam als stoom haar oren uit. Maar dat had geen enkele zin. Op het consulaat wilden ze niet zeggen waar hij was. Op het ministerie van Buitenlandse Zaken ook niet. 'Ik heb net Amy gesproken,' zei ze op een avond tegen Jeannie. Dat was toen Jeannie zich alweer iets beter voelde en overeind kon komen om te proberen wat soep te eten. 'Ja,' zei ze, 'Amy en ik hebben behoorlijk lang met elkaar gesproken en ik moet zeggen dat ik wel een beetje teleurgesteld ben. Want wij hebben het afgelopen jaar vrij vaak heel prettig met elkaar gesproken en ik ben haar als een vriendin gaan beschouwen. Maar nu... het leek wel alsof er iets met haar aan de hand was.'

Nancy Wakefield ging aan het voeteneinde van het bed van haar dochter zitten. 'In elk geval was het bij hen ongeveer negen uur 's avonds toen ik eindelijk verbinding kreeg. Er nam een man op. Een man die geen Engels sprak. Vind je dat niet een beetje vreemd?'

Ze klopte op de knie van haar dochter. 'Ben je er nog, konijntje?' Ze lachte even. 'In elk geval, toen ik Amy vroeg naar die man die de telefoon opnam, zei ze dat hij haar bodyguard was. Logisch toch dat ik vroeg: waar heb jij een bodyguard voor nodig? Maar ze klonk zo bits dat ik alleen maar vroeg of zij wist waar jouw vader was. Ze antwoordde dat zij wel de laatste was die dat kon weten, omdat ze elk contact met hem had verbroken. Elk contact verbroken! Snap jij dat nou? En toen ik vroeg waarom dat zo was, werd ze me toch hooghartig! Ze zei alleen nog maar dat hij voor zover zij wist in Amerika zat. Ja, sorry hoor, maar ik laat me niet zo met een kluitje in het riet sturen. Laat het maar aan mij over, liefje. Ik zoek het tot op de bodem uit.'

En weg zweefde ze. Om nog een telefoontje te plegen? Haar stem klonk nu zachter. Ze luisterde meer dan ze praatte.

'Ik geloof dat ik eindelijk iets bereik,' zei ze later die avond.

De volgende ochtend, toen ze op Jeannies voeteneind ging zitten, had ze rode ogen. 'Ik vind het zo erg,' snikte ze. 'Zo erg! Ik had moeten volhouden. Ik had het nooit moeten goedvinden dat hij jou meenam.' Ze balde haar vuisten. 'De leugens die hij me vertelt. En alles wat hij me niet heeft verteld! Nou, maar dat weet ik nu wel. Wat vind je daar nu van? Ik zal die vader van je eens flink de waarheid vertellen.'

Toen Jeannie vroeg wie ze had gesproken, zei ze: 'Dat gaat jou niks aan.'

Toen ze vroeg of het misschien iemand was die Sinan heette, zei haar moeder: 'Sinan. Dus zo heet hij?'

'Heb je hem gesproken?'

'Ik geloof...' Ze sloeg haar armen over elkaar en slikte zichtbaar. 'Ik geloof dat ik heb gesproken met de oom van die jongen.'

'Welke?'

'O, lieverd, je denkt toch niet dat ik dat heb onthouden? Ze hebben allemaal van die rare namen.'

'Wat is er gebeurd? Er is toch niks ergs gebeurd?'

'Natúúrlijk is er wel iets ergs gebeurd! Moet je jezelf nou eens zien!'

'Ik bedoel niet met mij, maar met Sinan.'

'Heb je het over dat vriendje van je? Dat is dan iets nieuws. Weet je dat dat ontzettend kwetsend voor me was, Jeannie? Toen ik ontdekte dat je een vriendje had maar dat je me niet genoeg vertrouwde om het te vertellen? Dat heeft je vader je zeker aangepraat. Dat is toch zo? Ik hoor het hem al zeggen. Zeg maar niet tegen je-weet-wel dat je een vriendje hebt. Nou, mooi vriendje bleek hij te zijn!'

'Maar zei hij dat alles goed was met hem?'

'Ja hoor, prima de luxe. Alles dik in orde.'

'Maar iemand anders dus niet. Is dat wat je me wilt te vertellen?'

'Hoe moet ik dat verdomme nou weten?' Toen ze zag dat de tranen Jeannie over de wangen stroomden, zei ze: 'Sorry, konijntje. Ik wilde je niet van streek maken. Maar je kunt toch niet van me verwachten dat ik informeer naar mensen die ik niet eens ken? Kom, doe nou maar even rustig aan. Wat er daar ook gebeurd is, het is nu voorbij. Het belangrijkste is dat je nu weer thuis bent. Laten we eerst maar eens zien hoe we jou weer beter krijgen.'

Maar ze wilde niet beter worden, dat kon ze niet, dat mocht ze niet, tot ze zijn stem weer hoorde.

De vloer draaide en golfde toen ze naar de telefoon strompelde.

Deze keer kreeg Jeannie Sinans moeder aan de lijn. Ze hoorde haar lange tijd alleen maar ademen. 'Waarom bel je?' vroeg Sibel eindelijk.

'Ik moet Sinan spreken.'

Weer een lange stilte. Een echo. Daarna een klik.

'Dit zal je niet verbazen,' zei Jeannies moeder toen het Jeannie was gelukt beneden te komen voor het eten. 'Maar je vader heeft ons nog steeds niet vereerd met een telefoontje. En de ervaring leert dat dat nog wel eens heel lang zou kunnen gaan duren. Maar als hij belt, mag je hem niet spreken. Dan geef je de Man van de Ansichtkaarten direct aan mij. Begrepen?'

Tuurlijk.

'Ga zitten, konijntje. Ik heb macaroni met kaas gemaakt.'

Onder het eten vervielen ze in het oude patroon. Haar moeder vertelde haar alles wat ze het afgelopen jaar had gedaan: haar werk in de bibliotheek, haar vorderingen op de avondschool, de vrouwengroep waar ze op en ook weer af was gegaan, de vriend met wie het niets was geworden, en de nieuwe vriend waar ze nog haar twijfels over had. Toen Jeannie vroeg waarom dat zo was, legde ze het uit. Ze vertelde Jeannie hoe het was om verliefd te worden als je nog steeds verdriet had over je vorige liefde, en hoe het was om in een ruimte te zitten met een groep vrouwen die nog meer woede voelden voor een man dan zij. Dat de eerste les op de avondschool voelde alsof ze van een klif stapte. Ze vertelde Jeannie hoe saai en verstikkend ze het vond om elke ochtend naar haar werk te gaan, dat de angst om dat altijd te moeten blijven doen haar had gemotiveerd om door te gaan met de avondschool, en toen biechtte ze op dat ze zich na Jeannies vertrek vorig jaar juni 'diepbedroefd' voelde. 'Ik was er totaal niet op voorbereid. Ik had me er zelfs op verheugd om een tijdje alleen te zijn. Want weet je, konijntje, jij was toen zo lastig. Zo kritisch. Je had zo weinig waardering. Je had het alleen maar over weggaan.

Dus ik dacht dat het dan maar moest. Dat ik het onvermijdelijke niet langer moest uitstellen. Ik wist heus wel dat ik je zou missen. Maar weet je, toen ik die eerste ochtend beneden kwam, toen voelde ik me helemaal leeg en dood.'

'Sorry,' zei Jeannie tam.

Haar moeder pakte triomfantelijk haar hand. 'Dat moet je niet zeggen, konijntje. Het belangrijkste is dat je weer terug bent. Nu je er weer bent, kan ik weer ademen.' Jeannie knikte, glimlachte, voelde mee. Ze liet haar maar praten en hoopte dat het haar moeder niet te binnen zou schieten dat ze zo nu en dan even over zichzelf moest ophouden en ook eens naar haar dochter moest luisteren.

Toen Jeannie opstond, gaf haar moeder haar een jampot met een deksel met gaatjes. 'Toe mam, ik ben toch geen acht meer.'

'Voor één keer,' zei ze. 'Net als vroeger. Je werd daar altijd zo blij van.'

'Als ze doodgingen moest ik wel huilen.'

'Anders blijven ze ook niet lang leven, dat weet je toch!'

Jeannie ging met de pot naar buiten.

En daar waren ze, de vuurvliegjes. Honderden, duizenden, dansend door de avondlucht. Toen ze met haar jampot op het gras stond, hoorde ze tieners ravotten in het zwembad bij de buren.

Zo zou zij nooit meer lachen.

26

Chloe's vader, Hector Cabot, kwam met het nieuws. Sinds hij was gescheiden van Chloe's moeder woonde hij in Woodstock, Connecticut, en Chloe was binnen een paar dagen na Jeannies vertrek naar Woodstock gestuurd. Hector had gebeld om te beraadslagen met Jeannies moeder en om voor te stellen dat de twee meisjes bij elkaar gebracht zouden worden zodat zij elkaar ook konden spreken. Hij was even van zijn stuk gebracht toen hij merkte dat Nancy Wakefield 'geen slapende honden wakker wilde maken'. Maar hij wist haar om te praten. Begin juli kreeg hij toestemming om naar Northampton te komen en Jeannie persoonlijk te spreken.

'Je hebt mij nog nooit gezien, maar je weet wel dat ik het land begrijp. Ik begrijp waarom je er zoveel van hield. Want ik hield er ook van, Jeannie. En Jeannie... ik weet ook wat verdriet is. En de last van een nieuw begin. Bovendien ken ik je vader, als mens, als vriend.'

Op die schijnheilige manier begon hij aan zijn saaie monoloog. Dit is niet mijn harde oordeel, maar het zijne. Toen we elkaar in november 2005 in Istanbul ontmoetten, had Hector Cabot het erover dat hij de pest had aan 'de holle echo van de kunstmatige welwillendheid'. Maar in 1970 was hij al bijna twee jaar nuchter, 'en dat betekent dat ik héél nuchter was. Verstikkend nuchter. Meer kon ik niet doen.'

Hij had Jeannie nooit eerder ontmoet, dus hij kon me niet vertellen of ze veel veranderd was. Hij herinnerde zich een vermagerd meisje met een grote bos blond haar, een mond die scheef lachte en handen die altijd trommelden. Ze zat ineengedoken in haar stoel en hield haar ogen op de grond tussen hen gericht, hoewel ze hem met haar blauwe ogen zo nu en dan een koude blik toewierp.

'Ik neem aan dat jij en Sinan de bloemetjes flink buiten hebben gezet.' Zodra hij dit had gezegd, wist hij dat dat de 'verkeerde ingang' was. Kwam het door de verleden tijd dat haar gezicht vertrok alsof ze werd gestoken? Had hij door die ouderwetse uitdrukking haar niet alleen gekwetst maar ook beledigd? Hij moest voorzichtig zijn. 'Hoe goed kende je Dutch Harding?'

Opnieuw vertrok haar gezicht. 'Wat heeft die er nou mee te maken?'

Hij voelde dat er geen omzichtige manier was om dit 'verwarde web' te betreden, of te verlaten, dus hij gaf haar een rechtstreeks antwoord. 'Hij is vermoord, Jeannie.'

'*Wát*?'

Hij had in de loop der jaren behoorlijk akelige dingen over Jeannie gehoord, geruchten die waren gebaseerd op speculaties, of regelrechte leugens, maar de mensen die zulke geruchten verspreidden waren die dag niet in die kamer, en hij wel. Hij had de hevige angst in haar ogen gezien, dus hij kon de 'sirenes van de roddelmachine' vertellen dat zij (a) dit 'macabere verhaal' voor het eerst hoorde en (b) er niets van begreep.

Het verhaal dat hij haar vertelde was een gekuiste versie van het verslag dat ik zelf in dat lugubere artikel had gelezen: een groep studenten die behoorden tot de maoïstische cel genaamd Verlichting had ontdekt dat de man die ze als geen ander vertrouwden een agent-provocateur was... Op dat punt had ze hem onderbroken. 'Hebben we het over dezelfde mensen?' Ze beweerde dat ze helemaal geen maoïsten kende. 'Dat hebben ze alleen maar gezegd om hun moeder te ergeren. Ze hebben nog nooit in het Rode Boekje gelezen, behalve misschien om eens flink te lachen.' Maar Hector hield vol. Hij kon ook namen noemen. Suna, Lüset, Haluk, en ('ik weet niet hoe ik dit voor je moet verzachten, dus hou je vast') Sinan. Als Jeannies vader niet zo alert en onbaatzuchtig had gereageerd, had Chloe's naam ook op de lijst gestaan, net als haar eigen naam.

'Alert misschien wel. Maar onbaatzuchtig? Vergeet het maar.'

Tranen, gevolgd door zakdoekjes. 'Kan ik nu doorgaan? Ik ben bang dat dit nog niet alles was. Nog lang niet.'

Een gebiedend knikje van Jeannie. Hij haalde diep adem en begon. Hij hield zich bij de essentie: toen de groep hoorde dat een van hen een agent-provocateur was, was de verdenking op de een na de ander gevallen, totdat een toevallige opmerking Dutch Harding ontmaskerde als de vijand in hun midden. Nadat er een proces tegen hem was gevoerd ('hoewel ik hoop dat je begrijpt dat ik dat woord metaforisch gebruik') en hij schuldig was verklaard, hadden ze hem ter dood veroordeeld. ('Wat aangeeft hoe erg ze zich verraden voelden. Ik ben nog nooit in een land geweest waar leraren hoger in aanzien staan dan in Turkije.')

Ze nam het nieuws kalm op. Te kalm. Ten onrechte aangemoedigd – hij had zich moeten afvragen waarom ze haar hoofd in haar handen hield en waarom ze haar hoofd zo diep liet zakken dat het bijna haar knieën raakte – had hij de smerige nasleep beschreven: dat het lichaam in stukken was gehakt, dat de lichaamsdelen in een koffer waren gepropt, het slecht voorbereide ontsnappingsplan, het bloedspoor dat de argwaan van een omstander had gewekt, die vervolgens de politie had gewaarschuwd. De arrestatie. De zogenaamde ondervraging en Suna die uit het raam was gesprongen.

Op dat punt onderbrak ze zijn gruwelijke woordenstroom. 'Wat – ik heb het geloof ik niet goed verstaan.' En dus zei hij het nog eens, maar nu met meer details. Ze zouden nooit precies weten wat er in die verhoorkamer was gebeurd, het was tenslotte Turkije, maar de officiële lezing was dat Suna was gesprongen. Een bloemenverkoper op straat had gezien dat ze haar voeten uit het raam op de derde verdieping liet bungelen. En dat suggereerde...

Dat was het moment waarop ze hem naar de keel gevlogen was.

Hoe pijnlijk en schokkend het ook was: hij had het wél aan zichzelf te wijten. Tegenwoordig was hij beter in het overbrengen van slecht nieuws. 'In die tijd was ik nog ontzettend onhandig,' zei hij tegen me. 'Door mijn nuchterheid vergat ik mijn omgangsvormen. En toen ik er zo'n puinhoop van had gemaakt, besloot ik om me op Chloe te concentreren, die in een vergelijkbare ellendige situatie verkeerde. Ik heb er nog steeds enorm veel spijt van dat ik haar in september van dat jaar naar Radcliffe heb gestuurd. Ik had moeten inzien dat ze daar nog niet aan toe was. Ze heeft de hele zomer nauwelijks een woord gezegd. Al mijn pogingen om met haar over deze verschrikkelijke moord te praten stuitten op de spreekwoordelijke muur. Waarom ik dacht dat ze eroverheen was... Ik moet wel zeggen dat ik haar die herfst behoorlijk goed in de peiling heb gehouden. Zij en Jeannie waren dat eerste semester dikke maatjes, weet je nog? Al zou ik nu zeggen dat dat niet een erg gezonde band was. Ze voerden samen strijd tegen een wereld die hen niet begreep. Ze hitsten elkaar op. Ik bedoel daar niet mee dat Jeannie in zekere zin verantwoordelijk was voor Chloe's instorting. Verre van dat. Nee, als Jeannie me in december niet had gebeld om me te vertellen dat ze zich zorgen maakte, ik bedoel om me te vertellen dat Chloe in het ziekenhuis lag omdat ze zichzelf had gesneden, tja, wat zou er dan zijn gebeurd? Voor hetzelfde geld waren we haar kwijt geweest. Dus hoe Jeannie ons later ook heeft gekwetst of van streek heeft gebracht: we zijn haar eeuwig dankbaar.'

27

17 oktober 1971

Vandaag heb ik op doktersbevel flink gebruikgemaakt van mijn buitengewoon gelukkige positie. Ik ben de dag begonnen met een uitgebalanceerd ontbijt, en toen ik later samen met mijn gewaardeerde studiegenoten de *Crimson* en de *New York Times* uitploos, en we van gedachten wisselden over al het nieuws dat publicabel was, besefte ik dat minstens tien meisjes – pardon, jonge vrouwen – er een lief ding voor over zouden hebben om op deze plek te zitten. Want ik heb plechtig gezworen dat ik zo goed mogelijk gebruik zal maken van mijn exclusieve opleiding.

En wat was het een feest vanmorgen. Zoals Suna gezegd zou hebben. Zij zou enorm hebben genoten van het eerste college, en ook van het tweede. Maar ze zou die professor wel van repliek hebben gediend. Ik hóórde haar al bijna. Maar toen ik de zaal inkeek, naar al die arrogante naïevelingen om me heen...

Chloe had er ook moeten zijn, maar die had zich verslapen. Toen ik naar buiten ging, stond ze op me te wachten. Ze zag er doodmoe uit. Dat zei ik ook tegen haar, maar ze vond dat juist goed, want dat was het image dat ze zich wilde aanmeten. 'Doodmoe en strijdlustig nonchalant.' We liepen in de wind en de vallende bladeren naar Radcliffe Yard, waar de keurige, zeer ouderwetse dames aan wie we onze aanwezigheid hier te danken hadden ons aardig genoeg een keurige lunch aanboden; ze wilden ons graag ontmoeten, waarschijnlijk om te zien of ze zich niet in ons hadden vergist.

We gedroegen ons volmaakt, werkelijk waar. Net zoals de dames, die ons zeer serieuze vragen stelden en dodelijk ernstig luisterden toen we uitlegden dat Amerika bepaald niet populair was in Turkije en wat dat precies inhield. We somden de rellen op, de bomaanslagen, de ontvoeringen en de moordaanslagen. De militaire coup, de massa-arrestaties en de geruchten over martelingen. Ze schudden hun keurige hoofd en klakten afkeurend met hun keurige tong. 'Ik hoop toch maar dat daar geen naaste verwanten of vrienden bij betrokken waren.'

Ik kwam in de verleiding. Ik zei bijna: 'Een aantal wel, om eerlijk te zijn. Want ziet u, mijn vader is geheim agent. Hij heeft rapporten bijgehouden over iedereen met wie ik omging. Ze werden verdacht alleen omdat ik bevriend met ze was. Hij heeft een agent-provocateur op ons af gestuurd, ongelofelijk, vindt u niet? Daarom heb ik hem verraden. En toen ben ik vertrokken, ik ben op het eerste het beste vliegtuig gestapt. En het vuile werk heb ik aan mijn vrienden overgelaten. En dat hebben ze gedaan. Daardoor zijn zij moordenaars geworden. En ik, wat ben ik?'

2 november 1971

Vandaag zeiden Chloe en ik, wat dondert het ook, we slaan alle waarschuwingen in de wind. We staan al bijna rood op onze Coop-kaart, maar ik heb een klokradio nodig en zij een nieuwe broek met wijde pijpen, dus we moeten maar een nieuwe creditcard halen.

En dus zaten we in de Pewter Pot een formulier in te vullen. Ik keek naar Chloe en zag dat ze zichzelf Mata Hari noemde en als beroep 'wereldberoemd verleidster' opgaf. Dus ik dacht, wat kan mij het schelen, en ik vulde bij beroep 'moordenares' in.

15 november 1971

Gisteren een week geleden, toen ik op een van die banken in de Hilles Library zat, of lag, en nadacht over het essay dat ik de volgende dag moest inleveren over 'een ervaring die mijn leven heeft veranderd', bedacht ik dat ik geen keus had. Dus ik schreef over de introductie van de eerstejaars, hoe het was om met mijn medestudenten naar de dierentuin te gaan en te doen alsof je graag nieuwe jongens wilde leren kennen, terwijl je genoeg had meegemaakt om een moord te overwegen. De woorden vloeiden als vanzelf uit mijn pen, dus ik schreef ook over de rest van de week, hoe het was om op die bijeenkomst tussen al die achttienjarigen te zitten die een essay voor de *Crimson* schreven, en die opschepten over hun jaarboek van de middelbare school en een of ander uitstapje dat ze hadden gemaakt en dat zo'n eyeopener voor ze was geweest. Dat ik dacht: nou, je vindt jezelf wel stoer, hè? Ik vraag me af of je op een Turks politiebureau ook zo stoer zou zijn.

Vandaag werd ik na college apart genomen door dat baardeloze jongeling van wie we essayistiek krijgen. Hij tikte op mijn essay over dat eerstejaarsuitstapje. 'Wat heeft dit te betekenen?' vroeg hij me letterlijk. Ik vertelde hem het verhaal. Hij knikte en fronste op de juiste momenten, al was zijn opmerking op het eind nogal teleurstellend, want hij kon niets anders bedenken dan: 'Wat een sof.' Hij zei dat ik op een dag vast een heel belangrijk en heel 'raak' stuk hierover zou schrijven, maar dat ik nu nog niet genoeg 'afstand' had genomen. 'Het enige wat overkomt is woede,' zei hij. Toen raadde hij me therapie aan. O ja, dat vergeet ik bijna. Hij gaf me een zesje, wat ik niet erg therapeutisch vond.

Op de terugweg naar mijn kamer ging ik even bij Chloe langs, want zij leek me de enige hier die de ironie zou kunnen begrijpen, maar ze zat een joint te roken met die nieuwe vrienden van haar, dus ze pakte mijn essay aan, gooide het op haar bed en zei dat ze het later wel zou lezen.

Soms vraag ik me af of ze me eigenlijk nog wel aardig vindt. Soms denk ik dat al die ellende het enige is wat ons bindt, plus onze minachting voor iedereen die dat niet begrijpt, maar tegelijkertijd hebben we een soort stilzwijgende afspraak om belangrijke dingen niet onder woorden te brengen.

1 december 1971

Toen ik vandaag bij Chloe langsging in het ziekenhuis, vertelde ze me dat ze haar dokter toestemming had gegeven om met mij te praten. 'Voor de achtergronden,' zei ze, terwijl ze met haar arm zwaaide. 'Je weet wel. Dat gedoe.' Haar arm, of eigenlijk haar pols, zit nog steeds dik in het verband.

Hij heette dokter White. We ontmoetten elkaar in zijn kantoor, dat ontzettend wit was. We begonnen over wat hij Chloe's 'thuissituatie' noemde. Het bleek dat hij haar had aangeraden om een tijd vrij te nemen en naar huis te gaan en dat zij daarover had geaarzeld. Ze had blijkbaar gezegd dat ze 'geen behoefte had om bij haar vader in de wildernis weg te kwijnen' en dat ze niet naar haar moeder kon, omdat ze in Turkije *persona non grata* was.

Dokter White vroeg naar de scheiding, die, zoals hij wist, vrij recent was en die volgens hem nogal akelig was geweest. Alsof een scheiding het einde van de wereld was. Dus dat heb ik tegen hem gezegd. Ik zei dat als Chloe labiel was, dat niet kwam omdat haar ouders gescheiden leefden, maar omdat een paar kennissen van haar een andere kennis hadden vermoord, dat ze hem in stukken hadden gesneden en in een koffer hadden gestopt.

Hij vroeg of ik daar wat meer over kon vertellen, dus dat heb ik gedaan.

Ik vertelde dat het heel moeilijk was, dat het slachtoffer een slecht mens was, iemand die je eigen vader had ingehuurd om je vrienden om de tuin te leiden. Maar dat ik hem nooit dood had gewenst! Toen ik dat allemaal vertelde, schraapte dokter White zijn keel en tikte met zijn pen op de blocnote die voor hem lag. 'Weet je dat allemaal zeker?'

Ja, imbeciel. Ik was erbij.

2 december 1971

Ik zie niet in wat een goede therapie zou kunnen uitrichten. Zoals zij erover praten zou je denken dat die alle wonden kan helen, de sporen van marteling kan uitwissen, de doden tot leven kan wekken.

5 december 1971

Dit was de derde keer in drie dagen dat ik het verhaal moest vertellen, en elke keer dat ik het vertel kost het me meer moeite om het de mensen te laten geloven.

7 december 1971

Zíj wil alleen maar over mijn vader praten.

Ik wil alleen maar praten over wat hij heeft vernield.

Ik begrijp niet waarom ik niemand zover krijg zich daar iets van aan te trekken.

8 december 1971

Vandaag heb ik een brief van hem gekregen. Kennelijk heeft hij de afgelopen twee maanden in een kliniek gezeten. Maar vrees niet! Ik heb geen alcoholist meer als vader. Hij herstelt van zijn alcoholverleden, o ja, en ook van zijn spionnenleven, want het schijnt dat zijn tijd in het buitenland erop zit. Daarom gaat hij hier revalideren. Hij begint 'wat er in juni is gebeurd' langzaam te verwerken, beweert hij, en hij wil me graag zien, om het mij te helpen verwerken. Wat heerlijk was het om die woorden in duizend stukjes op de grond te zien liggen.

Zíj is al even erg. Ze zegt steeds maar dat ik het verdriet moet verwerken, dat ik het drama 'achter me moet laten' en verder moet gaan. En nu wil hij tot overmaat van ramp mij helpen om het 'te verwerken'. Ja hoor, eerst de doden begraven, daarna de waarheid.

Ik laat je er niet mee wegkomen, pa.

Ik zal je ter verantwoording roepen.

28

Jeannie Wakefields eerste poging om haar vader ter verantwoording te roepen viel op de verjaardag van de moord, 4 juni 1972. Het artikel verscheen in het dunne, ten dode opgeschreven internationale katern van een van de ondergrondse kranten van Boston onder de kop: WIE VERMOORDDE DUTCH HARDING?

Later gaf ze toe dat het meer over haarzelf ging dan over iets anders en het zat vol met de argeloze indiscreties waaraan alle jonge journalisten zich schuldig maken totdat ze een paar vrienden kwijtraken. Inmiddels zat ze bij de *Crimson*, al moest ze helemaal onderaan beginnen. Voordat ze met het verhaal naar de ondergrondse krant was gestapt, was ze zo dom geweest om het eerst te proberen bij de grootheden die destijds de lakens uitdeelden. Ze hadden het meteen afgewezen.

Haar grootste fout was dat ze zei wat ze van mensen vond. Haar vader was 'een mislukte spion' en Hector 'een prekerige ex-alcoholist'. Haar moeder was 'een leugenachtige hysterica die diep in de ontkenningsfase zat' en Sinans moeder was een 'ooit gevierde maar nu vergeten chanteuse' terwijl Chloe's moeder 'zichzelf graag beschouwt als een bohemienne, maar die als je wat verder kijkt gewoon een huisvrouw uit de jaren vijftig is'.

Miss Broome (die van dankbaarheid in tranen was uitgebarsten toen Jeannie haar had opgespoord op een school in Maine) kwam er niet veel beter af. Zij was, schreef Jeannie, 'een would-be radicaal die in een ontkenningsfase verkeerde wat de subversieve activiteiten van haar geliefde betreft'. De ouders van het slachtoffer, bij wie ze op een dag in Burlington in Vermont op de stoep stond, waren 'blanke protestante welgestelden die met opeengeklemde kaken en een ijzig gezicht het gazon aanharkten.' Hun misdaad was dat ze beweerden geen zoon te hebben die Dutch Harding heette. Die ontkenning maakte haar nog woedender, evenals de kleinere tegenwerkingen van zoveel vrienden.

Haar grootste misdaad was wat ze over Chloe zei.

Chloe zat het grootste deel van december in Holyoke Centre en in maart sneed ze nogmaals haar polsen door. Maar op de een of andere manier bleef Jeannie ervan overtuigd dat ze net zo gebrand was op dit onderzoek als zij. Dit ondanks het feit dat Chloe bij verschillende gelegenheden probeerde om het Jeannie uit haar hoofd te praten.

In het artikel schreef Jeannie dat Chloe en zij onenigheid hadden gekregen toen ze Chloe had verteld over de ontmoeting met Zonder Naam. Of eigenlijk: 'de voormalige loopjongen van mijn vader, een veteraan uit het Vredesleger wiens bescheiden succes als correspondent naar hij zelf toegaf zijn eer in opspraak had gebracht.'

Ze impliceerde dat ze die ontmoeting zelf had georganiseerd. Maar in werkelijkheid zat ze in maart op een avond laat in Café Pamplona toen hij zomaar binnen kwam wandelen. Ze herkende hem niet direct, want hij had nu niet alleen lang haar, maar ook een baard. Op dat moment dacht ze nog helemaal niet over een artikel. Ze probeerde alleen maar de waarheid te achterhalen. Het idee het verslag van haar zoektocht ook op papier te zetten, ontstond tijdens dat gesprek met Zonder Naam.

Hij vertelde haar dat hij 'Billie' Broome ongeveer een week daarvoor had gezien. 'Ze zei dat je die moord tot op de bodem wilde uitzoeken en dat je misschien iets te goed je best deed.' Ze was er inmiddels aan gewend dat mensen het haar uit het hoofd wilden praten en vroeg: 'Hoezo, waarom zou ik mijn best niet doen?'

Zijn gezicht betrok. 'Luister goed,' zei hij. 'Ik vind dat je dit moet weten. Ik heb zelf ook het nodige onderzoek verricht.'

'En?'

'Laat ik het zo zeggen. Het verhaal klopt niet.' Hij zweeg even. 'Maar één ding staat wel vast. Dutch Harding was wie ik zei dat hij was. Misschien was het zelfs nog wel erger. Het is duidelijk dat hij niet alleen maar voor je vader werkte. Verbaast je dat?'

Ze knikte, maar wat er op dat moment door haar heen stroomde was opluchting. Hoe erger Dutch Harding bleek te zijn geweest, hoe minder zij het zichzelf kwalijk hoefde te nemen dat ze hem had verraden. Voor wie werkte hij dan nog meer?

Hij schudde zijn hoofd. 'Dat kan ik niet zeggen. En dat bedoel ik letterlijk. Ik dacht dat ik verder kwam, maar toen droogde mijn bron op. Misschien heb jij meer geluk. Heb je Sinan al weten op te sporen? Nee? En je vader? Wat zegt hij erover?' Toen hij hoorde dat Jeannie en haar vader niet meer met elkaar praatten, zei hij: 'Oké, dat snap ik wel. Ik weet niet of ik niet hetzelfde zou doen als ik jou was. Maar als je ooit van gedachten verandert...'

Hij noemde een naam, een oude studiegenoot van hem die toevallig bij Dutch Harding op de lagere school had gezeten, 'een vent met dezelfde principes als wij' die nu voor een ondergrondse krant werkte. Toen hij over de moord hoorde, zei hij dat hij er wel een artikel over wilde schrijven, maar alleen als Jordan met bewijzen kon komen dat er een connectie met de CIA was. 'Dus ik kom eigenlijk vragen wat jij hebt gevonden.'

Jeannie had hem niet veel waardevols te vertellen en toen ze die avond Café Pamplona verliet, voelde ze zich heel jong en heel incompetent. Des te verbaasder was ze over Chloe's reactie toen ze haar vertelde wie ze in de Pamplona had ontmoet.

Ze raakte helemaal over haar toeren en zei tegen Jeannie dat ze gek was. 'Je moet Dutch Harding vergeten! Vergeet dat hij ooit heeft bestaan!' Jeannie begreep er niets van. Dat was geschiedvervalsing, dat was helemaal verkeerd. En dus praatten ze er niet meer over. Al snel was er niemand meer die haar obsessie een halt toe kon roepen.

Ze schreef het artikel in mei, met een vuur dat ze eigenlijk voor haar examens had moeten gebruiken. Toen het af was, ging ze er de dag erna mee naar de *Crimson*. Het werd afgewezen, wat ze moeilijk kon verkroppen. Twee of drie dagen later kreeg ze een telefoontje van Greg Dickson. Zijn naam kwam haar bekend voor, maar pas toen ze had opgehangen schoot haar te binnen dat het de vroegere studiegenoot was van Zonder Naam die nu bij de ondergrondse krant werkte. Hij zei tegen Jeannie dat hij 'laatst bij de *Crimson* was' en dat hij haar artikel in handen had gekregen. Als egocentrische achttienjarige zette ze geen vraagtekens bij dat verhaal. 'We moeten het wel flink oppoetsen,' zei hij. 'Je woordkeus is nogal eerstejaars, maar het verhaal spreekt voor zich. Er zitten belangrijke thema's in. Ik zal kijken wat ik voor je kan doen.'

De laatste, zwaar geredigeerde versie van 'Wie vermoordde Dutch Harding' begon met een verslag van de dag waarop ze Sinan ontmoette en ging verder in de volgorde waarin ze alles had ontdekt. De naam van haar vader kwam er niet in voor, ook al kon elke idioot bedenken dat ze dezelfde achternaam hadden. Hoewel ze besloot met een lijst onbeantwoorde vragen, werd haar idee erover duidelijk. Wie de moord ook had gepleegd: het was haar vader die alles in gang had gezet.

Wat was haar aandeel daarin geweest, vroeg ze zich in de laatste alinea af. Zou Dutch nog in leven zijn als zij dat appartement niet was komen binnenvallen? Was het haar schuld dat Suna uit het raam gesprongen was? Had zij Sinans leven ook verwoest, en dat van Haluk, aangenomen dat ze nog in leven waren? Als je bedacht wie zij was en wat ze vertegenwoordigde, was het dan geen aanfluiting om te beweren dat zij onschuldig was?

ALS ONSCHULD EEN MISDAAD IS luidde de kop. Het artikel veroorzaakte een kleine sensatie. Het werd zelfs opgepikt door de *Boston Globe*: EERSTEJAARS RADCLIFFE BESCHULDIGT CIA-VADER.

Diezelfde ochtend belde Greg Dickson Jeannie op om te zeggen dat hij zojuist een telefoontje had gekregen van een advocaat die namens Wilhelmina Broome sprak. Hij maakte zich daar echter niet al te veel zorgen over. Het zou beroerd zijn als ze een aanklacht indienden, maar voor de vrije pers was dat gesneden koek. De volgende dag klonk hij al wat gespannener. Hij had nu ook iets gehoord van de advocaten van 'de familie van Amy Cabot'. Op de derde dag was hij razend. En paranoïde. 'Zegt de naam Stephen Svabo je iets?' vroeg hij. Hij gaf haar niet eens de kans om die vraag te beantwoorden en begon meteen te schreeuwen: 'Voor wie werk jij eigenlijk, klotewijf?'

Een uur later werd Jeannie gebeld door de advocaat van de krant. Er waren nu vijf mensen die een aanklacht dreigden in te dienen 'en aangezien uw belangen en die van mijn cliënt niet in overeenstemming zijn, kan ik u sterk aanraden zelf juridische bijstand te zoeken.'

Toen de telefoon die ochtend opnieuw rinkelde, was het Jeannies vader. 'Ik heb gehoord dat je hulp nodig hebt.'

29

8 juni 1972

Het nieuwe huis van mijn vader is een kleine, gele bungalow op een basis in de buurt van Williamsburg, Virginia. Als je binnen zit met de gordijnen dicht merk je daar niets van. Het is het kleinste en treurigste museum ter wereld: overal Turkse en Perzische en Afghaanse tapijten, koperen dienbladen, koperen lampen en albasten eieren. Indiaanse miniaturen hangen naast Japanse penseeltekeningen en het woeste abstracte werk van de Venezolaanse schilder met wie hij in Caracas tenniste.

Als je de gordijnen opent, zie je een lege weg, een rij gele bungalows en een elektriciteitskabel tegen een kleurloze lucht. Zo nu en dan rijdt er een pruttelende auto voorbij. Rijdt de oprit op. Wacht tot de garagedeur zijn woordloze bevel opvolgt. Ze laten allemaal dezelfde rammelende treurzang horen: 'Smeer mij, smeer mij, smeer mij.'

Zo diep zijn de machtigen dus gezonken.

Als ik niet dood wilde, zou ik erom lachen.

8 juni 1972

Stop de persen: hij neemt het me niet kwalijk. Ik heb recht op mijn eigen mening. Hij wil dat ik mama schrijf en mijn excuses aanbied, want zij heeft, ik citeer: 'een hart van goud'. Ze heeft heel wat voor mij opgeofferd en ze verdient beter dan wat ik over haar heb gezegd in dat 'heftige' artikel van me. Maar wat hemzelf betreft is het jachtseizoen geopend. Ik mag zeggen wat mijn hartje begeert.

Commentaar en analyse: Toen hij in die kliniek zat,

heeft hij zijn levensverhaal herschreven. Zijn nieuwe versie van 'de gebeurtenissen van afgelopen voorjaar' is indrukwekkend simpel. Niks politiek, niks botsende culturen, rellen, spionnen, geruchten en gemene leugens. Niks Koude Oorlog. Hij heeft het verpest door Koning Alcohol. Of, om hem letterlijk te citeren: omdat 'de whisky voor hem sprak'. Nog preciezer: 'de whisky gaf hem het gevoel dat hij "een godheid" was'. Maar helaas, dat was hij niet. Hij maakte verkeerde inschattingen, hij liet zich misleiden, voor de gek houden, in de val lokken. Maar kom op zeg, er zit ook een positieve kant aan. Hij heeft Chloe en mij toch op tijd uit de puree gehaald? Ze kunnen van hem niet zeggen dat hij onschuldige Amerikanen in levensgevaar heeft gebracht.

Ik ben blij dat ik het naar voren heb gebracht. En het doet me veel verdriet dat het geen enkel effect heeft gehad. Het had net zo goed over de stiefzoon van zijn oudoom kunnen gaan. Ik begin me af te vragen of dit wel echt mijn vader is. Of ik daar niet met een zombie aan tafel zat. Hij ziet eruit alsof hij zijn handen eindeloos lang heeft gewassen. Er kleeft helemaal geen vuil aan!

Zijn nieuwe hobby is koken, en o wat was het lekker. Eerst spinaziesoep van Julia Child, daarna gebraden varkensvlees en aardappeltjes in mosterd-roomsaus. Hij beweert dat hij in die geweldige kliniek met het 'Juliavirus' besmet is geraakt. Het maakte deel uit van het dagprogramma: 'een nieuwe invulling vinden van de tijd die verloren ging met het oppakken en neerzetten van het glas'. En oproerkraaiers vermorzelen, wilde ik eraan toevoegen. Dossiers aanleggen van onschuldige studenten, agents-provocateurs op ze af sturen om ze over de rand te duwen.

Ik zei dat allemaal niet, maar hij las mijn gedachten. (Wat heb ik daar toch ongelofelijk de pést aan!) Hij zei: 'Hoor eens, ik begrijp het heus wel. Het moet wel heel bitter voor je zijn om nu op mij te moeten leunen, om hier te komen. Ik weet dat je mij op dit moment het meest haat van iedereen. Maar ik zie geen andere mogelijkheid. Als ik je niet help, verslinden die klootzakken je met huid en haar. En niet om wat je hebt gezegd of geschreven. Ze gebruiken jou om míj te pakken.'

Nota bene: Het is altijd een samenzwering. En ze moeten altijd net hem hebben. Dat heb ik ook gezegd. Maar hij leunde alleen maar achterover en vroeg met dat gekmakende lijzige accent of ik dan nog eens kon vertellen wie het precies was die mij in contact had gebracht met meneer Hoeheethijnou, de hoofdredacteur van dat grensverleggende ondergrondse blad die zo vriendelijk was om jou de kans te geven je hele verhaal op zijn voorpagina te zetten? Je moet het zeggen als het niet klopt, maar was dat niet een ex-duvelstoejager van mij? Ik zette het meteen recht. Het was een ex-duvelstoejager die zó walgde van alles wat hij had gezien dat hij zo dapper was geweest om naar de andere kant over te stappen.

Maar dat kon de ouwe ijzervreter niet deren. Niks hoor. 'Kijk, daar is moed voor nodig,' zei hij alleen maar. 'Niet alleen moed, maar ook een vooruitziende blik en besluitvaardigheid.'

Ik word gesmoord in vriendelijkheid, gemarteld met grapjes voor insiders.

11 juni 1972

Vandaag, na uren zappen, proberen te lezen maar dat niet kunnen, iets te eten maken terwijl ik geen trek had, alleen om de tijd te doden, en elke vijf minuten op de klok kijken omdat ik niets had om me op te verheugen behalve de terugkeer van mijn vader, heb ik een ontzettend domme fout gemaakt.

De domme fout was dat ik een luchtje ging scheppen. Volgens mij wist ik al dat het stom was voordat ik de eerste hoek om was, want het is heel deprimerend om langs elf identieke bungalows in een geel rijtje te lopen. Maar het werd nog erger: toen ik op de vierde gele hoek kwam, hoorde ik naderende sirenes. Ongelofelijk, toch? Toen werd ik gearresteerd. Papa moest helemaal naar Beveiliging komen om me eruit te halen. Hij bood aan om een pasje voor me te regelen zodat ik me vrij over die achterlijke basis kan bewegen, maar eerlijk gezegd eet ik nog liever mijn hoed op.

Ik vraag me af wat ik hier eigenlijk doe.

Ik zou weg kunnen gaan. Ik moet hier weg. Ik moet dit alleen oplossen.

11 juni 1972

Ik heb het hem gezegd. Hij luisterde, knikte, dacht na, stemde in. Prima, zei hij. Maar laten we wel een plan maken voordat je weggaat. Goed?

Hij vertelde wat hij tot nu toe al had gedaan. 'Sinds vanmiddag twaalf uur heb je een eigen advocaat.' Een oude klasgenoot van hem, in Boston. Enzovoorts enzovoorts. 'Hij rekent niet de volle mep, maar als je hem uit eigen zak wilt betalen, denk ik dat het voor jou toch erg kostbaar wordt.' Enzovoorts enzovoorts. Toen ik inbond, lachte hij naar me met dat nieuwe lachje van hem.

Ik haat hem en alles waar hij voor staat. Alles wat hij heeft gedaan. Elke leugen die hij heeft verteld. Maar ik haat hem vooral om dat zelfingenomen, alwetende, allesomvattende lachje.

12 juni 1972

Wat de 'vrije wereld' betreft waar hij maar over doorzeurt. Als ik hier één ding heb geleerd dan is het dat je in het *Land of the Free* niet kunt zeggen wat je wilt. Ja, ik weet dat ik mijn woorden zorgvuldiger had moeten kiezen, dat ik de feiten met zwart en mijn mening met rood had moeten opschrijven, zodat iedere hoge pief in de hele wereld wist dat ik een verhaal vertel *zoals ik het zie...*

Maar regels zijn regels, zeggen mijn advocaten. Als ik een spion wil beschuldigen van spionage, dan moet ik bandopnames op tafel leggen, beëdigde verklaringen, foto's! Ik moet geloven dat Wilhelmina Broome zó diep gekwetst was door mijn opmerkingen dat ze tijdens het joggen is gestruikeld en gevallen en haar knie heeft geschaafd. Hebben we het over de vrouw die er bij ons op aandrong om op te komen voor de waarheid, om moed te putten uit onze overtuiging? Misschien niet, want ik hoor nu van de advocaat van haar vader, de miljonair, dat Miss Broome alleen heel kort lid van de SDS is geweest en dat zij zich niet kan herinneren een zekere Weatherman te hebben gekend. Wat Amy Cabot betreft: haar 'familie' laat me weten dat ze nooit huisvrouw is geweest en nooit het leven van een bohemienne heeft nagestreefd, en zich niet kan herinneren ooit een paarse harembroek te hebben bezeten.

Wat ontzettend kinderachtig.

13 juni 1972

Vandaag hebben ze me een deal voorgesteld. Morgen schrijf ik een stuk om alles te herroepen. De Grote Baas heeft beloofd dat het op de voorpagina komt te staan, maar ik ben bang dat het daar niet op zal passen. Als ik er alle leugens in moet zetten die er van al die advocaten in moeten, dan wordt het zes keer zo lang als het oorspronkelijke artikel.

13 juni 1972

Ik kan dit niet schrijven. Ik doe het niet.

17 juni 1972

Ik werd midden in de nacht wakker. Ik ging een glas water halen in de keuken en dacht aan Sinan, hoe die mij nu moet haten. Dat hij gelijk heeft als hij me haat. Ik wijs de schuldige aan en dan smeer ik 'm.

18 juni 1972

Als ik maar een fractie van zijn moed had, dan zou ik niet zijn gevlucht voor het onweer en had ik afgewacht tot de bliksem mij zou treffen.

Maar nu zit ik hier, op de veilige veranda.

Die veranda is in Rehoboth, op nog geen vijftig meter van het strand! We zijn hier een weekend, terwijl papa en die vroegere studiegenoot van hem die zo'n goeie deal voor me in de wacht heeft gesleept het artikel schrijven om alles te herroepen wat ik heb gezegd. Het artikel dat ik niet wilde schrijven. Ze zeggen steeds dat ik lol moet gaan maken met de anderen, maar ik heb nog nooit zo'n diepe kloof gevoeld tussen mij en mijn leeftijdsgenoten.

19 juni 1972

Op een dag kijk ik hierop terug en dan begrijp ik alles. Dan weet ik dat het leven gewoon niet eerlijk is. En ook dat de Engel des Doods overal is, zo dichtbij dat je hem kunt aanraken, maar dan zal ik begrijpen dat het leven door zijn schaduw juist zo mooi wordt. Dat moet ik tenminste geloven van de grootste, wijste, allervooruitziendste vader ter wereld...

Het ergste zijn de herinneringen. Waarom hij heeft besloten om me pas zo laat in vertrouwen te nemen weet ik niet. Dat moet wel de ultieme straf voor mijn misdaden zijn: om hier te zitten op de veranda van die advocaat en te horen hoe erg mijn vader Amy mist, en Istanbul, en wat hij 'dat leven' noemt.

Hij heeft het aldoor over kleuren. Het okergeel van de regen die in de lente over de keien stroomt, de roze gloed van de Bosporus vlak voor zonsondergang, het kolkende water vlak voor een onweersbui...

Op een bepaald moment zei ik: 'Waarom zou je je nog druk maken? Het is toch niet meer te herstellen.'

'Dat ga ik wel doen,' zei hij. 'En jij op een dag ook.'

Maar dat kost tijd, waarschuwde hij me vervolgens. 'Ik wil natuurlijk wel graag weten wat er is gebeurd. Dus laat mij maar rustig mijn eigen graafwerk doen, goed?'

's Lands wijs 's lands eer, zei hij tegen me. Vooral in Istanbul. Er waren drie gouden regels:

1. Alles is weggezakt in het moeras der geschiedenis.
2. Niemand vertelt je ooit het hele verhaal, dus kun je nooit zeker weten waar je aan toe bent.
3. Je zet er op eigen risico een streep onder, want er komt nooit een einde aan het verhaal.

Zijn refrein: 'Jeannie, ik sleep je hier wel door.'

En: 'Ik krijg je weer op de rails, al is het het laatste wat ik ooit zal doen.'

Maar de anderen dan?

'Laten we dat voor later bewaren, goed? Eerst ons eigen hachje. We kennen de feiten niet, maar één ding is duidelijk. In Istanbul zijn wij op dit moment ten dode opgeschreven, wij allebei.'

Niemand wil iets met ons te maken hebben! Hij heeft de afgelopen weken op alle mogelijke deuren geklopt, maar niemand zegt iets. Niemand! Misschien dat dat in de toekomst nog verandert, meestal wel, maar op dit moment is het volgens mijn persoonlijke spionnenbaas voorbij. 'Echt voorbij. Dus als je dit even doorleest, kunnen we het morgen uittikken en opsturen.'

Hij gaf me het artikel waarin ik alles herriep. Toen ik het uit had en het aan hem teruggaf, schreef hij er in grote letters onder: VOLGENS ALLE AANWEZIGEN IS DIT NOOIT GEBEURD.

'Laat dat een les voor je zijn,' zei hij. 'De wet is er om mensen te helpen liegen. Dat wil zeggen: mensen die een advocaat hebben.'

'Dat is ziek,' zei ik.

'Dat is de realiteit.'

'Niet als het aan mij ligt,' zei ik.

'Kom op, meid! Geef ze van katoen!' Hij stak zijn hand in zijn koffertje.

'Maar ik ben niet voor niks spion. Ik heb nog een paar troefkaarten.' Hij haalde een dossier tevoorschijn. 'Vraag me niet hoe ik hieraan kom.' Het was een doorslag van een brief van de Turkse Ambassadeur aan mijn vijand en voormalige redacteur, Greg Dickson:

Wij schrijven u om onze grote zorg te uiten over het artikel dat werd geschreven door Miss Wakefield met als titel WIE VERMOORDDE DUTCH HARDING?, *verschenen op 4 juni 1972. Het is niet alleen onverdedigbare laster aan het adres van de Turkse Staat en een verwijzing naar vermeende activiteiten van buitenlandse geheime diensten op Turks grondgebied, maar er wordt ook een onjuiste bewering gedaan over het slachtoffer zelf. Wij kunnen bevestigen dat er in de Turkse pers inderdaad melding is gemaakt van de moord in kwestie. We kunnen ook bevestigen dat twee Turkse burgers die in uw artikel worden genoemd (Suna Safran en Lüset Danon) beide schuldig zijn bevonden aan misdaden tegen de staat en op dit moment hun straf uitzitten. Er is echter niemand aangeklaagd wegens de moord op Dutch Harding. Dat is volgens de Turkse wet ook niet mogelijk, omdat er geen lijk gevonden is. Het ziet ernaar uit dat Miss Wakefield heeft verzuimd de feiten te controleren. Mocht u nog eens overwegen om een artikel over ons land te schrijven, dan raden wij u met klem aan uit voorzorg contact op te nemen met onze persvoorlichter...'*

'Waarom laat je me dit zien?' vroeg ik aan mijn lieve ouwe vader. 'Ik heb mijn lesje nu wel geleerd, hoor. Ik had de feiten moeten controleren. Ik had...'

'Lees het nog maar een keer,' zei hij.

Ik las het nogmaals.

Hij tikte zijn sigaret af in de asbak.

'Dringt het nu wel tot je door?'

V

Foltering zonder sporen

30

Sommige van je collega's bij het Center for Democratic Change waren zo vriendelijk de vragen te ondertekenen die ze me na elke nieuwe aflevering mailden, maar anderen bleven kennelijk liever anoniem. Vergeef me als ik overhaaste conclusies trek, Mary Ann, maar zo moet ik me wel afvragen wat die mensen te verbergen hebben.

Mijn antwoord op een van hun vragen: Nee, ikzelf heb niets te verbergen. Volgende vraag: *Hoelang heeft William Wakefield van niets geweten?*

Daar kan ik eerlijk gezegd alleen maar naar gissen. Hij wist dat hij erin geluisd was. Hij had de waarschuwing van de Koffermoord begrepen: wegwezen, anders is het de volgende keer niet de een of andere dolgedraaide onderknuppel die in een ondiep graf in de tuin van de Pasha's Library of in een koffer op de bodem van de Bosporus eindigt. Ik twijfel er niet aan dat het een schok voor hem moet zijn geweest te ontdekken dat zijn leven in gevaar was, vooral omdat hij niet wist uit welke hoek het gevaar kwam. Hij was er zo aan gewend geraakt alles te weten. Of althans de illusie te hebben dat hij alles wist.

Wat zijn bezigheden in zijn laatste jaar in Istanbul betreft: het staat wel vast dat hij (tussen de borrels door) een agent-provocateur aanstuurde. Die had waarschijnlijk tot taak politiek actieve studentengroeperingen te infiltreren en misschien de gang van zaken daar te beïnvloeden. Het is niet duidelijk in hoeverre deze persoon William Wakefield gehoorzaam was. Ik heb de indruk dat Wakefield op een gegeven moment zijn greep op hem is kwijtgeraakt.

Het is ook mogelijk dat iemand anders het heeft overgenomen. De inzetten heeft veranderd. De mensen van William Wakefield tegen hem heeft opgezet. Want het is zeker dat er nog andere inlichtingendiensten op de campus actief waren, en ook op universiteiten elders in het land. Ook zij zullen belang bij agents-provocateurs hebben gehad. Soms waren dat zelfs dezelfde agents-provocateurs.

Sommigen beweren dat alle gewelddadige acties van de linkse studenten in de jaren zestig – en ook in de jaren zeventig, zelfs nog in de jaren tachtig – door agents-provocateurs werden gepland of aangejaagd met als doel de linkse studentenbeweging in diskrediet te brengen en zo de nek om te draaien. Tegen het eind van de Koude Oorlog was niet alleen de linkse studentenbeweging op sterven na dood, maar de hele Turkse linkerzijde. Ik weiger echter te geloven dat dat alleen door het handjevol agenten van een handjevol inlichtingendiensten kwam. Bij dat uitgangspunt blijven te veel mensen buiten schot.

Maar nu terug naar de oorspronkelijke vraag. Hoelang heeft William Wakefield van niets geweten? Ondanks zijn gedwongen vertrek uit Istanbul en zijn daaropvolgende degradatie bleef hij voor de CIA werken, dus ik twijfel er niet aan dat hij meteen na zijn aankomst in Williamsburg zijn CIA-contacten heeft ingeschakeld om zijn vermoedens na te trekken. In Istanbul was hij misschien 'zo goed als dood', zoals hij het formuleerde, maar de brief van de Turkse ambassade wijst erop dat hij nog steeds op een zekere welwillendheid kon rekenen. Hij moet de hele tijd hebben geweten dat die geschiedenis met de Koffermoord niet klopte. Toen hij door zijn eigen dochter publiekelijk aan de schandpaal werd genageld omdat hij het meesterbrein daarachter zou zijn, raakte hij ongetwijfeld nog meer gemotiveerd om de ware schuldige op te sporen.

Toen ontdekte hij (na het lezen van de beruchte klacht van de Turkse ambassade in Washington) dat de grote onbekende het verhaal een nieuwe wending had gegeven: er was geen lijk! Daaruit moet William hebben opgemaakt dat zeker iemand, na zich van een agent-provocateur te hebben ontdaan en vier piepjonge revolutionairen-in-spe de schuld in de schoenen te hebben geschoven, nu probeerde de hele geschiedenis uit de annalen te wissen.

Waarom zou hij dat willen? Of, zoals Suna zou zeggen, *cui bono?* Die vraag moet de hele tijd door zijn hoofd hebben gespeeld. Steeds in een andere vorm. Want hij wist natuurlijk dat er wel degelijk een lijk was.

Dus zelfs midden in de rimboe zal hij naast zijn nieuwe werkzaamheden lijntjes hebben uitgezet en aanwijzingen hebben verzameld. Wanneer hij precies het licht zag is me niet helemaal duidelijk.

Maar als ik moest gokken hoe lang William Wakefield erover heeft gedaan om erachter te komen wie hem dit kunstje had geflikt, en waarom, en hoe, dan zou ik zeggen: zeker tien jaar. Als ik zijn moment van verlichting zou moeten dateren, dan zou ik zeggen dat het aanbrak op de dag dat zijn dochter terugkwam van haar korte, maar ongelooflijk onverstandige reisje naar Istanbul, in januari 1981.

31

Mijn beroep stond me al tegen voordat ik het tot mijn beroep maakte (schreef ze in haar brief). Zelfs in die tijd, te midden van al die ellende, begreep ik al door welke duivels ik zou worden voortgedreven. Ik keek naar de nachtelijke hemel en zag mijn toekomst. Ik zou zo'n advocaat worden die wetten aanvecht die het rijke mensen met dure advocaten mogelijk maakt straffeloos de verschrikkelijkste dingen te doen.

Uiteindelijk kwam ik – net als zoveel hooggestemde klasgenoten – op een groot advocatenkantoor in Manhattan terecht. Ik kon niet zelf kiezen welke zaken ik aannam en het meeste werk dat ik kreeg was van het soort waar ik tijdens mijn studie aan de rechtenfaculteit van Columbia diep op had neergekeken. Maar een van de senior partners had banden met Amnesty International. Hij had zitting in de internationale commissie, had een belangrijke rol gespeeld bij de campagne tegen foltering en was nu bezig met een nieuwe campagne tegen de doodstraf. De mensenrechtenwetgeving stond toen nog in de kinderschoenen en ik wilde er vanaf het eerste uur bij betrokken zijn. Ik hielp hem in mijn vrije tijd zo veel ik kon, voornamelijk met administratieve klusjes en vertalingen. Hij was blij met mijn belangstelling en wilde met alle plezier deuren voor me openen.

In december 1977 nam hij me mee naar een conferentie van Amnesty in Stockholm over de afschaffing van de doodstraf. Daar ontmoette ik een paar advocaten van mijn leeftijd die bij de Amerikaanse afdeling van Amnesty werkten of daarmee samenwerkten, en toen we weer thuis in New York waren, hielden we contact. Het deed me goed met mensen te praten die verder keken dan alleen de pastorale Amerikaanse idylle. Dat leek me het mooiste wat iemand kon bereiken: ik bewonderde het doorzettingsvermogen waarmee ze zich naar hun beste kunnen voor anderen inzetten. Onze gesprekken waren gruwelijk – ze gingen over verdachte sterfgevallen, folteringen, verdwijningen en politieke moorden. Je moest je goed aan je principes vasthouden om niet weggespoeld te worden. Maar dat vond ik er juist zo prettig aan – de regels die je overal doorheen loodsten.

In het najaar van 1980 waren we bezig met de organisatie van een conferentie over mensenrechtenwetgeving; ik bracht in de weekends vele uren door in onze oude bibliotheek aan Columbia. Op een zaterdag werd ik met een totaal ongefundeerd geluksgevoel wakker. Het was koud en winderig, maar de kale takken vormden een prachtig patroon tegen de lucht. Ik liep de bibliotheek in en rook het warme stof en de vernis. De rijen gebogen hoofden, de stapels boeken. Ik zocht een plaatsje, en daar, vlak tegenover me, zat een jongen die zo, met gebogen hoofd, sprekend op Sinan leek.

Ik keek hoe hij met zijn handen door zijn haar streek, op precies dezelfde verveelde, brutale manier die ik me zo goed herinnerde uit de tijd dat wij samen in net zo'n bibliotheek zaten te studeren. Ik zal wel erg opvallend naar hem hebben gekeken, want hij keek terug. De schok moet op mijn gezicht te lezen zijn geweest, want hij boog zich naar me toe en zei op bibliotheekfluistertoon: 'Oké, ik ben lelijk. Maar zó lelijk nou ook weer niet.' Toen hij weg was, heb ik nog lang naar zijn lege plaats zitten kijken.

Mijn ogen dwaalden rond totdat ze, zoals zo vaak, bleven rusten op een jongen en een meisje die samen zaten te studeren, bijna helemaal verstrengeld. Hun gezichten verrieden een geluk zo groot dat ze er bijna bewusteloos van raakten. De onrechtvaardigheid van dat alles kwam aan als een mokerslag: door stom geluk zaten zij hier samen en wij niet.

Als ik maar wist waarom. Als ik maar wist waarom,

schreef ik, dan kon ik de toekomst onder ogen zien. *Je moet me helpen*, smeekte ik. *Ik raak volkomen de weg kwijt.* Het was niet de eerste brief die ik aan Sinan schreef sinds mijn vader me had veroordeeld tot de wankele, al die acht jaar nooit bewaarheid geworden hoop dat we elkaar zouden weerzien. Maar de brief waaraan ik die herfstmorgen in de bibliotheek begon, was de langste en wanhopigste van allemaal. Hij kostte me de hele dag en al het papier dat ik bij me had. Ik wist dat het geen zin had; al toen ik hem opvouwde, in een envelop schoof en die adresseerde aan Sinan Sinanoğlu, p/a zijn moeder, besefte ik dat het waanzin was. Maar ik meende ieder woord.

Ik schreef dat ik levend dood was, dat ik niet in de bibliotheek kon rondkijken zonder hem te zien. Over de reeks vriendjes en de talloze therapeuten, het voortdurende proberen en het eindeloze falen. Over mijn vader en hoe ik hem haatte. En mezelf ook. Dat ik me 's nachts, als ik mijn ogen dichtdeed, voorstelde dat ik naast hem in de Kitten II over de Bosporus scheurde, langs de paleizen, langs Pera, langs Üsküdar, langs de Oude Stad en de oude Byzantijnse muren de Zee van Marmara op, maar in plaats van een discotheek met feestverlichting en een dansvloer zo groot als een paddenstoel binnen te gaan scheurden we almaar door, naar Avşa, Bandırma, Çanakkale, Samothraki, Alexandroupolis, Kavala...

Komt liefde daar dan uiteindelijk op neer? Is dat dan geloof: doen alsof je samen bent terwijl je in werkelijkheid alleen bent? Schrijf ik je alleen de waarheid omdat ik weet dat je tóch niet terug kunt schrijven?

Zo eindigde ik mijn brief. Ik verstuurde hem zonder hem nog over te lezen. Toen ik hem in de brievenbus hoorde ploffen, ging er iets in mij dood.

Jeannie had die avond met haar vrienden van Amnesty in het West End Café afgesproken. Zij was er als eerste. Er zat nog maar één andere bezoeker aan de bar, en zo te zien was dat geen stamgast. Er stond een koffertje aan zijn voeten, maar hij droeg een spijkerbroek en een safari-jack, geen pak. Hij was bruin, of misschien alleen maar verweerd. Zijn haar – krullend, bruin, maar aan de uiteindjes gebleekt door de zon – zag eruit alsof hij sinds de laatste borstelbeurt door de storm gelopen had. Hij bewoog zich traag en leek af en toe iets te zien wat hem aan het denken zette.

Toen Jeannies vrienden binnenkwamen, zagen ze hem eerder dan haar. Een voor een riepen ze 'Jordan!' en renden op hem af om hem te omhelzen. Hoe lang was hij al terug? Wat heerlijk om hem heelhuids terug te zien! Toen ze met hem naar Jeannies tafeltje kwamen, glimlachte hij en stak haar zijn hand toe.

'Jordan Frick,' zei hij.

Natuurlijk kende ze de naam wel. Hij was journalist, de laatste van de grote onruststokers. Hij had net een groot artikel over El Salvador voor de *New Yorker* geschreven.

'Leuk om je te ontmoeten,' zei ze, 'ik ben Jeannie Wakefield.'

'Weet ik,' zei hij. 'En jij kent mij ook wel.'

'Ja?'

'Laat maar. Het schiet je wel weer te binnen.' Hij richtte zich tot de man tussen hen in. Hij en Jordan bleken in de late jaren zestig aan Columbia jaargenoten te zijn geweest. Maar het gesprek ging nu over de naderende presidentsverkiezingen, waarover Jordan een serie schreef voor een Britse krant. Toen iemand vroeg hoe hij de mensenrechtensituatie zag als Reagan de verkiezingen won, zei hij: 'Dat kan niet slechter.' Hij gooide zijn haar naar achteren, precies zoals Jeannie lang geleden een geschoren schaap lokken achterover had zien gooien die er niet meer waren. Toen wist ze weer wie hij was.

'Zonder Naam!'

'Zonder Naam,' lachte hij. 'Ja, zo noemde je me, dat was ik vergeten.'

'Wat doe jij hier?'

'Dat wilde ik jou net vragen.'

Maar voordat hij erop door kon gaan, werden ze al door hun vrienden meegenomen naar de voorstelling van zeven uur in Thalia. Pas toen ze in 96th Street voor een rood stoplicht moesten wachten kreeg Jeannie de kans het gesprek voort te zetten.

'Zonder Naam,' begon ze, 'ja, sorry, ik moet nog even wennen aan "Jordan". De laatste keer dat we elkaar zagen – negen jaar geleden, toch? In Café Pamplona?'

Jordan 'Zonder Naam' Frick keek haar even bestraffend aan.

'Hoe dan ook,' zette ze door, 'we hadden het over de Koffermoord. En jij zei... iets met de strekking dat dat verhaal niet klopte. Zo was het toch?' Hij knikte kort. 'Dus ik vroeg me af: heb je dat ooit nog uitgezocht?'

'Die moord, bedoel je?' vroeg hij.

'Ja, natuurlijk.'

Hij haalde zijn schouders op. 'Hoe ziet Sinan het allemaal?'

'Dat weet ik niet,' zei ze. 'Ik weet niet eens waar hij is.'

'En Chloe?'

'We spreken elkaar niet meer, vrees ik.'

'En de anderen? Die meisjes, bedoel ik.'

Ze wachtte even met antwoorden omdat ze haar stem niet vertrouwde. 'Nee, daar heb ik ook geen contact meer mee.'

Door zijn strenge, bestraffende blik kreeg ze het gevoel dat ze zich moest verdedigen, dus ze voegde eraan toe: 'Dat klopt niet helemaal. In het begin, toen ik wist in welke gevangenis ze zaten, ja, toen heb ik wel geschreven. Vaak. Maar ze schreven nooit terug, dus... nou ja, het was duidelijk dat ze niets meer met me te maken wilden hebben.'

'Heb je je wel eens afgevraagd waarom niet?' vroeg hij.

'Nou,' zei ze, 'dat kon van alles zijn.'

'Dat dacht ik niet,' zei Jordan. 'Volgens mij was er één belangrijke reden. Volgens mij was het vanwege dat bij elkaar gelogen verhaal dat je toen voor mijn oude vriend Greg Dickson had geschreven.'

Toen ze bij Thalia waren liep Jeannie door, Broadway af. En meteen toen ze thuiskwam, zette ze de tv aan. Ze liet hem aan staan totdat ze naar bed ging. Maar zodra ze het licht had uitgedaan, kwam alles weer terug.

> Het kwam terug zoals altijd, in flarden. Eerst mijn eigen woorden en de grootse theorieën die ik had verzonnen op grond van dingen die ik van anderen had gehoord. En

dan de leugens en het herroepen. Dan mijn vader die me de moraal van het verhaal vertelde. En dan Suna. Suna met bungelende voeten op de vensterbank op de derde verdieping, Suna die in de gevangenis gekneusd en gebroken op haar brits lag te lezen wat ik over haar geschreven had, Suna die alle slechte vertalingen van mijn onbezonnen woorden in een envelop propte en de enige brief schreef die ze me ooit gestuurd heeft: Ik dacht dat je mijn vriendin was. Met iedere nieuwe stem werd ik weer door een oud verdriet overspoeld. De muren stortten in en mijn grote ideaal kwam me bespotten. Hoe durfde ik te beweren dat ik om mensenrechten gaf? Hoe kon ik brieven opstellen namens mensen die ik nooit had ontmoet en die in gevangenissen in Zuid-Afrika of in Midden-Amerika zaten, terwijl ik nooit navraag deed naar het lot van mensen die ik persoonlijk schade had berokkend?

Dat waren de vragen die me ertoe brachten met mijn vrienden naar een seminar over foltering te gaan waar Jordan Frick een van de sprekers zou zijn. Het was een week of drie, vier na onze ontmoeting in het West End Café. De presidentsverkiezingen waren voorbij. Jordan was daar als Midden-Amerikadeskundige, maar hij had het ook even over Turkije.

De dingen die hij zei waren niet nieuw voor me. Ik had de verslagen gelezen. Na vijf jaar 'democratie' en een nieuwe grondwet, vijf jaar vol beroering en escalerend geweld – beschietingen uit rijdende auto's, kapingen, veldslagen tussen linkse en rechte milities – werd Turkije weer door het leger geregeerd. En ook nu zaten de gevangenissen weer vol politieke gevangenen. Ik kende de feiten en de cijfers, maar mijn eigen gevoel daarbij kende ik niet. Ik luisterde naar Jordan en zag iemand die niet bang was om het regime in het openbaar en zwart op wit te veroordelen, en de muren stortten in.

Hij kende geen angst, maar dat was niet alles. Als hij sprak, verdween zijn hele zelfgevoel. Hij wérd zijn onderwerp. Hij sleurde je erin. Afstand houden was onmogelijk. Je was zélf in die folterkamer. Je voelde de *falaka* tegen je voetzolen. Je rook je folteraar, je hoorde het zoemen van de elektrische stok die hij boven zijn hoofd hief. Je proefde de angst. Je wist dat je je hele verdere leven moest besteden aan het bestrijden daarvan. Je wist dat je een mislukkeling was omdat je dat niet deed.

'Je bent nooit meer teruggeweest, neem ik aan?' Dat zei hij later, toen we naar The White Horse waren gegaan. Ik zei dat ik dat niet durfde. 'Hoe kun je dat rechtvaardigen? Als je om die mensen geeft, bedoel ik.' Ik antwoordde naar waarheid dat ik het nooit van die kant had bekeken.

Toen gaf hij een vreemd antwoord: 'Ik weet dat je graag medelijden met jezelf hebt, maar heb je wel eens bedacht dat ik me misschien nog erger gecompromitteerd voel dan jij?' En meteen daarna begon hij over het proces.

Had ik dat dan niet gehoord? Het zou in januari plaatsvinden. 'De oude Verlichtingsclub onder een nieuwe naam. Strikt genomen is het eigenlijk de hoofdredactie van een politiek tijdschrift. Je vriendin Suna is een van de beklaagden.' Hij wilde daar wat internationale belangstelling voor zien te wekken. 'De regering voor schut zetten zodat ze de zaak seponeren. Maar daarvoor moet ik erbij kunnen. Bot gezegd: ik heb iemand nodig die ze kunnen vertrouwen.'

Dom genoeg vroeg ik waarom ze hem dan niet vertrouwden.

Door dat artikel van mij natuurlijk!

Er was maar één manier om dat goed te maken.

Terwijl hij over mijn voorstel nadacht, gingen zijn wenkbrauwen op en neer, op en neer. Hij balde zijn vuist en opende hem weer, als een bloem.

Maar later die avond zei ze tegen haar vriendin Fran dat ze nog nooit iets zo zeker had geweten. Ze ging niet naar Istanbul om uit te zoeken wat er tien jaar geleden was gebeurd. Ze wilde mensen helpen die nú hulp nodig hadden.

'Dat proces is gewoon een kapstok,' zei ze. 'Wat hij eigenlijk doet is een generatie in kaart brengen – laten zien hoe mensen zoals mijn vader een hele generatie kapot hebben gemaakt in naam van de dominotheorie. En dat is wel zowat de onzinnigste theorie die er bestaat, toch? Sinds wanneer zijn landen dominostenen? En als het ene land 'voor het communisme valt', waarom zou dat dan betekenen dat de buurlanden dat ook doen? Jordan heeft een echt briljante manier om...'

'O, dus nu is Jordan briljant?' Fran keek haar geamuseerd aan.

'Ik voel me niet tot hem aangetrokken.'

'Nee, natuurlijk niet. Jij voelt je nooit tot iemand aangetrokken. Maar hij is wel erg leuk.'

'Fran, dat heeft er niets mee te maken!'

'Wie ben ik om jou een avontuurtje te misgunnen? Maar Mike zal er wel niet blij mee zijn.'

Mike was Jeannies vriendje, al sinds hun studie. Hij was nog steeds haar vriendje, al werkte hij nu in Washington. 'Het gaat Mike niks aan,' zei ze tegen Fran. 'Als hij om me geeft, begrijpt hij wel dat ik dit moet doen.'

Mike was inderdaad niet blij dat Jeannie zonder duidelijk omschreven doel naar Turkije ging met een journalist die zo beroemd was dat zelfs híj wel eens van hem had gehoord. Toen ze niet voor zijn argumenten zwichtte, zei hij: goed, best, als ze het zo wilde spelen, dan moest ze dat maar doen. Hij ramde de hoorn op de haak en ze spraken elkaar pas weer toen ze op het punt stond te vertrekken. Het was weer een kort gesprek. 'Ik wilde je even gedag zeggen,' zei ze. En Mike zei: 'Nou, gedag.'

Zodra ze had neergelegd ging de telefoon opnieuw. 'Zeg Mike,' zei ze, maar het was Mike niet. Het was haar vader. Zijn eerste woorden: 'Goed zo, Jeannie! Zeg die zak maar eens flink de waarheid.'

Haar vader woonde nu in Columbia, Missouri, waar hij iets runde wat moest doorgaan voor een vrachtvliegtuigmaatschappij. Wat zijn werkelijke werkzaamheden ook mochten zijn, hij verveelde zich dood. Maar dan was er nog altijd de vage biografie die hij zojuist had voltooid, de belachelijke cursus die hij sinds kort aan de universiteit volgde en de voormalige collega die zichzelf onlangs onmogelijk had gemaakt op een manier 'die je het gevoel gaf dat er misschien toch een god bestaat'.

Ditmaal was zijn Vietnamese huishoudster het grote nieuws. Die 'maakte avances'. 'En ik kan het haar niet kwalijk nemen. Haar man deugt niet. Hij heeft al hun spaargeld vergokt. En ze heeft twee kinderen die binnenkort medicijnen moeten gaan studeren.'

'Klinkt heftig, pa,' zei Jeannie.

'Maar daarvoor belde ik niet.'

Hij wachtte tot ze iets zei. Maar zij wist wel beter en hield haar mond.

Eindelijk capituleerde hij. 'Ik heb gehoord dat je teruggaat naar vroeger.'

Dat was een schok. 'Hoe weet je dat?'

'Ik heb mijn bronnen. Ik weet alles.' Hij zei het met trots.

'Je hebt het vast van Mike.'

'Precies, van Mike. Wij spreken elkaar dagelijks.'

Ze besloot weer te zwijgen. Als hij zo nieuwsgierig was, moest hij de volgende stap maar zetten. Maar hoeveel wist hij al? Toen ze de stilte niet langer kon verdragen, zei ze: 'Zeg, ik maak zelf wel uit waar ik heen ga en met wie.'

'Goed om dat te horen, Jeannie. Ik hoop alleen dat je weet waar je aan begint.'

'Wat bedoel je precies?'

'Gewoon, wat ik zeg. Maar daar belde ik niet voor.'

'Waar dan wel voor? Wat kan ik voor je doen, pa?'

'Als je me een plezier wilt doen,' zei hij, 'ga Amy dan eens opzoeken als je daar bent.'

'Ik weet niet of zij dat wel zo plezierig vindt. We zijn niet bepaald als goede vrienden uit elkaar gegaan.'

'O, jawel. Ze zou beledigd zijn als ze van mij hoorde dat je daar was geweest zonder haar op te zoeken.'

'Moet ik daaruit opmaken dat jullie elkaar geregeld spreken?'

'Laten we het zo zeggen: als ik in de krant iets over Istanbul lees, vraag ik me altijd af of het wel goed met haar gaat.'

'Dus ik moet haar handje vasthouden en haar pols voelen of zo.'

'Ja, doe maar. En vraag dan meteen of ze dat kistje nog heeft.'

Haar hart sloeg een slag over en hij leek haar gedachten te lezen. 'Niet wat jij nu denkt. Er zitten voornamelijk foto's in.' Hij laste een pauze in voor het effect. 'Maar misschien vind je die wel interessant. Ondanks alles.'

'Ik weet niet of ik daar wel tijd voor heb,' zei ze.

'Ja, ik ken dat. Druk druk druk. Ik kan alleen zeggen dat je het misschien de moeite waard zult vinden.'

'Moet ik een boodschap doorgeven, als ik het red?'

'Zeg maar iets over mijn nieuwe huishoudster,' zei hij, 'en laat me weten hoe ze reageert.'

32

Ze vertrokken op een vrijdagavond in een halfleeg vliegtuig. Jordan – of Zonder Naam, zoals ze hem nog steeds verkoos te noemen – had leesvoer voor haar meegebracht. Het merendeel ging over, of was geschreven door, undergroundgroepen waar ze mee in contact moesten zien te komen. Er was ook een ongepubliceerd essay bij over de geschiedenis van politiek links in Turkije. 'Probeer hier zo veel mogelijk van in je geheugen te prenten,' zei hij.

Hij was met een artikel over de Somoza's bezig. Hij belde het op Charles de Gaulle door naar de nieuwsdesk, net op tijd voor hun volgende vliegtuig. De nasleep van zoiets had wel iets van afkicken, legde hij uit. 'Het kost zoveel adrenaline om het voor elkaar te krijgen. Je sluit je af voor al het andere. Als het dan klaar is, geeft dat een kick. Maar daarna zak je als een pudding in elkaar. Thuis ga ik dan zwemmen of hardlopen. Maar nu – weet je wat, nu neem ik een borrel.'

Het was elf uur 's morgens, plaatselijke tijd. Terwijl ze al drinkend over Duitsland, Oostenrijk, Joegoslavië en Bulgarije heen vlogen, vertelde hij over zijn werk. Wat hij er fijn aan vond, wat er slopend aan was, waar de pers voor diende, wat de pers in werkelijkheid bereikte, dat hij het brandjes blussen zat was, dat hij bang was voor een burn-out, wat hij hierna misschien kon gaan doen. Hij wist nog niet hoe hij zonder zijn kicks zou moeten leven, zei hij. 'Stel dat je ergens een verhaal ziet, hoe kun je je dan inhouden?'

Zij antwoordde dat ze altijd had gedacht dat het het moeilijkste zou zijn dat je de kans liet schieten ergens iets aan te kunnen doen. 'Moet jij nodig zeggen,' zei hij. Ze draaide zich naar het raampje om haar gezicht te verbergen.

Ze vlogen nu in het Turkse luchtruim, boven de dorre vlakten van Thrace. Al snel daalde het vliegtuig boven Istanbul, tot het zo laag vloog dat Jeannie de villa's langs de kust kon zien, en de tankers die op de witgekuifde golven deinden als bootjes in de badkuip. Ze kwamen nog lager, alsof ze in zee zouden neerstorten. Maar toen, op het allerlaatste moment, dook hun redding op: daar was de landingsbaan.

In de nieuwe aankomsthal waren de tl-buizen genadeloos en de politieagenten bij de paspoortcontrole even chagrijnig als altijd. De soldaten op alle hoeken droegen nog steeds lichte mitrailleurs. De bagagehal werd overspoeld met arbeiders die net uit Düsseldorf terugkwamen en nu probeerden hun hele hebben en houden op een wankel karretje te laden. De lucht was bezwangerd met de geur van rook, zweet en schoenleer. Hele families drongen aan alle kanten op terwijl ze zich tussen de taxichauffeurs en hotelrunners door naar de uitgang worstelden. Maar een paar minuten later reden ze langs de oude stadsmuren langs de kust van Marmara. Toen ze Sarayburnu naderden, vroeg hij: 'Hoe lang ben je hier niet geweest?'

'In juni tien jaar.'

'Tien jaar? Bereid je dan maar voor op een schok.'

Ze namen de bocht en daar lag het, het vermaarde uitzicht. Links de Galatabrug met zijn mensenmenigte. Voor hen uit de zwerm veerboten en vissersbootjes die de Gouden Hoorn in en uit voeren. De heuvels van de Europese Stad, de Galatatoren en de kerktorens, koepels en minaretten en de huurkazernes die zich over de helling uitstrekten tot aan de Bosporus. Aan de overkant van de Bosporus de heuvels van Azië. De Bosporus zelf was grijs en woelig en ging gehuld in nevel. Maar toen brak de zon door en daar lag de nieuwe brug met zijn grote bogen die Europa en Azië samenvoegde.

'Herinner je je al die posters nog?' vroeg Jordan. '"Nee tegen de brug"?'

Ze hadden kamers gereserveerd in het Sheraton, dat afgezien van het uitzicht precies hetzelfde was als alle andere Sheratonhotels overal ter wereld. Vanuit haar kamer kon Jeannie van Üsküdar tot de Oude Stad kijken, van de brug over de Bosporus tot de tankers die uit de Zee van Marmara omhoog leken te zweven terwijl ze uit de mist opdoemden. Ze was zo moe dat ze er duizelig van werd, dus strekte ze zich op het bed uit en viel meteen in slaap. Toen ze wakker werd, was het donker in de kamer. Er werd aangeklopt. Ze strompelde naar de deur. Licht stroomde naar binnen. Daar middenin stond Jordan, alsof hij door een aureool werd omstraald. 'Heb je honger? Het is tegen negenen.'

Ze liepen de donkere, drukke Cumhuriyet Caddesi op.

In Taksim volgden ze de modderige İstiklal langs rijen rillende mannen in bruin pak, langs zwakverlichte schoenwinkels en bioscopen met schreeuwerige posters van vrouwen in string met tepeldopjes, sloegen eindelijk rechtsaf de bloemenmarkt op, en weer rechts naar een arcade met bierhallen. De Pasaj: ze wist nog dat ze hier met haar vader was geweest. Ze namen een tafeltje bij het raam ergens waar Jordan de barkeeper kende, een man met arendsogen en reusachtige handen. De enige andere aanwezige vrouw was de rondborstige blondine die met een accordeon de arcade af liep.

Bij een 'arjantin birasi', een biertje uit het vat, vertelde Jordan haar van de verpletterende indruk die deze buurt op hem had gemaakt toen hij er voor het eerst was. 'Hier is alles begonnen,' zei hij. 'Opeens begreep ik wie ik was, wat ik met mijn leven wilde en waarom.' Hij vertelde van de mensen die hij dat jaar in deze straten had leren kennen. Hij noemde hun namen. Hoeveel van hen zouden er nog leven? Op de terugweg naar het hotel liepen ze nog even langs de vaste oriëntatiepunten: de Italiaanse kerk, het Russische consulaat, de Griekse kerk, het Franse lycée, de opera die een paar weken na de opening in de as was gelegd nadat er tien jaar aan was gebouwd.

Terwijl ze door Taksim liepen, reed er een auto de stoep op. Jordan trok Jeannie maar net op tijd opzij. Daarna bleef zijn arm om haar heen, maar zij maakte zich los. Later, toen ze Cumhuriyet Caddesi overstaken, pakte hij haar hand om haar voor een auto weg te trekken die plotseling een andere rijbaan op zwenkte. Aan de overkant trok ze haar hand weer terug.

'Je hebt toch nog geen slaap?' vroeg hij in de lift. Ze had geen slaap, maar ze zei van wel. Ze lag de halve nacht wakker en vroeg zich af waarom ze toch altijd mensen wegduwde, nog steeds, na al die jaren.

Maar terwijl mijn gedachten in steeds kleinere kringetjes ronddraaiden, was ik er ondertussen toch maar in geslaagd me af te sluiten voor die andere, urgentere vraag: waar was ik aan begonnen?

Toen ik de volgende ochtend naar het raam liep om uit te kijken over de stad zoals die nu was, voelde ik nog steeds hoe de stad die niet meer bestond en het leven dat nooit bestaan had, aan me trokken.

Jordan daarentegen was een en al zakelijkheid.

Maar hij schoot niet erg op, legde hij aan het ontbijt uit. Het oude Verlichtingsgezelschap had misschien hulp nodig en Jordan kon daar misschien voor zorgen, maar ze namen de telefoon niet op. 'Dat hoort er natuurlijk allemaal bij,' zei hij nerveus. 'Als je benaderd wordt, verander je meteen van adres. We kunnen er dus van uitgaan dat niemand is waar hij normaal gesproken hoort te zijn. Maar we geven het niet op.'

Hij wilde op Büküyada iets natrekken. Halverwege de ochtend zaten ze op de veerboot. De zee was ruw en het dorp verlaten. De grauwe golven die tegen de oude aanlegsteiger uit de Ottomaanse tijd aan sloegen, leken Jeannie minder werkelijk dan de gladde blauwe zee uit haar herinnering. Terwijl ze langs de gesloten luiken van winkels en huizen door het winderige dorp liepen, dacht ze terug aan de zomerse mensenmassa's, de rennende obers en de fietsende kinderen, de dienstmeisjes die kleden uitklopten, het hoefgeklepper van paarden en het kraken van rijtuigjes, de warme mestgeur die opsteeg van de met bomen omzoomde straten.

Ze beklommen de helling, langs huizen zo nat en grijs dat ze zich niet meer kon voorstellen ze ooit anders te hebben gezien. Ze liepen de mist in, en toen ze daar aan de andere kant weer uit kwamen, lag daar het Griekse klooster. De kerk was op slot, maar vanaf de binnenplaats zagen ze de Zee van Marmara beneden, genesteld in een bed van wolken. De regen had hen nog niet ingehaald, dus ze liepen door. De eerste druppels vielen op hen neer toen ze langs de druipnatte, met luiken afgesloten keet kwamen die 's zomers een theehuis was. Terwijl ze daar stonden te schuilen, wees Jordan de met struiken begroeide heuvel aan waar hij en Dutch Harding een keer een heuse kluizenaar hadden ontmoet.

Het was een Duitser, zei hij. Een ouderwetse *Wandergeselle.* Hij was naar Jordan en Dutch toegekomen toen ze een kampvuur probeerden te maken. Toen ze ontdekten dat er een taal was die ze alle drie spraken, had Dutch vriendschap met hem gesloten, 'en zo kregen we zijn hele verhaal te horen. Pas later bedacht ik dat ik toen al twee jaar met Dutch bevriend was en dat hij me nooit had verteld dat hij Duits sprak. Vreemd hè?'

Hij keek steeds achterom, alsof hij verwachtte daar een van zijn oude kennissen te zien lopen. Maar er was niemand. Toen het wat minder hard ging regenen, liep hij naar de bosjes – om te pissen, zei hij. Tien minuten later volgde Jeannie hetzelfde slingerpaadje over de heuveltop, en daar zag ze hem gehurkt op een open plek tussen de struiken zitten. Zijn rugzak stond op de grond en hij had een schepje in zijn hand.

'Wat ben jij in godsnaam aan het doen?' vroeg ze.

Hij keek troosteloos naar het hoopje aarde naast hem. 'Dat begon ik me ook net af te vragen.'

Tijdens de lange wandeling terug naar het dorp was hij stil. Maar op de veerboot verontschuldigde hij zich voor zijn 'vreemde gedrag'.

'Maar je zult wel hebben begrepen wat ik aan het doen was.'

Nee, eerlijk gezegd niet, bekende Jeannie. 'Al wijst het feit dat je dat schepje bij je had er wel op dat je een plan had.'

'Maar geen erg goed plan.'

'Kennelijk niet, nee!'

'Doe nou niet zo moeilijk!'

'Maar wat wilde je daar dan?'

'Hetzelfde als jij,' zei hij, 'de waarheid over Dutch Harding ontdekken.'

'Eerlijk gezegd heb ik dat al jaren geleden opgegeven, Jordan.'

Hij wierp haar een donkere blik toe. 'Je weet toch dat ze zijn lijk nooit hebben gevonden?'

'Volgens mij hebben ze ook nooit echt goed gezocht.'

'Dat hoefde ook niet. Tenslotte hebben zij hem zelf begraven.'

'Zij?'

'Het spijt me. Ik kan geen namen noemen. Ik kan je alleen maar vertellen wat ik ergens heb opgevangen. Iemand is van plan het lijk op te graven.'

'Waarom?'

'Dat weet ik niet. Om een schuldige te kunnen aanwijzen? Om de moordenaar iets duidelijk te maken? Om hem – of haar – op het hart te drukken dinsdag bij het proces niets te zeggen? Maar vanavond komen we er wel achter.'

'We gaan degene ontmoeten van wie je ergens iets hebt opgevangen, hè?'

'Stil. Genoeg gepraat.'

Die avond verlegden ze hun jachtterrein naar Beyoğlu. Ze gingen eerst iets drinken in de bar van Avni, een zwarte Turk, en van daar liepen ze naar een oud Russisch restaurant dat Rejans heette. Toen ze daar weggingen, kwam Jeannies hak klem te zitten tussen de straatstenen. Hij brak af. Maak je geen zorgen, zei Jordan. Hij sloeg zijn arm om haar heen en ze hinkten naar een journalistencafé, Kulis. Het was er stampvol, maar ze vonden een plekje bij de bar. Er dreven rookwolken om de lampen heen. Er klonken stemmen, luid en zacht. Een vrouw lachte, een man vertelde een lang, serieus verhaal. Ergens klonk een koor van protest. Hun bestelling werd net gebracht toen Jordan zich naar haar toe boog. 'Niet meteen kijken, maar...' Ze wilde al om zich heen kijken, maar hij hield haar tegen. 'Niet kijken, zei ik toch! We worden in de gaten gehouden.'

'Door wie?'

'Gewoon doorpraten,' zei hij. 'En ga dan zometeen even naar de dames. Of hoe je dat tegenwoordig ook noemt.'

Achter de deur waar BAYAN op stond bevond zich een felverlicht vertrekje, waarin een tafel stond met een enorme pop gekleed als een Spaanse danseres. Om haar rokken heen lag een ruim assortiment make-up en er stonden een asbak in de vorm van een dolfijn, twee glazen, een fles water en een fles Johnnie Walker Black. Aan de tafel zaten twee vrouwen, die samen een sigaret deelden. De ene was klein en blond, de andere donker en slonzig. Ze keken niet op toen Jeannie binnenkwam. Toen ze op de wc was, zwegen ze, maar toen ze haar handen ging wassen, wees de ene vrouw haar vriendin op Jeannies afgebroken hak. 'En ik had nog wel medelijden met haar,' zei ze in het Turks. 'Ik dacht dat ze hinkte.'

Het was Suna.

Met bonkend hart draaide Jeannie de kraan dicht. Ze boog haar hoofd. Uit schaamte? Of uit zenuwen?

'Kom, Lüset, lieverd. Zullen we?' vroeg Suna in het Turks.

'Nee, schat.' Dat was Lüset. 'Nog niet.'

'Maar ik verveel me zo,' zei Suna.

'Duits misschien? Haar benen zien er Duits uit.'

Jeannie stond haar handen af te drogen. Toen Suna in het Duits vroeg of ze wat eau de cologne wilde, bedankte Jeannie in het Turks en Suna slaakte een kreetje.

'Neem me niet kwalijk,' zei Jeannie, 'ik wilde niet...'

'Alsjeblieft!' riep Suna. Ze bracht haar wijsvinger naar haar lippen en liet haar ogen langs de muren glijden om duidelijk te maken dat die misschien oren hadden. 'Begrijp je?' vroeg ze nog zachter. Jeannie knikte. Suna wees naar de schoen zonder hak. 'Je lijdt.'

'Welnee. Ik heb alleen...'

'Ssssst,' zei Suna. 'We willen je helpen.'

Ze gingen weer naar binnen, naar de bar, waar Suna de schoen van Jeannie aan een hulpkelnertje gaf, dat ermee wegrende om hem ergens te laten maken. 'Hocus pocus,' zei Suna. 'Had je ooit gedacht dat het zo makkelijk was? Maar vertel eens, wat kom je hier doen?'

'Jullie helpen.'

'Waarom zou je iemand helpen die je nog nooit hebt gezien?'

'Maar Suna...'

'Wij kennen elkaar niet, laat dat duidelijk zijn, we worden in de gaten gehouden. Begrijp je? We hebben medelijden met je gekregen vanwege die tragedie met je gebroken hak. Dus vertel eens, lieve Jeannie, hoe heet je? En wat brengt je hier op deze mooie, modderige avond? Het nuttige of het aangename?'

'Het nuttige,' zei ze. 'Ik ben advocaat,' voegde ze eraan toe.

'Ah. Interessant. Maar in Amerika misschien niet zo interessant als hier.'

'Ik hou me vooral met internationaal recht bezig,' zei ze. 'Mensenrechten.'

'Lieve help,' zei Suna. 'Wat radicaal!'

'En wat doe jij tegenwoordig?'

'Ah,' zei Suna, 'dat is een lang verhaal. Ik had zoveel willen doen, maar ik loop nog steeds achter! Laten we zeggen dat ik met veel pijn en moeite socioloog probeer te worden. En sta me toe mijn lieve vriendin voor te stellen. Jeannie, mag ik je voorstellen: de verrukkelijke Lüset Danon, de trotse draagster van een academische titel in de architectuur. Hoewel ze helaas aan het reclamebureau van haar familie vastgeketend zit. Ja, het valt niet mee om onze talenten te ontplooien. Maar deze week hebben we al moeite genoeg met de modder. Ik moet me verontschuldigen vanwege het weer.'

'Wat maakt dat uit?' zei Jeannie. 'Ik ben hier voor jou. Ik hoop dat je dat begrijpt.'

'Ah!' Suna trommelde met haar vingers op de bar. 'Ah!'

'Suna, in godsnaam,' fluisterde Lüset in het Turks. 'Niet hier!'

'Maar toch,' zei Suna, nu weer in het Engels. 'Het moet gezegd.' Ze keek Jeannie aan. 'Mijn beste mens. Lieve vriendin. Heb je ons nog niet genoeg geholpen? Je bent zo gul geweest! Al die boeken, al die aantekeningen! Wat een rib uit je lijf moeten de verzendkosten zijn geweest! Maar het was natuurlijk wel heel belangrijk om de vuile was buiten te hangen.'

'Als je mijn artikel bedoelt,' zei Jeannie, 'daarvoor wil ik jullie mijn excuses aanbieden.'

'Waarvoor, als ik vragen mag?'

'Omdat ik het geschreven heb. En omdat ik jullie ertoe heb aangezet!'

'Waartoe, beste meid?'

'O, Suna. Hou toch op. Jij weet net zo goed als ik dat ik je op het idee heb gebracht. Jullie adoreerden hem allemaal! Jullie zouden hem nooit van z'n leven hebben verdacht! Als ik niet tegen Dutch Harding in was gegaan...'

Bij het horen van die naam sperde Lüset haar ogen wijd open. 'Suna! We moeten weg!' Maar Suna stak nog een sigaret op.

'Wie heeft je hierheen gestuurd?'

'Zoals ik al zei, ik kom het goedmaken. Ik heb er jarenlang onder geleden...'

'Ach. Wat tragisch. Wat moet jij hebben geleden, daar in dat mooie, gerieflijke Harvard.' Suna ging nu steeds harder praten.

'Ja, sorry, ik weet dat het geen vergelijking is.'

'Zo. En hoe had je ons precies willen helpen?'

'Zoals ik al zei, ik ben advocaat. Ik werk niet voor Amnesty International, maar ik...'

'Laat me raden,' zei Suna. 'Je sympathiseert met hun doelstellingen en je komt voor een bepaald proces, als waarnemer.' Ze nam een trek van haar sigaret en blies de rook door haar neusgaten uit, op de manier die Jeannie zo goed van vroeger kende. 'Je hebt je vader zeker in zijn eigen sop laten gaarkoken. Weet hij dat je hier bent?'

'Hij weet inmiddels wel dat hij me niet kan voorschrijven wat ik moet denken of doen.'

'En wat denk je dan zoal?' vroeg Suna. Ze leunde loom tegen de bar alsof ze de hele dag de tijd had. Maar toen ze haar blikken door het vertrek liet gaan, zag ze iets wat haar met een schok bij haar positieven bracht.

Jeannie volgde haar blik en zag Jordan. Hij stond in een hoek met een man te praten en onderstreepte het belang van zijn woorden met een gebaar met zijn sigaret. Toen ze zich weer omdraaide, waren Suna en Lüset weg.

33

Ik vroeg me niet af waarvoor ze waren gevlucht of waarom Jordan ook ineens verdwenen bleek te zijn toen ik weer keek. Ik bleef gewoon dom op mijn schoen zitten wachten. En – ook dom – ik gebruikte die schoen telkens als alibi als ik door een man werd aangesproken. Toen ik hem eindelijk terugkreeg, stond een groepje afgewezen sollicitanten op om te applaudisseren.

Eenmaal terug in het hotel kon ik niet slapen. Even na tweeën werd er op de deur geklopt. Het was Jordan. Met gebogen hoofd, stinkend naar rook en whisky. Zijn overhemd zat onder het bloed. Ik maakte hem zo goed en zo kwaad als het ging schoon en legde hem op het vrije bed van mijn lits-jumeaux. Zelf kroop ik in het andere.

Toen ik om een uur of acht wakker werd, hoorde ik de douche. Even later kwam hij uit de badkamer, met heldere ogen, schoon en fris, met een dikke witte badhanddoek om. 'Het spijt me, Jeannie. Het spijt me echt ontzettend.'

Het speet hem dat hij me niet de hele waarheid had verteld. Dat wilde hij nu doen. Hij kwam niet alleen voor het proces. Hij was hier om uit te zoeken wie Dutch Harding had vermoord. Volgens zijn geheime bron was de hoofdverdachte weer in de stad. Een Sovjetagent, een medewerker van het consulaat met wie Dutch 'te maken had gehad'. Stom genoeg kwam ik meteen met een naam. Bedoelde hij Sergei? 'Dus Sinan kende hem ook?' vroeg Jordan. Ik zei dat iedereen Sergei kende. 'Zelfs mijn vader.' Bij die laatste opmerking snoof hij verachtelijk.

Toen ik vroeg waarom Sergei de hoofdverdachte was, zweeg hij. 'Vanavond weet ik meer,' zei hij tenslotte. 'Je mag wel mee als je wilt. We hebben in de discotheek aan de overkant afgesproken. Maar eerst gaan we terug naar ons oude jachtterrein. Ik moet iets controleren.'

Tegen elven zaten ze in een taxi en reden de helling af naar het Dolmabahçe-paleis. Om half twaalf namen ze de bocht bij Akıntıburnu en reden Bebek in. Uit het noorden blies een krachtige wind vanaf de Zwarte Zee. De Bosporus was even staalgrijs als de dikke wolken. In Bebek was het vochtig en koud. De meeste winkels hadden een andere eigenaar dan vroeger, maar Jeannie herkende boekwinkel Yalter en de delicatessenzaak van Haldun, en Mini Dondurma, het piepkleine ijswinkeltje.

De zon brak door toen ze de trap op klommen om de oude woning van Dutch Harding nog eens te bekijken, maar kroop weer achter de wolken weg toen ze Bebek uit kwamen en verbijsterd naar het flatgebouw keken dat op de plaats stond waar Nazmi hoorde te staan. Ze liepen langs het water naar het vroegere Robert College, dat nu Boğaziçi Üniversitesi heette, de universiteit van de Bosporus. Ze liepen het slingerpaadje naar de campus op. Boven het terras was de lucht helder. De Bosporus was licht turquoise en het kasteel en de huizen op de Aziatische oever glinsterden van het goud. Maar de wind was nog guur, dus ze bleven niet lang.

Ze volgden het witte pad omlaag tot aan de klinkerweg en de *meydan*. Daar was de Pasha's Library, of liever gezegd, daar was de tuinmuur en het groenmetalen hek met de torentjes van rode baksteen. Daarachter waren alleen de boomtoppen te zien. Na een paar minuten op de marmeren bank onder de grote plataan te hebben gezeten, liepen ze het weggetje af dat naar Chloe's oude huis liep. Dat hoorde nu bij de International Community School. De conciërge wees hun de weg naar Damon House, iets verderop. Daar woonde een mevrouw Cabot, zei hij, op de begane grond.

Amy Cabot deed meteen open toen ze aanbelden. Ze was helemaal opgemaakt, keurig gekapt en gekleed in een witkanten blouse en een lange gebloemde rok. De glimlach die al op haar gezicht klaarlag en de geur van gebraden vlees vanuit de keuken wezen erop dat ze bezoek verwachtte. 'O!' zei ze. Ze bracht een hand naar haar mond en haar ogen gingen van de een naar de ander. Maar toen Jeannie uitlegde wie ze was, zei ze: 'Ja, natuurlijk! Jullie komen precies op het goede moment!'

Jeannie was nog nooit in dit huis geweest, maar toch herkende ze alle meubels in de zitkamer, ieder schilderij, elke foto, elk kleed, iedere koperen schaal. Ook Amy zelf was niet zozeer veranderd als wel met zorg een tikje anders gearrangeerd.

'Vertel eens,' zei ze met haar luide, opgewekte stem, 'wat brengt jullie hierheen?'

'Jeannie helpt me met een stuk,' zei Jordan.

'Een stuk waarvan?' vroeg Amy.

'Ik ben journalist.'

'Onder welke naam schrijf je?'

'Onder mijn eigen naam,' zei hij, 'Jordan Frick.'

'O! Dus jij hebt dat geweldige stuk in de *New Yorker* over El Salvador geschreven.'

'Ja,' zei Jordan. 'En nu wil ik iets dergelijks over Turkije doen.'

'Aha,' zei Amy. 'Interessant. Maar vertel eens, ben je hier voor het eerst?'

'Nee, ik heb hier een jaar of tien geleden een paar jaar gewoond,' zei Jordan. 'We hebben elkaar toen zelfs ontmoet. Bij Jeannies vader, weet u nog?' Ze schudde haar hoofd.

'Maar het is fijn om weer terug te zijn,' zei hij.

'Dat wil wel wat zeggen, de reden van je komst in aanmerking genomen!' Ze snelde naar de keuken om een glas voor hen te halen. Daar was nog iemand anders. Jeannie hoorde gedempte stemmen. Er ging een deur open en weer dicht. De vloer kraakte en daarna klonken er voetstappen op de trap. Jordan stond op en liep naar de deur, maar voordat hij daar was, ging de bel.

Even later stond de kamer vol mensen. De meeste gasten leken buren te zijn. Ze begroetten elkaar als familieleden, maar hun ogen lichtten op toen ze de nieuwkomers zagen. Nadat ze waren voorgesteld, doofden de lichtjes weer. 'God zeg!' zeiden ze. 'Goh!' 'Tjee!' Of: 'Ja. Ik heb je artikel gelezen.' Daarna stilte.

Toen Amy vroeg of ze zich Jordan herinnerden, schudden ze hun hoofd. 'Zo – dus nu ben je teruggekomen. Hoe dat zo?' De meesten zetten het gesprek na zijn antwoord niet voort. Slechts twee deden een poging. De ene was een zekere Thomas Ashe, van wie Jeannie dacht dat hij misschien een vriend van haar vader was geweest, en de andere was Meredith Lacey, die ze zich duidelijker herinnerde, want zij was lerares aan het meisjeslyceum geweest. Beiden beweerden blij te zijn dat Jordan 'de waarheid over Turkije' ging schrijven, al voegden ze er snel aan toe dat de meeste Turken blij waren dat het leger eindelijk had ingegrepen. 'Het was in die tijd werkelijk bar,' zei Thomas. 'Buskapingen en schietpartijen uit rijdende auto's waren aan de orde van de dag. Als de linksen en de rechtsen elkaar naar de strot vlogen en er vielen doden, dan was dat niets bijzonders. Het jaar daarvoor ben ik in het centrum bij zo'n rel in mijn been geschoten...'

Jeannie vroeg aan Meredith of ze zich Suna herinnerde.

'Natuurlijk. Die heb ik in de klas gehad.'

'Hebt u nog contact met haar?'

'Niet echt, al spreek ik haar wel een enkele keer. Nu ze...' Meredith zweeg. 'Maar dat zul je allemaal wel weten. Als je bij Amnesty werkt, zul je haar dossier wel van voren naar achteren kennen.'

'Ik werk niet bij Amnesty,' zei Jeannie.

'Amnesty heeft trouwens geen dossier van Suna,' zei Jordan. 'Amnesty houdt zich niet bezig met mensen die het gebruik van geweld verdedigen. En dat heeft ze lang geleden ooit gedaan.'

'Ja,' zei Meredith. 'Tja, natuurlijk, dat is zo, ja.' Ze keek even achterom, naar de trap die naar beneden liep.

Hier werden ze onderbroken door een resoluut glimlachende Amy. 'Jeannie. Vertel eens. Hoe gaat het met je vader?' Jeannie praatte haar bij zonder de Vietnamese huishoudster ter sprake te brengen. Toen vroeg ze naar Chloe, van wie ze sinds 1972 niets meer had gehoord. Die had het een tijdje heel moeilijk gehad, verkondigde Amy zonnig. Maar nu had ze het ontzettend naar haar zin in Venice, Californië. Ze had eindelijk haar 'roeping' gevonden en 'overwoog serieus' geneeskunde te gaan studeren.

De mensen begonnen inmiddels te vertrekken. Toen Jordan aanstalten maakte om beneden de jassen te gaan halen, sprongen Amy en Meredith allebei overeind en drongen zich voor hem langs de trap af. Ze kwamen weer terug huppelen, lachten krampachtig en vuurden vragen op hen af. Waar logeerden Jeannie en Jordan? Hoe lang bleven ze nog? Hadden ze nog een vrije avond? 'Laat het ons dan weten,' zei Amy.

Toen ze weer buiten stonden en Amy de voordeur had dichtgedaan, was Jordans eerste woord: 'Fuck.'

Hij liep voorop, met gebogen hoofd en zijn handen in zijn zakken. Bij de plataan in de *meydan* bleef hij staan. 'Hij is in dat huis. Dat zweer ik je. Hij is daar.'

'Wie? Sergei?'

Hij gooide zijn sigaret op de grond. 'We moeten terug.'

'Wat zeggen we dan? Dat we van gedachten zijn veranderd?'

'Nee, natuurlijk niet. We moeten een echte reden hebben. En die hebben we toevallig. Want jij bent iets vergeten. Ja toch?'

'O ja?'

'Er staat me bij dat je vader je had gevraagd een kistje op te halen.'

> En misschien ben ik toch wel echt de dochter van mijn vader. Want toen hij dat zei, viel alles op zijn plaats. Ik zag hoe stom ik was geweest. Wie Jordan was, wat hij hier werkelijk kwam doen, waarom hij me had meegenomen. Dat zag ik allemaal ineens, en omdat ik mijn vaders dochter ben, verdomde ik het om hem dat te laten merken.

'O ja, dat kistje,' zei ze. 'Goh, dat was ik helemaal vergeten. Eerlijk gezegd was ik zelfs vergeten dat ik dat tegen je had gezegd.'

'Dat heb je ook niet gedaan.'

'Hoe weet je het dan?'

'Laat ik het zo zeggen: ik heb contact met iemand die contact met je vader heeft.'

'O ja? Wie dan?'

'Ja, sorry, dit klinkt waarschijnlijk niet best. Maar toen jij met je aanbod kwam...'

'Toen heb je me nagetrokken? Heb je mijn vriend gesproken?'

'Nee, het was niet Mike,' zei hij.

'Maar je weet wel wie Mike is.'

'Zullen we dit maar snel afhandelen?'

Ze gingen dus weer naar boven. Amy keek heel verbaasd toen ze opendeed. 'Een kistje?' zei ze. 'Bij mij in de kelder? Nee, ik geloof het niet. Maar kijk gerust.'

'Laat mij dat maar even doen, als je het goedvindt,' zei Jordan.

Jeannie wachtte bij de deur tot ze hen niet meer kon verstaan. Toen ging ze heel stilletjes weg.

In de Pasha's Library was alles donker en het daglicht was al bijna weg toen ze zich herinnerde waar de muur het laagst was. Aan de andere kant was het dieper dan ze zich herinnerde – op de plek waar ze neerkwam was kennelijk gegraven. Ze klom uit de greppel en sloop naar de poort. Daar stond ze nog niet lang toen Jordan in de *meydan* verscheen.

Hij had geen kistje bij zich. Aan zijn hangende schouders zag ik dat hij Sergei ook niet gevonden had. Maar iets in zijn manier van lopen zei me dat hij wist dat ik in de buurt was. Misschien rook hij me.

Er kwam een zwarte Mercedes aanrijden.

'Meneer en mevrouw Harker?' vroeg Jordan.

Ze deden argwanend totdat hij zich voorstelde. 'Goeie genade,' zei mevrouw Harker. 'Wat brengt u naar Rumelı Hisar?' Hij legde uit dat hij 'een oude kennis' van William Wakefield was. 'Lieve help, dát is lang geleden! Wij kennen hem nog uit Manila. Hoe gaat het met hem?'

'Hij woont tegenwoordig in Missouri,' zei Jordan. 'En dat is ook de reden dat hij me heeft gevraagd bij u langs te gaan. Hij heeft hier een kistje met papieren achtergelaten, en hij...'

'Gloria? Zegt jou dat iets?'

'Tjee. Ik weet niet. Misschien moet u zelf maar even binnen kijken.'

Ik denk dat ik vanaf het pad helemaal in het zicht stond. Maar dat is het merkwaardige van dat pad. Niemand kijkt ooit opzij.

Ze bleven even staan om het uitzicht te bewonderen voordat ze naar binnen gingen. Ik moest wel achter ze aan. Toen zij naar rechts keken, volgde ik hun voorbeeld.

Ze keken naar de muur, naar de plek waar ik er overheen was geklommen.

Ze keken naar het gat dat iemand aan de voet van de muur in de grond had gegraven.

De weg naar zee was steiler dan ze zich herinnerde. Of misschien lag het aan haar schoenen. Die zaten onder de modder. Ze gleed telkens uit op de ongelijke kinderhoofdjes, maar haar angst dreef haar voort als de wind. Ze kon maar aan één ding denken. Ze hield de eerste de beste taxi aan en wilde zich naar het vliegveld laten brengen, maar toen ze niet meer zo hijgde en in haar tas keek, zag ze dat haar paspoort en haar ticket er niet in zaten.

Had Jordan ze gepakt of lagen ze nog in haar hotelkamer? In het hotel vroeg ze om haar sleutel, maar de receptionist glimlachte en schudde zijn hoofd. 'Die heb ik net aan uw vriend gegeven.'

Bij gebrek aan een beter idee ging ze naar de overkant, naar hotel Divan. Ze liep meteen door naar de wc, waar ze zich een beetje toonbaar probeerde te maken. Aan de blikken van de obers in de patisserie zag ze dat ze daar jammerlijk in had gefaald.

Ze vroeg om de rekening. Ze had nog steeds geen idee waar ze heen zou gaan. Ze liep Cumhuriyet Caddesi af in de richting van Nişantaşi. Het was harder gaan waaien; de wind was koud en voerde regen aan. De straten waren verlaten en om de paar minuten ging er een auto langzamer rijden en stak een man zijn hoofd uit het raampje om haar een voorstel te doen. Ze liep weer terug, over Cumhuriyet Caddesi in de richting van Taksim, kwam langs een bioscoop en ging naar binnen.

Er draaide een film met Charles Bronson; zij was de enige vrouw-alleen in de zaal. Toen verschillende verfomfaaide eenzame mannen hun opwachting bij haar maakten, zocht ze haar heil weer in Cumhuriyet Caddesi met zijn toeterende auto's. Toen ze langs een deur kwam waar een uitsmijter voor stond, herkende ze de disco waar Jordan die avond met zijn bron had afgesproken. Als ze wachtte tot hij binnenkwam...

Ze ging in de alkoof zitten die er het donkerst uitzag, vlak bij de deur. Er was nog niemand, maar na elven begon het vol te lopen en ze slaagde er min of meer in haar kolkende gedachten tot bedaren te brengen. Ze was dankbaar voor het donker en de vervormende discolichtjes, maar het werd middernacht en later, en ze begon zich af te vragen wat ze hier eigenlijk deed.

Om één uur was ze ervan overtuigd dat ze van Jordan niets te vrezen had. Want Jordan was niet de oorzaak van haar paniek geweest. Het was de schaduw van haar vader achter hem. En haar eigen domheid. Om half twee had ze moed gevat. Ze zou teruggaan naar het hotel en hem erop aanspreken. Erachter zien te komen waarom uitgerekend hij lijken wilde opgraven en wie hij erin wilde luizen.

Ze keek zoekend het donker in of ze ergens een ober zag. En daar was hij.

34

Hij stond met zijn rug naar haar toe. Een ober schoof een stoel voor hem aan.

Terwijl zij zich in de schaduw terugtrok, kwam er een tweede man binnen. De nieuw aangekomene zag Jordan, zwaaide en baande zich tussen de dansers door een weg naar zijn tafeltje. Er stond een zuil voor die Jeannie het zicht belemmerde, maar aan zijn sjofele jasje meende ze te zien dat hij geen Turk was. Een buitenlandse journalist misschien? Of was het Sergei?

Ze wenkte de ober en vroeg om de rekening. Hij knikte en keek toen naar de donkere gestalte aan het tafeltje naast het hare. Hij liep naar de deur. De donkere gestalte volgde hem. Hij was lang en slank en bewoog zich katachtig. Afgezien van zijn boord, die paars oplichtte in het blacklight, was hij helemaal in het zwart.

Al snel kwam de gestalte weer terug. Daarna bracht de ober de rekening. Maar toen Jeannie naar de uitgang liep, pakte de man met de fluorescerende boord haar bij haar arm. De boord lichtte zo fel op dat ze zijn gezicht haast niet kon zien. Maar zodra ze zijn ogen zag, herkende ze hem.

'We zijn in gevaar,' fluisterde hij in haar oor. 'Groot gevaar. Maar als je doet wat ik zeg, kan ons niets overkomen.' Hij bracht haar naar een stoel en bood haar een Marlboro aan.

'Ik rook niet. Weet je dat niet meer?'

'Natuurlijk wel. Ik weet alles nog. Maar neem hem toch maar aan, alsjeblieft. Dank je. En wil je je hoofd een beetje opzij draaien, zodat je haar voor je gezicht valt? Dan herkennen ze je niet.'

'Ze,' zei Jeannie. Het was niet echt een vraag.

'Dat leg ik straks wel uit. Goed?' Zijn stem klonk kalm, maar hij haperde even. 'Breng nu de sigaret naar je lippen, dan geef ik je vuur. Ja, zo. En nu moet je er even aan zuigen, anders brandt hij niet.'

Ze deed wat hij vroeg, maar stikte zowat in de rook. 'Sorry,' zei hij, 'maar het is maar voor eventjes. Ja, heel goed zo. Dat was het.

Dank je. Prima. En nu moet je even naar beneden kijken, alsof je je schoen bestudeert, dan valt je haar naar voren en zien je ze gezicht niet. Ja, zo, precies. Dank je. Nu kun je weer kijken, maar doe het niet te opvallend.'

Ze keek naar de overkant van de dansvloer en zag dat er twee vrouwen bij Jordan en zijn armoedig geklede vriend waren gaan zitten. De vrouwen zaten met hun rug naar hen toe. De ene was energiek en maakte brede gebaren, de andere was beschaafd en correct. De eerste was Suna, de tweede Lüset. Ze zaten allebei naar voren gebogen, net als Jordan en zijn vriend. Wat het aanbod ook was, het overtrof kennelijk hun verwachtingen.

'Niet zo opvallend kijken! Wat zei ik nou? Alsjeblieft, Jeannie, luister nu. Later mag je op me foeteren, maar wil je nu alsjeblíéft doen wat ik zeg? Of althans doen alsóf? Kijk. Nee, ik bedoel – niet kijken. Zometeen gaan ze weg. Maar nu moet je even heel stil blijven zitten en doen alsof je nog van me houdt.'

Later, veel later, in het Huis van de Sluiers, kwamen we erop terug.

'Oké! Ik zat fout! Ik was een walgelijke, jaloerse Turk! Maar Jordan of geen Jordan, je hebt je niet aan je belofte gehouden.'

'Je vergist je! Echt, je vergist je!'

'Je hebt anderen gehad,' zei hij.

'Jij niet dan?' vroeg ik.

'Ik ben je nooit vergeten.'

'En je hebt ook nooit geschreven,' zei ik. 'Tien jaar taal noch teken! Je had wel dood kunnen zijn!'

'Ik wás ook dood,' gaf hij eindelijk toe.

En ik zei: 'Ik ook.'

Ik keek even stiekem onder de dekens. Hij was nog steeds mager, maar hij was wel breder geworden. Zijn glimlach was nog net als vroeger, maar hij was veel moeilijker aan het lachen te krijgen. Zijn ogen waren nog altijd te donker om er iets in te kunnen lezen.

'Je voelt nog steeds koud aan,' zei hij.

'Hou me dan beter vast,' zei ik.

'Zo?' Hij kneep in mijn wang. Het was een grapje, maar ook weer niet. Onze tijd was bijna om.

We lagen onder zeven dekbedden en vijftien bontjassen in het bed van zijn moeder. Dat bed was het enige meubelstuk waar geen stoflaken overheen lag. Het was negen jaar geleden dat dit huis voor het laatst was gebruikt en we hadden de verwarming niet aan de praat kunnen krijgen. We lagen nu lang genoeg onder de dekens om daar een warm holletje te hebben gemaakt, maar zodra we onze voeten eronderuit staken, waren die meteen ijskoud. We konden onze adem zien.

Het was nog donker in de kamer, maar er viel een flard daglicht door de gordijnen naar binnen. We waren tot een overeenkomst gekomen, dacht ik. Of bijna.

Ik drukte hem dicht tegen me aan, te hard. 'Je bent veranderd,' zei hij. 'Je begrijpt me niet meer. Je luistert niet, je praat alleen maar.'

'Jij bent nog erger. Jij luistert niet én je praat niet,' zei ik.

'Ik weet het. Je hebt gelijk. Ik ben onmogelijk.'

Zijn stem kreeg nu een lichte toon, heel anders dan de loodzware ernst van eerst, en daar maakte ik uit op dat ik eindelijk tot hem doordrong. Ik vroeg hem dus op de man af: kon hij me recht in de ogen kijken en zeggen dat er geen toekomst voor ons was?

Hij raakte mijn arm aan. 'Je wordt weer helemaal koud.' Hij probeerde me warm te wrijven en zei: 'Je bent veranderd. Vroeger was je nooit zo koud. Wat moeten we nu met jou, Jeannie? Wie moet er voor je zorgen als ik in de gevangenis zit?'

Dat had hij al een paar keer eerder gezegd. Toen ik vroeg waarom, draaide hij eromheen. Hij had niets gedaan. Helemaal niets, hij had alleen in Denemarken gewoond. Negen jaar lang had hij niets gedaan, maar toen was hij in een opwelling teruggekomen om Suna te helpen, die weer terecht moest staan, ook al had zij evenmin iets gedaan. In die negen jaar in Denemarken had hij nooit een vinger voor haar uitgestoken. En sinds zijn terugkomst in Istanbul had hij ook niets gedaan. En nu stond hij dieper bij haar in het krijt dan ooit. Want we hadden het aan Suna te danken dat we hier samen in bed lagen. Het was aan Suna te danken dat hij me nu in de ogen kon kijken en kon zeggen dat er geen hoop voor ons was.

'Waarom niet? Hou je niet van me?'

'Natuurlijk hou ik van je. Ik zal altijd van je blijven houden. Maar meer kan ik je niet geven. Ik kan niet...'

Toen hoorden we de stemmen bij de deur.

Ik wilde me nog verzetten. Sinan tikte me op mijn schouder en zei dat ik geen moeite hoefde te doen. Zijn tas stond al ingepakt en wel in de logeerkamer. Ik wilde de tas pakken, maar hij was te zwaar. 'Ja,' zei hij, 'ik neem een massa boeken mee. Je mag me trouwens altijd boeken sturen. Zolang het maar geen boeken zijn die me aanzetten tot gewapend verzet tegen de staat.'

'Ik snap niet waarom je zo gedwee meegaat,' zei ik toen ze ons naar de jeep hadden gebracht. Hij haalde zijn schouders op. 'Dat doe ik niet, zoals je binnenkort zult zien.' De jeep zwenkte juist Dolmabahçe in. Het onweer was overgewaaid. De lucht was licht, helder en blauw. De stad lag er fris gewassen bij. Aan de overkant van de Bosporus, vlak boven de heuveltop achter Üsküdar, zag ik de zon opgaan. 'Kijk,' zei hij. 'Weer zo'n valse dageraad.'

De eerste halte was een nondescript kantoorgebouw. Toen ze uitstapten, pakte Sinan haar hand en kneep er heel hard in, maar hij keek haar niet aan. Zijn laatste woorden tegen haar waren: 'Laat ze niet merken wat je voelt.'

Toen de bewakers Sinan mee naar binnen hadden genomen, werd Jeannie naar een witte Anadol gebracht. Toen duidelijk werd dat ze op weg naar de luchthaven waren, probeerde ze de chauffeur duidelijk te maken dat ze haar bagage niet bij zich had, en – nog belangrijker – haar paspoort evenmin. Hij haalde alleen zijn schouders op. Bij de vertrekhal liep hij naar de bagageafdeling en haalde daar haar koffer op. Hij stak een hand in zijn binnenzak en haalde de portefeuille met haar ticket en haar paspoort tevoorschijn. Hij liep met haar mee naar de desk van Lufthansa, waar de grondstewardess haar ticket al had omgeboekt.

Toen werd ze naar boven gebracht, waar ze in een kantoortje moest wachten. Haar begeleider bleef voor de deur staan. Tien minuten later kwam er een slanke, lenige, fris uitziende man van middelbare leeftijd binnen. Hij had een dik dossier bij zich. Dat legde hij op de tafel in het midden van het vertrek. Hij draaide zich om, keek haar aan en stak haar zijn hand toe. 'Dat is lang geleden,' zei hij.

'İsmet.' Ze hield haar stem vlak.

'Gaat het?' vroeg hij luchtig. 'Ze hebben je toch niet ruw behandeld?'

'Hoezo "ze"?' zei ze. 'Ik was alleen met Sinan.'

'Maar de anderen heb je toch ook in die disco gezien?'

'Jij blijkbaar ook.'

'Tja, wat zal ik zeggen, Jeannie? Als je er zulke vrienden op nahoudt... Maar maak je geen zorgen. We zijn nu met Sinan in gesprek, zoals je weet, en als we klaar zijn, brengt hij ons ongetwijfeld naar ze toe.'

'Ik kan je niet volgen, vrees ik.'

'Dus hij heeft er niets over gezegd. Interessant. Tja, ik kan niet zeggen dat het me verbaast. In elk geval ben jij niet de enige die ze hebben ontvoerd. Dan weet je dat maar vast.'

'Ontvoerd? Hoezo?'

'Ik vind het vervelend dat je het van mij moet horen, maar die vriend van je, Sinan, zat ook in het complot.'

'Wat voor complot?'

'Suna en Lüset,' zei hij. 'Die hebben je vriendje ontvoerd. Mocht je in de war raken – je hebt tenslotte heel wat vriendjes – ik heb het nu over Jordan Frick.'

'Dat is mijn vriendje niet. En hij is ook niet ontvoerd. Hij is gewoon vrijwillig met ze meegegaan. Dat heb ik met eigen ogen gezien. Hij was trouwens degene die hén opzocht, niet andersom.'

İsmet hief zijn handen ten hemel alsof hij Allah aanriep. 'Wat kan ik zeggen? De werkelijkheid is nog vreemder dan de verbeelding. Hoe dan ook, op dit moment is Jordan Frick dus in handen van zijn ontvoerders. Ze hebben de pers al gebeld, maar onder ons gezegd en gezwegen: het maakt een wat amateuristische indruk allemaal. Een opportunistische daad – een acteur zou het een improvisatie noemen. Nu Sinan ons helpt, zullen we hem wel snel vinden. Daar ben ik niet bang voor. Wat ik nu van jou wil weten: wil je hier blijven of zullen we het simpel houden, geen officiële ophef maken en je gewoon op het eerste vliegtuig zetten? Het staat al klaar. Als je mee wilt, kun je over een paar minuten instappen. Maar ik dacht, omdat jij en Jordan een stelletje zijn...'

'We zijn geen stelletje,' snauwde Jeannie. 'Het is trouwens een lul.'

'Goed,' zei hij. 'Dan gaan we maar.' Hij pakte de telefoon, gaf een bevel in het Turks en hing op. 'Leuk om je weer eens te spreken.'

'Als ik erachter kom dat je Sinan ergens in hebt geluisd, dan ben je nog niet jarig.'

'Oké,' zei hij. 'En vergeet niet de groeten aan je vader te doen.' Er werd op de deur geklopt. İsmet stond op. 'Daar zijn de jongens die je naar het vliegtuig brengen.' Ze stond op.

Maar voordat je gaat,' zei hij, 'heb ik nog één vraagje. Heeft Sinan toevallig tegen je gezegd waar hij zijn vriend begraven heeft?'

'Waar heb je het nu weer over?'

'Over Dutch Harding natuurlijk. Ach, sorry. Is dat ook nieuw voor je? Toen ik Sinan net even aan de telefoon had, was dat het eerste wat bij bekende. Daarom was hij zo lang weggebleven, snap je. Hij was de aanvoerder van het stel. Hij was degene die zijn docent in zeven stukken heeft gehakt en in die koffer heeft gepropt.'

'Volgens mij verzin je dit ter plekke,' zei Jeannie.

İsmet haalde zijn schouders op. 'Het is totaal onbelangrijk wat jij denkt.'

Haar bewakers waren gewapend. Ze liepen helemaal mee naar haar stoel, in de eerste klas, want daar bleek ze opeens te zitten. Een tactvolle stewardess had de gordijntjes dichtgetrokken, zodat de passagiers uit de economy class haar niet konden aangapen. Meteen na het opstijgen kwam ze terug met champagne en gerookte zalm. Jeannie hief haar glas, zoals ze Sinan had moeten beloven. Ze moest doen alsof hij naast haar zat, ze moest weten dat hij in gedachten bij haar was. 'Dat zou ik fijn vinden,' had hij gezegd. Maar dat was toen. Nu vloog zij hoog boven de aarde naar de vrijheid, en nog eerste klas ook, niet omdat ze dat had verdiend, maar omdat ze de dochter van haar vader was. En Sinan zat ergens in een cel op een stoel vastgebonden terwijl ze met een elektrische stok de waarheid uit hem sloegen.

35

28 januari 1981

> Ik leef weer. Na negen jaar, zeven maanden en vierentwintig dagen. De hoop, die gestorven was, is weer tot leven gekomen en fladdert als een vleermuis door mijn hoofd.
>
> Waar is hij? Wat doen ze met hem?
>
> Ik voel zijn handen nog op mijn huid.

Thuis in New York, waar ze die maandagavond laat aankwam, stond er een bericht van haar vader op het antwoordapparaat. Ze belde niet terug.

Dinsdagmorgen stond ze vroeg op, ging een eind joggen, ging niet naar haar werk en belde de hele dag met contactpersonen, nam de kranten door, bedacht allerlei plannen en verwierp ze dan weer.

Het ene moment was er niets aan de hand en dan kwam er weer een herinnering uit het niets. De witte bontjassen op het bed, de wolkjes van hun adem. De bruine bontjas die hij aantrok toen hij naar de keuken ging. De thee waarmee hij terugkwam. De damp die van de kleine goudgerande glaasjes af sloeg. Het eerste licht dat door de gordijnen naar binnen viel. De witte bontjassen op het bed. Zijn hand.

Om een uur of zes 's middags ging ze boodschappen doen. Ze liep even langs het West End Café om te kijken of er bekenden zaten. En daar, aan de bar, stond Jordan Frick.

'Jij bent me een mooie, zeg.'

Hij had een Rayban-zonnebril op. Zijn mond zag er vreselijk uit. 'Ben je nou blij?'

'Waar zou ik blij om moeten zijn?' vroeg ze.

'Doe niet zo onschuldig,' zei Jordan. 'Ik had wel dood kunnen zijn door jou.'

'Goh,' zei ze, 'je lijkt mijn vader wel.'

'Maak je er nog grapjes over ook? Hoe haal je het godverdomme in je kop. Ik had een paar honderd mensen kunnen helpen, ook jouw vrienden, maar nu kan ik het wel vergeten.'

'Zal ik je eens wat zeggen?' zei Jeannie. 'Vorige week zou ik daar nog diep van onder de indruk zijn geweest. Maar nu niet meer, Jordan. Nu weet ik wie je bent en voor wie je werkt.'

'Ik werk alleen voor mezelf. Dat kan iedere idioot je vertellen.'

'Als je alles eerlijk had gezegd, had ik het niet zo erg gevonden. Maar je hebt achter mijn rug van alles bekokstoofd...'

'En waarom had ik speciaal voor jou alles moeten uittekenen? Ben jij soms zo bijzonder?'

Hij schreeuwde inmiddels. Dat trok de aandacht van de barkeeper, die naar hen toe kwam. 'Sorry, Jordan, maar...'

'Dit is niet zomaar wat, Kit. Door háár toedoen ben ik godverdomme ontvoerd!' Jordan zette zijn zonnebril af en toonde zijn twee blauwgeslagen ogen. 'Zie je wat die vriendjes van haar hebben gedaan?' schreeuwde hij. 'Zie je dat?'

'Kan me niet schelen,' zei de barkeeper. 'Al hadden ze je in een koffer gepropt. Als je zo tekeer blijft gaan, gooi ik je eruit.'

'Lul, ik maak zelf wel uit wanneer ik tekeer ga!'

'Dat zullen we nog wel eens zien, vriend.' De barkeeper wenkte een politieagent die geen dienst had en wendde zich tot Jeannie. 'Je hebt tien minuten om naar huis te gaan.'

Daar aangekomen belde ze meteen haar vader. 'Fluit je honden terug,' zei ze. Hij vroeg geen namen.

'Ik hoef je ongetwijfeld niet te vertellen wat er gebeurd is,' zei ze toen haar vader haar terugbelde. 'Je bent vast al gebrieft.'

'Eh, ja, in zekere zin wel, zou je kunnen zeggen.' Hij klonk ongewoon schaapachtig. 'Niet dat hij erg samenhangend was toen ik werd, hoe noemde je het ook weer? O ja. Gebrieft.' Zijn stem klonk nu luchtiger. 'Ja, voor een briefing was het heel geestig. Ik hoorde dat onze vriend Jordan 'Zonder Naam' Frick in die ouwe truc met het kistje is getrapt.'

'Wat voor truc, welk kistje?'

'God, wat ben je traag, zeg. Dat kistje dat er niet was.'

'Dat had je me wel eens mogen vertellen,' zei ze.

'Hij is zelfs de Harkertjes gaan opzoeken, hè? Prachtig. Echt de kers op de taart.'

'Wat was de taart zelf dan?'

'Ik kan je niet volgen, geloof ik.'

'Wat wilde je eigenlijk dat ik daar ging doen?'

Lange stilte. 'Hoe was het met Sinan?'

'Die is gearresteerd,' zei ik.

'Heb je hem nog wel kunnen spreken?'

Ze wilde haar vader vertellen hoe ze zich voelde bij die licht bezorgde klank in zijn stem. Alsof hij het antwoord op die vraag niet al tot in de kleinste details kende. Ze brak het gesprek snel af, maar niet zo snel dat zijn medelijden haar bespaard bleef.

'Ik had geen idee dat hij nog zoveel voor je betekende,' zei hij de volgende keer dat ze elkaar spraken. 'Ik dacht dat dat achter je lag.' Hij benadrukte nog eens – hoe durfde hij? – dat hij echt, eerlijk niet had geweten dat Sinan weer in Turkije was. 'En ook niet waarom, trouwens.' Maar nu had hij de verloren tijd ingehaald. 'En het is niet fraai, ik waarschuw maar vast. Zit je goed?'

Sinan, vertelde hij, was niet beschuldigd van de ontvoering van Jordan Frick. Maar 'tijdens het verhoor' had hij 'een heel arsenaal andere misdrijven bekend, en geloof me, dat moet een hele voorstelling zijn geweest'. Haar vader beweerde dat hij 'vrijwillig' had bekend. Jeannie nam aan dat hij daarmee suggereerde dat hij waarschijnlijk niet gemarteld was. 'Er heeft iemand namens hem een belachelijke, bezwarende verklaring aan de pers gegeven. Als we die moeten geloven was Sinan het enige meesterbrein achter alle studentenrellen van de afgelopen vijftien jaar, om nog maar te zwijgen over alle ontvoeringen, waaronder ook, ongelooflijk genoeg, de ontvoering van en de moord op de Israëlische consul in 1971. Bovendien zou hij al vanaf zijn veertiende marxistisch-leninistische pamfletten hebben geschreven. En hij heeft onder 109 pseudoniemen de verworvenheden van Mao aangeprezen.'

'Belachelijk,' zei Jeannie.

'Natuurlijk is dat belachelijk,' zei haar vader. 'Maar wie durft erom te lachen? Ik heb nu een Turkse krant voor me met een ongelooflijk trieste foto op de voorpagina. Die staat in alle kranten. Een foto van Sinan die een plek in de Bosporus aanwijst waar hij die koffer voor het laatst heeft gezien. Ik weet niet of jij het weet, maar in Turkije laten ze je bij een moordzaak altijd eerst een reconstructie doen. Niet dat ze daar veel aan hebben gehad. Nu, tien jaar later, ligt Dutch Harding vreemd genoeg niet op de plek waar onze vriend Sinan beweert het te hebben afgezonken.'

'Dat komt doordat hij dat niet heeft gedaan. Hij liegt,' zei Jeannie.

'Waarom zou hij over zoiets liegen?'

Meteen daarna ging ze op zoek naar Chloe. Die woonde niet meer op het adres in Venice, Californië, dat haar moeder Jeannie had gegeven. Ze woonde nu in El Paso, waar ze zojuist was toegelaten tot de medische faculteit Juarez, aan de overkant van de Rio Grande.

Jeannie stapte meteen op het vliegtuig. Chloe stond in de menigte op het vliegveld, en hoewel Jeannie haar niet meteen herkende, viel ze haar wel meteen op. Haar haar was peenrood geverfd, ze had een mao-pak aan en het was haar aan te zien dat ook zij een ingrijpende ervaring had meegemaakt.

Ze had haar moeder sinds Kerstmis niet meer gesproken, en toen Jeannie haar het laatste nieuws vertelde, werd meteen duidelijk dat ze dit hoofdstuk van het verhaal voor het eerst hoorde. Ze vroeg Chloe niet wat ze ervan vond – die luxe zou ze zichzelf nooit toestaan – ze wilde alleen weten of ze bereid was te helpen om hen vrij te krijgen. Dat wilde ze wel doen, en de paar maanden daarna hadden Jeannie en Chloe geregeld contact – als het niet over hun campagne ging, dan wel over de inhoud van de pakketten die ze hun vrienden in de gevangenis stuurden.

In april, toen Sinan moest voorkomen, was de belangstelling in Londen wel zo groot dat een paar kranten daar korte berichtjes over plaatsten. Die leidden weer tot ingezonden brieven en commentaar, waarin een tamelijk vaag, maar zeer somber beeld van de mensenrechtensituatie na de militaire staatsgreep in september 1980 werd geschetst. Jeannie zelf schreef niets, dat zou niet verstandig zijn geweest, maar ze werd in de *New York Times* wel geciteerd en er stond een foto van haar in de *Observer*.

Later die maand kreeg ze een brief van een zekere Anna Sinanoğlu. Die stelde zich voor als Sinans vrouw. Ze schreef dat ze Sinan had ontmoet toen ze allebei in Kopenhagen politieke wetenschappen studeerden, en ze waren inmiddels zes jaar getrouwd. Ze hadden twee kinderen, een zoon en een dochter. Hoewel Anna Sinanoğlu van plan was in Denemarken te blijven wonen, was ze momenteel met de kinderen in Istanbul 'om te helpen bij het proces'.

> *Ik heb begrepen,* schreef ze, *dat u mijn man hebt gezien tijdens het bezoek aan Istanbul waarop u zinspeelt in het bijgaande artikel in de* Observer. *Ik moet toegeven dat ik geschokt was toen ik dat las, vooral omdat mijn man het al die tijd dat we elkaar kennen nooit over u heeft gehad. Maar hij is in de kern een eerlijk man, en hij heeft me nu alles verteld.*
>
> *Als u de indruk hebt gekregen dat wij huwelijksproblemen hebben, vraagt u zich dan eens af hoe u zou reageren als u een vrouw met twee jonge kinderen was die verzorgd en gevoed moeten worden, en uw man zei tegen u dat hij van plan was naar zijn vaderland terug te gaan om daar te worden gevangengezet vanwege een onduidelijke principekwestie. Ik vraag me af of u niet uw uiterste best zou doen om hem daarvan af te brengen, zoals ik heb gedaan.*
>
> *Ook wil ik u vragen of u zich kunt voorstellen wat u zou voelen als u vrijdagavond de telefoon had neergelegd in de zekerheid dat u een verstandige afspraak met uw man had gemaakt en de maandag daarop ontdekte dat hij zich had aangegeven. Als u zich dat kunt voorstellen, dan begrijpt u misschien wel hoe ik me nu voel. Ook verwondert het me enigszins dat u zich nu inspant voor zijn vrijlating nadat u zelf, naar ik heb begrepen, aan zijn arrestatie hebt meegewerkt. U had moeten begrijpen dat u een gevaar voor hem bent,* alleen al doordat u bent wie u bent.
>
> *Ik schrijf dit niet alleen namens mezelf en mijn kinderen, maar ook namens een aantal anderen die ik ongetwijfeld niet bij naam hoef te noemen. Hoe erkentelijk wij u ook zijn*

voor alles wat u voor mijn man hebt gedaan, we zijn allemaal van mening dat het gepaster zou zijn als u zich hier nu van distantieerde.

Chloe was de eerste die ze belde, en die ving – misschien door de nare ervaring waar ze nog niet over had gesproken – meteen de gevaarlijke klank in Jeannies stem op en sprong op het eerste vliegtuig. Ze bleef drie dagen. Ze kookte, zorgde dat er voortdurend muziek op stond, hield Jeannie aan de praat, maakte haar af en toe aan het lachen en luisterde terwijl Jeannie huilde. En zo nu en dan trokken de wolken in Jeannies hoofd even op, lang genoeg om haar te bedanken.

De laatste avond vertelde Chloe haar over haar inzinking. Maar Jeannie ging zo op in haar eigen verdriet dat vrijwel alles haar het ene oor in en het andere weer uit ging. Ze onthield alleen dat Chloe een relatie had gehad met een gewelddadige man, dat drank en drugs er ook een rol bij hadden gespeeld en dat ze uiteindelijk na een zelfmoordpoging in een ontwenningskliniek terecht was gekomen. Nu was ze in therapie, en het 'jaar van de bommen' kwam veelvuldig ter sprake. 'Vooral de moord. En dat we het daar nooit over hebben gehad. Waarom hebben we het daar nooit over gehad, Jeannie?'

'We hadden het eigenlijk helemaal nooit ergens over, toch? We liepen gewoon rond en deden alsof we onkwetsbaar waren.' Daarop vroeg Chloe of Jeannie wel wist hoe ze haar had gekwetst door overal rond te vertellen dat ze nog maagd was. Jeannie bood haar alsnog haar excuses aan voor haar domheid, maar Chloe schoot in de lach en toen moest Jeannie ook lachen – bij de gedachte dat zoiets banaals toen zo gewichtig had geleken.

Jeannie vroeg Chloe naar Dutch Harding. 'Zoveel valt er niet te vertellen,' zei ze schouderophalend. 'Seks, drugs en honderden boeken waar geen doorkomen aan was.' Bij haar bezoeken aan zijn flat had ze in elk geval nooit bommen gezien, 'al werd er wel veel over gepraat'. Ze kon zich niet voorstellen waarom iemand – laat staan zijn slaafs toegewijde studenten – Dutch Harding dood wilde hebben.

Toen Jeannie opperde dat hij misschien een agent-provocateur was, maakte ze een geërgerd gebaar. 'Waarom? En voor wie?'

Jeannie begon over Sinan. 'Denk je dat hij het gedaan kan hebben?'

Chloe haalde haar schouders op en keek Jeannie hulpeloos aan.

Ik raapte mijn laatste restje moed bij elkaar.

Hoe lang had ze alweer contact met Sinan?

Ze was een paar jaar geleden op doorreis in Kopenhagen geweest, zei ze. Toen had ze hem gezien.

En zijn vrouw? vroeg ik. En zijn kinderen?

Ja, het speet haar. Dat had ze moeten zeggen. Maar Sinan was een oude vriend. Ze wilde hem niet nog meer in moeilijkheden brengen.

Hij en zijn vrouw dus. Maakten ze een gelukkige indruk?

Moeilijk te zeggen. 'Je struikelde daar zowat bij elke stap over het speelgoed.' Maar ze hadden inderdaad wel een gelukkige indruk gemaakt. 'Best wel.'

Was dat de reden dat Sinan nooit contact met me had opgenomen?

Dat wist ze niet. Daar hadden ze het niet over gehad.

Hadden ze het dan helemaal niet over mij gehad?

'Jeannie, ik wilde niet in het verleden wroeten. We hebben het niet over vroeger gehad. Het was gewoon te... Ik was gewoon blij dat hij eindelijk een leven had opgebouwd. Kunnen we het daar niet bij laten?'

Ze pakte mijn hand. 'En als jij binnenkort weer een leven hebt opgebouwd, en ik hoop dat dat heel gauw gebeurt, dan zal ik net zo blij voor jou zijn.'

Ik keek om me heen, naar de half geschilderde muur achter de bank, de armetierige yucca voor het raam, de sliertjes licht op de stoffige vloer, de stapel half uitgelezen kranten, het bord met koude lasagne dat nog steeds op tafel stond voor het geval ik er alsnog zin in kreeg. Chloe volgde mijn blik. 'Ja,' zei ze, 'ik weet het.'

36

Daar eindigt het tweede deel van Jeannies biecht. Er volgt een hiaat van achttien jaar, alleen onderbroken door een gruwelijke voetnoot:

> In de jaren na de militaire staatsgreep van 12 september 1980 werden volgens de gegevens van de Stichting Mensenrechten in Turkije 650.000 mensen – arbeiders, kantoormensen, ambtenaren, leraren, universitair docenten, studenten, technici, artsen, juristen en leiders van allerlei organisaties om politieke redenen gevangengezet. 210.000 mensen werden berecht, van wie er 65.000 werden veroordeeld. Tegen 6.353 mensen werd de doodstraf geëist, 500 van hen werden veroordeeld en 50 inderdaad geëxecuteerd. Van de duizenden die werden gefolterd en verminkt zijn er 460 aan de gevolgen daarvan overleden.
>
> Na de staatsgreep ontzetten de militaire bevelhebbers 4.891 ambtenaren uit hun functie, 4.509 mensen werden verbannen en nog eens 20.000 gedwongen ontslag te nemen of met pensioen te gaan. Alles bij elkaar zijn 30.000 mensen het land uit gevlucht; 15.000 mensen werd het staatsburgerschap ontnomen. Het Koerdisch werd in de ban gedaan, waarmee Turkije het enige land ter wereld was waar het spreken van een bepaalde taal verboden was.
>
> Kranten en tijdschriften werden opgeheven, sommige voor bepaalde tijd, andere voorgoed. Journalisten en schrijvers werden langdurig gevangengezet; sommigen werden tegelijkertijd voor honderden overtredingen berecht, maar kregen voor allemaal een aparte gevangenisstraf opgelegd, wat vaak neerkwam op honderden jaren. Tienduizenden boeken werden verbrand en 937 films verboden. Ook werden alle politieke partijen voor

bepaalde tijd opgeheven. 23.667 genootschappen, stichtingen en vakbonden werden ontbonden.

Enkele van de foltermethoden uit die tijd: slaan, blinddoeken, stelselmatige vernedering, electroshocks, schijnexecuties, isolatie, ophanging aan een haak, het onthouden van voedsel en water, seksuele mishandeling, verkrachting, blootstelling aan kou, met name koude vloeren, bespuiten met harde waterstralen, doodsbedreigingen en de *falaka*. De folteraars trokken het haar, de snorharen en de nagels van hun slachtoffers uit, staken naalden onder hun nagels, knepen hun testikels samen, lieten hen eindeloos in cellen vol vuil en afval wachten en lieten hen toekijken en luisteren terwijl anderen werden gemarteld. Ook was het gebruikelijk te dreigen familieleden van de slachtoffers te folteren. Sommige slachtoffers meldden dat ze in autobanden werden geslagen, in de sneeuw begraven, in beerputten neergelaten en gedwongen zout of menselijke uitwerpselen te eten. Volgens de gegevens van de Stichting Mensenrechten in Turkije vond 78% van de martelingen plaats in zwaarbeveiligde gevangenissen, 11,6 % op politiebureaus, 9% op bureaus van de gendarmerie en 1,3 % elders.

In de gevangenissen waren ook andere vormen van geweld gebruikelijk. In de cellenblokken was het vrijwel altijd te heet, te koud of gevaarlijk vol; gedetineerden kregen onvoldoende frisse lucht en hun persoonlijke bezittingen werden bij het doorzoeken van de cellen stelselmatig vernield. Ook werd de gedetineerden systematisch eten, drinken, kleding, boeken, kranten, schrijfbenodigdheden en noodzakelijke geneesmiddelen en medische behandeling onthouden. Degenen die ernstig gewond of ziek waren als gevolg van deze wreedheden werden maar zelden in een ziekenhuis opgenomen; vandaar de term 'foltering zonder sporen'.

In november 2005 – twee weken na de verdwijning van Jeannie Wakefield, tien dagen nadat ik *persona non grata* werd omdat ik een artikel over haar geschreven had, acht dagen na mijn thuiskomst in Londen en een paar uur nadat ik de eerste twee e-mails kreeg van de onbekende die me nog steeds bombardeert met tendentieuze vragen en vage bedreigingen – belde ik Jordan Frick.

Hij kwam meteen. Hij was nog maar net terug uit Oezbekistan, dus hij had mijn artikel nog niet gelezen. Ik printte het voor hem uit, en toen hij het uit had, praatte ik hem bij. Hij luisterde aandachtig en onderbrak me alleen een enkele keer om een vraag te stellen. Toen ik klaar was, zei hij een tijdje helemaal niets. 'Die brief die Jeannie je had geschreven,' zei hij ten slotte, 'mag ik die eens zien?'

'Maak je borst maar nat,' zei ik. Hij wierp me een gekwelde blik toe. 'Ik heb vast wel erger meegemaakt.' Ik liet hem achter op de bank die de daaropvolgende drie dagen zijn bed zou zijn en ging naar de keuken om de stoofschotel klaar te maken waar we die drie dagen van zouden eten.

Toen ik weer in mijn studeerkamer kwam, hing hij nog steeds op de bank en rook het er naar rook en sokken. Zijn voeten lagen op de leuning, zijn blik rustte op het plafond en Jeannies drieënvijftig pagina's lange brief lag op zijn borst.

Het eerste wat hij deed toen hij overeind kwam, was de gruwelijke voetnoot opslaan. Hij tikte met zijn pen op het papier en zei: 'Daar gaat het om.'

Toen ik vroeg wat hij bedoelde, zei hij: 'Dit is het enige wat ertoe doet. En het is allemaal waar.' Hij stak een sigaret op. 'Vraag je je wel eens af waaróm ze mensen martelen? En waarom wij ze gewoon hun gang laten gaan?'

Hij zweeg en blies een rookwolk uit. 'Ze doen het niet om de waarheid uit ze te slaan, dat is zeker. Ze doen het om te zorgen dat niemand achter de waarheid komt. Om de mensen bang te maken, zodat ze er niet naar durven te vragen.'

Weer een stilte. 'Dus iemand anders moet het namens hen vragen. Vind je niet?'

Niets wat hij die middag zei – of die avond, of de volgende dag, of de ochtend daarna – was een vervolg op wat hij daarvoor had gezegd.

Maar welke kant zijn gedachten ook uit dwaalden, ze kwamen

steeds weer terug bij zijn oude obsessies.

Hoe hij er rond juni 1980 uitzag: 'Leek ik echt net een geschoren schaap?'

De staatsgreep van 1971: 'In het begin ging het leven gewoon door.'

De bommen in datzelfde jaar: 'Op een vreemde manier was dat zelfs een opluchting.'

Dutch Harding: 'Dat is nog vreemder. Het enige wat hij dat jaar heeft gedaan – wat ik hem althans heb zien doen – was bier drinken, blowen en lezen.'

Jeannie als tiener: 'Heel naïef en beschermd. En heel jong.'

Jeannie als jonge vrouw: 'Volslagen kapot. Maar nu snap ik hoe dat kwam.'

Jeannie in haar brief: 'Streng. Veel te streng voor zichzelf. Zelfkwelling. Waarom?'

Jeannie in Istanbul toen ze daar in januari 1981 samen waren: 'Alles wat ze schrijft is waar. Alles en niets.'

Pas de derde avond kreeg ik zijn lezing van het verhaal te horen. Hij begon met een verontschuldiging. 'Het heeft me heel veel moeite gekost om me te herinneren hoe dit in mijn geheugen zit. De bruut die Jeannie hier beschrijft – ben ik dat? Daar heb ik over nagedacht. Ik ben er niet blij mee, maar ik denk dat ik inderdaad zo ben. Of was. Ik denk – ik hoop – dat ik me tegenwoordig beter weet te beheersen.

Je zult wel willen weten hoe het met dat kistje zat. Heel makkelijk. Ik liep er gewoon tegenaan. De avond voordat we uit New York vertrokken – in januari 1981 – werd ik gebeld door William Wakefield. Hij zei dat hij Jeannie had gevraagd een kistje op te halen dat Amy Cabot voor hem had bewaard. Hij vroeg of ik het haar kon helpen onthouden. Meer niet. Het was stom van me dat ik er niet meteen over ben begonnen. En dat ik er toen zo plompverloren mee op de proppen kwam. Dat moet wel een rare indruk hebben gemaakt. Helemaal fout. En toen het eenmaal zover was gekomen, kon ik het alleen nog maar erger maken.

Een van de dingen waar Jeannie gelijk in heeft – de stad, hoe het daar die winter was. Iedereen was ondergedoken of hield zich gedeisd. Iedereen was doodsbang. En paranoïde. Je werd er vanzelf in meegesleurd. Iedereen stond te springen om je een boodschap voor de buitenwereld mee te geven, maar tegelijkertijd was iedereen ook als de dood om te worden aangegeven. De grootste angst van de mensen was dat ze iets toevertrouwden aan iemand als ik en er dan door mij werden ingeluisd. Dat is niet zo gestoord als het klinkt. Er waren in die tijd hele legers informanten. Nog steeds, trouwens.

En er was ook nog iets anders. Dat heb ik elders op andere momenten ook gezien, dus ik heb het niet alleen over Turkije rond 1981. Mensen die hulp van buiten nodig hebben en daar ook hardop om vragen, vinden dat eigenlijk bijzonder vernederend. Dat maakt hun twijfels nog groter. Verraad kan soms nog iets waardigs hebben, maar liefdadigheid niet, want daar hangt altijd een prijskaartje aan. Het eerste wat je moet doen is je weldoener een goed imago geven. Een rechtvaardig imago ook. En dat is verkeerd. In mijn optiek bestaan er geen onschuldigen.

Ik koester geen wrok. Toen wel, ja, toen was ik kwaad. Ontvoerd worden is niet leuk. Vooral niet als het wordt gedaan door de mensen die je probeert te helpen. Maar dat begreep ik zelfs toen al: zijzelf vonden dat ze iets nobels deden. Maar wat dat dan was... jij mag het zeggen.'

Maar was dat wel zo?

Dat had ik niet kunnen zeggen. Of liever gezegd, daar was ik toen nog niet aan toe. Ik moest meer bewijs hebben. Hij ook, dacht ik.

Die avond keken en luisterden we zwijgend naar een gezaghebbend internationaal panel dat op *Newsnight* de recentste problemen rond de *war on terror* besprak. De kapstok was een artikel – eerst in de VS verschenen en later in Londen overgenomen – waarin de bedenkelijk grote afhankelijkheid van technologie en de hoge kosten van gekwalificeerde medewerkers 'in het veld' aan de kaak werden gesteld. De auteur van het artikel heette Manfred Berger, en toen het ter sprake werd gebracht, veerde Jordan overeind.

'Wat is er?' vroeg ik.

'Niets,' antwoordde hij.

'Niets?'

Met een handgebaar legde hij me het zwijgen op en daarna ging hij op het puntje van zijn stoel zitten om de discussie te volgen. Toen het programma afgelopen was, liep hij naar mijn computer.

'En, iets gevonden?' vroeg ik toen ik klaar was met de afwas.

'Dat weet ik nog niet,' zei hij.

'Ik neem aan dat je die man kent.'

'Manfred Berger? Nee, niet echt.'

'Wat is het verband dan?'

'Ik ken iemand die die naam vroeger als pseudoniem gebruikte.'

'Wanneer?'

'O, heel lang geleden.'

'Turkije?'

'Nog langer geleden.'

'Nu we het daar toch over hebben,' zei ik, 'ik heb je al die jaren nooit gevraagd waar je eigenlijk vandaan komt.'

'Ik kom nergens vandaan,' zei hij, zijn blik nog steeds strak op het beeldscherm gericht.

'Hoe bedoel je?'

'Ik heb als kind zowat overal gewoond.'

'Was je vader dan beroepsmilitair?'

'Nee, sufferd! Hij zat bij de diplomatieke dienst.'

'Waar hebben jullie dan zoal gezeten?'

'Kampala, Manila, Sasparilla. Alles wat op een a eindigt.'

'Wat deed je vader daar dan allemaal?'

'Wat dacht je?'

''s Kijken. Was hij ergens deskundig in?'

'Zo zou je het kunnen zeggen.'

'En – ik ben nog steeds aan het raden – hij was veel weg.'

'Ja. In het veld.'

'Was hij... landbouwdeskundige?'

'Jij mag nooit meer raden,' zei hij.

We vielen allebei stil.

Pas later, veel later, toen we zijn bed aan het opmaken waren, vroeg hij: 'Begrijp je het nu?'

Ik knikte.

'Ik doe wat ik moet doen.'

'Ja, natuurlijk.'
'Ik moet wel,' zei hij.
En ik zei: 'Ja, ik weet het allemaal. Die dingen vergeet je soms.'
'Wat?'
'Dat we bij dezelfde stam horen.'
Maar terwijl ik hem met de dekens zag worstelen en keek hoe hij zijn hoofd in het kussen liet vallen, zijn benen uitstrekte tot ze een heel eind langs de rand van de bank uitstaken en ze toen weer introk op zoek naar warmte, bedacht ik toch onwillekeurig dat het wel een vreemde stam was en dat we er geen van beiden eigenlijk veel van begrepen.

VI

De aardbeving

37

Je moet niet te veel in dat woord zien. We zijn een veel te samengeraapt stel om voor een echte clan door te gaan. Als er al banden tussen ons bestaan, zijn die ragdun. Als we al iets gemeenschappelijk hebben, dan is het dat we op drijfzand lopen. Ontheemd zijn.

Waar we als kind gewoond hebben, zijn we nu te gast. En waar we later ook naartoe zijn gegaan: we waren altijd ambassadeur in een land dat we alleen van horen zeggen kenden. In onze jeugd kenden we alleen maar kinderen van leraren, zendelingen, militairen, diplomaten, landbouwdeskundigen, vertegenwoordigers van oliemaatschappijen, agenten van de narcoticabrigade of spionnen. Later, toen we achttien waren, vlogen we 'naar huis', naar universiteiten die dezelfde indruk op ons hebben gemaakt als op jou. Maar wat we daar leerden over de wereld, klopte niet met wat we met eigen ogen hadden gezien.

Wat vind jij, Mary Ann? Komt het daardoor dat we steeds teruggaan?

Jeannie heeft wel een leven opgebouwd nadat ze Sinan was kwijtgeraakt. Of liever gezegd: het heeft zichzelf opgebouwd, traag en pijnlijk. Dat was in de periode waarin Reagan president was. Ze was niet de enige die in het recente verleden naar het zaad van haar ondergang heeft gegraven. De winkels lagen vol boeken over de gedesillusioneerde kinderen van de Koude Oorlog. Daardoor kwam ze veel te weten over de OSS en de beginjaren van de CIA. Ze las alles wat maar enigszins van belang was over de Sovjet-Unie, het McCarthytijdperk, de wapenwedloop, de Cubacrisis, de eindeloze stroom mislukte buitenlandse avonturen waar haar vader misschien een rol in had gespeeld:

> Ik deed dat misschien gedeeltelijk om mijn eigen kleine tragedie in perspectief te zetten, maar vooral om mijn immense verdriet te voeden. Er is geen moment gekomen

> waarop ik het licht zag, mijn zorgen kon begraven en kon verdergaan. Volgens mij gaan de dingen niet zo. Ik was inmiddels in de dertig en de tijd dat ik geluk als een door god gegeven recht beschouwde, was voorbij. Of in elk geval wist ik dat ik niet zeker kon weten dat ik het zou vinden. En zelfs als ik het wel vond, was het op dat moment niet waarschijnlijk dat het in de vorm van een man zou zijn.

En dus ging ze in 1985 weg bij het grote bedrijf en ging werken voor de juridische afdeling van een vrij jonge mensenrechtenorganisatie die nog last had van wat kinderziekten. Omdat zij de enige vrouw op het kantoor was zonder jonge kinderen, nam ze meer reizen voor haar rekening dan de anderen. De meeste reizen voerden naar wat nette mensen 'probleemgebieden' noemen. Steeds weer zag ze wat problemen met mensen doen, dat problemen mensen wegzuigen als een golf, ze op hun kop zetten en groter maken, ze opstuwen tot een onvoorstelbaar heldendom of juist aanzetten tot wreedheden; dat de problemen dan weer verdwijnen, net zo abrupt als ze zijn ontstaan, en de helden en de misdadigers samen achterlaten; dat het verleden onder elke steen zit en niemand met een toekomst eronder durft te kijken. Toen ze de problemen van de overlevenden zag, ging ze inzien dat vrede nooit vanzelfsprekend is en dat het maar een dun laagje is, zo doordringbaar en zo teer als huid.

> Mijn verdriet was niet verminderd, maar ik was wel de leugen gaan zien in mijn hooggespannen verwachtingen. Toen ik me niet meer afvroeg waarom de wereld niet was zoals ik graag zou willen, toen ik wist dat elke poging om de wereld te veranderen tot mislukken gedoemd was, ging ik mijn werk in een bescheidener licht zien. Eer was te behalen, dacht ik, door in elk geval te proberen iets te doen.

Aan het begin van de jaren negentig, na de val van de Berlijnse Muur en vóór de oorlogen in het vroegere Joegoslavië, hielp

Jeannie met de voorbereidingen van een groep Amerikaanse advocaten die naar Oost-Europa zouden gaan om advies te geven over strafrecht en nieuwe grondwetten. Nadat ze een jaar in Skopje had gezeten, ging ze naar Boekarest. Inmiddels was haar pessimisme over de wereld en haar plaats daarin zo ingebakken, dat ze het heel verrassend vond dat sommige dingen, kleine dingen, toch ten goede konden keren.

> Die openbaring bleef me bij, zelfs toen de oorlog begon. Wat ertoe deed, waren je principes, als je tenminste tijd van leven had. Als problemen niet meer te vermijden waren, dan moest je van die problemen leren. Dankzij de ellende die ik op veel te jonge leeftijd had meegemaakt, kon ik soms de kloof overbruggen tussen de arme, geteisterde Roemenen waar ik te gast was en mijn geschrokken, verwende Amerikaanse collega's.

Toen Jeannie in Roemenië was, kreeg ze te maken met een ander uitwisselingsprogramma dat werd gesubsidieerd door de EU. Daarvoor moest ze naar Engeland, waar ze een tijdelijke aanstelling kreeg aan het University College London, dat haar in 1995 een vaste aanstelling aanbood. Ze zat bij een nieuw studiecentrum voor Europese integratie en hoewel ze het fondsenwerven en de eindeloze commissievergaderingen erg uitputtend vond, genoot ze toch van de gemeenschappelijke doelgerichtheid.

> Soms zag ik een hoger plan in hun werk, zelfs in hun samenstelling. Er waren er geen twee bij die dezelfde nationaliteit hadden. Ze waren allemaal geworteld in minstens twee landen, velen zelfs in drie of vier. Ik was ervan overtuigd dat deze congregatie van *displaced souls* mijn nieuwe thuis was, en ik ging op huizenjacht.
>
> Op de dag waarop ik een bod deed op een huis in Stoke Newington, liep ik naar Dalston – en plotsklaps was ik terug in Istanbul.
>
> Dat kwam niet alleen door de kebabrestaurantjes en de Turkse winkelopschriften. Het kwam door de overvloed

> aan producten op de trottoirs, de geur van zeep in de winkels, de vriendelijke, melancholieke gezichten achter de toonbank, de zachte flarden muziek, de gefluisterde bevelen en de gebruikelijke gekwelde uitroepen: '*Ze wil twee kilo tomaten. Moge Allah me van mijn zorgen verlossen. Hoe laat is het, grote zus? Ik verveel me, mijn ziel wordt geplet. Geef haar de pistachenootjes die gisteren zijn binnengekomen. Allah verlosse mij van mijn zoon. Hij had een uur geleden al terug moeten zijn. Waar hebben we het aan verdiend dat we zulke ellende over ons uitgestort krijgen?*' Hoe melancholiek het onderwerp ook was: elk woord was een geschenk.

Toen haar vader haar kwam bezoeken, nam ze hem mee naar haar favoriete kebabrestaurant. Aan hun vroegere schermutselingen deden ze niet meer, want die hadden geen enkele zin. De Koude Oorlog was voorbij. De oude conflicten die daar alleen tijdelijk door waren onderdrukt, kwamen weer naar boven. Door Jeannies werk wist zij daar meer vanaf dan haar vader. Maar hij was een gretige leerling.

Nu William Wakefield gepensioneerd was, bracht hij zijn tijd door met lezen, en zijn favoriete lectuur was alles waarin werd gesuggereerd dat Amerika op enig moment in de geschiedenis een verkeerde weg ingeslagen was. Dat bood een zekere gemeenschappelijke belangstelling, al was William het gelukkigst als hij een boek kon vinden waarvan Jeannie nog nooit had gehoord.

De avond waarop ze hem meenam naar het kebabrestaurant waar ze graag kwam, was dat *The peace to end all peace*. Hij was maar al te blij om zijn erudiete dochter te kunnen vertellen hoe de geallieerden het oostelijke Middellandse Zeegebied na de Eerste Wereldoorlog in elkaar geplakt hadden. Zo nu en dan onderbrak hij zijn verhaal om iets tegen een van de obers te zeggen in zijn afgemeten, ongekunstelde Turks. Ze gehoorzaamden hem zonder meer.

Plotseling vroeg Jeannie hem: 'Heb je ooit spijt gehad van het werk dat je hebt gedaan?'

Hij gaf meteen antwoord. 'Elke dag van mijn leven.'

‘In welk opzicht?’ vroeg Jeannie. Ze hoopte op een *mea culpa* voor de manier waarop ‘wij’ ons tijdens de Koude Oorlog hadden gedragen, voor de arrogante manier waarop de Amerikanen overal hun strategische belangen verdedigden, massale paranoia aanwakkerden, dictators in het zadel hielpen die bereid waren naar hun pijpen te dansen, plus een *mea culpa* voor de heimelijke ondermijning van elke groep die daar vraagtekens bij zette, de onafgebroken pogingen om het Amerikaanse volk in onwetendheid te laten over wat hun regering namens hen allemaal deed, ze vroeg zich af of hij het inmiddels niet nodig vond een nieuwe gedragscode te vinden nu er geen ‘Sovjetdreiging’ meer was, of hij nu niet inzag dat je democratie wel kunt bevorderen en stimuleren, maar dat het niet iets is wat van bovenaf kan worden opgelegd.

Maar wat haar vader zei was: ‘Ik heb er spijt van omdat de mensen voor wie ik werkte slome idioten waren. Met zaagsel in hun kop. Die niet verder konden kijken dan het gat waar ze vandaan kwamen. Wij waren toch een prachtbron, verdomme. Wij wisten waar we het over hadden. Maar ze wilden niet naar ons luisteren. Ze straften ons omdat wij onze mond opendeden. En daarvoor moesten wij ons leven op het spel zetten? Ze hadden ervoor gezorgd dat wij niet eens een leven hádden! Zoals je zelf maar al te goed weet.’

Hij leunde achterover en keek zijn dochter vermanend aan. ‘Niet één keer, niet twee keer, maar dríé keer ongeluk. Eerst je moeder, toen je stiefmoeders. Toen Amy. Ze konden er niet tegen. Het ging niet alleen om het gevaar, maar ook om het achterbakse. In zo’n sfeer kun je geen leven opbouwen. Geen vader zijn. God weet dat ik dat wel heb geprobeerd.’

Weer zo’n vermanende blik. Jeannie wist precies wat ze wilde zeggen, maar ze deed het niet. Hij was een eenzame, gebroken man van drieënzeventig jaar. In plaats daarvan wees ze naar de *kilim* aan de muur en vroeg aan hem uit welk deel van Turkije de familie van het restaurant volgens hem kwam. Toen de ober weer bij hun tafeltje kwam, zei haar vader iets tegen hem in een taal die Jeannie niet verstond. ‘Mardin,’ zei hij toen de ober glimlachend was weggegaan. Ze hadden Koerdisch gesproken.

'En dat is ook een probleem dat niet snel opgelost zal worden,' zei hij. 'Maar ga er maar vanuit dat onze oude vrienden de Leeghoofden in Washington daar pas aandacht aan schenken als het te laat is.' Hierna volgde een preek. Toen hij naar bed ging, was zijn eer gered. Zijn dochter ging met hoofdpijn slapen en droomde voor het eerst sinds lange tijd over Sinan.

Ze had van Chloe gehoord – tijdens hun laatste gesprek voordat een van beiden weer was verhuisd en was vergeten een adreswijziging door te geven – dat Sinan na zijn vrijlating uit de gevangenis naar Denemarken was teruggegaan.

In Jeannies droom dacht hij over een ander kapsel en vroeg hij haar om haar mening. Voordat ze hem die kon geven, verdween hij.

Een week of twee later zat ze koffie te drinken in het café van het theater Arcola, vlak bij Dalston High Street. Ineens meende ze Lüset te zien, in een ander deel van de ruimte. Ze was verbaasd door de ijzige angst die haar overviel; toen haar hart weer wat rustiger ging kloppen en ze weer durfde te kijken, was ze weg.

Ongeveer een maand later, in april 1996, kreeg Jeannie de kans om een jaar te gaan werken voor het Joegoslaviëtribunaal van het Internationale Gerechtshof in Den Haag. Dat werd twee jaar, en daarna kreeg haar moeder gezondheidsproblemen. Jeannie pendelde een jaar lang op en neer tussen Nederland en Northampton, waarvan ze nooit spijt zou krijgen, omdat ze bij haar moeder kon zijn toen die stierf. Maar toch bleef ze het zich afvragen; was haar moeder met een vredig gevoel gestorven? Was Jeannie uiteindelijk een goede dochter geworden?

Toen ze het huis van haar moeder opruimde, vond Jeannie haar oude ansichtkaarten, en daarna haar oude dagboeken, hoewel het belangrijkste dagboek onder de vloer van de Pasha's Library verborgen bleef. Zelfs bij het opruimen van de papieren van haar moeder, moest ze steeds aan Istanbul denken.

Ze was nog maar net terug in haar flat in Stoke Newington toen ze op een avond de televisie aanzette en de skyline van Istanbul zag.

Nog een datum om te onthouden: 17 augustus 1999.

38

Ik zag, (schreef ze) maar ik voelde niets. Ik zapte heen en weer tussen CNN en de BBC, ik keek naar de puinhopen en de familieleden die daarin groeven. De huizen met gevels die waren weggeslagen of half over straat hingen, of tegen het puin van het ernaastgelegen huis. Het huis dat er nog stond, behalve de begane grond. Het hoofd dat half onder een betonplaat uit stak, de kinderhand, de pop, de schoen, het lijk. De luchtopnames. De chaos in de ziekenhuizen. De lijken die in het water dreven, naast een zeemeermin van de kermis. De brandende raffinaderij die op het punt van ontploffen stond, de marinebasis die er niet meer was, het steeds maar stijgende dodental.

Eerst dachten ze dat de aardbeving 6.9 mat op de schaal van Richter. Later hadden ze het over 7.2. De volgende ochtend over 7.4. Het dodental bleef eerst onder de duizend. Daarna waren het er twee keer zoveel, toen drie keer zoveel, en het bergen van de lichamen was nog niet eens begonnen. Er werden reddingsteams ingevlogen. Maar waar waren de coördinatoren die moesten zeggen waar de hulpverleners naartoe moesten, waar was het leger? De temperatuur steeg. De mensen die nog levend onder het puin lagen, stierven van de dorst. Het officiële dodental steeg naar 18.000 en overal waren gebouwen waar nog geen reddingsteam was geweest. Er was met zeer slechte bouwmaterialen gewerkt. Geen wonder dat de gebouwen waren ingestort. De corrupte projectontwikkelaars die alle regels hadden omzeild om maar meer winst te kunnen maken, mochten niet gespaard worden. Er was veel sympathie voor de woedende menigte die achter hen aanzat. Maar toen brak er een cholera-epidemie uit. Stortregens bemoeilijkten het reddingswerk. Eindelijk

> kwam het leger. In de kranten werd melding gemaakt van 30.000 tot 40.000 doden, terwijl het officiële aantal bleef steken op 18.000...

Inmiddels had haar vader haar gebeld, maar ze had niet opgenomen. Hij had een bericht ingesproken en gezegd dat voor zover hij wist 'iedereen die we kennen in veiligheid' was. Maar toen kwamen de naschokken. Sommige daarvan waren vijf op de schaal van Richter. Ze droomde dat ze op een berg puin stond. Ze stapte over gebroken betonplaten, op zoek naar een teken van leven. Daar zag ze iets, een hand. Ze probeerde hem aan te raken. Het was Sinans hand.

Ze gilde, zonder geluid. Ze werd wakker en zette een kop kamillethee. Een golf slaperigheid overspoelde haar. Ze deed haar ogen dicht. Ze liep langs de Bosporus. Het trottoir beefde, de straatlantaarns zwaaiden, auto's gleden weg en vielen in zee. Ze deed haar ogen open om de beelden te verjagen. Toen ze ze weer sloot, was ze in de Pasha's Library en zag ze de muren om zich heen uitzetten en terugbuigen, uitzetten en breken. Toen was ze in Amy's huis, daarna buiten bij Gould Hall, waar ze de pilaren zag instorten. Of op het terras van het college, waar fissuren kronkelend als slangen door de aarde trokken. Ze dacht aan de huizen waar ze ooit in was geweest. Hoeveel daarvan stonden er nog overeind? Ze dacht aan al die mensen. Hoeveel van hen waren nu dood?

Ze stond in de badkamer haar tanden te poetsen toen ze op de televisie in haar slaapkamer een zeer bekende stem hoorde.

Ze legde de tandenborstel neer en ging kijken. De man van *Newsnight* praatte via een satellietverbinding met een vrouw. Ze dacht weer dat ze dingen zag die er niet waren. De hele tijd had ze gezichten gezien in de menigte en gedacht dat ze mensen herkende. Maar nu verscheen er een naam onder in het scherm. Professor Suna Safran. Boğaziçi University, Istanbul.

Ze was mooi ouder geworden. Ze had nog wel dezelfde felheid, maar ze sprak met de afstandelijkheid van een rechter. Ze zette de racistische opmerkingen die eerder die dag waren gemaakt door de Turkse minister van Gezondheid in het juiste perspectief. Hij had gezegd dat hij geen Griekse of Armeense bloeddonoren wilde, alleen donoren die zuiver Turks waren. Ze legde uit dat deze man lid was van de ultrarechtse nationalistische partij en deel uitmaakte van een coalitieregering die waarschijnlijk niet lang meer zou bestaan. Ze beweerde dat de meeste mensen in het land zijn uitspraken betreurden en dat men heel dankbaar was voor alle hulp uit het buitenland, vooral uit de landen die traditioneel als vijand werden beschouwd. De nieuwe vermeende vijand, zei ze, was het leger.

Maar ook dat was een oversimplificatie, zei ze; ze werd met het woord plechtstatiger. Het leger was zelf ook zwaar getroffen door de aardbeving. De grootste fout was dat ze geen goed rampenplan hadden. Er was echter wel een indrukwekkende samenwerking op gang gekomen van maatschappelijke instellingen. 'De mensen hier hebben geleerd dat ze niet moeten wachten tot ze worden gered, maar dat ze zelf de touwtjes in handen moeten nemen.' Het waren burgers geweest die geslaagde reddingsoperaties hadden gecoördineerd. Zij waren het die ad hoc vrijwilligers hadden georganiseerd die voedsel en onderdak en een rudimentaire organisatie hadden geregeld voor de tienduizenden mensen die dakloos waren geworden. Ze noemde het rekeningnummer van een in Londen gevestigde liefdadigheidsorganisatie voor mensen die direct geld wilden storten. Jeannie schreef het op.

Ze stortte een bedrag op het rekeningnummer en schreef een brief aan Suna waarin ze haar hulp aanbood bij de langetermijnacties die Suna en haar collega's wellicht op touw wilden zetten. Ze vertelde iets over haar deskundigheid en ervaring. En ze eindigde met een moeizame zin waarin ze zei dat ze het zou begrijpen als Suna niet op haar aanbod wilde ingaan. Maar dat ze altijd verdrietig werd als ze eraan dacht dat ze al zo lang niets van haar had gehoord.

Intussen probeerde ze het ook via andere wegen. Haar vader had nog steeds contact met Amy, en via haar kreeg Jeannie Chloe's e-mailadres. Chloe woonde al sinds het eind van de jaren tachtig in Istanbul en zat onder meer in het bestuur van de internationale school. De leerlingen zamelden geld in om een school te bouwen in Gölçük, een stad in het gebied dat het ergst door de aardbeving was getroffen. Toen Jeannie een bedrag stortte, kreeg ze meteen een reactie van Chloe. Het enige goede aan de aardbeving, mailde Chloe, was dat ze weer in contact kwam met zo veel oude vrienden. Jeannie wilde terugschrijven en vragen of er nieuws was over Sinan, maar ze kreeg het niet voor elkaar om zijn naam in te tikken. In plaats daarvan vroeg ze of met 'iedereen' alles 'goed' was. Daar kwam geen antwoord op, alleen een algemeen mailtje over de voortgang van het liefdadigheidsproject.

Eind oktober ging de telefoon en hoorde ze Suna's stem. Ze klonk even serieus als altijd, maar ook een beetje guitig. 'Dus,' begon ze. 'Jij wilt ons helpen.'

'Als je denkt dat ik iets kan doen,' zei Jeannie. Haar stem klonk hees.

Suna's stem was helder. 'Laten we het maar proberen.'

'Als je me wat meer gegevens stuurt over de projecten waar jullie mee bezig zijn, dan kan ik vrijwel zeker meer fondsen aanboren,' zei Jeannie.

'Dat zou heel genereus zijn,' antwoordde Suna. 'Maar er is een dringender kwestie. Als je ons daarmee wilt helpen, moet je alleen wel naar Istanbul reizen.'

'Istanbul. Denk je dat ze me daar binnenlaten?'

'Waarom zouden ze uitgerekend jou tegenhouden? Zeg het maar. Kun je?'

'Wanneer?' vroeg Jeannie.

'We hoopten eigenlijk morgen.'

Ze zweeg. Haar hart ging hevig tekeer. Dit was het moment om het te vragen, maar ze kon zijn naam niet over haar lippen krijgen. Daarom vroeg ze: 'Wie zijn "wij"?'

'Ah!' zei Suna, 'Nee, alleen wij tweeën maar. Lüset en ik.'

'Ik had eigenlijk andere plannen,' zei Jeannie langzaam. 'Maar die kan ik vast wel wijzigen.'

'Mooi. Dus je komt. Ik zal je naam doorgeven aan onze vriend bij Turkish Airlines. Een andere vriend zal naar het vliegveld komen om je de spullen te geven, heel vriendelijk dat je die voor ons wilt meenemen.'

Drieëntwintig uur later was ze onderweg naar Istanbul. Europa was die ochtend grotendeels bewolkt, maar vlak voordat ze boven de Zee van Marmara de landing inzetten, zag Jeannie de onregelmatige, gele kustlijn en de snelweg die erlangs liep. Ze keek landinwaarts. Waar ooit lege, bruine heuvels waren, stonden nu huizen tot aan de horizon. Sinds haar vertrek was het inwonertal toegenomen van twee tot twaalf miljoen, achttien zelfs als je de buitenwijken meerekende. Ze vlogen tegen de wind in en de landing was hobbelig. Maar toen het gebrul van de motoren stopte, begon een man te klappen. Al snel begon iedereen in het toestel te klappen, te lachen en te kletsen. Maar ze kon zich er niet toe zetten daaraan mee te doen.

Terwijl ze op haar koffers wachtte, zag ze de eerste poster: daarop stond een gesoigneerde man met wit haar die lachte naar een enthousiast meisje van een jaar of twaalf. Ze hielden allebei een mobiele telefoon tegen hun oor. Jeannie dacht dat het door de schreeuwerige rode achtergrond kwam waardoor ze ineens zo'n beklemmend gevoel op haar borst kreeg.

Suna wachtte voorbij de douane. Ze was alleen, uiteraard. Net als Jeannie. Wat voelde ze zich oud. Merkte Suna dat? Ze omhelsde Jeannie warm, en verzekerde haar er met een brede glimlach van dat ze helemaal niet ouder leek.

'Jij ook niet,' loog Jeannie.

En Suna zei: 'Ah! Het gaat er niet om een valse jeugd in stand te houden, maar om rijper te worden!' De schijnvertoning duurde tot ze bij de auto waren. Suna pakte de aluminium koffer die Jeannie voor ze had meegenomen en vroeg of iemand er nog moeilijk over had gedaan. Jeannie zei van niet, alleen dat ze de koffer hadden meegenomen voor een speciale inspectie.

'Ah! Laten we dan maar eens zien hoe speciaal die inspectie was.' Ze maakte de koffer open. 'Ah! Heel speciaal! Ja, ze hebben 'm zelfs voor ons uit z'n kistje gehaald! Wat vriendelijk! Wil je misschien zien wat je eigenlijk hebt meegenomen?'

Ze stak haar hand in de koffer. Toen ze hem terugtrok, zat er een voet in.

Jeannie gilde en deinsde achteruit. Suna begon te schateren van het lachen.

'Gekke meid, het is gewoon plastic! Het is een prothese voor een meisje van tien jaar in Yalova. Haar been moest worden geamputeerd nadat ze drie dagen onder het puin had gelegen.

Verder werken haar nieren niet meer. Wat jij hebt meegenomen, zal haar in leven houden!' Ze keek Jeannie met een scherpe, onderzoekende blik aan. 'Je bent toch wel blij? Je weet dat we een fascistische xenofoob als minister van Gezondheid hebben. Het is de laatste tijd erg moeilijk om spullen hierheen te krijgen. Goh, Jeannie, moet je nagaan. Wie had kunnen denken dat wij in 1999 hier zo zouden staan?' Ze probeerde de koffer weer te sluiten, wat niet lukte, waarna ze de voet op de achterbank gooide.

Tijdens de rit naar de stad, over nieuwe snelwegen die hen over de ene na de andere heuvel met aarde, ruwe beton en moskeeën in aanbouw leidden, zag Jeannie geen duidelijke tekenen van de schade door de aardbeving. 'Wacht maar,' zei Suna. 'Die zie je snel genoeg.' Ze legde haar het programma voor. Eerst zouden ze naar haar appartement rijden om Jeannies spullen af te leveren. 'Daar heb je toch geen bezwaar tegen? Maar als je liever in een karakterloos hotel zit...'

Suna's appartement bevond zich op de bovenste verdieping van een hoog, smal huis in Cihangir. Jeannie liep meteen naar het raam om naar de Bosporus te kijken. Hiervandaan zag de zee eruit zoals ze zich die herinnerde. Maar er lagen geen lege heuvels meer achter Üsküdar. Alleen betonnen appartementscomplexen, zo ver het oog reikte.

Terwijl ze daar stond, verloren in het uitzicht, dacht ze aan Sinan. Hoe moest ze het vragen, en wanneer? Ze kon het beste wachten tot ze op weg waren naar Yalova. Dan kon Suna haar gezicht niet zien. Details wilde ze niet horen. Ze zou het niet kunnen verdragen om allerlei details te horen over zijn vrouw en zijn kinderen en het gelukkige leventje dat ze samen leidden. Ze wilde alleen weten of hij in veiligheid was. Ze schrok op toen het huis begon te schudden. De kroonluchter boven haar hoofd leek te bewegen, maar niet zó hevig dat ze zeker kon weten dat het geen verbeelding was.

Ze maakte haar koffer open en probeerde te bedenken wat voor kleren je aan moest doen als je een door een aardbeving getroffen gebied bezocht. Toen Suna zag wat ze had gekozen, barstte ze in lachen uit. 'Ik heb toch niet gezegd dat we naar een begrafenis op Antarctica gaan?' Ze keek neuriënd in Jeannies spullen, pakte haar lange, kasjmier jurk en haar schoenen met hoge hakken. 'Voor een rampgebied? Weet je dat wel zeker?' Suna tuitte haar lippen. 'Zelfs in een rampgebied gelden bepaalde normen.'

Buiten wachtte een taxi. Ze werden naar een rij mooie, mosterdkleurige gebouwen gebracht die Jeannie herkende, al waren ze in haar tijd vervallen geweest. Ze stapten uit voor een café, met aan weerszijden van de ingang grote potten met in elk ervan een boom. Suna marcheerde naar de deur daarnaast en tikte een veiligheidscode in. Ze gingen twee trappen op en kwamen bij een groot, fel, popart-bord met daarop een stoplicht en grote neonletters. RADIO VERLICHTING, stond er in het Turks. Binnen veel glanzend eiken en leer en donkergroene vloerbedekking. Lou Reed zong over de *wild side*. De receptioniste liet hen binnen in een wachtkamer die door een glazen wand van de opnamestudio gescheiden was.

De man in de studio zat met zijn rug naar hen toe. Er was iets in zijn houding... Hij stond op en ging weg, waarbij hij zijn hoofd net zo ver opzij draaide dat Jeannie zijn profiel kon zien.

Het verdriet welde in haar op. Terwijl ze zich uit alle macht goed probeerde te houden, kwam er een andere man met een grote stapel kranten de opnamestudio binnen. Hij had kortgeknipt haar en een vierkant, open, kinderlijk gezicht. Hij droeg een spijkerbroek en een ruim, geruit overhemd dat er duur uitzag, net als zijn gouden horloge. Toen hij Jeannie zag, begon hij te stralen. Hij kwam naar buiten en verwelkomde haar met open armen. 'Kom binnen! Ga zitten!' Het was Haluk.

Otis Redding was net klaar met zijn *dock of the bay* toen ze achter Haluk aan de studio binnenliepen. Terwijl Joni Mitchell over een parkeerplaats begon te zingen, keek Haluk haar lachend aan en vroeg: 'Eerlijk zeggen. Ben je verbaasd?'

Maar op dat moment kwam een tengere vrouw met een porseleinen gezichtje binnen. Jeannie herkende haar meteen. Ze omhelsden elkaar als oude vrienden.

'Goh,' zei Haluk. 'Hoe lang geleden is dat nou? Lüset, jij had dat toch uitgerekend?'

'Achttien jaar,' zei ze.

'Achttien jaar,' herhaalde Suna. 'Moet je nagaan. Als we dat allemaal hadden geweten...'

'Dan hadden we er niks van geloofd,' zei Lüset.

'Sterker nog!' riep Suna uit. 'Dan zouden we ons er hevig tegen hebben verzet!'

'Maar het is natuurlijk wel zo dat we toen niet dezelfde mensen waren,' zei Lüset.

'In sommige opzichten wel, maar in sommige ook niet. Maar laten we eerst David even bijpraten, want die kijkt alsof hij er helemaal niets van begrijpt.' Ze knikte naar de innemende jongen die Jeannie heel even voor Sinan had aangezien. Ze ging zitten en schoof de stapel kranten opzij: daar waren ze weer, over de hele bladzijde. De man met het grijswitte haar en zijn kleindochter, die reclame maakten voor mobiele telefoons. 'Nou,' zei Suna, terwijl ze haar ellebogen op hun neuzen plantte. 'Waar zullen beginnen?'

Ze begonnen met een half spottende, half melancholieke beschrijving van de 'lome zomer van 1970', toen we vrij waren maar niet vrij, en voortgedreven werden door een zeurende verveling. Ze vertelden wat hun eerste indruk van Jeannie was geweest – 'een frisse, Amerikaanse Barbie die niets van de wereld afwist' – en over haar beroemde woordenwisseling met Suna in de discotheek. Suna beschreef het als 'zo'n typische discussie van die tijd, oppervlakkig gezien ging het over politiek, maar het ware onderwerp school in het verwarde hart.'

Ze vertelden de beleefde jongen die David heette dat Jeannie nu een 'topper' was op het gebied van de mensenrechten, waar ze van moest blozen. Ze zeiden dat ze 'een toegewijde bondgenoot achter de schermen' was en dat ze hier 'moeilijke bezoeken' had afgelegd in 'de donkere dagen na de staatsgreep van 12 september 1980'. Toen Jeannie daar iets tegenin wilde brengen, legden ze haar met wegwuifgebaren het zwijgen op en schetsten een overdreven beeld van de hulp die ze sinds de aardbeving van augustus had geboden. 'Nee, heus,' zei ze, 'ik heb bijna niets gedaan.'

'Maar nu ben je er,' zei Haluk. 'Dus dat zal allemaal gaan veranderen.'

'Maar wat is er nu echt gebeurd? Met die koffer, bedoel ik. In 1971.' Tot Jeannies afgrijzen barstten ze allemaal in lachen uit. 'Dat is een goede vraag,' zei Suna, 'maar het antwoord is nog beter. Hebben we nog tijd, Haluk?'

'Natuurlijk hebben we tijd. En het is ook tijd dat David eens hoort uit wat voor hout zijn moeder gesneden is.' Hij knikte naar Lüset. Was die jongen haar zoon?

'Maar we moeten er wel even bij vertellen dat we teruggaan naar 12 maart 1971,' zei Suna. 'Of om precies te zijn: een paar maanden daarna, toen de massa-arrestaties begonnen en er een hysterische sfeer heerste door allerlei ongegronde geruchten.'

De jongen die David heette glimlachte beleefd. Het werd Jeannie duidelijk dat hij dit verhaal al vele malen eerder te horen had gekregen. Maar dat leek voor de anderen niet duidelijk.

'Volgens onze aanklagers,' zei Haluk, 'behoorden wij tot een cel en waren wij ervan overtuigd dat er een informant in ons midden was. We zouden een schijnproces hebben gevoerd en hem vervolgens hebben vermoord. Maar er is altijd iets heel vreemds geweest aan dit verhaal. Want niemand kon vertellen wie het slachtoffer was!'

'In de eerste rapporten was dat Dutch Harding,' zei Jeannie.

'Je hebt gelijk,' zei Haluk. 'Maar zoals je weet, is zijn lichaam nooit gevonden.'

'Wat wil dat zeggen?'

Even flitste er iets in Haluks ogen. 'Wat zou het nog meer kunnen zeggen, behalve dat het goed verborgen is?'

'Maar die koffer dan...' begon Jeannie.

'Ah!' zei Suna. 'En nu komen we bij het rare van het verhaal. Er zat niemand in die koffer. Alleen maar papier. Of, om precies te zijn: de inhoud bestond uit 754 exemplaren van een illegaal tijdschrift. Dat weet ik, omdat ik dat tijdschrift zelf heb geschreven en gestencild.'

'Ach ja, die stencilmachine,' zei Haluk. 'Die herinner ik me nog goed.'

Suna schraapte haar keel. 'Ik heb het nu over die beruchte dag in juni 1971, toen hebben we ruzie gemaakt, toch?'

'Ja.'

‘En toen heb ik verschrikkelijke dingen gezegd.’

‘We hebben allemaal verschrikkelijke dingen gezegd.’

‘Maar daar hadden we allemaal een reden voor.’

‘Natuurlijk.’

‘Ik zal je de onze vertellen. Toen jij de garçonnière binnenkwam, en zulke lelijke leugens vertelde over een zekere zeer gewaardeerde mentor...’

‘Ik had geen idee, en geen bewijzen. Het was een schot in het duister. Maar Suna, je hebt echt geen idee hoeveel spijt ik...’

Een wegwuivend gebaar. ‘Lieverd, het doet er helemaal niet toe wat je hebt gezegd. Het heeft er nooit iets toe gedaan! We hadden die dag wel iets anders aan onze kop. We hadden bericht gekregen dat er een inval bij ons gedaan zou worden. We zaten met onze handen in het haar. Als een zekere zeer gewaardeerde mentor er niet was geweest om ons te helpen...’

‘Ook al was zijn eerste idee rampzalig!’ bracht Lüset in herinnering.

‘Dat is nog zacht uitgedrukt. We hebben geprobeerd om de papieren te verbranden in de badkuip.’

‘Maar die was van plastic!’

‘Ja, we bereikten ook alleen maar dat er een groot, lelijk gat in het bad kwam.’

‘We hebben de fik geblust met de douche,’ zei Lüset.

‘Maar daar werden die compromitterende papieren alleen nog maar zwaarder van.’

‘En de tijd tikte door,’ zei Suna. ‘Toen hebben we alles in een koffer gedaan en een taxi gebeld. Na een korte maar onplezierige rit kwamen we bij de kust, waar Haluk ons opwachtte en ons met de Kitten II naar Bebek Bay bracht.’

‘Je vergeet dat rode spoor nog,’ zei Lüset.

‘O ja, dat rode spoor,’ zei Suna. ‘Dat is echt hogere ironie. Tussen de gesmokkelde papieren zaten ook onze eerste ruwe schetsen en aantekeningen.’

‘En heel veel daarvan waren met rode inkt geschreven.’

‘En nu was alles nat geworden.’

‘En de koffer begon te lekken. Met die rode inkt.’

‘En daardoor lieten we een rood spoor na, wat de argwaan

wekte van de conciërge die vroeg op pad was om brood te gaan kopen. Hij waarschuwde de politie, van het een kwam het ander en uiteindelijk werden we gearresteerd.'

'Maar nu sla je een stuk van het verhaal over,' zei Lüset.

'Dat is zo. Maar dat doe ik met opzet. Ik bewaar het leukste voor het laatst!' Aan haar ogen was niet te zien dat ze lachte. 'Het ging zo. Toen we Bebek Bay een stukje in waren gevaren, en bij de kolkende stroming kwamen, gooiden we de boodschappennetjes met papieren een voor een in het water. Maar ze zonken helaas niet. Ze bleven op het water drijven. Zo ver je kon kijken, lag er een tapijt van natte, uit elkaar vallende revolutionaire blaadjes.' Ze maakte een weids gebaar, om het beeld op te roepen. En tot Jeannies afschuw, barstte ze in lachen uit.

'Is dat echt waar?' vroeg Jeannie.

'Natuurlijk is het echt waar!'

'Dan hoop ik dat je me nu ook gaat vertellen dat je nooit bent gearresteerd en ondervraagd? Dat je nooit uit het raam op de derde verdieping bent gesprongen?'

'Ah!' zei Suna. 'Dat is een heel ander verhaal! Maar daar is het nu misschien niet het juiste moment voor. Want we zijn al laat. Toch?'

Een paar minuten later stapten ze met z'n allen in een van de gele taxi's die in de plaats waren gekomen van de Chevrolets uit 1958 die Jeannie zich herinnerde, en gingen op weg naar Taksim. Dat plein was ook veranderd, maar niet onherkenbaar: er was een enorm groot hotel aan de oostkant gebouwd, maar het verkeer was nog steeds chaotisch en de trottoirs waren nog steeds stampvol. Daar, op het enorme billboard achter het oorlogsmonument, stond die gesoigneerde man met het witgrijze haar via zijn mobiel te praten met het onschuldige twaalfjarige meisje. In drievoud.

Ze liepen over de İstiklâl Caddesi, die nu een betegelde winkelstraat was, alleen toegankelijk voor voetgangers en trams, sloegen rechtsaf een smal straatje in en liepen naar een bar die Kaktüs heette. Toen ze er tien minuten waren, kwam er een chagrijnige, pruilende vrouw met bambi-ogen binnen. Ze droeg een spijkerbroek, hoge hakken, een zwart leren jasje met daaronder een minuscuul kanten topje. Ze had een stuk of zes gouden halskettingen om.

Het was Chloe. Ze kuierde naar ons tafeltje en gaf Jeannie een fraai gemanicuurde hand, met talloze ringen. 'Wie had dat nou kunnen denken!' zei ze. 'Hoe lang is dat nu geleden? Je ziet er nog precies hetzelfde uit.'

'Jij ziet er zelfs jonger uit dan toen,' zei Jeannie.

Ze lachte nogal treurig. 'Ja, ik moet wel, hè?'

Terwijl ze haar Pradatas opendeed en een sigaret uit een gouden doosje haalde, zei Suna: 'Chloe was met een plastisch chirurg getrouwd.'

Nadat Suna had verteld dat Chloe's echtgenoot 'in de bloei van zijn leven was weggerukt door leukemie' en dat Chloe sindsdien in haar eentje zijn kliniek runde, condoleerde Jeannie haar bedremmeld.

Chloe nam een haal van haar sigaret en zei: 'Ach, wat moet je ervan zeggen. Zulke dingen gebeuren nu eenmaal. Ik weet niet wat jullie vinden, maar ik heb zin in een martini. Jij ook, Jeannie? Ze weten tegenwoordig wel hoe ze die moeten maken. Met echte gin.'

Ze dronken hun martini en daarna keek Chloe op haar horloge. Ze moest snel weg, naar een feestje waar ze zich vast stierlijk zou vervelen. 'Ik zie jullie straks,' zei ze, en ook de anderen trokken na korte tijd hun jas aan. Een paar minuten later zaten ze op de eerste rij in een groot theater.

En daar stond Haluk voor het doek. Hij hield een korte toespraak waarvoor hij een luid applaus kreeg. Het doek ging op voor het orkest op het toneel. Er waren vier zangers, twee mannen in smoking en twee vrouwen in felrode avondjapon. De liederen die ze zongen waren allemaal in het Grieks. Jeannie meende dat ze de muziek herkende en toen het toneel donker werd en er een bekend gezicht op het scherm achter het orkest verscheen, begreep ze waarom. De vrouw in dat filmfragment was Sibel, Sinans moeder, ongeveer in 1967 in de spotlights van Montreux. Ze droeg dezelfde laag uitgesneden jurk die Jeannie zich herinnerde van een foto en zong een fantastisch treurig lied, eerst in het Frans, daarna in het Grieks, daarna in het Engels.

Toen het licht weer aanging, stond Haluk bij de zangers. Naast hem stond een oudere man. Het duurde even voordat Jeannie in de gaten had dat dat Chloe's vader was.

Maar het was niet de trage, vriendelijke, saaie Hector Cabot die ze zich herinnerde. Het leek wel alsof iemand zijn accu had opgeladen. Zijn bewegingen waren energiek. Zijn lach was geanimeerd, uitgelaten zelfs. Zijn korte opmerkingen in het Turks werden gevolgd door nog kortere in vloeiend Grieks. Daarna ging hij over op Engels. 'Ik hoop dat niemand er bezwaar tegen heeft als ik deze derde taal gebruik om onze internationale sponsors te bedanken die duizenden kilometers hebben gereisd om hier vanavond te kunnen zijn. Dit is een historische avond, een waarvan we vorige zomer niet hadden durven dromen. Ik hoop dat dit illustreert wat wij op het Instituut als ons hoofdmotto beschouwen. Uit een tragedie kan iets goeds voortkomen. Vijanden kunnen de wapenen neerleggen en vriendschap sluiten. Onze toegift van vanavond is: *Sto Periyali To Krifo*'. Hier pauzeerde hij even om het donderende applaus met een buiging in ontvangst te nemen. 'Zoals de meesten van jullie al weten, zijn de teksten van de Griekse dichter Seferis. Tijdens de junta werden ze vanwege hun politieke kleur door de kolonels verboden. Die kleur is nu misschien veranderd, maar de belangrijkste betekenis blijft hetzelfde, aan beide zijden van de grens. "In de verborgen baai schreven we haar naam en toen keken we naar de prachtige golf die aan kwam rollen en de naam wegspoelde..." Is het nog nodig om uit te leggen dat de naam die ze in het zand schreven en zagen wegspoelen die van de vrijheid was?

Het is dus een treurig lied. Het gaat over mensen die hun leven lang hebben gevochten voor iets wat ze steeds maar verliezen, over mensen die de weg kwijt zijn. Maar als wij nog steeds bijeen kunnen komen om dit lied te zingen, dan moet dat wel betekenen...' Hij sloeg zijn ogen op en slikte. 'Dat we nog steeds hoop moeten houden in ons leven. U zult het me daarom misschien niet kwalijk nemen dat ik met mijn hese stem deelneem aan het koor.' Hij keek zoekend naar de mensen op de eerste rij. 'Lieverd? Ben je daar nog?'

Een slanke, elegante vrouw met goudblond haar beklom het podium. Hij omhelsde haar zo stevig dat ze bijna omviel. Toen ze haar evenwicht had hervonden, glimlachte ze vol adoratie naar Hector. Amy Cabot. Hoe kon ze? Het was duidelijk dat Hector, die jaren geleden door de drank hun huwelijk had verwoest, tamelijk aangeschoten was. Toch stond ze daar, aan zijn zijde, en ze wiste het verleden uit met een lied over het gevaar van schrijven in het zand.

Later, toen ze aan een lange tafel zaten in Yakup II, probeerde Suna het uit te leggen. Amy en Hector, 'die ik nu tot mijn beste vrienden reken', waren 'niet echt hertrouwd' maar hun band was 'in zekere zin nog hechter'. Hector pendelde nog steeds tussen Istanbul en Connecticut heen en weer. Door zijn werk als hoofd van het IPEM, het Instituut voor Vrede in het Oostelijk Middellandse Zeegebied, moest hij soms ook naar Griekenland. De culturele banden die voor de aardbeving zo aarzelend waren gesmeed, waren sinds de *rapprochement* versterkt. Het concert dat ze zojuist hadden bijgewoond, onderstreepte dat.

Op dat moment, alsof het zo afgesproken was, kwamen Hector en Amy het restaurant binnen. Ze kwamen meteen naar Jeannie toe om haar te verwelkomen. Kon het zijn dat zij nu ook met een schone lei begon, net als de anderen? Hector schoof een stoel bij en begon een lang, intens, zeer persoonlijk gesprek met Jeannie. Hij had, zoals Jeannie al vermoedde, gedronken, maar hij beweerde dat hij dat nu kon zonder te ver te gaan. Hij nam een afgemeten slokje wijn en vroeg: 'Hoe gaat het met je vader?'

Voordat ze antwoord kon geven, kwamen de dirigent en de zangers binnen. Ineens begon iedereen, behalve Jeannie, Grieks te praten. Daarna was het weer anderhalve zin Turks. Daarna Engels. Zo ging het maar door, het gesprek ging van de ene naar de andere taal als klotsend water in een boot.

Tijdens dit vreemde, levendige gesprek ontdekte Jeannie dat Lüset en Haluk nu met elkaar getrouwd waren. En opnieuw werd er hartelijk gelachen om haar verbazing. 'Raar, hoe de dingen kunnen lopen, hè?' zei Lüset. 'Het is precies zoals Suna zei: als iemand ons destijds de toekomst had voorspeld, dan zouden we stomverbaasd zijn geweest.'

Suna kwam tussenbeide. 'Vertel haar het hele verhaal maar. Dat is zo romantisch.'

Haluk en Lüset vertelden het samen. Ze waren nu al zes jaar getrouwd, maar ze maakten nog steeds elkaars zinnen af. In 1992, toen zij 'pas gescheiden' was, en een kort bezoek bracht aan Londen, had Lüset een glimp van Haluk opgevangen in het café van het Arcola Theatre. 'Hoewel ik niet gemakkelijk te herkennen was,' voegde Haluk eraan toe, 'want ik was heel dik geworden.'

'Maar dat was niet het enige,' zei Lüset.

'Ja, ik genoot van mijn leven. Ik was vrij! Ik kon mijn eigen toekomst bepalen! Maar voordat ik het wist, zat ik weer in Istanbul, was alles vergeven en vergeten, en werd ik weer opgenomen in de schoot van mijn familie.'

'En de mijne,' vulde Lüset aan.

'Lieverd, dat spreekt toch vanzelf?'

Iedereen begon te lachen. Waarom? Toen gingen alle ogen naar het raam. Buiten op straat stond de televisieploeg die de Griekse zangers naar het restaurant had gevolgd bij een zwierige, zelfverzekerd lachende man met wit haar. Hoewel Jeannie hem niet herkende, ging er een golf van misselijkheid door haar heen. Hij had een gevolg bij zich: terwijl hij stond te praten met de cameraploeg, maakten zij de weg naar de deur vrij. Haluk en verschillende leden van hun gezelschap sprongen op. Ze omhelsden de man allemaal met respectvolle warmte. Toen kwam hij naar de kant van de tafel waar Jeannie zat. 'Welkom terug,' zei hij. 'Lang niet gezien!'

Het was İsmet.

Ze was te geschrokken en geschokt om iets te zeggen. Dat leek hij wel grappig te vinden.

'Hij is goed geconserveerd, vind je niet?' zei Suna toen Haluk met hem terugliep naar de deur. Ze klonk geamuseerd, spottend, afstandelijk.

Ze vertelde dat İsmet het 'nogal goed had gedaan'. Een verstandig derde huwelijk had hem in staat gesteld om zo goed mogelijk in te spelen op de hausse in de telecommunicatie. 'Hoewel hij zich natuurlijk nog steeds interesseert voor andere, betekenisvollere communicatiemiddelen. Ja, we staan allemaal bij hem in het krijt!

Als het erop aankomt de natie te waarschuwen voor het grote gevaar dat zich onder ons verscholen houdt, dan heeft niemand zich zo verdienstelijk gemaakt als İsmet Şen! En wat is hij van onschatbare waarde geweest voor onze oude vrienden overzee, nu ook zij tot de conclusie zijn gekomen dat het Rijk van het Kwaad niet langer het communisme is, maar de politieke islam! Maar... uiteraard alleen achter de schermen. In het openbaar staat hij gewoon bekend als de "Zakkoning".' Ze legde uit dat een mobieltje in Turkije een zaktelefoon wordt genoemd. 'Maar eigenlijk zou hij beter de "Wapenkoning" genoemd kunnen worden. Want het is algemeen bekend dat hij wapenhandelaar is.'

'Die man is wapenhandelaar en jullie praten gewoon met hem?'

'Alsof we door met hem te praten onze angst laten blijken.'

'Wat moet ik er anders van denken?'

'We zijn niet bang, Jeannie. Dat verzeker ik je. Als er iemand bang is, dan is hij het wel, voor ons! De tijden zijn veranderd. Als hij zijn ambities wil waarmaken, als hij de Spreekbuis van de Seculiere en Islamhatende Republiek wil worden, dan is het niet genoeg om achter de schermen aan de touwtjes te trekken. Hij moet zorgen dat hij gezien wordt met mensen die in aanzien staan. Hij moet lachend naast Haluk gezien worden! En als Haluk zijn rol niet overtuigend speelt... Hier, kijk zelf maar,' zei ze, terwijl ze loom naar de deur knikte. Maar Jeannie zag alleen maar respect in Haluks glimlach en niets in İsmet Şens gedrag wees erop dat hij bang was.

Toen ze dat zei, antwoordde Suna: 'Ah! Misschien ben je al te lang weg om dergelijke subtiliteiten op te pikken.' Maar hoe kon Haluk zelfs maar beleefd doen tegenover zo'n man, hoe kon Suna zo onaangedaan praten over zijn beschamende loopbaan? De man die haar uit dat raam had geduwd! Het leek verkeerd, onrechtvaardig, een vermenigvuldiging van het onrecht dat hij op zijn geweten had.

Ze bleef dat ongemakkelijke gevoel houden toen het gesprek weer op de gruwelijke details van de hulpverlening na de aardbeving kwam. Steeds als Suna, Haluk of Lüset iets afschuwelijks aanroerden – een fundamentalistische groep die de leden van een niet-godsdienstige hulporganisatie belette om hulpmiddelen uit te delen die van levensbelang waren, een bouwkoning die niet voor de rechter kwam, het afsluiten van alle kampen in het rampgebied voor non-gouvernementele organisaties, het Rode Kruis dat de daklozen niet voor de winter onderdak mocht geven, het voortdurende ontduiken van de bouwvoorschriften, het geschatte dodental als het epicentrum van de volgende aardbeving in Istanbul lag – dan barstten ze steeds in lachen uit.

Ze lachten zelfs nog toen ze het over een beving hadden die eerder op de dag had plaatsgevonden. Die werd tot in detail besproken. Sommigen zeiden dat het een op-en-neergaande beweging was geweest, maar anderen hadden het meer over een slingerende beweging van het gebouw waarin ze op dat moment zaten. En net toen ze het hierover hadden begon het restaurant te schudden.

Pas op dat moment zag Jeannie de angst in de ogen van de anderen. En ergens vond ze dat een opluchting. Het was dus toch geen droom, ze zat toch niet in een griezelig sprookje waarin iedereen nog lang en gelukkig leefde behalve zij. Toen het schudden ophield, bleef iedereen even roerloos zitten. Daarna begonnen ze allemaal tegelijk te praten. 'Voelde jij dat ook?' 'Waar zou het epicentrum zijn?' 'Wat hebben we toch gedaan dat we zoveel ellende over ons heen krijgen?' De mobieltjes kwamen tevoorschijn. Suna was de eerste die het opgaf. 'Het netwerk is overbelast,' zei ze tegen Jeannie. 'Dat betekent dat het een behoorlijk zware schok geweest moet zijn. Bij een zware schok gaat iedereen in de hele stad bellen. Jammer dat onze vriend İsmet er niet meer is, dan had ik de Zakkoning daar eens persoonlijk op kunnen aanspreken!'

Jeannie stond op. 'Ik wil even de frisse lucht in.'

Het was kouder geworden. Ze knoopte haar jas dicht. Toen ze naar binnen keek, zag ze dat de anderen weer iets nieuws hadden bedacht om over te lachen. En zij kon dat niet verdragen, ook al wist ze dat het ongemanierd en ondankbaar en hard was. Het was alsof ze in een verlaten greppel lag en naar de verlichte ramen van een passerende trein keek.

Ze keek naar Haluk en Lüset die met elkaar zaten te praten. Als zij naar voren leunde, deed hij dat ook. Als ze aan een zin begon, en hij begreep waar ze naartoe wilde, begon hij soms halverwege de zin te lachen. Toen hij met de vrouw rechts van hem praatte, sloeg hij zijn arm om Lüsets schouder, waarop zij begon te stralen, alsof hij haar een onverwacht cadeau had gegeven.

Zij, als oude vriendin, zou blij voor hen moeten zijn. Maar ze vervloekte zichzelf omdat ze was teruggekomen. Ze draaide zich om. In het steegje kwam een donkere gestalte op haar af, met gebogen hoofd en zijn handen diep in de zakken van zijn jas.

39

1 november 1999

Hij was hier toen het gebeurde. Hier in dit appartement. Hij werkte toen nog in Denemarken, maar hij was de hele zomer al in Istanbul waar hij een film maakte over de familie van zijn moeder. Sibel was gevleid en gedroeg zich charmant, ze was gul met haar herinneringen en zeer coöperatief, maar er waren ook een paar uitbarstingen geweest, en dan was er nog de verstikkende, vervuilde vochtige lucht. Om daaraan te ontsnappen was ze een paar dagen bij een vriendin gaan logeren in Çınarcık, in de buurt van Yalova. Daar was ze, op dinsdag 17 augustus om 2.58 uur.

Sinan was hier, in het Huis der Sluiers, samen met Suna, maar dat is weer een ander verhaal. Het gekletter was nog erger dan de zwaaiende vloer. De elektriciteit viel vrijwel direct uit: je kon horen dat de boeken en borden en glazen van de planken vielen, maar je kon dat niet zien. Toen hij zijn mobiel had gevonden, probeerde hij zijn moeder te bellen. Maar het netwerk was uitgeschakeld. Op de radio klonk alleen muziek.

Buiten op de overloop werd gegild en geschreeuwd door buren die in hun pyjama de trap af stommelden, bij het schijnsel van een paar flakkerende kaarsen. De meesten bivakkeerden de hele nacht buiten.

Tegen de ochtend druppelde het nieuws binnen en kregen ze de eerste luchtopnames van de getroffen gebieden te zien. Aan de weggeslagen gebouwen kon je zien dat de breuklijn precies door het centrum van Çınarcık liep.

Ze waren daar om tien uur, maar als een straat half in puin ligt, is een adres iets wat eigenlijk niet meer bestaat. Waar zijn moeder had gelogeerd lag een berg puin die zo klein was dat je je nauwelijks kon voorstellen dat er een gebouw van zes verdiepingen had gestaan.

De zon stond inmiddels hoog aan de hemel. Het was perfect strandweer. Later zou er een Israëlisch reddingsteam naar Çınarcık komen, maar die ochtend waren er alleen Suna en Sinan en nog meer mensen die net zoals zij over het puin kropen en er met blote handen in groeven. Suna ging weg en kwam terug met eten, water, dekens, nieuws. 'En mijn camera's. Ja, want zo'n man ben ik dus geworden.'

De soldaten kwamen pas op de vierde dag, maar toen waren er al mensen van heinde en verre gekomen om te helpen. Ze brachten eten, water, pikhouwelen, ondergoed. Op de vijfde dag groeven ze zijn moeder uit en op dat moment, terwijl de andere reddingswerkers hem troostten, drong het tot hem door dat hij moest 'stoppen met dit ankerloze leven dat ik heb geleid, met dat gereis door Europa, overal op m'n gemak maar nergens echt thuis. Ik besefte toen dat dit mijn land is, dat dit mijn broeders zijn, mijn vrienden, en dat ik hier wil zijn als het leven zomaar afgelopen kan zijn.'

Het moeilijkste vond hij het om terug te komen in zijn appartement, zei hij. Hij vertrouwde de muren niet meer.

2 november 1999

Als ik op het balkon sta en uitkijk over de Aziatische kust, over de Oude Stad met zijn koepels, paleizen en moskeeën, en de grote, krioelende waterwegen daartussen, dan zie ik nog de stad zoals ik me die herinner.

Als ik ergens naartoe ga en de achterafstraatjes in ga, ruik ik het water. De veerboten zijn nog hetzelfde, al lijken ze minder talrijk. Overal zie je nog venters die noten verkopen, maïs, of goedkope horloges, kiosken met kranten, sigaretten, kauwgum en geroosterde kaasboterhammen. De meeste winkelborden in de meeste steegjes hangen nog steeds scheef, in de meeste trottoirs zitten nog gaten, en neonreclame is nog niet uit de mode.

Er zijn enorme nieuwe wijken die zich eindeloos ver in alle richtingen uitstrekken. In de arme wijken vind je altijd een kleine supermarkt, een apotheek, een kebabrestaurant en minstens drie banken. Een snoepwinkel, een vochtige zuilengang waar bloemen, kranten, vlees, vis en roze dekens worden verkocht, het geijkte politiebureau en de geijkte moskee. Mannen met een kalotje, mannen met een pet en een bruin pak, mannen in Tommy Hilfiger, vrouwen in Tommy Hilfiger en vrouwen met lange moslimjassen en strakgeknoopte hoofddoekjes.

In de rijke buurten zie je eindeloze rijen wolkenkrabbers, winkelcentra, gelikte showrooms met de duurste auto's ter wereld, merkkleding en merkijs, badkamers, meubels, software. De donkere, vochtige, sinistere straatjes van Tepebaşı zijn onherkenbaar veranderd, er zitten nu mooie, lichte restaurants, cafés, clubs en hier en daar een salsabar. Het stuk langs de Bosporus tussen Ortaköy en Kuruçesme, waar ooit alleen maar kolenopslagplaatsen waren, is nu een oogverblindende strook met openluchtclubs; daar schijnt het zo propvol te zijn met uitsmijters, hotelpersoneel, beroemde stervoetballers en de al even beroemde modellen met wie ze uitgaan, dat je er in de vroege uren van een zomerochtend soms wel een uur over doet om een halve kilometer vooruit te komen.

En dan die oude Ottomaanse villa's die op instorten stonden: daar kun je tegenwoordig als rijk man niet meer zonder. Er zijn er niet veel meer over, maar ze zijn allemaal gerestaureerd en zó luxueus dat het pijn doet aan je ogen. Suna zegt dat een oude klasgenoot van haar veel van die villa's heeft gerestaureerd. Het is een vaak terugkerend thema. Onze oude klasgenoten, zelfs degenen die in de jaren zeventig of begin jaren tachtig in de gevangenis hebben gezeten, hebben kolossale successen geboekt op allerlei gebieden, vooral sinds het begin van de hausse.

3 november 1999

Die hausse begon toen Turkije in de jaren tachtig zijn grenzen openstelde. Na het einde van de Koude Oorlog was Istanbul niet langer een buitenpost, maar werd opnieuw het centrum van zijn wereld. De stad zit barstensvol mensen uit de voormalige Sovjet-Unie. Sommigen zijn toerist, anderen komen voor hun werk, weer anderen zitten in de 'import-exportbusiness' en/of de misdaad. Gisteravond, toen Chloe en ik samen in een taxi zaten, werden we aangehouden door een politieagent die ons alleen van achteren had gezien en dacht dat wij 'Natasja's' waren (Russische prostituees).

De Russische marine houdt geen parades meer op de Bosporus, maar het scheepvaartverkeer is zwaarder en verraderlijker dan ooit, en de schepen uit BAPNA moeten hoognodig opgeknapt worden.

Tegenwoordig is niemand meer bang voor de communisten en omdat zestig procent van de inwoners onder de dertig is, is het een steeds kleiner wordende minderheid die zich die angst nog kan herinneren. Nu is iedereen geobsedeerd door de islamisten. En als de islamisten spreken, drukken ze hun antiwesterse sentimenten in ongeveer dezelfde bewoordingen uit die Sinan en Suna gebruikten toen ik ze net kende. De rollen zijn omgedraaid, en toen nog eens omgedraaid.

4 november 1999

Ik heb gehoord dat ze hier ongeveer dezelfde bouwvoorschriften hebben als in Japan, de VS en West-Europa. Maar als er geen buitenlandse verzekeringsmaatschappij bij een project betrokken is, ontduiken projectontwikkelaars de wet. De eigenaren doen domme dingen zoals het wegbreken van draagmuren om meer winkelruimte te scheppen. Daarom zien zoveel appartementencomplexen in het door de aardbeving getroffen gebied er ook onbeschadigd uit, totdat je ziet dat ze geen voordeur meer hebben, geen begane grond.

Sinan heeft gezegd dat als ik ooit in een aardbeving terechtkom, ik naar boven moet rennen, niet naar beneden. En als het kan, moet ik tegen een radiator kruipen, of een koelkast, of een badkuip.

Gisteravond, toen ik wakker werd van nog een naschok, keek ik naar Sinan, en heel even leek hij ook wel een berg puin.

6 november 1999

Hij heeft me zijn films laten zien.

Hij doet vaag over zijn carrière: hij is afgestudeerd politicoloog, maar in de periode waarin hij trouwde, kreeg hij een baan bij de televisie. Halverwege de jaren negentig ging hij zelf films maken. Die vreemde naam van hem, Yankı, dateert uit die tijd. Hij heeft verscheidene prijzen gewonnen en hoewel hij nog steeds met zijn films naar de festivals gaat en veel opdrachten in Europa krijgt, schijnt Haluk zijn voornaamste producent te zijn.

Zijn eerste films stonden meestal in het kader van het 'verdwijnende Turkije'. Een ervan gaat over de oude vissersboten op de Bosporus, een ander over een familie die alles doet om te voorkomen dat hun oude Ottomaanse yali in zee stort. *Rakı Sofrası* gaat over drie gepensioneerde generaals die verlangen naar de volmaakte zomeravond. *The 23rd of April* is een verslag van de optochten op Kinderdag in zeven verschillende steden, en hoewel het een subtiele boodschap uitdraagt over patriottisme, vindt Suna de film 'gekmakend indirect'.

Dat zegt ze ook over *Three Merchants*, waarin de handel en wandel wordt gevolgd van een Circassische juwelier in Adapazarı, een Aramese tapijthandelaar uit Mardin, en een Armeense koperhandelaar met een winkel in Bedestan. Ze hebben allemaal een verwarrende, verborgen geschiedenis, maar Sinan gaat nooit dieper dan het oppervlakkige. Ik vind dat dat ook niet hoeft, maar Suna vindt van wel.

De beste film die ik tot nu toe heb gezien is *The Atatürk Factory*. Die titel zegt het al: hij gaat over een fabriek waar beeldjes van Atatürk worden gemaakt. Bepaalde scènes, zoals die waarin de twee beeldhouwers hartstochtelijk discussiëren over Atatürks 'ware' gezicht, hebben iets komisch, al vonden sommige critici de film respectloos. Hij eindigt met een minuut stilte op zijn sterfdag. Je ziet een jonge man met rechte schouders op het strand vlak bij Üsküdar staan die salueert naar de oude stad. Op zijn gezicht zie je zijn trots en liefde. Vlak achter hem staat een man een restaurantboot af te spoelen. Hij draagt een islamitisch kalotje en neemt de minuut stilte niet in acht. Terwijl de camera over de koepels en paleizen en minaretten van de oude stad glijdt, horen we Atatürk zelf met zijn beroemdste uitspraak: 'Ik ben zo blij dat ik een Turk ben.'

De film waaraan Sinan ten tijde van de aardbeving van augustus werkte, heet *Chanteuse*, en is gebaseerd op de gesprekken die hij met zijn moeder voerde in de weken voor haar dood. De beroemde beelden van het concert in Montreux zijn er ook in opgenomen. Zijn volgende film, *Hidden Family*, begint met de dood van zijn moeder en gaat dan verder met haar begrafenis, die werd bijgewoond door twee Griekse tantes die hij voor het eerst ontmoette. Ze woonden allebei in Thessaloniki en de film volgt ze naar hun huis.

7 november 1999

Vanaf het moment dat ik hier ben, doe ik alles in een razend tempo, maar de wereld is nog sneller en raast langs me heen, waardoor ik achterop raak. Toen ik vanochtend wakker werd, vroeg ik me af of het echt nog maar twee weken geleden was dat ik de telefoon opnam en Suna's stem hoorde. Volgens Suna ben ik veel te krampachtig en moet ik me overgeven aan de *flow*, zoals zij het noemt. Dit is niet de slaperige stad die ik ooit heb gekend. Deze stad wordt in versneld tempo modern. Maar zelfs in 1970, in die lome achterafdagen, deed ik niet altijd mijn best om het tempo bij te benen.

Er gebeurt zoveel, verhalen lopen over in andere verhalen, er zijn zoveel dingen waarvoor ik bijna geen context heb – ik blijf maar naar details zoeken, ik probeer wanhopig tussen de regels door te lezen, en nooit eerder heb ik zo sterk gevoeld dat ik niets van het heden begrijp. Hier ben ik, in zijn armen, in zijn bed, in zijn leven. Na al die jaren hebben we elkaar teruggevonden, maar we vertrouwen de muren niet, we vertrouwen de grond onder onze voeten niet, we vertrouwen geen moment behalve dit ene. Ik ben waanzinnig gelukkig en ik ren op een afgrond af.

Elke beweging die hij maakt, ken ik. Elke centimeter van zijn lichaam ook. Maar hij is nog steeds een vreemde voor me. Ik heb geen idee wat er in zijn hoofd omgaat.

WAT IK IN HEM BEWONDER:

· Dat hij zo veel van zijn werk houdt.
· Dat hij zich daar zo meedogenloos en dapper mee bezighoudt.
· Dat hij zo weinig klaagt.
· Zelfs weigert zich te beklagen.
· Dat hij me op zo'n prettige manier in zijn leven heeft opgenomen.
· Dat hij met me praat alsof we altijd al samen zijn geweest.
· Dat hij me om mijn mening vraagt en dan ook echt luistert.
· Dat hij, waar we ook zijn en hoe schokkend het ook is

wat we net hebben gehoord of gefilmd, nooit de kleine vreugden van het leven vergeet, dingen die hij de kleine waardigheden noemt.

Er is altijd een leuk koffiehuis op de hoek, de ober heeft altijd een verhaal te vertellen en doet dat ook, hij heeft een prachtige lach en als ik hem zie lachen, denk ik terug aan de dag van de cobra, toen we met die manden dwars door de stad moesten, en mensen ontmoetten met verhalen als de staart van een komeet.

WAT IK MIS VAN DE JONGEN DIE IK VROEGER KENDE:

· Zijn verende tred.
· De duidelijkheid van zijn minachting.
· Het donderende geweld van zijn poëzie.
· De hoop.
· Het vuur.

WAAR IK BANG VOOR BEN:

Zelfs als we in een café zitten vol licht, en kunstenaars, en journalisten, en dichters, en fotografen, en filmsterren, en televisiemagnaten, en zangers, en betoverende tragédiennes... zelfs als Haluk of Lüset of Suna een zeer frivole grap heeft gemaakt – als het gelach wegsterft en ik weer in zijn ogen kijk, zie ik donker, dood, geheimen.

DINGEN DIE WE NOG MOETEN BESPREKEN, EN NIET IN KWELLENDE EN VAAK ZEER VERONTRUSTENDE TERZIJDES:

· De 'gebeurtenissen' van juni 1971.
· Wie Dutch Harding heeft vermoord.
· Wie hem heeft begraven en waar.

- Wat er die ochtend na zijn arrestatie in januari 1980 met Sinan is gebeurd.
- Wat ze in de gevangenis met hem hebben gedaan.
- Waarom hij niet wilde dat ik hem hielp.
- Of hij weet van de brief die zijn vrouw me heeft gestuurd.
- Waarom hij me nooit heeft geschreven, zelfs niet na zijn scheiding.
- Waarom hij nog steeds zo kwaad is op Suna omdat die ons 'door een truc bij elkaar heeft gebracht'.
- Waarom er geen dag voorbijgaat zonder dat hij zegt dat hij me nooit is vergeten en me nooit uit zijn hart heeft kunnen 'bannen'.
- Waarom hij dat eigenlijk heeft geprobeerd.

ALLES WAT HIJ HEEFT GEZEGD
(maar niet in deze volgorde):

(Ik zet deze zinnen in deze volgorde in een wanhopige poging om er meer van te snappen.)

- Hoe minder hij zei over 1971 hoe beter. 'Het enige wat nog over is, is een poel van leugens.'
- Onze zonde – een die we volgens hem allemaal hebben begaan – was dat we onvolwassen waren. 'Ik had grootse ideeën, maar die waren te groots, en de ideeën zelf waren leeg. Dat kwam omdat we geen vrijheid hadden.'
- We werden ingeperkt door wat hij nu De Vaders noemt. 'De mijne. De jouwe. Die van Haluk. Onze leraren. De Duivel İsmet. Ze hielden allemaal toezicht op ons, ze hielden ons voortdurend in de gaten, ze verdachten ons van de misdaad die we nog niet hadden gepleegd. De misdaad waar we zelfs niets van wisten. Niet wat we hadden gedaan, maar wat we zouden kunnen doen als wij hun macht in handen zouden krijgen.'
- 'En wij waren natuurlijk woest. Dat we veroordeeld wer-

den op basis van ongegronde verdenkingen! Dat we als gevaarlijk werden bestempeld vanwege onze gedachten! Wat wij niet wisten, wat we pas op die vreselijke dag leerden, is dat er geen onschuldigen zijn.'

· Naderhand heeft Suna het meest geleden, hoewel er 'verschillende vormen van foltering' bestaan.

· Voor hem was de foltering de wetenschap dat twee vriendinnen de straf uitzaten die hij had moeten krijgen.

· Dat schuldgevoel vrat aan zijn huwelijk. Schuldgevoel was zelfs de basis van zijn huwelijk. 'Anna werd verliefd op me om me te redden. Om mezelf te redden, moest ik wel weggaan.'

· 'Je hebt het helemaal bij het verkeerde eind. Ik bedoel in die interviews die je hebt gegeven na onze nacht samen, in 1981. Jij was niet degene die mij in gevaar heeft gebracht. Het was zoals ik je heb verteld. Ik was teruggekomen om mijn lot onder ogen te zien. Als je ervoor kiest om je vrijheid op te geven, krijg je daar een innerlijke vrijheid voor terug die voortkomt uit waardigheid.'

· Maar hij had zijn ambities niet kunnen waarmaken. 'Wat je die nacht voelde, de nacht die we hier hebben doorgebracht, de nacht voor mijn arrestatie, was mijn angst. Pas toen we hier samen in deze kamer bij elkaar lagen, werd ik door angst overmand. Dat is de waarheid. Toen ik naar je stem luisterde, je hoofd tegen mijn borst voelde, ging ik aan mezelf twijfelen. En die angst was terecht.'

· Maar hoe minder hij vertelde over zijn jaren in gevangenschap hoe beter.

· Het ergste was eruit komen, naar huis gaan. 'Een straat die ik herkende, was erger dan een straat die ik nooit had gezien. Elke verandering vloog me aan. Mijn herinneringen maakten dat het heden een leugen leek. Toen wist ik dat alles wat ik tot dat moment van het leven had verwacht verkeerd was. Dat mijn ideeën inhoudsloos waren. God had ons ogen gegeven zodat we konden zien.'

- ‘Dus ik zei tegen mezelf: geen politiek meer. Geen rare, impulsieve gebaren. Geen wraakneigingen. Ik kon mijn geluk niet langer baseren op de ondergang van İsmet. Ik was volwassen geworden, ik was vader. Ik wilde dat mijn kinderen wisten wie ik was.’
- ‘Natuurlijk kennen ze mij niet. Ze kennen me helemaal niet.’
- ‘Dat doet pijn, maar omdat ik zoveel van ze hou, denk ik soms dat het maar beter is zo.’
- ‘Sommige dingen moeten begraven blijven.’

10 november 1999

Toen ik vandaag bij Chloe was – we zaten in Café Divan in Bebek en ze had haar derde éclair op, ik begrijp niet hoe ze zoveel kan eten en toch slank blijft – moest ik denken aan de pindakaaskoekjes die we vroeger altijd maakten tijdens wat we de rust noemden, in die eerste zomer, in 1970. En toen herinnerde ik me dat ik me er tijdens zo’n rust een keer over beklaagde dat ik nooit eens een duidelijk verhaal van iemand te horen kreeg. Al die uitvluchten, al die geruchten waarvan je nooit wist of ze echt waar waren, de terloopse opmerkingen van mensen over gebeurtenissen die niet te bevatten waren, en waar je dan verder niets over hoorde. Toen ik Chloe vroeg wat ‘de zin’ daarvan geweest was, haalde ze alleen maar haar schouders op en zei: ‘Om je in onzekerheid te laten?’ Toen ik vroeg waarom ze dat zouden doen, zei ze: ‘Dat lijkt me duidelijk. Zodat je ze niet in je macht kunt krijgen.’

Toen ik haar vandaag dezelfde vraag stelde, zei ze: ‘Omdat ze je niet vertrouwen? Omdat ze dingen hebben gedaan waar ze niet meer aan terug willen denken? Omdat het gewoon te pijnlijk is en te lang geleden?’

12 november 1999

Na al onze bezoeken aan Yalova en Izmit en Adapazarı dacht ik dat ik alle manieren wel had gezien waarop een gebouw in elkaar kan storten, maar vandaag ben ik met Sinan en zijn cameraploeg naar Düzce geweest. Die verschrikkelijke nieuwe aardbeving was nog maar vijftien uur geleden, het was de tweede dodelijke aardbeving in iets meer dan drie maanden en de ramp (7.1 op de schaal van Richter zeggen ze nu) was nog heel vers.

Ik zag rijen huizen die als kaartenhuizen waren ingestort, verpletterde auto's, verbrijzelde en ingestorte minaretten, appels en sinaasappels en aardewerken potten die op de weg waren gevallen, een kapotte kantoorruit met daarachter een asbak met een sigaret erin, een bril, een telefoon van de haak.

Ik zag winkeltjes waar alleen maar puin van over was, huizen die door vrachtwagens overeind werden gehouden, lampen die nog in de fitting zaten en boven de straat bungelden, hele gezinnen die in een verwoeste tuin op de bank zaten die ze uit het puin hadden gered en naar de gescheurde en scheefhangende muren van hun huis keken. Naast elke berg puin stond een hopeloze, onzekere menigte.

Op de binnenplaats van wat geen ziekenhuis meer genoemd kon worden, stonden tenten en waren artsen van over de hele wereld; daarachter, vlak achter de camera's, stond een eindeloze rij politici, die respectvol in de camera's praatten en daarna snel in hun grote zwarte auto sprongen en terugreden naar Ankara, toeterend om de mensen aan de kant te krijgen die nog steeds met veel moeite een tent moesten opzetten.

Sinan ging helpen, hij deelde het brood en de grote flessen water die we hadden meegenomen uit, luisterde naar de verhalen, noteerde bescheiden verzoeken. Of we iemand konden bellen, een bericht konden doorgeven, een brief konden posten. Pas tegen zonsondergang vertrokken we, toen het al kouder begon te worden. Over een paar uur zou het gaan vriezen.

Toen we terugkwamen in de stad, waren er verkeersopstoppingen. Op de tweede brug over de Bosporus stond een file, en hoewel we nauwelijks over de auto's heen konden kijken, zagen we in de verte toch de Pasha's Library. Het was heel vreemd om boven Rumeli Hisar te hangen, om het fort vanuit de lucht te zien, en te weten dat de brug van waaraf we dit zagen de volgende aardbeving misschien zou overleven, zoals hij de vorige aardbevingen ook had overleefd, maar dat hij misschien ook zou gaan zwaaien en breken en ons in zee zou storten.

'Maar dat is juist het mooie,' zei Sinan. 'Die ondertoon van de dood.'

Waarmee hij bijna, maar net niet helemaal, mijn vader citeerde.

Dus zei ik: 'Soms vraag ik me af of je dat alleen maar kunt zien de laatste tijd.' En: 'Waar ben je precies bang voor?'

WAT SINAN DAARNA ZEI (na een zeer lange stilte, die een uur leek te duren, en we nog steeds op de brug stonden):

'Weet je, Suna heeft me dezelfde vraag gesteld. Nadat ze jou hier had gebracht.'

'Nadat ik haar had verteld hoe kwaad ik was.'

'Ze vroeg me waar ik bang voor was, en ik antwoordde: jou hierheen halen, weer in onze wereld halen, is vragen om moeilijkheden, en toen knikte ze. Tussen ons gezegd en gezwegen zijn moeilijkheden precies waar ze om vraagt.'

Dus herhaalde ik wat ik haar al vele malen heb gezegd. Dat het niet zo mocht zijn. Dat we het lot zouden tarten.

'En weet je wat ze toen zei? Ze zei: "Waar zijn we hier anders voor? Waarom zouden we buigen voor de goden? Waarom zouden we het lot niet tarten?"'

'Ik zit hier de hele tijd al een reden te bedenken waarom we het lot niet zouden tarten en ik weet dat elke reden die ik kan verzinnen een leugen zou zijn. Jij en ik hadden elkaar nooit mogen ontmoeten, Jeannie, maar dat is toch gebeurd. Je had hier niet terug moeten komen, ik had je nooit moeten zoeken, we hadden elkaar niet weer in de armen mogen vallen, maar dat hebben we toch gedaan. Als dit het lot tarten is, als straks deze brug begint te zwaaien en te breken en ons uit elkaar haalt, is het dan niet mooi dat we samen in deze dodenzee storten?'

Hij zette de motor uit en trok me op de achterbank, waar hij een gedicht in mijn oor fluisterde, zo snel dat ik die gedachten eerst even voor de zijne hield:

'We openen deuren, we sluiten deuren, we gaan door deuren, en aan het eind van de enige echte reis is er geen stad om in te schuilen, de regen druipt van de rails, de boot zinkt, het vliegtuig stort neer. De kaart wordt getekend op ijs. Maar als ik kon kiezen of ik deze reis zou ondernemen, zou ik het weer doen.'

40

Op 7 november 2005, een week na Jeannies verdwijning en twee dagen voordat ik terug zou gaan naar Londen, ging ik op bezoek bij Haluk en Lüset in hun villa aan de Bosporus, vlak buiten Bebek. Het was dezelfde villa waarin Haluk vroeger met zijn grootouders had gewoond, maar hij was nu niet meer gemeubileerd met skai en plastic. Nu stonden er comfortabele banken in zachte kleuren, ingebouwde boekenkasten, *kilims* met boeiende, bijzondere patronen en antieke urnen. De parketvloeren glommen in de herfstzon en nerveuze bedienden op sloffen liepen af en aan met bladen met thee en taartjes.

Ze namen me mee naar het terras, waarvandaan ik de brug kon zien waar Jeannie en Sinan in het verkeer hadden vastgezeten, hand in hand.

Haluk en Lüset wilden dat ik wist dat die twee lieve vrienden van ze – voordat ze bij die 'zinloze tragedie' betrokken waren geraakt – een geluk hadden gekend dat dieper ging omdat het ze pas zo laat te beurt was gevallen.

Ze hadden foto's om het te bewijzen en ze haalden herinneringen op terwijl we door de albums bladerden. Daar zaten ze met z'n allen in dat leuke restaurant buiten Assos. Wat een heerlijke dag was dat geweest. En daar waren ze in Göreme, Çıralı, Sile, Bodrum, Knidos. Herinnerde ik me Uludağ nog? Had ik later niet nog eens een uitstapje naar Turkije gemaakt? Nee? Dat was dan duidelijk. In september zou ik hun gewaardeerde gast zijn. Ze hadden geen eigen jacht meer: ik had waarschijnlijk wel gehoord dat Haluk en zijn familie hopeloos verstrikt waren in een aantal zinloze rechtszaken. Het familiebedrijf moest nog herstellen van de Turkse beurscrash van vier jaar geleden. Maar wat deed dat ertoe, zei Lüset, als je de zee en de lucht had? 'Dit uitzicht is alles wat ik nodig heb voor mijn ziel,' zei ze. 'En wat heb je uiteindelijk aan een zomerhuis? Is het niet veel leuker om met een stel vrienden een *gulet* te huren? Dat is eenvoudig maar erg mooi, zoals je zelf zult zien.'

'In een goede *gulet* kun je wel met twaalf of zestien man terecht. Als je echt goed bevriend bent, heb je de hele dag plezier! Kijk zelf maar!' De ene lachende groep na de andere. Steeds dezelfde groep mensen. Met Sinan en Jeannie lachend in het midden. Het zouden foto's van steeds dezelfde vakantie kunnen zijn, afgezien van de dikke buik die later een baby werd en nog later een jongetje met wilde lokken. 'Je kunt aan Jeannies gezicht zien hoeveel dat kind voor haar betekende. Dat hij haar weer tot leven heeft gebracht. Hoewel de zwangerschap... ja, dat was een ander verhaal,' zei Lüset tot slot.

'Hoe had het ook anders gekund?' vroeg Haluk. 'Een vrouw die zo laat moeder wordt, kan wel wat zwaar weer verwachten.'

'Dat is zo, lieverd, maar een deel van dat zware weer had kunnen worden voorkomen.'

'Misschien, schat, misschien. Maar heb jij ooit meegemaakt dat geroddel kon worden vermeden?'

Want geroddeld was er. Zinloze roddels. Roddels die niet herhaald moesten worden. Het kwam erop neer dat ze allemaal bedoeld waren om het vredige geluk te verstoren dat Jeannie en Sinan samen hadden gekend. 'Maar een storm gaat altijd weer liggen. Dat heb ik in mijn leven wel geleerd.'

'Problemen die op barre grond groeien, kunnen opbloeien tot zegeningen.'

'De komst van Jeannies vader, om maar eens een voorbeeld te noemen. Logisch dat we bezorgd waren! Logisch dat we ons afvroegen wat zijn ware motieven waren! Maar er was veel tijd verstreken. Het maakte hem gelukkig zijn dochter gelukkig te zien, kijk, op deze foto staat hij met zijn kleinkind. Heb je ooit een gelukkiger man gezien?'

'Na verloop van tijd ging zelfs Jeannie dat begrijpen,' zei Lüset. 'Zo gaat het gewoon met familiebanden.'

'Dus als ik het goed begrijp vond ze het eerst wel vreselijk dat haar vader er was?'

'Ja, maar dat duurde niet lang.'

'Waarom kwam hij eigenlijk terug? Weet je dat?'

'Dat hoef je toch niet te vragen? Dat ligt voor de hand! Zijn familie was hier!'

Iets aan hun gezamenlijke glimlach maakte dat ik door wilde vragen. Ik deed het album dicht en vroeg waarom Sinan volgens hen in de gevangenis zat, en Jeannie was verdwenen en haar vader als dood werd beschouwd?

Maar het was twee tegen één.

Ik hield vol, ik verzette me tegen hun dooddoeners totdat ze toegaven dat 'deze ongelukkige situatie' misschien had kunnen worden voorkomen als Sinan de wegen had vermeden die terugvoerden naar het verleden.

'Dus je vindt dat hij die film over zijn jeugd niet had moeten maken. *My Cold War* bedoel ik.'

'Hoe zouden we nou kritiek kunnen hebben op zo'n mooie en belangrijke film?' vroeg Haluk.

'Sinan is kunstenaar!' zei Lüset.

'Kunstenaars nemen nu eenmaal risico's!'

'Ja, en Jeannie begreep dat ook. Als er iets was wat ze begreep, dan was dat het wel. Maar ze was ook moeder.'

'En Sinan was vader. Dan is het toch logisch...'

Haluk maakte zijn zin niet af. Alsof hij wilde laten merken dat ik te ver ging.

'Als ik het me goed herinner eindigt Sinan die film met een aantal vragen,' zei ik. 'Hij verwijst niet direct naar de Koffermoord, maar toch gaan de vragen wel in die richting.'

'Ja, dat was zijn artistieke benadering,' zei Haluk.

'Als we nu nog eens naar die vragen zouden kijken, hoeveel zouden jullie er dan kunnen beantwoorden?'

'Wat bedoel je daarmee?'

Ik reageerde niet op zijn smekende blik, maar citeerde uit mijn hoofd: Wat gebeurde er daarna? Wie was het meesterbrein? Waar is hij nu? Wat heeft hij erover te zeggen? Wie zijn zijn nieuwe geldschieters? *Cui bono*?

In plaats van antwoord te geven, boog Haluk zich naar voren: zijn ogen puilden een beetje uit en zijn lippen waren tot een ongelovige glimlach samengeperst.

'Laat ik het zo zeggen,' zei ik. 'Wat is er werkelijk gebeurd in die garçonnière van jullie in juni 1971? Als jullie geen van allen schuldig waren aan die moord, waarom deden jullie dan alsof dat wel zo was? Wat voor smerig karweitje knapten jullie op? Wie probeerden jullie te beschermen? Wie beschermen jullie nu nog stééds? Waarom zijn jullie en jullie vriend Sinan de stad uitgegaan en lieten jullie twee jonge meisjes de klappen opvangen? Hoe voelde jij je, Haluk, toen je in de krant las dat Suna van de derde verdieping naar beneden was gesprongen? Hoe voel je je nu je weet dat als je alles anders had gedaan, je had kunnen voorkomen dat je vrouw werd gefolterd?'

Haluk deed zijn mond open, maar sloot die weer. Lüset pakte zijn hand, en liet die daarna los.

Toen ik iets zei, keken ze me geen van beiden aan. Maar ik probeerde toch eerlijk te blijven. 'Sorry,' zei ik. 'Dat was erg fel. En onnodig. Neem me niet kwalijk. En nu ga ik weg. Ik wil alleen nog één ding zeggen. Ik stel die vragen niet zomaar. Ik wil jullie helpen. En dat kan ik alleen maar als ik weet wat er is gebeurd.'

'Dat is onzin. Wat er is gebeurd, is verleden tijd.'

'Nee, dat is niet zo,' zei ik. En ik flapte eruit wat nog maar net tot me was doorgedrongen. 'Wat gebeurd is, is geen verleden tijd. De persoon voor wie jullie de klappen opvingen...'

Toen Haluk opkeek om me weer aan te kijken, puilden zijn ogen opnieuw een heel klein beetje uit.

'Die beschermen jullie nog steeds, of niet?'

Er kwam geen antwoord. Alleen een heel vage glimlach.

41

In antwoord op je vraag: ja, Mary Ann, ik ben me maar al te goed bewust van de rancune die doorklinkt in mijn toon. Zie het maar als de geest van het meisje dat ik ooit was. Iets in me gunt het meisje dat mijn plaats had ingenomen geen geluk. Dat verkneukelt zich in de wetenschap dat de jongen die mij aan de kant heeft gezet zijn verdiende loon heeft gekregen. Maar je zou inmiddels moeten weten dat wraak niet mijn drijfveer is.

Ik ben bijna klaar. Nog een paar bladzijden, dan zal ik het naar buiten brengen zodat iedereen het kan zien. Maar eerst wil ik jou en je collega's van het *Centre for Democratic Change* laten weten hoe gelukkig Sinan met Jeannie was, en Jeannie met Sinan, totdat onbekenden hun leven kapotmaakten. Ik wil onderstrepen dat het geen simpele map met simpele foto's was. Niet een gegeven, maar iets wat ze samen hebben gecreëerd, tegen alle verwachtingen in.

Vanaf een afstand is het misschien mogelijk om het te zien alsof ze verdergingen waar ze waren opgehouden, ook al was het dertig jaar later. Maar dan hou je geen rekening met de spoken die hen achtervolgen. Het leven dat ze samen hadden kunnen leiden. Het leven dat ze met anderen hebben geleid, maar waar ze zich van hebben losgemaakt. De mislukkingen, de teleurstellingen, het genoegen moeten nemen met de kaarten zoals die lagen. De kleine gewoonten, van hem en van haar, die allemaal ruimte proberen te krijgen.

De afschuw toen een afgesloten en vergrendelde deur open vloog. Waar in dit spookhuis was er plaats voor een kind? Zelfs al hielden ze de schijn op, bekeken ze samen de mogelijkheden, wisselden ze meningen uit en namen samen besluiten, dan nog waren er momenten waarop de een naar de ander keek en een vreemde zag. Hoe had het zover kunnen komen? Wie had dat kunnen denken? De fysieke last van de zwangerschap werd wat verlicht omdat Sinan die al kende, maar daardoor kwamen er nog meer spoken op hen af. Hij had al twee kinderen. Of (zoals hij een keer zei, ook al bleef het bij die ene keer): hij had al genoeg kinderen. Maar hij praatte er weinig over.

Ik zou waarschijnlijk nooit zo'n vrouw worden die van haar zwangerschap genoot (schreef ze me in haar brief). Maar het was niet alleen mijn lichaam dat ik niet vertrouwde. De duizeligheid die me al telkens overviel vanaf de dag dat ik terug was gekomen, het gebrek aan vertrouwen in de grond onder mijn voeten, de suggestie van een naderend onweer dat niemand kon zien aankomen en de zenuwslopende zekerheid dat bij elk verhaal dat ik hoorde, altijd het stukje ontbrak dat ik juist nodig had: die zorgen had ik altijd. Niet dat ze mijn leven bepaalden, maar het was meer zo dat ze er als een groep vleermuizen overheen vlogen.

En dan was er nog iets wat ik niet onder woorden kon brengen: wat ik in Sinans ogen had gezien toen ik hem vertelde over de baby, toen we op het terras stonden van dat geweldige gebouw in Galata en het nieuwe millennium begroetten. Een blik die angst verried, een verdrietig verwijt, stille overgave, de vierkante cirkel, de meedogenloze vriendelijkheid, het geheim dat hij me niet wilde vertellen...

Kleine stukjes verleden bleven maar op me af komen. Toen we de Yakup II binnenkwamen, sprong een gezette man overeind: ik herkende de vreemde glans in zijn ogen, maar verder niets. We liepen langs de Kallavi, waar naast de zigeunermuzikanten een groep vrouwen 'Samanyolu' zong, het lied dat Suna neuriede toen we de heuvel af liepen op de dag waarop we naar de overdekte bazaar gingen om samen met Lüset een leren jas te kopen.

Of ik liep met Chloe vanuit Eminönü langs de knopenwinkel waar we diezelfde dag binnen waren gevlucht voor die groep woedende mannen. Alleen was het nu een kralenwinkel. Als ik thuis zat, op onze veranda, en onwillekeurig naar de garçonnière keek, en ik door het raam een gestalte zag, kwam er altijd even een afschuwelijk moment dat ik zeker meende te weten dat het Sinan was geweest die me wenkte om terug te komen. Als ik buiten naar de *meydan* liep en naar de plataan keek, zag ik het spookbeeld van het marmeren bankje dat daar vroeger tegen de stam had gestaan.

Chloe rolde met haar ogen, Suna keek me boos aan, Lüset zuchtte, Sinan klakte met zijn tong en Haluk stak in hulpeloze onschuld zijn armen omhoog, ik zat weer bij Nazmi, tekende poppetjes op de servetten of staarde doelloos naar het matglas.

De hele winter, de hele lente, tot aan het begin van de zomer stond İsmet op de billboards en spoorde me aan om mijn telefoon te pakken.

Soms vroeg ik me af waarom niemand behalve ik dat zo sterk voelde. Als ik me dat hardop afvroeg, maakte Suna me meteen belachelijk. Als ik denk aan mijn herinneringen aan die lente, onze picknicks en boottochtjes, onze vrolijke uitstapjes naar de Zwarte Zee en de Lycische heuvels, dan begrijp ik wel wat ze bedoelt. Ik was geobsedeerd door het verleden, zei ze, omdat ik me in het heden niet durfde te ontspannen. Vanwege 'een of andere krankzinnige en waarschijnlijk puriteinse reden' was ik ervan overtuigd dat ik mijn geluk niet verdiende. Dat ik hier alleen maar was om een verheven doel te dienen, op zoek te gaan naar het verleden, daar vrede mee te sluiten. 'Hoewel een bezoek aan wat jij het verleden noemt nooit meer dan een séance kan zijn.' En wat kon zoiets opleveren? vroeg ze. Dat zouden we al snel merken.

Emre werd geboren aan het eind van een smoorhete zomer. Nooit eerder was het in de stad zo drukkend geweest. Hoewel de ligging van de Pasha's Library ideaal was om wat wind op te vangen, werd Jeannie bijna elke ochtend wakker in een wolk van geel stof. Meestal werd ze alleen wakker. Nooit eerder was Sinan zo druk geweest met films waarvoor hij veel weg moest. Nooit eerder had Jeannie zoveel tijd gehad om na te denken.

Wat haar nog het meeste zorgen baarde was het dreigende bezoek van haar vader. Hoewel ze hem niet zijn enige kleinkind wilde ontzeggen, was ze bang dat de anderen hem hier niet wilden zien. Maar toen ze dat aan hen vroeg, leken ze bijna beledigd. 'Waarom zou ik dat erg vinden?' vroeg Sinan. 'Het is toch logisch dat hij op bezoek wil komen. Natuurlijk is hij welkom.' Maar toch klonk hij gespannen, net zoals Chloe ('Nou, nou, nou, wie had dat ooit gedacht?') en Suna: 'Dacht je soms dat ik vuur zou gaan spuwen? Laat hem maar komen, hoor! Waarom zou alleen hij hier weg moeten blijven? Lieve vriendin van me, wat jij nog niet schijnt te begrijpen is dat iedereen vroeg of laat terugkomt. Als je in Istanbul woont, hoef je nooit op spoken uit het verleden te jagen: die komen vanzelf naar je toe!'

Het eerste spook dat Istanbul die zomer bezocht was Billie Broome. Ze had Suna na de aardbeving opgespoord en daardoor was het idee in haar opgekomen om de stad te bezoeken die ze zich 'met zulke warme gevoelens' herinnerde. Ze hadden afgesproken in het café in de tuinen van het Dolmabaçe-paleis. Suna en Jeannie waren te laat en werden nog langer opgehouden door de lange rij voor de metaaldetector. Het was een warme, drukkende dag, zelfs nog meer dan anders. Alle tafeltjes waren bezet en ze konden haar eerst niet vinden. Tot ze een keurige, melancholieke vrouw zagen die uitkeek over de Bosporus alsof haar leven daarin ten onder was gegaan.

Haar gezicht klaarde op toen ze haar vroegere leerlingen weer zag, en even leek ze weer op de vrouw van vroeger. Suna en zij waren in de loop der jaren blijven corresponderen. Ze had Suna geholpen toen die in de gevangenis zat. De nare woordenwisselingen die hun vriendschap in het voorjaar van 1971 hadden verstoord, waren nu alleen nog maar iets om over te lachen. Datzelfde gold voor de laatste keer dat Jeannie haar had gezien in Northampton, toen ze onderzoek deed voor haar onzalige artikel voor de ondergrondse krant. Ze hadden elkaar gesproken op de particuliere middelbare school waar ze, vertelde ze nu, daarna nog negenentwintig jaar was blijven werken.

Nu was ze vervroegd met pensioen gegaan. 'Misschien niet bijster origineel, maar ik ben direct naar een van mijn dierbare plekken teruggegaan.' Er gleed een glimlach over haar gezicht. 'Ik ben zo blij dat jullie beiden iets hebben gedaan met alles waarover we vroeger discussieerden. Dat geeft mij het gevoel dat ik toch nog iets waardevols heb gedaan.' Ze had nog steeds hetzelfde lera-ressentoontje, wat Jeannie het gevoel gaf dat ze weer bij haar in de klas zaten en Malamud bespraken. Toen ze zich naar voren boog, verwachtte Jeannie bijna dat ze zou vragen of ze iets kon zeggen over zijn toon en stijl. Maar in plaats daarvan zei ze: 'Jullie moeten me helpen.'

Het appartement lag vlak bij de Galatatoren, op de vierde verdieping van het schitterende, recent gerestaureerde gebouw waar ze het nieuwe millennium hadden begroet. Het uitzicht was overdag even geweldig als het die avond was geweest. Aan de voorzijde zag je het silhouet van elke koepel en minaret in de oude stad, de Gouden Hoorn en de honderden vaartuigjes die over de rivier heen en weer voeren. De heiige monding van de Zee van Marmara, de Aziatische kust vanaf Kadıköy tot aan Çengelköy, en de eerste brug over de Bosporus. Maar toen ging Billie hen voor door de donkere gang. Ze deed een grote eikenhouten deur open, en de stank van rook en *rakı* sloeg hen in het gezicht.

Ze knikte naar het bed, waar een halfgeklede man lag te slapen. Hij lag op zijn rug, zijn ene arm hing boven een overvolle asbak en twee flessen. Misschien kwam het door de schrik dat ze niet zagen dat zijn huid een gele kleur had, de kleur van de hepatitis die pas later zou worden gediagnosticeerd, toen hij weer bij zijn ouders thuis in Arizona was.

Maar zijn rossige haar had al erg lang geen kam meer gezien. Hij had een stoppelbaard van een paar dagen en om zijn lippen zat een witte rand. Toen Suna haar hand vastgreep, voelde Jeannie dat zij hem ook had herkend.

Jordan Frick.

'Hoe lang is hij hier al?' vroeg Suna. Haar stem klonk kalm.

'Sinds afgelopen donderdag,' zei Billie. 'Toen ik aankwam, woensdag, was hij even onbezorgd als altijd. Hij barstte van de plannen! Eergisteravond heeft hij me nog meegenomen naar die chique tent vlakbij de Patocrator.' Ze gebaarde in de richting van de Gouden Hoorn. 'Daar heeft hij geloof ik wel iets te veel gedronken. De ober deed iets wat hem ergerde, en hij stak tegen mij van wal over 'verschillende ex-leerlingen' van me die van de stad een pretpark voor buitenlanders maakten en daarbij alles verpestten wat er juist zo eigen aan was. Daarna spuide hij nog veel meer grieven, die veel te persoonlijk zijn om hier te herhalen. Ik ben bang dat hij zich aan het dooddrinken is.'

Ze vroeg ons honderduit over de ziekenhuizen in Istanbul. Was er een goed ziekenhuis waar je geen vermogen hoefde te betalen? Jeannie werd misselijk van de hele situatie, maar Suna scheen niet van haar stuk gebracht. Ze somde in een hoog tempo de verschillende mogelijkheden op. Er waren tegenwoordig enkele uitstekende ziekenhuizen – dit was tenslotte een bruisend, modern land dat zich razendsnel bij Europa aansloot – maar de algemene kennis over drank- en drugsmisbruik schoot nog steeds tekort vanwege de volgende economische, culturele en politieke redenen. Nadat ze die had opgesomd, noemde ze de namen van een paar uitstekende artsen, en ze vertelde erbij waar die waren opgeleid. Daarna volgden de ideeën die ze in Turkije probeerden te introduceren, de redenen waarom Suna haar aanraadde om contact op te nemen met het Amerikaanse consulaat om een snelle repatriëring te regelen, en ze gaf haar het telefoonnummer en legde Billie Broome uit wat ze moest zeggen om langs de telefoniste te komen. En waar de telefoon stond.

Ze bleven bij Billie Broome totdat de behulpzame man die ze bij het consulaat had getroffen iemand had opgespoord die Jordans achtergrond kende. Het bleek dat Jordan al sinds het begin van de zomer terug was in Turkije, en dat hij vanuit Ankara werkte. Tegen de tijd dat de man van het consulaat afscheid nam, waren hij en Billie overeengekomen dat het 'een heel goed idee' zou zijn als Jordan met 'verlof' naar huis ging.

De volgende ochtend vertrok Billie naar Cyprus, dus toen ze Jordan hadden overgedragen, nam Suna het op zich om haar wat op te kalefateren voor de reis. Ze koos een tent die Badehane heette, in Tünel, in een steegje vlak achter de Vrijmetselaarsloge. Zelfs nadat Billie een dubbele wodka achterovergeslagen had, trilden haar handen nog.

Ze wilde over vroeger praten, maar ze deed vaag. Ze maakte

vaak haar zinnen niet af. Dan lichtten haar ogen weer op, maar voordat ze iets kon zeggen, bracht Suna het gesprek weer op het heden. De ene stichtelijke preek volgde op de andere: over de opkomst van de nieuwe middenklasse, de opkomst van de maffia, de betekenis van het woord *maganda*. De vruchteloze inspanningen om veiligheidsmaatregelen op te leggen aan de buitenlandse (meestal Oost-Europese) schepen die de Bosporus tot zo'n gevaarlijke waterweg maakten. De toekomst van de islamistische politieke partijen in Turkije en de hoofdredenen voor de steun van de gewone mensen. Waarom zoveel jonge vrouwen tegenwoordig een hoofddoek droegen. Waarom de nieuwe regels op de universiteit hen wel discrimineren, maar hun broers niet, en waarom dat tegelijk tragisch, ironisch en sociologisch fascinerend was.

Ze kwam met een zeer gedetailleerde beschrijving van het auto-ongeluk bij Susurluk, het grote politieke schandaal van de jaren negentig. Onder de slachtoffers waren een politiechef, een schoonheidskoningin en een moordenaar die allang dood werd gewaand, maar in het bezit was van een Turks paspoort dat was afgegeven door de ambassade in Rome. De enige overlevende was een Koerdisch stamhoofd/parlementslid van wie gezegd werd dat hij drugsbaron was.

Het was de droom van iedereen die in complottheorieën gelooft, zei Suna. De *deep state* was aan het licht gekomen! Toen ze merkte dat deze term haar vroegere lerares niets zei, legde ze het verder uit. Het auto-ongeluk bij Susurluk was het levende, of liever gezegd het 'stervende' bewijs van de banden tussen overheidsdienaren en de georganiseerde misdaad. Er zaten miljoenen dollars in de kofferbak, voegde ze er opgewekt aan toe. Toen de overheid weigerde een onderzoek in te stellen, 'reageerden de mensen door elke avond om negen uur alle lichten uit te doen en op potten en pannen te gaan slaan. 'Eén minuut maar,' zei ze. 'Een minuut duisternis voor de verlichting!

Begrijp je het belang van dat gebaar? Nee? Dan zal ik het uitleggen. Het begon met de Jonge Turken, die duisternis gelijkstelden met de corrupte tradities van de Ottomanen, en het licht met het Westen. Dat werd kortweg een symbool. Misschien is één voorbeeld wel genoeg...'

Jeannie was destijds al in haar achtste maand, en die avond stond er geen zuchtje wind. Ze zaten buiten op lage krukjes, en hoewel ze af en toe een slokje water nam, had ze het nog steeds benauwd. Toen Suna zei dat ze haar beter naar huis konden brengen, meende Jeannie dat ze spijt hoorde doorklinken in haar stem. Maar toen ze Billie Broome hadden uitgezwaaid, zei Suna: 'Nou, dat was echt niet te harden.'

In Bebek zei ze: 'Laat me alsjeblieft nog niet alleen. Het is nog niet helemaal over.' Ze zochten hun toevlucht in Hotel Bebek. Het was nog maar net zeven uur, dus ze konden zelf een tafeltje kiezen. Het halfuur daarna zagen ze het terras vollopen met het gewone ongewone publiek: universiteitsdocenten in verkreukeld linnen, pruilende met goud behangen dames, zakenlui die buitenlandse relaties mee uit eten namen, gangsters met hun liefjes. Alle stoelen stonden naar de turkooizen baai gericht, naar de dobberende bootjes, het gouden licht dat speelde op de ruiten aan de Aziatische kust.

'Nou,' zei Suna. 'Dit zul je allemaal wel aan Sinan vertellen.'

'Ik heb niets te verbergen,' zei Jeannie. 'Ik weet niet wat hij je heeft verteld, maar ik heb nooit iets met Jordan gehad.'

'Nee, maar ik wel, en dat is waar ik me zorgen om maak.'

42

Had Jordan haar dat nooit verteld? Hoe meer Jeannie benadrukte dat hij dat niet had gedaan, hoe minder Suna haar scheen te geloven.

'Dat heeft hij je wel verteld. Ik weet het zeker! Erger nog: jij geloofde het! Ja, Jeannie, dat is wat mij nog het meeste pijn doet.' Ze had het over de 'geruchten' die Jordan had verspreid. Waar natuurlijk niets van klopte. 'Maar er zit een schandelijk geheim achter.'

Want er was een nacht geweest, eentje maar, waarop ze voor zijn charmes was bezweken. 'In het voorjaar van '71. In die laatste, krankzinnige dagen. Als je geen getuige bent geweest van mijn ondergang, dan kan ik rustig zeggen dat ik het heb over de dagen na jouw degradatie tot verschoppeling.'

Ze gebaarde zuchtend naar het flatgebouw waar Billie Broome ooit met Dutch Harding had gewoond. 'Daar, op dat balkon, deed hij zijn toenaderingspoging. Hij was heel knap in die tijd. Om indruk op hem te maken, stelde ik mezelf voor als de gevaarlijkste rebel van heel Turkije. Opgeleid door de PLO in de Bekaavallei. Jordan begreep meteen dat het een grap was, en hij begon de moord op Jack Ruby en JFK op te biechten. En de Gaulle had hij ook ten val gebracht. Bij de NAVO hadden ze de pest aan hem. En Jeannie, hij had zelfs een geheime missie ondernomen naar de maan.'

Ze klonk nu zo tragisch theatraal dat de kwijnende dames aan het belendende tafeltje hun goudgerande zonnebril afzetten. 'Let maar niet op die ezels, die verstaan toch geen woord Engels.'

'Weet je het zeker?' vroeg Jeannie.

'Moet je die opgespoten lippen zien. Die kunnen toch niet echt zijn? Nee, het is een stel koeien. En als ze wel Engels verstaan, mogen ze best weten wat ik van ze vind.' Ze nam een lange teug uit haar glas. 'Om terug te komen op mijn bekentenis. Ik kan me onmogelijk alle wilde fantasieën herinneren die ik op die noodlottige avond tijdens mijn flirt heb bedacht. Maar alleen de finale is van belang: ik heb tegen Jordan gezegd dat er binnenkort een staatsgreep gepleegd zou worden. Ik beweerde dat bepaalde elementen in het leger hun krachten zouden bundelen met linkse studenten. Kun je je zoiets idioots voorstellen? Ik heb zelfs beweerd dat ik de spil was. Het gore lef!'

Ze liet het glas ronddraaien tussen haar handen en zei: 'Ja, dat was echt mijn *pièce de résistance*. Maar terwijl ik dat allemaal vertelde, rolde ik met Jordan in bed. Ik was hartstikke dronken! Ik raakte buiten westen! Toen ik de volgende ochtend wakker werd, keek hij me met een triomfantelijke grijns aan. Daar stond-ie, Jordan Frick, terwijl hij de rits van zijn keurig gestreken broek dichttrok. Want je hebt inmiddels zeker wel geraden dat ik me door hem heb laten ontmaagden, Jeannie.'

Ze sprak die woorden uit op een besliste toon die Jeannie niet goed kon plaatsen. 'Wanneer heb je hem daarna weer teruggezien?' vroeg ze voorzichtig. Suna's ogen vulden zich met tranen terwijl ze haar sigaret aftikte. 'Daar was je bij,' zei ze schor. 'Elf jaar later, in 1981. In Kulis!'

Weer zo'n dramatische blik. Jeannie pijnigde haar hersens om die te doorgronden. Ze vroeg of ze iets had gemist, was Suna verliefd geworden op Jordan, had hij haar hart gebroken, was ze zwanger geraakt? 'Ha!' zei Suna spottend. 'Alsof ik door dergelijke platvloerse zaken mijn blik zou laten vertroebelen! Nee, Jeannie, je begrijpt er zoals gewoonlijk niets van.'

Terwijl ze de ober wenkte, voegde ze eraan toe: 'Al dertig jaar vraag jij je af welke rol jij hebt gespeeld in de zogenaamde Koffermoord. Of jij die zonder het te weten hebt uitgelokt. Maar in werkelijkheid was ik dat!'

Ze nam een laatste trek van haar sigaret en probeerde hooghartig te kijken. 'Ja,' zei ze met trillende lippen. 'Ik was de informant. Of hoe je mij maar wilt noemen. Ik heb iedereen verraden. Zelfs jou.'

Haar stem klonk scherp en iel. Niet echt als de stem van Suna. 'Sorry,' zei Jeannie. 'Ik zie het nog steeds niet helemaal voor me.'

'Maar dat zou je wel moeten.'

'Vertel me dan het hele verhaal, niet alleen maar de helft. Je zei dat je Jordan niet meer terug hebt gezien. Wie heb je dan ingelicht?'

'Wie denk je?'

'Hoor eens, Suna, als mijn vader hier op een of andere manier bij betrokken is...'

En nu begon Suna te lachen. Of liever gezegd: ze begon verachtelijk te snuiven. 'Typisch Amerikaans! De arrogantie! Jullie denken altijd dat jullie de slechteriken zijn, of niet? Laat me je één ding vertellen: als je ooit een boosaardige marionettenspeler moet hebben, iemand die iets onschuldigs binnenstebuiten kan keren en je gek kan maken met ongefundeerde veronderstellingen en een krankzinnige achtervolgingswaanzin, dan kan ik je aanraden om een Turk te nemen.'

'Dus het was İsmet?' vroeg Jeannie.

Maar Suna had gezegd wat ze wilde zeggen. Ze rommelde in haar tas, haalde er twee briefjes van twintig miljoen lira uit, gooide ze op tafel, kwam een beetje onvast maar vastberaden overeind en vertrok.

Toen ze thuiskwam, stond Sinan in de keuken aubergines te grillen. 'Leuke dag gehad?' vroeg hij.

'Niet echt,' antwoordde ze.

'Hmmm. Donderwolken?'

'Ach, je kent Suna,' zei ze. 'Heb jij haar wel eens rustig meegemaakt?'

Hij glimlachte, keek naar de aubergines, pakte een mes en begon een grote tomaat in blokjes te snijden. Hij nam er de tijd voor; hij bewoog zich nog steeds als een kat. 'Ik maak trouwens extra veel, dan heb je ook iets te eten als ik weg ben.' Hij legde zijn mes neer. 'Hier,' zei hij. 'Ga zitten. Je bent helemaal buiten adem.'

'Hoe lang blijf je deze keer weg?'

'Drie dagen. Eerst Kopenhagen, dan München. Dan nog de inschrijvingsronde voor de financiering van de nieuwe productie, die mogen we niet missen. Maar luister, als je...'

'Maak je over mij geen zorgen,' zei ze.

Hij keek haar onderzoekend aan.

'Maar je hebt wel gelijk, het gaat nu even niet zo goed.'

Hij ging weer verder met snijden. 'Nou, vertel het maar. Wat heeft ons heilige monster vandaag weer gedaan?'

'Ze heeft me meegenomen naar Billie Broome.'

Het duurde even voordat hij reageerde. 'O ja, ik weet al wie je bedoelt. Ik ken haar nog steeds als *Miss* Broome. Maar vertel...' Hij ging weer verder met snijden. 'Is ze nog steeds zoals je je haar herinnert of is ze erg veranderd?'

'Ze heeft ons meegenomen naar iemand.'

'O?'

'Jordan Frick.'

Hoewel Sinan met zijn rug naar Jeannie toe stond, meende ze dat ze hem even zag verstarren.

'Die is al een tijdje terug in Turkije,' zei Jeannie. 'Maar hij werkt vanuit Ankara.'

Sinan knikte.

'Wist je dat?'

'Alleen de hoofdzaken,' zei Sinan. 'De namen, de stille vennoten...'

'Wie zijn dat dan?'

Sinan legde zijn vinger op zijn lippen. 'Niet vragen.'

'Ze hebben op het verkeerde paard ingezet,' zei Jeannie. 'Wie het ook zijn.'

'Het gaat niet zo goed met hem, geloof ik?'

'Heb je dat ook al gehoord?' Toen hij de blokjes tomaat bij de gefruite ui in de pan deed, knikte Sinan, een beetje afwezig.

'Als je dat allemaal al wist, waarom heb je me dat dan niet verteld?' vroeg Jeannie. Maar ze kende het antwoord al: omdat ze zwanger was, omdat ze ontzien moest worden. En hij wist dat ze het vreselijk vond om dat te horen. Dus in plaats daarvan zei hij: 'Waarom zou ik je van streek brengen als het niet nodig is?'

'Dat zei Suna ook, toen ze zei dat ik het niet aan jou moest vertellen.'

'Dat slaat nergens op,' zei hij. 'Ze weet dat ik het weet. Ze heeft het me zelf verteld!'

Jeannie kwam sterk in de verleiding om de vraag te stellen die haar op de lippen brandde.

Zou Sinan haar gedachten kunnen lezen? Hij liet de pan op het vuur staan sissen, trok een stoel naast de hare en ging zitten. 'Wat gebeurd is, is gebeurd,' zei hij. 'Ik weet niet wat ze heeft gezegd om je van streek te maken, maar ik raak erdoor van streek omdat jij van streek bent. Verder vergeef ik het haar. Ik heb het haar al lang geleden vergeven. Zullen we er nu over ophouden? Kom mee.' Hij pakte haar hand vast en nam haar mee naar de veranda. 'En nu met je voeten omhoog, en dat is een bevel.'

'Je behandelt me als een invalide.'

'Ik behandel je als een vrouw die bijna moet bevallen.'

'Maar dat betekent nog niet...'

'Hoor eens, ik weet hier meer van dan jij, weet je nog?'

'Niet op je strepen gaan staan!'

'Dat zal ik niet doen, als jij je voeten omhoog doet.'

En dus ging ze met haar voeten omhoog, ging hij terug naar de keuken om het eten af te maken en keek zij naar het zoemende verkeer onder de hoge, schitterende bogen van de brug. Tussen de kronkelende kustlijnen lag de zwarte Bosporus, met alleen hier en daar een lichtje van een passerende tanker. Tegen de avondlucht leken de ramen van Rumeli Hisar net plaatjes die in de lucht hingen. Ze keek naar de kleine figuurtjes die zich daarin bewogen, rusteloos, gekooid, maar nog steeds bang om iets te zeggen.

De volgende dag belde Suna haar op met een andere stem: iel, nerveus en overlopend van valse rust. Ze verontschuldigde zich voor haar 'dronkenschap'.

'En voor mijn loslippige overdrijvingen,' voegde ze eraan toe. 'Ik bedoelde het alleen maar overdrachtelijk, maar dat had je zeker wel begrepen. Toch?'

'Nee,' zei Jeannie.

'Maar ik heb begrepen dat je het er met Sinan over hebt gehad en dat die je heeft verzekerd...'

'Dat is niet waar. Ik heb hem verteld wie we gisteren hebben gezien, maar verder niets.'

'Ah! Wat een goeie vriendin ben je toch.'

'Je moet wel eerlijk tegen me zijn, Suna. Ik moet weten wat er is gebeurd.'

'Er is niks gebeurd. Dat verzeker ik je!'

De patstelling bleef onwrikbaar. Jeannie probeerde andere manieren te bedenken, ze probeerde in haar gesprekken met Chloe en Lüset hun eerste jaar samen ter sprake te brengen en waagde het om Sinan een rechtstreekse vraag te stellen. (Wat was dat toch dat aan Suna vrat? Kon ze daar niet beter haar hart eens over luchten?) Maar ze kon zich er niet toe zetten om Suna's vertrouwen te beschamen, ze kon het woord 'informant' niet over haar lippen krijgen, ze kon Sinan niet vragen hoe het kwam dat hij nog steeds zo terughoudend was, terwijl het zo goed ging tussen hen beiden, ze niets verkeerds kon ontdekken aan wat hij deed, en ze (in, wat was het, anderhalf jaar?) niet één keer ruzie hadden gehad.

Dan stond ze op het punt om de beste formulering te bedenken die ze maar kon, tot ze zich realiseerde dat hij Suna's vertrouwen evenmin kon beschamen als zij. En als ze allebei hetzelfde motief hadden, dan kon ze hem dat toch niet kwalijk nemen?

Bij gebrek aan feiten begon ze theorieën te bedenken. Had Jordan Suna in de val laten lopen? Of had iemand anders haar gechanteerd, en was dat İsmet? Als dat zo was, dan moest haar vader er ook bij betrokken zijn geweest. Wat voor informatie gaf ze aan hem door, als ze werkelijk iets doorgaf? Zelfs als Suna iedereen had verraden, kon haar misdaad dan echt zo ernstig zijn als zij zelf scheen te geloven? Die vragen spookten maar door haar hoofd, in steeds grotere kringen. Ze moest er lucht aan geven, ze moest erover praten. Hoe meer Sinan haar ontweek, hoe wanhopiger ze werd. Maar in Suna's ogen zag ze de schim van een smeekbede om haar te redden, om de zaak te forceren.

43

In de laatste week van juli, toen Sinan in het zuidoosten aan het filmen was, kreeg Jeannie voortijdig weeën als gevolg van een zomerverkoudheid waar ze een vervelende hoest aan overhield. Hoewel ze niet doorzetten, besloot de dokter dat het beter was om haar ter observatie in het ziekenhuis te houden. Ze had geen reden tot klagen: haar kamer in het Admiral Bristolziekenhuis was even goed als een kamer die ze in de VS zou hebben gehad en ook de verpleging voldeed aan dezelfde maatstaven. Maar met haarzelf ging het niet goed. Haar eigen onbeduidende noodsituatie had haar beroofd van het beetje vertrouwen dat ze nog bezat en haar medicijnen deden wat dat betreft niet veel goed. Ze deden wat ze moesten doen, de bevalling tegenhouden, maar ze verergerden haar nervositeit. Ze had nog steeds weeën, minstens twee per uur, en ze raakte ervan overtuigd dat die het leven uit haar kind drukten. Daar was ze van overtuigd tot ze de baby weer voelde schoppen. Tussen de aanvallen door verveelde ze zich, was ze rusteloos, ademloos. Ze kon zich niet concentreren en er viel geen gesprek met haar te voeren, maar daardoor lieten haar trouwe vrienden zich niet ontmoedigen.

Chloe en Suna kwamen 's middags met speelkaarten of een schaakbord op bezoek, of, als niets mocht baten, met de laatste roddels. 's Avonds bracht Suna de beste Europese kranten om Jeannie af te leiden van die 'verwoestende hormonen', en om haar op de hoogte te brengen van het wereldnieuws en haar te vermaken met haar diepste gedachten.

Haar nieuwste geesteskind was een elektronische nieuwsbrief die *Verlichting 2000* heette. Die kon niet bogen op veel lezers buiten haar directe omgeving van vrienden en collega's. Ze bestierde de krant zoals ze dat ook met hun schoolkrant had gedaan, die een kort leven beschoren was geweest. Haar pseudoniemen waren minder fantasierijk, maar in het doortimmerde maar zelden redelijke proza vlamde het oude vuur nog steeds op. Het hoofdartikel was een onsamenhangend interview, waarin altijd een of ander vurig pleidooi werd gehouden. Ze noemde het 'een vrije gedachtewisseling onder vrienden' en voor de nieuwsbrief van augustus had ze Jeannie gevraagd om haar sparring partner te zijn.

Het onderwerp van het gesprek dat ze die avond opnam in de ziekenhuiskamer van Jeannie was mensenrechten; niet de treurige stand van zaken op dat gebied in die periode in Turkije, maar de filosofische spanningen die de internationale mensenrechtenbeweging veroorzaakte. Suna haalde zoals gewoonlijk filosofen aan die de meeste mensen alleen maar pretenderen te hebben gelezen, zoals Kant, Heidegger en Arendt. Jeannie baseerde zich op haar kennis van de wet, de EU, de dilemma's van mensenrechten in de praktijk, en ze probeerden het grootste deel van het interview (tevergeefs) de misvattingen van de ander recht te zetten.

Maar vlak voordat het bandje vol was, vroeg Suna aan Jeannie hoe het was om weer terug te zijn in Turkije. 'Wat ik eigenlijk wil vragen is of je dat wel in overeenstemming kunt brengen met je erfenis, met het verleden dat je zo heeft geobsedeerd. Dat je de dochter bent van een Amerikaanse spion.'

Wat een adrenalinestoot ging er op dat moment door Jeannie heen: eindelijk een opening! Maar inmiddels was ook zij vergeten om op haar woorden te letten, zo gaat dat met lange interviews, dan vergeet je de snorrende band. 'Dat kan ik ook helemaal niet,' zei ze. 'Maar daar kan ik het niet bij laten. Ik moet mijn eigen weg zien te vinden.' Je kunt je vader niet kiezen, zei ze, maar je kunt wel je erfenis kiezen: je kunt beslissen welk deel van de Amerikaanse tradities je aan de kant kunt zetten en welk deel je kunt behouden en kunt doorgeven aan anderen.

'Wat een nobele gedachten,' zei Suna. 'Maar je ontwijkt de vraag.' En dus vroeg ze het opnieuw: wat vond Jeannie van het Turkije van 2000? Ze antwoordde dat ze zich zorgen maakte om het IMF en de Wereldbank, die deden alsof ze het hier voor het zeggen hadden, wat in zekere zin ook zo was. 'Ik heb al dertig jaar met dit land te maken en ik weet maar al te goed hoe lang de Amerikaanse overheid hier al aan de touwtjes trekt en een beleid oplegt waar niemand iets aan heeft, behalve misschien de dikbetaalde lui die op de loonlijst staan.' Jeannie had gehoopt dat er aan deze grove benadering van het buitenlandse beleid een einde zou komen door de instorting van het communisme. 'Ik vind het dus zorgelijk om te zien dat de oude schurken er nog steeds van profiteren.'

Nu maakte Suna tegenwerpingen. 'Dat is wel een simplistisch standpunt.'

'Kun je me in dat geval dan alsjeblieft een en ander toelichten?' Ze pakte de *Milliyet* van die dag. Op de voorpagina stond een grote foto van hun oude vijand İsmet, die een persconferentie had belegd om de geruchten te ontkrachten dat hij de basis aan het leggen was voor een nieuwe politieke partij. Maar vervolgens zei hij precies wat die partij zou moeten: de stem van de moderne tijd, gericht op het uitroeien van corruptie en de politieke islam: de twee gesels die Turkije tegenwoordig klein dreigden te krijgen.

'Je kunt toch niet rustig blijven toekijken terwijl uitgerekend zo'n vent van leer trekt tegen corruptie?'

'Pff, alsof de politici in Amerika altijd schone handen hebben,' zei Suna.

'We hebben het over İsmet, de man die...'

Suna's handen schoten omhoog en ze riep: 'Hou op!'

'Je bent bang voor hem! Ontken het maar niet!'

Met geveinsde nonchalance zei Suna: 'Als ik van plan was om in de wapenhandel te gaan, zou ik misschien bang voor die man zijn. Maar ik ben maar een doodgewone socioloog die een bescheiden tijdschrift uitgeeft voor de vijf andere mensen die mijn denkbeelden delen, dus ik hoef niet bang te zijn. Want hij is nog minder in mij geïnteresseerd dan ik in hem.'

Ze hadden moeten weten dat de Turkse pers zich zou interesseren voor wat Jeannie over haar vader te zeggen had, in welke obscure publicatie dan ook.

Een paar dagen later gaf Sinan, die inmiddels weer terug was uit het zuid-oosten, haar een uitdraai van de nieuwsbrief. Aan zijn gezicht te zien, had het evengoed zijn doodvonnis kunnen zijn. Hoewel ze blij was om zijn kalmte eindelijk eens verstoord te zien, zat het Jeannie dwars dat hij zijn woede (vanwege haar 'toestand'?) voor zich hield. Ze wilde zeggen: 'Hou toch eens op me te behandelen als een klein kind. Ik ben je vrouw!' In plaats daarvan zei ze: 'Het spijt me, ik had het je moeten vertellen. Maar je was er niet.'

'Maar toch had je beter moeten weten,' zei hij.

'Als je me meer had verteld misschien wel,' antwoordde Jeannie.

'Ik heb je alles verteld wat je moet weten.'

Ze zag dat hij zijn vuist balde en weer ontspande.

'Het is geen kwestie van moeten,' zei ze. 'Het gaat om respect.'

'O ja?' Iets van zijn oude vuur klonk door in zijn stem.

'Je sluit me buiten,' zei Jeannie. 'Hoe kun je van me verwachten dat ik ergens overheen kom terwijl ik niet eens weet wat het is? Zo kan ik niet leven, Sinan.'

'Wil je soms zeggen dat ik dat wél kan?'

Hij zei het met de felheid die hij ook als jongen had gehad. Zijn ogen glansden vochtig, wat haar in zekere zin wel beviel. 'Denk je soms dat dit gemakkelijk is?'

'Hoor eens,' zei ze. 'Zoals ik eerder al zei ben je nergens toe verplicht. Als ik je tot last ben...'

'Vergeet dat "als" maar. Je bént me tot last. Je bent míjn last. Hoe vaak moet ik het nu nog zeggen? Ik vind het niet erg!'

'Maar ik wel,' snikte Jeannie. 'Ik heb er genoeg van! Ik wil zo niet leven!'

Tot haar schrik en afschuw draaide hij zich om en brulde: 'Ik ook niet!'

Het was de waarheid, dat wisten ze allebei, maar nadat ze een paar verbijsterde minuten hadden gezwegen, nadat de verpleegster om de hoek van de deur had gekeken en Sinan naar buiten was gegaan 'om een luchtje te scheppen' en terugkwam met taartjes, perziken, abrikozensap, *baklava* – bood hij zijn excuses aan. Hij had geen idee waarom hij dat er allemaal had uitgeflapt. 'Misschien komt het door mijn werk.'

Maar wat was het haar aan het hart gegaan. Wat had ze hem graag naar de reden willen vragen. Ze dacht aan een zinnetje van Stevie Smith, hoe gruwelijk het was om bijna-maar-niet-helemaal verliefd te zijn. Maar ze aarzelde, misschien omdat ze bang was dat haar angst bevestigd zou worden. En toen was het te laat. Het moment was voorbij en hij begon over dat stomme interview.

'Wat voor spelletje speelt Suna eigenlijk?' vroeg hij, terwijl hij zijn vuisten balde. 'En waarom? Omdat je vader op bezoek komt? Wat kan hij ons nu voor kwaad doen? Hij heeft al dertig jaar niets meer met dit land te maken gehad. Het maakt helemaal niet meer uit wie hij is. Behalve als jij dit allemaal oprakelt, İsmet erbij betrekt...'

'Wat maakt het nou uit wat İsmet denkt?' zei Jeannie. 'Hij kan ons toch niks maken?'

'Je hebt geen flauw idee hoeveel hij ons kan maken,' zei Sinan. 'En ik hoop dat je dat nooit zult ondervinden.'

Ze sloten vrede, maar het was een broze vrede, want de volgende dag drukte een nationale krant het vertaalde interview af, de dag erna deden drie andere kranten hetzelfde en de zondag erop nog eens drie. De koppen waren in deze trant: CIA-DOCHTER: NU AAN KANT TURKIJE en: MIJN VADER WAS SPION EN IK VERSTOOT HEM. Die stond op de voorpagina van de krant die haar vader meenam van het vliegveld.

Het eerste wat hij zei was: 'Hoi. Hier is je verstoten vader.' Toen hij zag dat Jeannie ineenkromp, zei hij: 'Geen verontschuldigingen, hoor! Het is prettig te weten dat er in elk geval één plek is waar ik niet vergeten ben.' Hij keek naar de deur, waar een zwangere vrouw en een ouder familielid langzamer waren gaan lopen om hen eens goed te bekijken. Hij wuifde vriendelijk naar ze. 'De vader,' zei de een. En de ander: '*Zavallı*. Arme man.'

'Dus wij zijn het nieuws van de dag?' vroeg hij toen hij de deur sloot. 'Ik kan je niet uitleggen hoe verfrissend ik dat vind, na twintig jaar in een stad waarin mensen nooit een krant lezen, behalve als ze op zoek zijn naar goedkope zwembadreiniger of het dagmenu van het plaatselijke visrestaurant. Maar vertel, hoe gaat het met je?'

Iets in zijn zorgeloze glimlach en de vlaag frisse lucht die hij meebracht maakte dat Jeannie de waarheid eruit flapte.

Ze zei dingen waarvan ze niet eens wist dat ze die dacht. Ze was gek geweest om terug te gaan, om te denken dat ze een obsessie die ze al haar hele leven had, kon veranderen in de liefde die nodig was om een huwelijk in stand te houden. Ze kon het verleden niet uit haar hoofd zetten. De anderen waren verder gegaan. Als er spoken achter het behang tevoorschijn kwamen, liepen zij daar dwars doorheen; Jeannie moest het ze nageven, het deed haar goed om te zien hoe moedig ze waren, maar ze had geen idee hoe ze dat voor elkaar kregen en ze wist zeker dat haar dat nooit zou lukken. Maar nu zou ze een kind ter wereld brengen, nog een last. Ze wilde helemaal geen last zijn. En ze wist dat Sinan haar alleen maar ter wille was, dat hij dit kind uit plichtsbesef accepteerde, niet uit liefde...

'Heeft hij dat gezegd?' Haar vader klonk verbaasd.

'Natuurlijk niet. Daar is hij te beleefd voor. Hij wil er niet over praten. Hij heeft zich afgeschermd.'

'En hoe interpreteer jij dat?' vroeg haar vader. Maar op dat moment ging de deur open en kwam Hector binnen. Toen hij William Wakefield zag, spreidde hij zijn armen en bracht hij zijn gebruikelijke vreugdekreet uit. Daarna volgde Amy, en volgde iets vergelijkbaars. Tegen de tijd dat Sinan kwam, waren Chloe en Lüset ook al van de partij. Toen Jeannies vader zijn lange gezicht zag, vroeg hij: 'Je maakt je híér toch geen zorgen om, hè?' Hij zwaaide met de zondagkrant met zijn foto op de voorpagina. Toen hij zag dat Sinans gezicht nog meer betrok zei hij: 'Ik vind het niet erg. Echt niet. Het zijn maar woorden. Ik heb dat allemaal al een keertje gehoord. Het gaat er alleen maar om hoe wij met elkaar praten, Jeannie en ik. Maak je geen zorgen namens mij, zo gaan die dingen nu eenmaal.'

'Die dingen gaan niet vanzelf zo,' zei Sinan onheilspellend.

'Ach, politiek. Wat moet ik erover zeggen? De Engelsen noemen het een boevenvak.'

Hierna zweeg Sinan weer. Toen hij de kamer uit liep, legde William even zijn hand op het been van zijn dochter en zei: 'Als je het niet erg vindt, ga ik hem even achterna. Misschien even ergens heen, een hapje eten. We hebben iets te bespreken, hij en ik. Je vindt het toch niet erg? Hector? Amy? Houden jullie de wacht?'

'Ik heb heus geen oppas nodig,' zei Jeannie.

'Jij hebt slaap nodig, jongedame.'

Wat had ze toch de pest aan dat neerbuigende toontje van hem. En ze vond het ook vreselijk dat ze hier maar zaten en deden alsof ze Amy's gerookte kip zo heerlijk vonden, en de speciale champagne met weinig alcohol die ze helemaal uit Oostenrijk had meegenomen. Niet dat ze niet dankbaar was, niet dat ze niet van hun gezelschap genoot. Ze kon er alleen niet tegen om hier zo lijdzaam te moeten liggen. Als het had gekund, was ze zo bij hen weggelopen.

Toen Suna arriveerde, even na negen uur, wilde Jeannie graag even alleen zijn. Dus nadat Hector en Amy afscheid hadden genomen, vroeg ze of Suna ook weg wilde gaan. Maar daar was weinig kans op. 'Waar zie je me voor aan?' vroeg Suna verontwaardigd, 'een wolvenkind?' Ze herinnerde Jeannie eraan dat Turkse families hun dierbaren nooit in de steek lieten als ze ziek waren. 'Zoiets zou barbaars zijn.'

'Heb je vanavond je tong verloren?' vroeg ze.

'Ik kan er niet meer tegen,' zei Jeannie. 'En hij ook niet.'

Suna ging op de halfopgemaakte bedbank zitten. 'Wat bedoel je nu precies?'

Ze vertelde het haar. Suna leek te luisteren. Toen Jeannie zei dat ze had besloten om uit Turkije weg te gaan, schudde Suna haar hoofd. 'Nee, Jeannie, dat lijkt me niet het beste. Je moet hier blijven, jullie moeten het bijleggen. Denk aan het kind. Je moet aan het kind denken. Je moet sterk zijn.'

'Wat heeft dat voor zin als hij niet van me houdt?'

'Hij houdt wel van je,' zei Suna. 'Maar jij wil dat gewoon niet zien.'

'Jij weet niet hoe hij naar me kijkt. Jij weet niet hoe zeer dat doet.'

'Dan nog. Ik kan je niet zomaar laten gaan.'

'Maar Suna, het heeft toch niets met jou te maken?'

'Jawel, dat heeft het zeker wel.'

'Ik bepaal zelf wel wat ik doe, hoor.'

'Ah,' zei ze. 'Ah. Als ik de *Voice of America* wil horen, koop ik wel een radio. Intussen staat het je niet vrij om zomaar te doen wat je wilt.'

'En waarom dan wel niet, als ik vragen mag?'

'Je draagt zijn kind!' snauwde Suna.

'Ja, maar hij wil het niet!'

'Hoe weet jij dat nou, mooi-weer-vriendin? Wie kent hem nu beter: jij, die hier net bent komen binnenwaaien, of ik, die al zijn hele leven met hem bevriend ben? Is het mijn schuld dat hij jou het verdriet wil besparen? Je verdient zijn liefde niet. En dat is nog niet alles! Wat jij ook niet langer verdient is het geschenk van de onschuld.' Ze liep naar het lichtknopje en hulde de kamer in duisternis. Jeannie zag alleen nog de gloeiende punt van de sigaret die ze nu aanstak en de vage suggestie van het plafond.

'Ik moet je een paar dingen vertellen.'

44

27 augustus 2000

Dat is het verschil tussen ons. Zij kan met zichzelf leven en ik niet. Zij kan dat verhaal onthullen, maar net als het gruwelijke ervan tot me doordringt, draait ze zich om, schraapt luidruchtig haar keel en valt in slaap. Ik weet niet meer hoe dat voelt, om zomaar op je zij te gaan liggen, om diep adem te kunnen halen zonder dat de baby met zijn voetje tegen mijn longen drukt, om naar het plafond te staren zonder je af te vragen of hij nog wel leeft. Ik benijd haar gesnurk.

Ik schrijf dit op omdat ik alleen daardoor de hoop heb dat ik er wijs uit kan worden. Is het waar wat ze zei, dat ik hier nooit echt geworteld ben en dat dat ook nooit zal gebeuren? Is er een verband tussen de komst van mijn vader en mijn plotselinge verlangen om op het eerste vliegtuig te stappen? Voor wie probeer ik weg te lopen, voor mijn vader of voor mezelf? Of is hij mijn 'Verlaat de gevangenis zonder te betalen'-kaart? Dat steekt me, alleen al om het op te schrijven. Dat moet haast wel betekenen dat er een kern van waarheid in zit.

Iets wat me steeds dwars heeft gezeten: waarom hebben mensen als Haluk en Lüset, mensen die een rustig leventje willen, zich mee laten sleuren in een intrige van een dergelijke omvang? Nu weet ik het. Door Suna's vurige pleidooien hadden ze weinig keus. We mogen van geluk spreken dat ze geen rechten is gaan doen.

Vanavond heeft ze alle rollen gespeeld. Ze was haar eigen hartstochtelijke advocaat en haar eigen hardvochtige aanklager. Maar afgezien van haar geweldige retoriek klopte er iets niet. Onderdanig, is dat het woord dat ik zoek?

> Ze was bedrogen, ernstig bedrogen, maar uiteindelijk prijst ze die boosaardige mannen erom dat ze haar hebben geleerd 'hoe het er in de wereld aan toe gaat'. Dat is niet goed, maar als ik er niet snel achter kom waarom... dan verdrink ik in haar woorden. En daarna verdrinkt zij zichzelf.

Zo hebben ze haar te pakken genomen: op de ochtend van 25 mei 1971 maakte Suna's moeder haar wakker om te zeggen dat er iemand voor haar was. Het was İsmet. In aanwezigheid van haar moeder was hij 'het toonbeeld van welgemanierdheid'. Hij beweerde dat hij namens een studiefonds kwam en haar wat vragen wilde stellen in verband met een beurs. Toen haar moeder wegging om thee te zetten, werd hij kortaangebonden, hij zei dat was gekomen om over haar levenswandel te praten. Toen ze naar de reden vroeg, antwoordde hij: 'Omdat je jezelf hebt verlaagd. Je bent een Turks meisje, je komt uit een goede familie. Maar nu zal geen Turkse jongen nog iets met je te maken willen hebben.'

Hij vertelde haar dat hij wist van de PLO-training. Toen ze tegen hem zei dat ze nog nooit in Libanon was geweest, en al helemaal niet in de Bekaavallei, legde hij haar met een handgebaar het zwijgen op. Wat hij van haar wilde horen waren de namen van de legerofficieren met wie zij en haar revolutionaire medestudenten samenzweerden. Daarop had ze hem in zijn gezicht uitgelachen. Kon iemand van zijn leeftijd en in zijn positie niet het verschil zien tussen een werkelijke bedreiging van de staatsveiligheid en een verzonnen verhaal van een schoolmeisje?

Haar volgende ontmoeting met İsmet was drie dagen later, op het politiebureau, waar ze allemaal werden ondervraagd in verband met de autobom. Zijn eerste woorden tegen haar waren: 'Dus je hebt niet alleen een grote bek en een wijde kut, maar we weten ook nog iets anders over je. Gefeliciteerd. Je bent een echte revolutionair. Je speelt niet alleen de hoer vanwege je ideeën. Je offert ook nog onschuldigen op om je hachje te redden.' Hij sloeg met zijn vuist op tafel en eiste dat ze toegaf de bom te hebben geplaatst die Jeannies vader bijna had gedood. Hij schoof haar over de tafel een vel papier toe. Het was de schuldbekentenis die ze van hem moest ondertekenen. Er stond in dat Dutch Harding een bommenfabriek had geleid. Dat zijn lievelingsstudenten hem hadden geholpen.

'Wie heeft je die onzin wijsgemaakt?' vroeg Suna terwijl ze de verklaring van de tafel veegde. Maar ze wist het antwoord al. Het was de man met wie ze had geflirt. Jordan. 'Alles wat hij İsmet had verteld was verzonnen. Maar die verzinsels waren precies wat İsmet nodig had. Hij wilde dat Dutch Harding zou hangen, maar ik verdomde het om hem daarbij te helpen.'

Suna zette zich schrap voor een wrede ondervraging. Maar toen stormde Jeannies vader de kamer binnen en eiste dat ze onmiddellijk zou worden vrijgelaten. Ze ging opgelucht naar huis en kroop in bed, maar ze voelde zich toch niet op haar gemak. Ze vroeg zich af of ze haar met een bepaalde bedoeling hadden vrijgelaten. Maar wat zou dat kunnen zijn? Ze had geen flauw idee. Ze zat in het Wonderland van Alice, maar dan geschilderd door Salvador Dalí.

'Maar nooit, geen moment heb ik of iemand anders getwijfeld aan onze docent. Nee, Jeannie. Zelfs niet toen jij de garçonnière binnenkwam en die zinloze ruzie met hem begon. Wat bezielde je om dat te doen? Schuldgevoel? Of had je vader je met zijn leugens in de war gebracht? Dat moet je je zelf toch ook hebben afgevraagd toen je over de moord op Dutch Harding hoorde? Maar het waren niet zijn leerlingen die die vreselijke misdaad hebben begaan, Jeannie. Nee, het was İsmet die hem dood wenste.' Iemand met een zwakker karakter zou direct op de vlucht geslagen zijn. Maar Dutch Harding zag dat ze in paniek raakten. Hij is gebleven om te helpen.

Toen ze in de vroege ochtenduren uit elkaar gingen – Sinan en Haluk om de Kitten II te halen en Suna en Lüset om de koffer naar beneden te dragen, en Dutch Harding het geld en de documenten ging ophalen die ze met het oog op een dergelijk noodgeval apart hadden gelegd, was het de bedoeling om verder zo normaal mogelijk te blijven doen als het bewijsmateriaal eenmaal was afgehandeld. Om half zes die ochtend zouden ze elkaar ontmoeten op het Russische consulaat.

'Maar op het afgesproken uur zat ik in de kamer op de derde verdieping, een kamer met een kleine tafel in het midden, een tafel waar een vreemd, metalen voorwerp op stond, en een raam dat uitkeek op straat.'

Het duurde niet lang voordat ik iemand hoorde schreeuwen en huilen. Het kwam vanaf de andere kant van de gang. Suna herkende het geluid eerst niet. Tot ze met een schok van herkenning hoorde dat het Lüset was die ze daar hoorde huilen. Het was Lüset die ze aan het folteren waren.

Ze rende naar de deur, maar İsmet trok haar weer naar binnen. Ze zei dat ze alles zou doen wat hij vroeg, '...alles, als het zinloze folteren van haar onschuldige vriendin maar zou ophouden. Ik zei: "Alstublieft. U mag me neuken. Verkrachten. Doodmaken. Gebruiken. Als dit maar ophoudt." Maar mijn smeekbedes hadden geen effect.'

En dus zocht ze haar toevlucht tot de vensterbank. Hij reageerde triomfantelijk op haar wanhoopsdaad, alsof ze precies had gedaan wat hij had gepland.

Opnieuw verhoogde ze de inzet. Als İsmet niet zou zorgen dat ze ophielden met het folteren van Lüset, dan zou ze springen.

Zijn reactie: 'Allahs wil geschiede.' En hij keek in ijzig stilzwijgen toe terwijl Suna haar benen over de vensterbank zwaaide. 'Daar heb je de moed niet voor,' zei hij. Om te bewijzen dat hij zich vergiste, schoof ze nog wat verder naar het randje.

'Heb jij hoogtevrees, Jeannie? Nee? Dan kan ik je misschien niet goed duidelijk maken hoe de straat in de diepte er voor mij uitzag. Heel erg ver. En zo'n verkeerd perspectief. De auto's op straat leken even hoog als de bussen. Geen mensen op het trottoir, alleen maar hoofden. Hun stemmen vermengden zich met het geratel van de auto's en het gebrul van de bussen. Maar toen zag ik een bekend hoofd dat zich een weg baande door het verkeer. Het was een mooi hoofd, met een weelde van krullen: het hoofd van onze geliefde mentor.'

Kwam hij haar redden? Kon ze hem zoiets doms, zoiets gevaarlijks laten doen? Haar hoofd tolde van de vragen. İsmet stond achter haar, zijn ogen strak gericht op zijn dossiers. Hij leek wel een vader die op zijn kind lette.

Ze ging rustiger ademen, zelfs toen haar greep op de vensterbank verminderde. Ze keek naar beneden, ja, nu! Haar geliefde mentor keek omhoog. Hij had haar gezien! Ze moest hem waarschuwen.

Ze deed het enige wat ze kon. Ze beantwoordde zijn blik.

'En langzaam begon ik naar hem te glimlachen. Hij lachte ook terug. Ik waagde een minieme hoofdbeweging. Hij knikte, stak de straat over, naar het hol van İsmet. Maar dat was niet wat ik bedoelde!'

Er was maar één manier om hem tegen te houden. 'Het was een makkelijk besluit, het makkelijkste dat ik in mijn leven heb genomen. Ik hoefde alleen maar mijn zwaartepunt te verplaatsen, mijn handen de beweging te laten maken waarvoor mijn zweet ze had geolied. Ik liet ze wegglijden.'

Toen ze weer bij bewustzijn kwam, was Dutch Harding dood en begraven. Lüset zat in de gevangenis. Haluk was vermist. Net als Sinan. Jarenlang zou ze verder niets te weten komen.

'Maar daar heb je niet genoeg aan. Toch? Jij vraagt mij wie Dutch Harding heeft vermoord, wie zijn lijk heeft opgeruimd, en hoe, en waar. Volgens mij weet je het antwoord op die vragen wel. Volgens mij heb je geen bewijs nodig. Vraag het jezelf maar. Waar is de Kitten II nu? Ik hoop dat je nu begrijpt dat we allemaal de waarheid kennen, terwijl we ook weten dat we ons leven te danken hebben aan het feit dat wij het nooit hardop zeggen.'

Toen herhaalde ze een opmerking die İsmet tijdens hun gesprek bij het raam had gemaakt: 'Je kunt mensen heel gemakkelijk breken door hun domheid uit te buiten.'

Waarop Suna nu kon antwoorden: ja, maar alle jonge mensen moeten hun domheid onder ogen zien, want daar leren ze van. Maar zonder vrienden zouden ze daar nooit de kracht voor vinden. Door de liefdevolle en vergevingsgezinde hulp van vrienden kwamen ze erdoor.

'En dat brengt ons weer op Sinan,' zei ze tegen me. 'Hij is mijn vriend in de diepste betekenis van het woord. Hij heeft een moeilijk leven gehad, Jeannie. Hij heeft er nooit over geklaagd. Hij heeft altijd van jou gehouden, om redenen die ik niet altijd heb begrepen, maar die volgens mij wel oprecht zijn. Ik heb jou weer in zijn leven gebracht om het vrolijker voor hem te maken. Als jij hem nu in de steek laat, dan breng ik je persoonlijk om zeep, dat zweer ik je.

Maar zover zal het wel niet komen, hè, Jeannie? Jij bent nu een van ons. Jij kent nu de waarheid die ons bindt. Nu moet jij daar alleen nog mee leren leven.'

En toen ze dat had gezegd, liet ze me alleen: ze draaide zich om en viel in slaap.

Was het echt zo abrupt geëindigd? Had ze niet één keer omgekeken? Was die stilte misschien een uitnodiging geweest? Was ze teleurgesteld toen Jeannie niets meer zei om haar te troosten?

Steeds als Jeannie haar ogen sloot, zag ze de vensterbank. Steeds als ze de straat onder haar zag draaien, hoorde ze Suna's stem. Haar tien pagina's met gedachten bleken vooral Suna's gedachten. Ze had niet haar eigen indrukken opgeschreven, maar meegedeind in het kielzog van Suna: buig het hoofd, kijk hoe slecht de wereld is, zeg niets, hou op met tegen je lot vechten, maar vergeet nooit je vernedering.

Waarom niet, Suna? Waarom niet?

Hoe ze de kussens ook opschudde en hoe ze de matras ook neerlegde, ze kon geen houding vinden waarin haar rug geen pijn deed. Ze keek naar het donkere plafond, naar Suna's vredig sluimerende gestalte. Ze voelde haar baarmoeder samentrekken. Toen de harde buik voorbij was, legde ze haar handen op haar buik. Terwijl ze wachtte op een beweging waaraan ze zou merken dat de baby nog leefde, hoorde ze de echo van Suna's stem: *die zinloze angst, waarom ontspan je je niet? Laat het toch los. Het gaat toch zoals het gaat.*

Ze moest opstaan, naar buiten, weg, zelfs al kon ze niet lopen. Ze kwam langzaam en pijnlijk overeind. Ze sjokte naar de deur, wat gemakkelijker ging dan ze dacht. Ze liep de gang uit, of niet? Niemand zag haar toen ze langs de balie van de verpleegkundigen kwam. De bleke, kreunende vrouw keek de andere kant op toen ze in de lift stapte en de bewaker keek dwars door haar heen.

Ze volgde hen door de gang, brancard na brancard, vrouw na vrouw. Deur na deur. Door een spleet klonk een schreeuw van pijn. Een verpleegster rende voorbij, ze hield een schaar verkeerd om vast. Ze ging een dubbele klapdeur door, terwijl die openklapten zag Jeannie de bleke vrouw. Ze lag op haar rug vastgebonden op een bed dat eruitzag als een kruis. Er stond een arts over haar heen gebogen. Hij trok iets naar buiten. Zijn schoenen zaten onder het bloed.

Ze moest haar redden, dat moest! Ze duwde de dubbele deur open, maar de vrouw was weg. Nu zag ze alleen nog de arts, die zijn handen waste. Waar de muur geweest was, was nu alleen een richel. Ze legde haar handen op de rand, maar haar handpalmen waren zo nat dat ze bijna weggleed.

Toen ze wakker werd, lag ze op de grond. Suna de Reddende Engel had overal dwars doorheen geslapen: de paniek, de vreselijke zekerheid, het duwen en porren, en uiteindelijk die schop. Scherp en ongeduldig, alsof het wilde zeggen: *wat is er toch, waarom laat je me niet slapen?*

Omdat ik dat niet kan, dacht ze. *Omdat het verkeerd is. Dat is hetzelfde als toegeven.* Ja, dat zou ze tegen Suna zeggen als die wakker werd, zo zou ze leren leven met de waarheid die Suna op haar los had gelaten. Ze zou zich tegen haar verzetten, ze zou zich verzetten tot ze haar moed weer terugkreeg. Zij was niet op de wereld gezet om zich over te geven aan haar lot. Voor wie hield ze dat allemaal geheim? Wie profiteerde van haar zwijgen? *Cui bono*, Suna? Dat zou ze tegen haar zeggen. En ook tegen Sinan. Hij had gezegd dat hij geen vertrouwen meer had in woorden. De waarheid was dat hij geen vertrouwen meer had in zichzelf.

Maar Jeannie zou hem dat wel uit het hoofd praten. Het werd tijd om dit verhaal aan het licht te brengen. Er waren wat ontbrekende stukjes, maar die zouden ze wel vinden. Ze zouden alle stukjes samenvoegen tot de schitterende gruwelijke waarheid en die aan de wereld tonen. De wereld moest hun onderdrukkers zien, moest weten hoe ze te werk gingen, wat ze hadden gewonnen door het zwijgen van de gefolterden. De feiten moesten maar voor zich spreken. De waarheid moest overwinnen! Dat zou ze tegen Suna zeggen als die wakker werd. Ze zou het blijven zeggen – deze ruzie zou ze winnen – al was het het laatste wat ze deed.

45

In november 2006, een paar uur voordat ik naar Londen zou vertrekken, werd ik wakker en zag mijn moeder met drie mensen op het balkon.

Maar ze moesten mij hebben. 'Sorry dat ik je zo overval,' zei Hector. 'Maar Haluk, Lüset en ik hebben eens overlegd. En we vinden dat je iets moet weten.'

Wat ze me wilden vertellen, en wat ik moest zweren om geheim te houden, was 'het gerucht'. In plaats van het me zelf te vertellen, gaven ze me een vel papier. Het was een uitdraai van een pdf-document van internet. 'Misschien herinner je je nog,' zei Haluk, 'dat we dit aan het lezen waren op de dag, of zelfs op het moment waarop we elkaar weer terugzagen. Ik heb het over die dag in augustus toen Jeannie jou weer meenam naar de Pasha's Library. Weet je nog hoe bezorgd we toen waren? En hoe goed we ons best deden om dit papier voor haar verborgen te houden?

Het waren eigenlijk drie documenten. Het eerste rapport, van 15 april 1979, was een verslag – van William Wakefield? – van een vergadering met een zekere Sergeyev, de toenmalige militaire attaché van de Sovjet-Unie. Hij wilde overlopen. Hij beweerde over informatie te beschikken over het ruimteprogramma, maar de schrijver van het rapport beweerde dat dat grotendeels bluf was. De Rus gaf verder nog informatie over een belangrijke Russische agent binnen de MIT, de Turkse Inlichtingendienst.

Sergeyev wilde niet de naam van die agent geven, maar noemde wel een Turks-Joegoslavische juwelier die vele jaren als 'brievenbus' had gefungeerd. Hij kon zich zijn naam niet meer herinneren, alleen dat hij oud was en dat hij een winkeltje had in de Bedestan van de oude bazaar. Zijn dochter was er ook bij betrokken. Zij leidde hun filiaal in Şişli. Sergeyev herinnerde zich niets meer van haar, behalve dat ze van middelbare leeftijd en niet bepaald aantrekkelijk was.

Toen hij merkte dat zijn ondervrager niet onder de indruk was, begon Sergeyev over een Amerikaanse staatsburger die hier pas was gearriveerd en op het Robert College werkte, en volgens hem voor de Stasi werkte, de Oost-Duitse Geheime Dienst. De schrijver van het rapport hechtte ook aan die tip niet veel waarde. Hij dacht niet dat de Stasi de financiële middelen had voor 'uitspattingen'.

Het tweede document was een memo waar Vertrouwelijk op stond en die dateerde van 12 maart 1972. De schrijver was een zekere Douglas Hanes van het Canadese ministerie van mijnbouw en technisch onderzoek en de tekst ging over twee bijeenkomsten in Parijs met Sergeyev, die nu het Wetenschappelijk Comité van de Sovjet-Unie vertegenwoordigde.

Eerst had Sergeyev aan Hanes gevraagd of hij een brief aan de Amerikanen wilde doorgeven. Daarna had Hanes hem gezegd dat hij geen zin had om als boodschapper te fungeren. Sergeyev had 'zeer geagiteerd' gereageerd en gezegd dat zijn 'lot' in handen van Hanes lag. Hoewel Hanes beweerde 'na deze eenzijdige stortvloed alles te hebben afgewezen' had hij toegezegd dat hij een boodschap voor hem zou doorgeven. 'Hij beweert dat hij te maken heeft gehad met een dubbelspion toen hij nog op het Russische consulaat in Istanbul werkte.'

Hoewel Hanes had geadviseerd om voorzichtig te werk te gaan – Sergeyev was een misnoegde burger met een onbeduidende positie die wel een ontgoocheling voor hem moest zijn na zijn militaire loopbaan en hij was bovendien 'gevaarlijk spraakzaam' – waren de Amerikanen serieus ingegaan op zijn avances. Het derde document had als titel: ONTMOETING 40. Ook dit gesprek had in of vlak bij Parijs plaatsgevonden. Het was geschreven in specifiek jargon 'Subject opgepikt bij RV nr. 1 door L en G om 2000 uur waarbij Roger surveillancedekking gaf.'

Daarna volgde een transcriptie van een meanderend gesprek tussen L, G en Sergeyev. Op een gegeven moment vertelde Sergeyev over 'een zeer interessant' feestje op het Russische consulaat dat werd bijgewoond door een aantal jonge Amerikaanse communistische sympathisanten van het Robert College. Hij kon zich niet al hun namen herinneren, alleen dat een van hen de vreemde voornaam Dutch had. Vroeger was Istanbul volgens

Sergeyev 'een zware dobber' geweest. Maar tijdens zijn eigen verblijf daar had hij goede vooruitgang geboekt in zowel de Amerikaanse gemeenschap als het linksgeoriënteerde deel van Turkije door de contacten die hij op het Robert College had gelegd. Hij was daarbij geholpen door een oude kameraad van hem uit zijn tijd in Caïro, van wie Sergeyev de naam niet wilde noemen. 'Laat ik volstaan met te zeggen dat hij een Turks diplomaat van een jaar of vijfenveertig was die een aantal slippertjes had gemaakt.' Via dat oude contact had hij de zoon van de Turkse diplomaat ontmoet, die aan het genoemde College studeerde. Dat contact was zeer bruikbaar, omdat die jongen al persoonlijke banden had aangeknoopt met 'jullie man in Istanbul'. Sergeyev kon persoonlijk bevestigen dat dat een buitengewone prestatie was. 'Maar het geluk hielp een handje, want hij bleek een achilleshiel te hebben. Onze vriend van de CIA had gevoelens gekregen voor de jongen die ik noemde, wat naar ik begrijp ook gold voor de tienerdochter van jullie man. Heel interessant, vindt u niet?'

Zijn ondervragers dachten daar anders over. 'Laten we het weer over de illegalen hebben,' zeiden ze. In die laatste ogenblikken van het gesprek vond Sergeyev, die in de gaten kreeg dat de Amerikanen hem niet konden gebruiken, zijn troefkaart.

'O, trouwens,' zei hij, 'de naam van die Turkse diplomaat schiet me ineens weer te binnen. Willen jullie die horen?'

Nee, dat wilden ze niet.

'Dan zijn jullie hier misschien in geïnteresseerd. Een verhaal, een heel lief verhaal, over jullie man in Istanbul. Zoals ik al eerder heb gezegd was hij zeer geïnteresseerd in de zoon van die diplomaat, die Sinan heette. En dat gold ook voor de lieftallige dochter van Wakefield. Wij vonden dat allemaal nogal vreemd, want aan het eind van de jaren veertig had jullie man Wakefield, die toen in Washington gestationeerd was, een stormachtige relatie met de moeder van die jongen, wier hoorndragende echtgenoot een post had in diezelfde stad. Misschien hebt u over haar gehoord, zij heeft later, in de jaren zestig, een korte zangcarrière gehad in deze stad van de zang. Die vrouw heette Sibel, ze was minstens half Grieks, en dat was niet het eerste en ook niet het laatste schandaal waarbij ze betrokken was.

'Kunt u misschien terzake komen?' vroeg de vermoeide ondervrager.

'Goed, waar het op neerkomt is dat die Wakefield van jullie Sibel zwanger heeft gemaakt toen hij een verhouding met haar had. En Sinan is zijn zoon.'

Ik had die documenten al eerder gelezen, maar omdat ik niet wilde uitleggen hoe en wanneer dat was geweest, probeerde ik verbaasd te kijken.

Toen hij weer sprak, klonk Haluks stem heel zacht.

'Dat is niet waar. Ik hoop dat je dat snapt.'

Ik knikte. Hoewel ik dat nog niet zeker kon weten.

'Wie verspreidt er nou zo'n vreemd verhaal? Dat begrijp ik nog steeds niet.' Toen ik dat had gezegd, in weerwil van mijn eigen twijfels, zag ik dat Haluks schouders zich ontspanden.

'Iemand die niet wilde dat Jeannie en Sinan bij elkaar zouden blijven.'

'Iemand als İsmet?'

Weer een vage glimlach.

Toen ik mijn volgende vraag stelde, puilden zijn ogen uit. 'Misschien weet je het niet precies,' zei ik, 'maar als je zou moeten raden, hoe lang denk je dat Sinan dat zelf heeft geloofd?'

Een schouderophalen. 'Twintig jaar? Dertig? Vijfendertig?'

'Dat weten we niet precies,' zei Lüset. 'We weten alleen op welke dag hij ontdekte dat het niet op waarheid gebaseerd was.'

De verkondiger van de waarheid, vertelden ze me nu, was William Wakefield. Of liever gezegd: hij had de leugen ontkracht. Dat was op de avond nadat hij in Istanbul was aangekomen, in augustus 2000. 'De avond voordat de kleine Emre werd geboren.'

'William Wakefield kon hem bij die gelegenheid alleen maar zijn woord geven. Maar later zijn er testen gedaan.'

'Daartussen zaten een paar weken vol woede. En die woede vormde het begin van de omslag.'

'Daarmee bedoelen we niet alleen de omslag van Sinan, maar ook van William Wakefield.'

'Tot dat moment was het voor hem alleen maar een spelletje, maar dat was het nu niet meer.'

‘Hij zag in wie zijn vijanden werkelijk waren en wat ze hem hadden aangedaan.’

‘En Sinan. En zijn dochter.’

‘Hij heeft die avond iets gezworen. En daar heeft hij zich aan gehouden.’

‘Maar hij heeft ons ook iets laten beloven.’

‘Dat we deze hele kwestie voor zijn dochter verborgen zouden houden.’

‘Hij wilde niet dat haar geluk overschaduwd zou worden.’

‘Maar we weten bijna zeker dat Jeannie een paar dagen geleden dit document heeft ontdekt.’

‘En we zijn bang dat ze daardoor tot wanhoop is gedreven, dat ze daarom is verdwenen.’

‘Denken jullie dat echt?’ vroeg ik.

Ze keken me verbaasd aan.

VII

Het dagelijks leven in tijden van terreur

46

2 september 2000

Vlak voordat hij in slaap viel, probeerde ik hem wat water te laten drinken, dat vond hij vreselijk. Later keek ik naar hem terwijl hij droomde. Ik heb nergens gelezen dat baby's van één dag oud al dromen, maar ik zag dit: gesloten ogen, bewegende lipjes, bijna lachend, zo gelukzalig alsof hij aan de borst lag. En dan ineens: *blèh*, walgelijk. En meteen daarna: weg grimas, terug naar gelukzalig. En dan weer een grimas. Water, melk, water. Droomt hij ze tot herinneringen, of voegt hij zijn herinneringen samen tot dromen?

3 september 2000

Ik heb nu dertig boeketten, elf bloemstukken en genoeg chocola om alle tienduizend leden van Sinans uitgebreide familie te trakteren mochten die allemaal besluiten om langs te komen; de zevenenzestig die vandaag langs mijn bed marcheerden zijn kennelijk nog maar het topje van de ijsberg. Ik heb begrepen dat een obscure familievete, die ervoor heeft gezorgd dat hele familietakken niet op onze bruiloft zijn geweest, inmiddels is bijgelegd. Vandaar de vrolijkheid van al die volksstammen die hier vandaag waren. Of kwam dat door mij? Ik kreeg die indruk wel van tante Banu, wier warme hartelijkheid even overweldigend als raadselachtig was: we hebben elkaar niet meer gezien sinds ik haar in de zomer van 1970 dat ongelukkige bezoekje bracht. Nadat ik eau de cologne op haar handen had gegoten (deze keer dacht ik er wel aan), bood ze haar excuses aan omdat ze me 'verkeerd had begrepen' en zei dat ze hoopte op een 'vergevingsgezinde sfeer'. Ik zei dat dat niet zo moeilijk zou zijn – ik nam haar tenslotte niets kwalijk, al was ik blij dat ze het misverstand ter sprake had gebracht – maar dat ze me wel moest laten weten wat ze precies bedoelde. Maar toen verscheen er een brede grijns op haar gezicht. Ze knikte naar het wiegje van plexiglas. Emre had zijn mooie ogen geopend. Toen ik hem optilde, wriemelde hij een beetje om uit het dekentje te komen. 'Oh! Oh! Oh!' kirde tante Banu terwijl hij met zijn beentjes trappelde. 'Mag ik alsjeblieft zijn voetjes aanraken?'

5 september 2000

In alle boeken staat dat baby's niet kunnen lachen, maar dat is gelogen.

5 september 2000

Het is heel vreemd om zo gelukkig te zijn terwijl mijn lichaam voelt als een afgetrapte schoen.

5 september 2000

Sinan neemt elke ochtend de kranten mee. Hij zet de radio aan en we luisteren naar Haluk en zijn stiefzoon David, die het hebben over de belangrijkste onderwerpen van die dag, zoals we thuis ook elke dag doen. Als mijn vader op bezoek komt, zet hij op het hele uur de televisie aan. Soms BBC World, soms CNN, maar altijd is er wel een schandalige toestand waar ze helemaal verkeerd over berichten en die hij vervolgens voor mij uit te doeken doet. Als Chloe binnenkomt, kijken we naar lichtere kost en wijst zij op de televisie de schoonheden aan die bij haar een neuscorrectie hebben laten doen.

Alleen Suna begrijpt dat ik op dit moment maar één belang heb en alleen zij weet hoe weinig ik weet. Dankzij haar heb ik nu genoeg boeken over babyverzorging om twee boekenkasten mee te vullen. Ze spreken elkaar allemaal tegen, Suna is geschokt door wat zij hun 'lage professionele niveau' noemt, maar ik vermoed dat ze daar stiekem ook een beetje opgelucht door is. Eindelijk! Een nieuw onderwerp om te verkennen, te onderzoeken, te bekritiseren en eindeloos over te discussiëren.

Er is iets tussen ons gekomen, sinds het meningsverschil dat we hadden op de ochtend waarop de weeën begonnen, het meningsverschil dat ze, altijd met licht krullende lippen, het Ochtendgloren der Waarheid noemt. Ik wil best toegeven dat ik het misschien onzorgvuldig heb geformuleerd, maar ik was mezelf niet, god mag weten wat er in die injectie zat die ze me gegeven hebben.

In elk geval kan ik me wel herinneren wat ik bedoelde te zeggen, maar niet wat er werkelijk over mijn lippen kwam. Zou ik haar misschien beledigd hebben? Gisteravond heb ik haar dat gevraagd, maar ze wuifde het meteen weg. 'Wat een vraag. En wat een gebrek aan zelfvertrouwen! Nee, Madame. Ik buig zoals altijd het hoofd voor uw superieure wijsheid. Het feit is echter daar dat u niets van baby's af weet. Als u het mij niet euvel duidt: minder dan niets!'

Ik vroeg waarom ze net zo dorstte naar die kennis als ik. Haar antwoord: 'Ah! Hij is niet alleen maar jouw zoon! Hij is onze zoon!' De boeken die ik 's avonds in bed lees, worden door Suna gekozen, gelezen en geanalyseerd: gisteravond was het Freud, over seksualiteit bij kinderen. Vanavond wordt het geloof ik Piaget.

6 september 2000

Als ik Emre in zijn armen zie, realiseerde ik me hoe weinig Sinan me over zijn andere kinderen heeft verteld. Of misschien heeft hij dat wel gedaan, maar heb ik niet tussen de regels gelezen, of kon ik dat niet. Maar nu zie ik, alleen al aan de manier waarop hij Emre optilt, dat hij jarenlange ervaring heeft met kinderen optillen en liefhebben. Als Emre naar mij slaat, zijn kleine knuistjes balt, begint te brullen, kan ik hem niet tot bedaren krijgen. Dan komt hij tussenbeide: 'Zal ik het even proberen?' Hij zegt het heel aarzelend, maar dat doet hij alleen om mijn gevoelens te ontzien: op het moment dat de baby zijn hoofdje tegen Sinans borst legt, wordt hij rustig.

Mijn vader durft hem juist nauwelijks aan te raken. Maar hij zit soms wel urenlang naast het wiegje naar hem te kijken. Zelfs als we naar een eersteklas gruweldaad op CNN kijken, glijdt zijn blik toch steeds weer naar de baby. Gisteren, toen Amy op bezoek was, en ze hem vroeg op wie hij vond dat Emre leek, glimlachte hij verlegen en zei: 'Ach, dat kun je op deze leeftijd nog helemaal niet zeggen.' Ook al is er geen enkele gelijkenis.

7 september 2000

We zijn vandaag thuisgekomen. En na een maand in die kleine kamer, waar ik van alles afgesloten was, word ik nu duizelig van de ruimte, de felle kleuren, en het enorme aantal spullen. Je raakt zo gewend aan kale witte muren als je in...

21 september 2000

Ik zie dat het al weer twee weken geleden is dat ik voor het laatst in dit dagboek schreef. Als iemand me vroeger had verteld dat je de hele dag niets anders te doen hebt dan een klein baby'tje voeden, in bad doen en verschonen en daar toch nog zo...

1 november 2000

Ik heb hem rijstepap gegeven, misschien dat hij daardoor rustig is geworden. Vanmiddag is hij voor de allereerste keer wakker geworden zonder te huilen. Toen ik zijn kamer binnenkwam, zag ik dat hij tegen het clowntje sloeg van de mobile die we vorig weekend voor hem hebben gekocht. Hij keek ingespannen, hij hijgde een beetje, zijn beentjes trappelden, hij keek zelfs bijna scheel en hij was in opperste concentratie. Hij sloeg tegen het clowntje en keek hoe het ronddraaide. Toen hij zijn eigen handje voor zijn gezicht zag, viel zijn mond toen echt open van verbazing of verbeelde ik me dat alleen maar? Hij ging zijn handje uitgebreid onderzoeken, alsof het het allerprachtigste handje ter wereld was. En dat is het ook.

16 november 2000

Er hangt een spiegel naast het blad waar ik het babybadje op heb gezet. In het begin keek hij alleen maar naar de baby die naast hem in bad werd gedaan, alsof hij wilde vragen: Wat doe jij hier? Dit is mijn huis. Maar vandaag, toen hij er dreigend naar keek, verscheen er ineens een scheve grijns op zijn gezicht. Toch blijft hij dreigend naar al zijn andere spiegelbeelden kijken. Groot gelijk.

18 november 2000

Vandaag zijn we naar Akmerkez geweest waar we een nieuwe kinderwagen hebben gekocht. Suna wilde dat per se. Nadat ze de kwestie uitputtend had bestudeerd, en dan bedoel ik ook echt uitputtend, besloot ze dat onze kinderwagen Emre's ruggetje niet genoeg ondersteunde. We hebben dat probleem opgelost met een geval dat wielen heeft die op een herenfiets zouden passen. Geen idee waarom we al die moeite deden. Alsof we van plan zijn om urenlang door het winkelcentrum te lopen. Ook al zijn er in deze stad nu hoge flats en schitterende boulevards: er zijn nog evenveel gaten, randen en scheve, schuine trottoirs als dertig jaar geleden. Ik zou een stadsplattegrond kunnen maken met markeringen voor de verraderlijke punten. Eén ster voor een steile trap, twee voor een steile trap met een kapotte trede, drie voor een ingang waar je alleen achterwaarts met een kinderwagen doorheen kunt, wat je nóóit moet doen omdat zich direct achter die deur een steile trap bevindt.

Vier sterren voor het nieuwe appartement van mijn vader in Bebek, omdat je alle bovengenoemde gevaren tegenkomt als je daarheen gaat. Om nog maar te zwijgen van de twee rare metalen uitsteeksels die door het beton omhoogsteken als je daar absoluut niet op bedacht bent. Zes sterren dan maar? Of misschien zeven, als je in aanmerking neemt wie daar vroeger woonde.

Genoeg uitvluchten dus.

Ik zou er een beter gevoel over hebben, denk ik, als hij het eerst aan mij had gevraagd.

2 december 2000

Lastig te zeggen wat hij van het leven verwacht. Hij zit het grootste deel van de dag te lezen. 's Avonds wandelt hij langs de Bosporus, en als er een lezing is in het ARIT gaat hij erheen, meestal met zijn grootste fans, Hector en Amy. Daarna gaan ze uit eten. 's Zondags komt hij bij ons, tenzij hij op een of andere ARIT-toernee is. Terwijl Sinan kookt en ik met Emre speel, doet papa alsof hij de krant leest, maar steeds als ik even naar hem kijk, kijkt hij naar ons. Ik zou haast zeggen: waakt hij over ons. Dat is zenuwslopend.

Als hij thuis is, kijkt hij naar de Bosporus. Vanaf die plek op de heuvel kun je daar een groot stuk van zien. Bijna altijd als ik bij hem langsga zegt hij al vrij snel: 'Wat een bijzondere kleur heeft de Bosporus vandaag, vind je niet? Daar bestaat gewoon geen woord voor. Ik zou de rest van mijn leven kunnen proberen die kleur te omschrijven, maar dan nog zou het me niet lukken.'

1 januari 2001

Hij was de enige baby op het feest gisteravond; daar had Sinan me al voor gewaarschuwd. Maar niemand vond het erg. Ze wilden de lieve Emre allemaal een keer vasthouden. Of hem 'liefkozen', dat is het perfecte woord. Hoewel Suna elke peettante die ze niet vertrouwde scherp in de gaten hield. En wee degene die hem mee het balkon op wilde nemen. Ze was, vrees ik, vooral erg kritisch over Chloe. 'Er is iets heel onnatuurlijks aan haar houding,' merkte Suna op. 'Als ik het tegendeel van een natuurlijk verzorgingsinstinct zou moeten illustreren, dan zou dit daar de perfecte illustratie van zijn.' Zoals gewoonlijk vergat ze om zacht te praten, dus Chloe hoorde wat ze zei. 'Hier, neem jij hem dan maar weer,' zei ze terwijl ze Emre teruggaf. 'Dank je,' zei Suna. 'Graag gedaan,' antwoordde Chloe. Waarop Suna zei: 'Ik bedoelde het niet vervelend. Het is alleen duidelijk aan je lichaamstaal te zien dat je jouw borsten nooit ter beschikking van een baby hebt gesteld.'

'Terwijl die van jou permanent te leen zijn, zeker.' Ik had Chloe in lange tijd niet zo geërgerd gezien. Ze stak een sigaret op, waarschijnlijk om een beetje te kalmeren. Maar nu voelde Suna zich geroepen om de laatste bevindingen kenbaar te maken over het verband tussen het rookgedrag van de ouders en wiegendood.

'Ik ben zijn moeder toch niet! En jij moet eerst maar eens je feiten controleren, of in elk geval in de juiste proporties zetten.' Waarna ze over een ander, minder overtuigend onderzoek begon, en ik even dacht dat ik in de Marble Hall was en er een meningsverschil werd gevoerd over het culturele imperialisme.

15 mei 2001

Vanmiddag, toen we op de Amerikaanse ambassade waren om de geboorte van Emre aan te geven, kreeg hij het voor elkaar om achter de balie te kruipen en zich onder een bureau te verstoppen. Hij kan geen vijf minuten weg zijn geweest, maar toen we hem eenmaal vonden, stond de beveiliging op het punt om groot alarm te slaan. Daarna probeerde ik hem vast te houden. Maar dat was onmogelijk: nu probeerde hij via mijn hoofd naar het plafond te klimmen. Ik liet hem dus maar door de wachtkamer scharrelen, maar verloor hem geen moment uit het oog, terwijl de aardige mevrouw die ons zo goed mogelijk hielp uitlegde waarom wij, ook al hadden we allebei een Amerikaans paspoort, veel eerder hadden moeten komen.

Papa zegt dat ze nooit zo aanmatigend had durven doen als hij met ons was meegegaan. 'Ik ben dan wel gepensioneerd, maar ik tel nog steeds mee. Ik heb me niet mijn hele leven voor ze uitgesloofd om jou door een of ander krankjorem mens te laten afzeiken.'

Maar ze was juist uiterst beleefd.

Op een bepaald moment vroeg ze wat voor werk ik deed; toen ik dat vertelde, reageerde ze zoals gebruikelijk: 'Goh, wat interessant.' Toen ze me vroeg of ik van plan was om in Turkije te gaan werken, vertelde ik haar over de aanbesteding voor de Europese Commissie waar Suna en ik mee bezig waren. Haar reactie: 'Goh! Fascinerend!'

Toen knikte ze naar Emre, die net een stapel folders op de grond had gegooid en er een paar in zijn mond probeerde te proppen. 'Hoe gaat u dat doen met kinderopvang?' vroeg ze. En het drong tot me door dat ik daar nog helemaal niet aan had gedacht.

20 mei 2001

Sinan is in Antalya aan het filmen, dus daar zijn we dit weekend naartoe gevlogen. Ik had Emre op schoot, ik zat naast een raampje omdat ik dacht dat hij het wel leuk zou vinden om te zien hoe we opstegen. En wat keek hij gefascineerd! Ik was diep onder de indruk. Pas later drong het tot me door dat hij naar het raampje zelf keek, niet erdoorheen.

Vanavond, in het restaurant, heeft hij zeventien minuten lang een raar stuk brood bestudeerd.

3 juni 2001

Vorige week vrijdag had ik met Suna afgesproken om te praten over de aanbesteding voor de EU, maar het was veel te mooi weer om binnen te blijven. Daarom haalde ik haar over om in plaats daarvan naar het nieuwe huis van Haluk op Sedef te gaan. We zouden er alleen de middag blijven, maar voordat we het wisten was de laatste veerpont weg en haalde Haluk (die dat volgens mij allemaal zo had gepland) ons over om te blijven. Sinan kwam de volgende dag en wilde alleen maar een middagje blijven, maar Haluk wist hem over te halen om mosselen te gaan zoeken en ze kwamen pas terug toen de laatste veerpont alweer was vertrokken, dus we bleven nog een nacht logeren. Lüset was inmiddels ook gekomen. Suna en ik hadden onze kleren aan de hulp gegeven om te wassen en liepen midden op de dag rond in een nachthemd van Lüset.

Emre hield niet van de mosselen, maar wel van de kiezels op het strand, die hij steeds in zijn mond probeerde te stoppen. Maar de speedboten vond hij het leukste: hij raakte helemaal door het dolle heen toen er een levensgevaarlijk dicht bij de kust kwam en hij uit zijn opblaasbootje viel.

Pas op dinsdag wisten we ons eindelijk los te maken. We gingen onderweg langs Büyükada en liepen naar het huis waar de slangenmevrouw vroeger woonde. Toen we weer bij het water waren, besloten we dat het veel handiger was om daar te eten en met de late veerboot terug te gaan. Die boot bleek pas heel erg laat te gaan. Nadat we aan boord waren gegaan, viel Emre meteen als een blok in slaap. Zo voeren we van de ene kade naar de andere: Büyükada, Heybeli, Burgaz, Kınalı. Toen we daar zaten, met Emre uitgeteld op schoot, dacht ik: wie had dit ooit kunnen denken? Maar voordat ik dat hardop kon zeggen, zei Sinan: 'Zou je het echt hebben willen weten? Is het niet beter als het leven zijn ware gedaante verborgen houdt?'

12 juni 2001

Vandaag heb ik voor het eerst in bijna een jaar een dag echt gewerkt. Suna was een beetje prikkelbaar. Ik weet niet of dat kwam doordat we zo dicht bij de deadline van dat EU-gedoe zitten, of omdat ze moeilijk vond om zich te concentreren terwijl Emre uit alle macht probeerde om van Suna's balkon te vallen. Misschien is ze wel bang dat ik, ondanks mijn beloftes, haar het zware werk zal laten opknappen. Toen ik tegen haar zei dat ik zulke dingen zó goed onder de knie had dat ik ze slapend nog wel kon doen, keek ze me met half toegeknepen ogen aan en zei: 'Misschien is dat maar beter ook, nu je van plan schijnt te zijn om de rest van je leven in coma te blijven.'

Toen ik dat later aan Sinan vertelde, zei hij: 'Ja, nu je het zegt... Misschien moet je een tijdje onder een koude douche gaan staan. Ik begreep niet meteen dat hij een grapje maakte, totdat hij zei: 'Hou toch eens op met je zo druk te maken over elk dingetje dat Suna tegen je zegt. Ze staat op het moment onder grote druk.' Hij vertelde dat ze 'weer zo'n interview' had gedaan. Terwijl hij dit zei, sloeg hij zijn blik neer. Het was, vertelde hij, een uiteenzetting over een familie die banden had met de maffia. 'Je kunt vast wel raden welke familie dat is. En welk lid van die familie wij goed kennen.' Het duurde even voordat het tot me doordrong dat hij İsmet bedoelde. Waarop hij reageerde door opnieuw zijn blik neer te slaan. 'Ja. İsmet,' zei Sinan. 'Maar nu... dankzij die hartstochtelijke speech van je... Je gaat me toch niet vertellen dat je je die met je slaperige kop ook niet meer kunt herinneren? Zelfs niet vaag? Wat jammer. We hadden het er laatst nog over, Suna en ik, en we waren het erover eens hoe geweldig dat van je was. Je had natuurlijk helemaal gelijk! Je hebt ons leven er zelfs mee veranderd! Niet één van ons zal het ooit nog in z'n hoofd halen om met onze onderdrukkers samen te spannen!'

Ik liet dit maar passeren en vroeg wat Suna over İsmet had gezegd. 'Ze heeft zijn naam genoemd, ze heeft haar twijfels geuit over zijn kwalificaties als politicus, en ze heeft ook gezinspeeld op zijn duistere zakelijke activiteiten, maar we kunnen natuurlijk niet zeker weten dat hij in de wapenhandel zit; door geruchten te presenteren als feiten, kan ze zich een proces op de hals halen,' zei Sinan. 'Maar dat is niet alles. Of in elk geval is het veel gecompliceerder. Die familie – dat is niet İsmets eigen familie, hij is aangetrouwd – leeft al in onmin met de familie van Haluk. En dit zou die ruzie wel eens kunnen verergeren,' zei hij opgewekt. 'Het is niet te voorspellen hoe dit zal aflopen.'

Op dat moment werd Emre wakker; toen ik hem weer in slaap had gekregen, belde mijn vader, die me vertelde over de lezing die hij in september voor het ARIT zou gaan geven, en toen ik terloops vroeg waar het over ging, legde hij me dat uitgebreid uit. Het ging over de Koude Oorlog, zoals te verwachten viel. (Hij zei het zo: 'Ik heb besloten dat ik mijn eigen geschiedschrijving ga doen.') Toen ik had opgehangen, was ik vergeten dat ik was vergeten aan Sinan te vragen waar hij dacht dat het nieuwe Suna-verhaal toe zou leiden, dus dat weet ik nog steeds niet.

12 juni 2001

Nog iets wat ik vergeet te vertellen. Iets waar ik niet bepaald blij mee ben: Suna en mijn vader hebben vriendschap gesloten. Ik ben ze laatst tegengekomen op het terras van Café Divan. Ze hadden ruzie, uiteraard over de Koude Oorlog, waar anders over?

'Het is niet dat we het met elkaar eens zijn,' zei Suna. 'Zelfs niet dat ik hoop dat we dat ooit zullen worden. Maar hoe vaak ontmoet je een vijand die zijn verderfelijkheid openlijk toegeeft en met wie je als gelijke kunt praten? Hoe kunnen we ons collectieve verleden ooit begrijpen tenzij we naar alle partijen luisteren?'

Wat ze nalaat zich af te vragen is wat mijn vader eraan heeft.

12 juni 2001

Hij doet geen poging om zijn verleden te verbergen. Hij loopt er juist mee te koop. 'Als gepensioneerde spion vind ik...' is zijn favoriete openingszin. Als hij daarmee wil bereiken dat iedereen naar hem luistert, dan lukt hem dat heel goed. Ondanks al dat vertoon is hij voorzichtig met wat hij zegt. Zijn tweede favoriete openingszin is: 'Jullie moeten natuurlijk begrijpen dat ik niets kan vertellen over specifieke acties en ook niet kan verwijzen naar documenten die vooralsnog geheim zijn...'

Maar hij wil graag de hele avond praten over het grotere geheel: waarom hij hier halverwege de jaren vijftig naartoe werd gestuurd, dat zijn opdracht was veranderd toen hij eind jaren zestig terugkwam, hoe de relatie tussen de VS en Turkije eigenlijk zou moeten zijn en hoe die in werkelijkheid was, waarom hij er helemaal geen spijt van had dat hij had meegewerkt aan de strijd tegen het communisme, hoe het kwam dat de CIA zijn werk niet goed deed, in hoeverre de CIA samenwerkte met lokale inlichtingendiensten, en vooral hoe en waarom het huidige VS-beleid in ons werelddeel slecht bedacht, slecht geleid, arrogant en tot mislukken gedoemd was.

Daar smullen ze van. Daar smullen ze echt van. Volgens Sinan komt dat niet alleen door het genoegen te ontdekken dat een vermoeden dat je al je hele leven koestert inderdaad op waarheid gebaseerd blijkt te zijn. Het komt door de vrijheid, de bevrijding die een snippertje waarheid kan geven.

Hij was een keer de hele nacht met papa opgebleven om over zijn vader te praten. Ze waren het niet eens over de man zelf – Sinan noemde hem een 'gewetenloze collaborateur' die 'zijn invloed bij de Amerikanen had gebruikt om zijn zakken te vullen' terwijl mijn vader hem een patriot noemde die 'geloofde dat zijn land gebaat was bij sterke banden met de VS'. Maar ze waren het er wel over eens dat hij zijn vaderrol op een vreemde manier vervulde.

'Hij controleert alles, maar hij is er bijna nooit,' zei Sinan. Toen stelde mijn vader hem twee vragen waarop hij geen antwoord had: 'Welke invloed heeft hij gehad op jullie politieke ideeën? Waar waren jij en je vrienden het kwaadst over: imperialisten zoals ik, of mensen zoals je vader, Turken die met ons samenwerkten?'

Het scheen nooit bij Sinan op te komen dat zijn bijna nooit aanwezige vader invloed op zijn politieke ideeën gehad zou kunnen hebben.

En het is onnodig te vermelden dat hij, nu dat tot hem is doorgedrongen, denkt dat er misschien wel een film in zit.

'Waarom kijk je nou zo raar?' vraagt mijn vader aan me. 'Zo wilde je toch altijd dat ik zou zijn?'

Hij heeft gelijk. Dat wilde ik ook. Nog steeds. Ik voel me alleen zo aan de kant gezet. Die ontspannen gesprekken die hij met Suna en Sinan over van alles en nog wat heeft gevoerd, hebben er niet toe geleid dat hij en ik ook zulke gesprekken kunnen voeren.

Onze relatie is dertig jaar geleden in een vorm gegoten die niet meer te veranderen is. Hij herinnert zich mijn eerste jaar in Istanbul als volgt: we hadden samen een fantastische tijd, we hebben elkaar echt als mens leren kennen. Het was één grote familie: hij en ik, maar ook Amy, Chloe, Chloe's broer Neil, en Sinan. Maar toen banjerde de politiek daar dwars doorheen en maakte een eind aan dat alles.

'Zo klinkt het alsof het een binnenvallend leger is,' zei ik. 'Maar dat was niet zo. Het kwam door jou.'

'Hè? Ben ik de Koude Oorlog begonnen? Trok ik bij de linkse studentenbeweging aan de touwtjes? Heb ik zelf de bom geplaatst die mijn auto heeft opgeblazen?'

'Nee, natuurlijk niet. Maar zoals je zelf al zegt, was je hier met een opdracht.'

'Ja, maar dat gold voor heel veel mensen, en daar waren heel wat onaangename figuren bij. Daar heb jij geen idee van. En weet je waarom niet? Omdat jij je vader in de buurt had die jou beschermde.'

15 juni 2001

Deze week zijn de zomercolleges begonnen. Vandaag heb ik kennisgemaakt met mijn groep. Er zitten maar zes studenten in, maar ze zijn allemaal heel leergierig. Vooral een van hen stelde hele goede vragen, helaas kon ik er een aantal niet beantwoorden, en bij eentje sloeg ik de plank helemaal mis omdat ik geen idee had dat hoeheetieookalweer inmiddels dood was. Die moet zijn overleden op een dag waarop ik geen krant heb gezien. Of in elk geval niet heb gelezen. Met andere woorden: het kan het hele vorige jaar gebeurd zijn.

Ik biechtte het eerlijk op en we hebben er hartelijk om kunnen lachen. Maar ik moet wel serieus aan de slag. Een koude douche is niet meer nodig. Eén blik op de stapel zeer belangrijke ongelezen monografieën op mijn bureau heeft hetzelfde effect.

Het was fijn om weer voor de klas te staan. Om volwassen kleding te dragen. Om met Suna te lunchen in de Kennedy Lodge en een serieus gesprek te voeren met serieuze collega's over belangrijke onderwerpen.

Het was nog fijner om weer thuis te komen. Hij kraaide, stak zijn armpjes naar me uit, lachte en brabbelde terwijl hij over de grond naar me toe kroop. Zo'n welkom heb ik nog nooit van een collega gekregen.

27 juni 2001

Vandaag kwam er een man van de Stichting voor de Mensenrechten een praatje houden. Hij vertelde niets over zijn eigen leven, maar hij had die gekwelde en toch merkwaardig vredige blik die ik zo vaak heb gezien bij mensen die folteringen hebben overleefd. Een paar studenten hadden moeite hem te geloven, maar hij nam hun de wind uit de zeilen door te zeggen dat hij daar blij om was. Dat ze de angst waren kwijtgeraakt die hun ouders in zijn greep had gehouden, de angst die ze in de jaren zeventig en daarna in de jaren tachtig hadden leren kennen in de politieke gevangenissen van hun land. Ze dachten dat ze in een vrij land woonden, en hoewel dat niet zo was, zou hun aandringen om dat tot werkelijkheid te maken een kracht zijn die tot hervormingen zou kunnen leiden. Dat alles zei hij zonder ze recht aan te kijken; zijn stem klonk zelfverzekerd maar ook vermoeid.

Binnenkort zou Turkije een verlichte republiek zijn, zei

hij. Maar die dag was nog niet aangebroken. Hij vertelde hoeveel leden van de stichting in de afgelopen twee jaar om het leven waren gekomen. Hij vertelde over de rapporten die ze nog steeds konden doorgeven aan het Europese Gerechtshof, over de forensische artsen die hun leven, hun gezin en hun loopbaan op het spel zetten door bewijzen te verzamelen. Hij prentte ons in dat er nog steeds systematisch wordt gefolterd, steeds als iemand voor het eerst in contact komt met de autoriteiten. Toen we daarop doorvroegen, vertelde hij ons wat dat inhield. Of liever gezegd: hij somde dat op.

Na de les ging ik met hem lunchen in de Kennedy Lodge, maar de bedrukte stemming bleef. Aan het eind vroeg hij of ik had nagedacht over 'de missie'. Tot mijn schande had ik geen idee wat hij bedoelde. Vanavond heb ik mijn steeds groter wordende achterstand proberen in te halen, tot ik het tegenkwam: vanavond bezocht een delegatie van de Europese Raad Istanbul, op weg naar Van, waar ze verschillende gevangenissen zouden inspecteren. Allemaal bekende namen, er was zelfs een vroegere collega bij. Ik wist hem in zijn hotel te pakken te krijgen. We hebben een ontbijtafspraak, dan zien we verder.

28 juni 2001

Ik weet dat ik dit moet doen, maar hoe? In Van is het in deze tijd van het jaar bloedheet en ik zie niet hoe ik met een baby van tien maanden op gevangenistournee moet gaan. Maar ik kan hem ook niet achterlaten. Niet als Sinan ook meegaat.

29 juni 2001

Ik heb hem vanmorgen achtergelaten bij Lüset, het moeilijkste wat ik ooit heb gedaan.

De hele dag zie ik al dingen die hem opgevallen zouden zijn: kranen, voertuigen van wegwerkers, bijzondere vrachtauto's. Knoppen, roestige spijkers, rare stukjes brood.

30 juni 2001

Wat we vandaag allemaal te zien hebben gekregen, en dan het idee dat ik Emre bijna had meegenomen... Ik moet me laten nakijken.

3 juli 2001

Ik ben naar de fitness in de Burç Club geweest. Als ik daar na de lessen een halfuurtje op die apparaten zit, word ik weer helder in mijn hoofd.

15 juli 2001

Vandaag was ik zo stom om te denken dat ik mijn lessen kon voorbereiden terwijl hij met zijn nieuwe vuilnisauto in de zandbak speelde. Ik heb het maar opgegeven toen een windvlaag mijn papieren over de balustrade blies. O, wat was ik kwaad en gefrustreerd... totdat ik hem zag lachen. We verkasten naar de Burç Club, na drie uur in het zwembad ligt hij in een ligstoel te slapen en heb ik mijn handen vrij om te werken. Maar als ik die boeken naast de zonnebrandcrème zie liggen, krijg ik al hoofdpijn.

12 augustus 2001

Gisterochtend heb ik mijn cijfers ingeleverd: ik was er de hele nacht voor opgebleven, gereformeerd als ik ben. Heb de deadline gehaald, had zelfs nog een halfuur over. Maar daardoor had ik weinig tijd om in te pakken. Bovendien kon ik nauwelijks meer uit mijn ogen kijken.

Deze keer keek Emre dóór, niet náár het raampje. Toen hij de aarde weg zag zakken, viel zijn mond open van verbazing.

We vlogen ergens boven Bulgarije toen ik me ineens realiseerde dat ik Emre's koffer op de overloop had laten staan. Ik kon mezelf wel voor mijn kop slaan, maar Sinan liet zich niet van de wijs brengen. Toen we op Heathrow waren, belde hij Lüset, en toen wij bij haar flat in South Kensington kwamen, was ze al naar Boots geweest, waar ze melkpoeder, luiers en een pyjamaatje had gekocht. Vanochtend hebben we de rest gekocht.

Vandaag zijn we naar Edinburgh gevlogen voor de screening van Sinans film. We waren van plan om Emre bij de oppas van het festival te laten, maar hij kreeg een hysterische bui, dus we namen hem maar mee. Of eigenlijk is Sinan vertrokken en zijn Emre en ik pas later gegaan, na de screening. Ik heb de film al een paar keer gezien, dus ik vond het niet erg dat ik hem miste, maar ik was wel benieuwd naar de reacties achteraf – de film is alleen al door het onderwerp controversieel en ik wilde graag de reacties peilen.

Er zaten vrij veel Turken in het publiek, dat zag je aan de manier waarop ze op Emre reageerden. Als hij even piepte, of tegen een stoel duwde, draaiden ze zich om en glimlachten, of gaven hem een kneepje in zijn wang en zeiden: '*Ne cici!*' Of '*Yavrum!*'

Heel anders dan hoe die noorderlingen doen, al deden een paar vrouwen in het publiek wel hun best. Toen Emre echt moeilijk begon te doen en ik besloot om hem even buiten te laten rondrennen omdat hij anders echt herrie zou gaan schoppen, stond een zekere Mat Vet op om me te laten passeren, en terwijl ik dat deed, zag ik aan haar vermoeide glimlach dat ze precies begreep hoe ik me voelde en dat ze honderd procent achter me stond – ook al zag ik aan de glimlach die ze Emre toewierp dat ze met hem te doen had omdat hij opgescheept zat met een moeder die hem veel te laat liet opblijven.

In de gang stond een elegante, geagiteerde vrouw van in de veertig iets in haar mobiele telefoon te sissen. Emre was intussen aan het oefenen met lopen.

Toen hij vlak bij haar omviel, keek hij naar haar op en lachte. Maar in plaats van de lieve woordjes die hij in zo'n geval in Turkije kon verwachten, zag hij nu alleen een ijzige blik. Hij keek verbaasd naar mij: wat had hij verkeerd gedaan?

Hij waagde er nog een lach op, en de elegante, geagiteerde vrouw aan de telefoon wierp me een blik vol onversneden haat toe. Op dat moment herkende ik haar: *nog geen jaar geleden was ik precies zo.*

20 augustus 2001

Ik heb besloten dat ik een veel te groot deel van mijn leven doorbreng met denken, me dingen afvragen, vragen stellen, onder stenen kijken waar ik beter af kan blijven.

Ik begin het nut van stilte in te zien.

Alleen nog een paar laatste woorden dan.

Zodat ik kan zeggen dat ik werkelijk begrijp hoe ik hiertoe gekomen ben.

Sinan is rechtstreeks van Edinburgh naar Ankara gegaan en op de avond van zijn terugkeer hadden we om acht uur afgesproken in de Hisar İskele. Het was opnieuw een benauwde augustusavond. Ik was met Emre vanaf huis komen lopen. Toen we op de weg langs de Bosporus kwamen, stond het verkeer stil. Er trad een beroemde zanger op bij het kasteel en de duizenden fans konden nergens parkeren. We staken over naar de kust, waar ik Emre uit zijn rugzitje haalde. Hij keek naar de stilstaande auto's en ik keek naar het water, dat in het noorden nog staalblauw was, maar in het zuiden al een roze gloed kreeg.

Toen draaide Emre zich om naar de zee en begon te brabbelen en te schoppen en te wijzen. Het duurde even tot ik het zag: de Bosporus lag vol schepen en bootjes, maar ze lagen allemaal stil.

Het valt niet mee om een boot op de Bosporus stil te leggen. De stroming is er heel sterk. De boten en schepen moesten hun motoren laten draaien om niet af te drijven. Het klonk alsof er een paar vliegtuigen op het punt stonden te vertrekken.

We waren een kwartier te laat. Daarom konden we, ondanks de smeekbeden van Emre, niet bij de aquaria blijven kijken. We liepen meteen door naar de veranda, naar het hoektafeltje dat Sinan voor ons had gereserveerd. Maar het was al bezet. Toen ik vroeg hoe dat kwam, keek de ober stomverbaasd. Hoorde de man die al aan het tafeltje zat dan niet bij ons?

Het was İsmet. Toen hij Emre had bewonderd, nodigde hij ons uit om te komen zitten. Hij wenkte de ober en bestelde een Absolut met mineraalwater. 'Jij drinkt toch altijd Absolut, Jeannie?'

Daarna begon hij me op vaderlijke toon een paar vragen te stellen. Hoe oud was Emre nu? Hoe ging het met zijn vader? En met de mijne? Was ik al gewend aan het moederschap? Vond ik het prettig om in Istanbul te wonen?

'Ik geloof dat ik je van streek maak,' zei hij met een glimlach.

'Nee hoor, helemaal niet,' zei ik. 'Alleen had ik u hier niet verwacht.'

'Ik begrijp wat je bedoelt,' zei hij. 'Want in het grote geheel ben jij niet belangrijk. Maar toch voel ik me verantwoordelijk voor je. Je vader en ik kennen elkaar tenslotte al heel erg lang. En hetzelfde geldt voor de vader van dit kereltje hier. We zijn zelfs familie van elkaar, zoals je weet.' Hij keek op: Sinan stond naast ons. Zijn gezichtsuitdrukking was niet te peilen. Of eigenlijk had hij helemaal geen gezichtsuitdrukking.

İsmet ging staan. 'Ik geloof dat dit jouw stoel is,' zei hij minzaam.

'Blijf gerust zitten,' zei Sinan zacht. 'Ik heb geen haast.'

'Wat vriendelijk van je. Maar ik blijf niet lang. Mijn dochter is vandaag namelijk jarig. En ik ben de laatste tijd echt een huisvader geworden. Ik denk alleen maar aan mijn gezin. We zitten aan die lange tafel daar.'

Hij lachte zijn tanden bloot. 'Ik ben erg dol op kinderen, zoals je weet, maar dit kind is wel heel erg bijzonder. Hij lijkt precies op zijn vader, vind je ook niet, Jeannie?' İsmet boog zich naar voren en kneep Emre even in zijn wang. 'En hij lijkt ook sprékend op zijn grootvader.'

'Raak hem niet aan,' zei Sinan. 'Blijf van hem af, anders sla ik je.'

İsmet keek hem uitdrukkingsloos aan. 'Dus je geloofde hem,' zei hij.

'Nee,' zei Sinan. 'Ik heb jou dertig jaar geloofd.'

De twee mannen keken elkaar dreigend aan.

'Je moet me nog steeds geloven,' zei İsmet. 'Je moet me altijd geloven.'

'Je hebt tegen me gelogen,' beet Sinan hem toe.

'Dat denk jij, maar niemand kan toch weten...'

'Ik weet het wel!' zei Sinan woest. 'Ik heb het bewijs!'

'Maar waarom zou een oude vriend van de familie tegen jou willen liegen?'

'Je hebt gelogen omdat je mijn leven kapot wilde maken.'

'Ik probeerde je alleen maar te beschermen,' zei İsmet.

'Beschermen? Tegen wat?'

İsmets blik werd nog dreigender.

'Laat ons met rust,' zei Sinan. 'Of anders pis ik je dochter in haar gezicht.'

Toen İsmet weg was bij hun tafeltje, werd er veel drukte gemaakt. De asbak werd vervangen, de tafel schoongeveegd. Er kwamen nieuwe glazen en daarna nieuwe servetten en nieuw bestek. De ober mompelde verontschuldigingen. 'Meneer heeft u lastiggevallen.' Het was een vraag.

Sinan wuifde het weg. 'Het stelde niets voor,' zei hij in het Turks tegen de ober. 'U hebt correct gehandeld.' Hij bestelde een Absolut met mineraalwater en vroeg om mijn glas bij te vullen. Hij zei pas iets tegen mij nadat de drankjes waren gebracht.

'Sorry. Was ik maar op tijd geweest...'

Misschien worstelde hij met de vraag hoe hij het mij moest vertellen. Maar toen kwam er een feloranje hovercraft langsscheuren en viel Emre van zijn stoel.

De hovercraft was van de waterpolitie. Al snel kwamen er nog twee andere bij en alle drie stopten ze bij een sleepbootje dat onder de brug lag. İsmet (die hier niet met zijn familie was maar met drie strak geklede zakenrelaties) scheen precies op de hoogte te zijn van alles wat er gebeurde. Toen de schepen weer vrij over de Bosporus mochten varen, nadat een feloranje bootje İsmet was komen oppikken, vroeg ik aan Sinan: 'Wat was dat nou allemaal?'

'Geen idee. Misschien een of andere oefening. Of een bommelding. Of misschien moesten ze daar een reparatie uitvoeren.'

'Dat bedoelde ik niet,' zei ik. 'Ik bedoelde die ruzie met İsmet.'

'Ben je verbaasd dat ik ruzie heb met İsmet?'

'Jij hebt altijd gezegd dat het gevaarlijk is om er tegenin te gaan.'

'Dat had ik jaren geleden moeten doen. Ik voel me nu al een stuk beter.'

'Maar waar hadden jullie het nu precies over?'

'Niks,' zei Sinan. 'Echt.'

'Waarover heeft hij tegen je gelogen?'

'Dat is nu allemaal voorbij. Meer hoef je voorlopig niet te weten.'

Maar het klonk niet overtuigend. Later die avond veranderde hij van gedachten.

We lagen in bed en ik had net een column gelezen over de screening in Edinburgh van *Van Comes to Europe*. De schrijver, een bekende nationalist, beschuldigde Sinan van verraad.

'Hoe durft hij?' zei ik.

Maar Sinan bleef onverstoorbaar. 'Hij mag zeggen wat hij wil. Zolang hij het me maar niet onmogelijk maakt om te doen wat ik wil. Dat is allemaal veranderd.'

'O ja?'

Hij begon te lachen. 'Je bent me toch niet aan het waarschuwen? Je gaat me toch niet vertellen dat ik mijn principes moet verloochenen?'

'Nee, maar...'

'Laat me eens raden. Je bent het natuurlijk wel met me eens, dat kan niet anders. Maar je zou ook graag willen dat ik iets rustiger aan doe, niet elke ingeving volg, en vooral dat ik een confrontatie met İsmet vermijd.'

'Ja, dat zou wel aardig zijn,' zei ik.

'Heel aardig,' antwoordde hij. 'Maar helaas, ook zo ontzettend Europees. Zo werkt het hier gewoon niet.'

'Hoe werkt het hier dan wel?' vroeg ik.

Hij glimlachte. Even zag hij er weer uit als negentien. 'Daar hebben we het toch al eerder over gehad. Weet je nog? Alleen...' Hij zwaaide met zijn vinger. 'Alleen hebben we ons de vorige keer vergist.'

'Waarmee?'

'Met de revolutie. Weet je nog waarom?'

'Even denken. Iets met zaadjes die lang geleden al zijn geplant?'

'En?'

'Dat de wortels onder de grond moeten groeien... dat de jonge planten tijd moeten hebben om te groeien. Maar als het levenssap eenmaal gaat stromen...'

'Je kunt de loop van de geschiedenis niet tegenhouden.'

'De judasboom zal bloeien... totdat op een dag...'

Hij lachte en gooide zijn hoofd in zijn nek. 'Goed dan. Ik zal het je vertellen. Die dag waarop ze ons hebben gearresteerd. Je weet wel, in 1971, nadat ze de auto van je vader hadden opgeblazen en İsmet ons allemaal liet arresteren. Nou, ik zal je iets vertellen wat je daar nog niet over wist. Hij heeft mij eerst gearresteerd. Ja, ik ben als eerste ondervraagd, een privéondervraging. En nu ga je zeker vragen waarom ik je dat nooit eerder hebt verteld.' Hij praatte heel vlug, zo vlug dat ik hem nauwelijks kon volgen. 'De reden is dat ik wist dat jij dan het hele verhaal zou willen horen. Maar ik wilde er niet meer aan denken. Nu ik je dit heb verteld en ik het verder wel zal moeten uitleggen, moet je me eerst iets beloven. Geen vragen. Niks. Afgesproken? Kom hier, in mijn armen, doe het licht uit. Ik zal het je zo snel mogelijk vertellen en daarna ben ik zo moe dat ik meteen in slaap val en dan lig jij naar het plafond te staren en probeer je je de gaten in mijn verhaal voor te stellen, maar daar kan ik niks aan doen, in elk verhaal zitten gaten, en dit is de enige keer dat ik vertel wat ik je nu ga vertellen.'

'Als het te pijnlijk voor je is...' bracht ik met moeite uit.

'Te pijnlijk? Natuurlijk is het te pijnlijk! Maar toe, luister nu alleen maar. Het duurt niet lang. Hij heeft me verrast, Jeannie. Ik had geen idee wat hij zou gaan zeggen. Toen hij de deur achter zich dichtdeed, was ik niet eens nerveus. Ik nam aan dat hij ons had gearresteerd in verband met die bom in de auto van jouw vader, waar ik niets vanaf wist.

Maar eerst kwam er een voorspel. Het leek wel alsof we bij Sürreya zaten te kletsen en *pirogi's* zaten te eten. Eerst kwamen de herinneringen – aan de eerste keer dat we elkaar zagen, ik was te jong om me dat te herinneren. Daarna vertelde hij iets raars waar ik nog steeds niets van begrijp: over een juwelier in Ankara, een Joegoslaaf die wel of niet als brievenbus fungeerde. Daarna mijn eerste herinnering aan İsmet, op dat Russische schip in 1962. Ik was met mijn vader, die had net een aanstelling gekregen in Caïro. Waarom İsmet op dat schip was weet ik niet. Er was ook een groep Egyptische officieren aan boord en hij vroeg of ik me die kon herinneren en wat ik verder nog had gezien. En over Caracas, Washington, Karachi: hoe vaak was mijn vader bij de Sovjetambassade geweest? Zou mijn vader chantabel zijn geweest door zijn "afwijkende neigingen"? Wat was de werkelijke reden van de scheiding van mijn ouders? Had mijn moeder me niet in vertrouwen genomen? Mijn antwoorden bleven vaag en hadden geen effect.

Toen zette İsmet een stoel naast de mijne. Hij richtte zijn ogen op mijn kruis. Legde zijn hand op mijn ballen. Hij kneep er hard in en zei: "Weet je wat er over jou en Haluk wordt gezegd? Dat jullie je ballen delen. Dat zeggen ze. Ze zeggen dat jullie dit bij elkaar doen." Zo begon hij. Hij zei: "Ah! Wat voor man ben jij?" Maar toen, daarna. Nadat hij zijn hand had teruggetrokken. Dat ik de zoon van mijn vader was. Dat zei hij tegen mij. Zijn zonden waren mijn zonden. We deelden elkaars lot. Hij duwde me in de hoek. En hij liet zijn voorspelling uitkomen.

Maar ik liet hem niets merken van mijn pijn. Dat moet hem dwars hebben gezeten. Hij moet beseft hebben dat hij meer moest doen om mij kapot te maken. En daarom ging hij weer op die stoel zitten en praatte door. Hij begon me leugens te vertellen.'

'Wat voor leugens?' vroeg ik.

'Leugens over mijn vader, over wie hij werkelijk was, en wat hij mijn moeder had aangedaan.'

'Wat dan?'

'Dat weet ik niet meer precies. Dat kan ik niet zeggen! O, alsjeblieft Jeannie, ga nou niet de hele nacht liggen piekeren! Je vroeg waarom ik ruzie had met İsmet. Nu heb ik het je verteld. Zullen we erover ophouden?'

Natuurlijk kon ik dat niet, net zo min als ik dat had gekund als ik het was geweest die was verkracht.

Maar nadat hij me de rug had toegekeerd, nadat hij zich had losgemaakt van mijn armzalige poging hem te omarmen en me had verzocht niet steeds aan hem te vragen of het wel ging, nam ik mezelf iets voor; ik zou dit achter me laten, ik zou elke vraag die in me opkwam meteen afkappen. Om hem erdoorheen te helpen, om hem te helpen dit achter zich te laten en door te gaan.

En het was maar goed ook dat ik dat besluit genomen had, want de volgende ochtend zagen we in de krant wat İsmet met die hovercrafts had gedaan. Hij stond breeduit op de voorpagina voor een kraan die op nog geen vijftig meter afstand van waar wij hadden zitten eten, een boot had opgehesen van de bodem van de Bosporus. De Kitten II.

Sinan werd lijkbleek toen ik hem de krant gaf, maar ik was voor de verandering zo verstandig om geen vragen te stellen. 'Is dat alles wat ze gevonden hebben?' vroeg hij. Ik vertelde hem wat ik wist. Dat ze alleen de romp van een oude boot hadden gevonden, althans volgens de krant. 'Misschien zit er wel meer achter dit verhaal. Misschien houden ze iets achter.'

En voor de verandering deed ik een zinnig voorstel. Dat hij Haluk moest bellen. Die zou vast meer informatie kunnen achterhalen. 'Goed idee,' zei Sinan. Maar hij bleef de hele dag gespannen. Steeds als de telefoon ging, schrok hij. Hij voerde lange gesprekken met Suna en met Haluk. Na elk gesprek was hij nog somberder dan eerst. Toen de telefoon die avond om half twaalf opnieuw ging, verwachtte ik het ergste. Maar godzijdank had ik het mis. Want Haluk had inderdaad meer informatie weten te achterhalen. Ze hadden niets gevonden in de Kitten II. We waren veilig. We waren buiten gevaar.

47

Dus opnieuw is het geheim in veiligheid. De onzichtbare hand die hen aan het onbeschrijfelijke verleden verbindt, begint te verdorren. Sinan en Jeannie leefden nog lang en gelukkig met Emre, wiens plezier in het hier en nu zijn grootvader zo verbaasde dat zelfs hij stopte met het najagen van spoken uit het verleden.

İsmet gaat met pensioen, Chloe stort zich in de armen van de volgende engelachtige echtgenoot. Suna gaat door met haar fraaie werk. Haluk en Lüset schrijven de cheques uit.

Sinans films verliezen hun scherpe kantjes. Hij wordt geen terreurverdachte en zijn vrouw komt me niet om hulp vragen. Ze verdwijnt niet. Ik ga haar niet zoeken.

Dat is zoals het verhaal had moeten eindigen. Had kunnen eindigen. Zou zijn geëindigd, als iemand niet had besloten dat dat niet zo zou gaan.

Wie was dat?

Was het Jordan, die een goed verhaal door niets wilde laten verstoren?

Was het William, die wraak wilde nemen?

Was het İsmet, die gevaar rook?

Of was het zijn schaduw?

Het wordt tijd om je te vertellen waar ik ben.

Ik zit op het balkon van een appartement in Bebek, in een gebouw boven aan de steile trappen, en terwijl ik zat te schrijven is de dageraad gekomen en weer weggegaan.

De baai van Bebek ligt voor me. Vanaf de zuidelijke torens van Rumeli Hisar tot aan de vissers die bij Arnavutköy op een kluitje bij elkaar staan. In het kalme water dat zich voor me uitstrekt moeten honderden jachten en roeibootjes liggen. De Aziatische kust lijkt zo dichtbij dat je hem bijna kunt aanraken. Afgezien van de gestage stroom tankers die hier voorbij vaart, het tempo waarin de schepen de baai doorkruisen en door de draaikolken varen op de grens tussen het rustige gedeelte van het water en de heftige zeestromingen, zou dit ook de oever van een meer kunnen zijn.

Dit is het appartement waar Dutch Harding en Billie Broome van september 1968 tot juni 1971 hebben gewoond.

William Wakefield heeft hier ook gewoond. Van 2000 tot 2005.

Hoewel hij nu al enkele maanden weg is, is er niets veranderd aan de inrichting. Ik zit in wat hij zijn uitkijkpost genoemd schijnt te hebben. Het is een krakende maar comfortabele tuinstoel met gebloemde kussens. Hier moet hij hebben gezeten toen een onbekende belager hem op de avond van de 16e oktober 2005 besloop en hem door het hoofd schoot.

Dat verhaal wordt niet bevestigd door een autopsierapport. Er ís namelijk geen autopsierapport. Er zit zelfs geen bloed op de gebloemde kussens van zijn lievelingsstoel.

Na een zoektocht van een paar weken heb ik niet één papier kunnen vinden, vervalst of authentiek, waarin zijn dood werd bevestigd.

Toen zijn dochter navraag ging doen, een paar dagen voordat zij zelf verdween, werd haar door een *apparatsjik* van het ministerie van Buitenlandse Zaken, of iemand die zich zo noemde, verteld dat zijn lichaam was 'gerepatrieerd'.

Ik weet wel beter, al staat nog te bezien of mijn bewijzen door de rechter steekhoudend zullen worden gevonden.

Hoe het ook zij: dit is mijn ooggetuigeverslag.

Twee weken na de moord op William Wakefield en zijn repatriëring, bezocht hij me in mijn huis in Noord-Londen. Hij was een kilo of tien afgevallen sinds ik hem voor het laatst had gezien en hij zag grauw. Hij maakte een opgejaagde, wanhopige indruk. Misschien naïef, maar dat zag ik als teken van leven.

Hij kwam vragen of ik iets van Jeannie had gehoord. Toen ik zei van niet, zuchtte hij verslagen.

Of ik een theorie had, vroeg hij zwak. Eventjes had ik erg met hem te doen. Maar toen bedacht ik wie hij was en waar hij voor stond en pakte ik mijn map over de Patriot Act.

'Waarom laat je mij dit zien?' vroeg hij terwijl hij de papieren op tafel gooide. Ik probeerde het hem op zo neutraal mogelijke toon uit te leggen. 'Volgens mij is ze teruggegaan,' zei ik. 'Niet naar JFK, ook niet naar een ander vliegveld. Zo dom is ze niet. Nee, ik denk dat ze via Canada is teruggegaan. Uit radeloosheid, om haar zoon op te sporen. Ze heeft waarschijnlijk gedacht dat ze wel kon onderduiken bij vrienden. Misschien heeft ze dat ook wel gedaan. Misschien hebben de autoriteiten haar de hele tijd gevolgd. In elk geval denk ik dat ze haar te pakken hebben gekregen. En zoals je weet kunnen ze haar op grond van de Patriot Act langere tijd vasthouden zonder haar familie op de hoogte te stellen. Of iemand anders.'

'Waar denk je dat ze nu is?'

Ik haalde mijn schouders op. 'Aan boord van een geheime CIA-vlucht?'

'Wie zit er volgens jou achter?'

'Een van jouw ouwe vriendjes?'

'Ik heb zoveel ouwe vriendjes,' snauwde hij.

'Ja,' zei ik. 'En sommige hebben meer te verbergen dan andere.'

'Laat me dan zien wat je weet.'

'Dat zal ik doen, maar niet voordat je antwoord op een paar vragen hebt gegeven.'

Hij vouwde zijn handen en boog het hoofd. Daardoor kwam mijn wrede kant naar boven. 'Ik wil graag dat je uitlegt hoe je jouw daden rechtvaardigt.'

'Zeg, is dit soms het Internationale Gerechtshof?'

'Ik wil weten waarom je hebt gezwegen,' zei ik. 'Terwijl je het wist.'

'Jij denkt dat je met woorden alles voor elkaar kunt krijgen? Jullie journalisten begrijpen er niks van. Wat er achter de schermen gebeurt, daar gaat het om. Je moet dingen in stilte voor elkaar krijgen, anders gebeurt er niks.'

'En dat zegt de lieveling van CNN? Wat een grap.'

'Jij zou als geen ander moeten weten dat je nooit ofte nimmer moet geloven wat mensen op CNN zeggen.'

'Heb jij met je drukke werkzaamheden ooit tijd gevonden om dat tegen je dochter te zeggen?'

'Goeie god! Weet je dan niet dat ik álles heb gedaan...' Maar nu brak zijn stem. Ik hield me in, vol schaamte over mijn giftige woorden.

'Ik zal het erop wagen,' zei ik. Ik ging terug naar mijn werkkamer en kwam terug met de andere dossiers. Het leven en sterven van Dutch Harding. De volledige werken van Stephen Svabo. De schitterende carrière van Manfred Berger.

Hij bekeek alles zwijgend. Toen hij de papieren had teruggedaan in de map, keek hij me onderzoekend aan.

'Nou,' zei hij. 'En wat doen we nu?'

'Jij mag het zeggen,' antwoordde ik. 'Je weet dat dit niet echt mijn terrein is. Ik schrijf alleen over moeders en kinderen, weet je nog? Dus zeg maar gerust dat het me boven de pet gaat.'

'Het gaat je boven de pet,' zei hij. 'Maar je wordt wel warm.'

'Wat bedoel je daarmee?'

'Je moet teruggaan,' zei hij. 'Naar Turkije bedoel ik. Je moet erachter zien te komen wat hij van plan is. Wat wij van hem niet mogen weten. Dat is het eerste wat je moet zien uit te zoeken.'

'En dan?'

'Je moet hem bang maken. Je moet zorgen dat hij zijn ware gezicht laat zien. En als je dat hebt gedaan...'

'Als ik dan nog in leven ben...'

'Als je hem op heterdaad hebt betrapt, schrijf je alles op.'

'Ik dacht dat je met woorden niks kon bereiken.'

'Jawel hoor, als je ze maar geheim houdt.'

'Hoe kan ik in godsnaam iets voor de pers schrijven en het geheim houden?'

'Wie had het over de pers? Nee, wat jij moet doen is het vertrouwelijk houden. Voor de insiders. Je moet hun vertrouwen zien te winnen. Het verhaal voor ze tot leven brengen. Je moet zorgen dat ze er helemaal in komen. Dat ze er verdriet om hebben. Dat ze huilen om hun land! Maar laat ze nooit vergeten dat als ze je echt slecht behandelen je gewoon met je verhaal ergens anders naartoe gaat.'

Hij pakte zijn portemonnee, haalde er een kaartje uit en legde dat zorgvuldig voor me op tafel neer zodat ik het kon lezen zonder het aan te raken:

Mary Ann Widener *center for democratic change* MAWidener@cdc.org

'Het Center for Democratic Change?' vroeg ik.

'Exact.'

'Nooit van gehoord,' zei ik.

Hij grijnst. 'Dat verbaast me niks.'

'Waar zitten ze?'

'Als ze zouden willen dat je dat wist, dan hadden ze het wel op dat kaartje gezet,' zei William.

'Maar als ik nu eens Washington zeg, laten we zeggen aan de Beltway...'

'Dan zit je er niet ver naast.'

'Goed,' zei ik. Ik pakte het kaartje. 'Vertel me eens iets over die Mary Ann Widener.'

'Je hebt op de campus een kamer gedeeld met haar oudere zus, in je tweede jaar. Kelsey Widener. Zegt die naam jou iets? Je zou een of twee keer bij haar thuis zijn geweest. Mary Ann herinnert zich dat nog heel goed. Jij ook, denk ik. Mooi zo. Het is altijd goed als er iets van een persoonlijke connectie is.'

'Dus je wilt dat ik haar schrijf?' vroeg ik.

'Vertel haar alles wat je weet.'

'Waarom?'

'Ze is eerlijk. En principieel. Ze wil je echt helpen.'

'In hoeverre kan ik haar vertrouwen?' vroeg ik.

'Volledig,' antwoordde hij. 'Maar voor haar vrienden steek ik mijn hand niet in het vuur.'

Ik ook niet, Mary Ann. Maar jou heb ik altijd vertrouwd. Ik heb nooit echt goed uit mijn hoofd kunnen zetten dat mijn brieven aan jou niet zo privé waren als ik graag had gewild, maar toch heb ik zo openhartig mogelijk geschreven, voor zover de omstandigheden dat toelieten. Als er gaten in mijn verhaal zitten, heb ik die duidelijk aangegeven. Maar ik zou niemand beschermen door nu verwarring te zaaien. Want ik heb naar het pijpen van mijn meester gedanst en nu is het liedje uit.

Terwijl ik dit opschrijf, hoor ik hem op zijn sloffen door de gang lopen. Dat is zo vreemd. Moet ik niet beven van angst? Maar ik heb me nog nooit rustiger gevoeld. Terwijl hij over het balkon loopt en zijn koffiemok tegen zijn borst houdt, en de wind zijn vreemde, sluike haar naar achteren blaast, zie ik dat hij net zo gekweld is als ik. Waar hij ook gaat, wie hij ook wordt, welke rijkdommen en geheime roem hij ook zal vergaren, dit is de plek die hij in zijn dromen bezoekt. Nu ligt die weer voor hem. Kan het zijn dat hij nog steeds slaapt?

Laat hem maar. Er zijn nog dingen die moeten worden uitgelegd.

Omdat er geen rechtvaardigheid in de wereld is, gaat het verhaal van de afgelopen vier jaar als volgt:

48

Minder dan twee weken nadat Jeannie het nut van zwijgen was gaan inzien, boorden de twee gekaapte vliegtuigen zich in het World Trade Center. Nadat haar vader was bekomen van de verbijstering en de schrik, volgde schaamte. Hij had het moeten zien aankomen. Hij had moeten waarschuwen. Hij begreep dit deel van deze wereld. Het was zijn plicht om dingen uit te leggen, nu meer dan ooit tevoren. En dus bood hij zijn diensten aan. Niet voor geld, niet voor de eer. Alleen maar om iets goeds te doen. Maar niemand in Washington hapte toe (zoals hij had kunnen voorzien).

In de loop van september, toen de *war on terror* van Bush aan kracht won en de wijsneuzen die nog nooit buiten Washington en Londen waren geweest zich in krachtige en radicale termen uitlieten over het Oosten, het Westen en het gevaar van de islam, bepleitte hij zijn zaak steeds nadrukkelijker, zonder enig succes. Hij kwam uit de verkeerde richting, hij stond aan de verkeerde kant van de scheidslijn. Wat hij zei werd niet begrepen, omdat niemand, of bijna niemand, het wilde begrijpen.

Toen kreeg hij toch nog een kans. Begin oktober nodigde Haluk hem uit voor een uitzending van Radio Verlichting over de strijd tegen terreur, de crisis bij de veiligheidsdiensten en wat William Wakefield zelf 'de parallelle crisis in de Witte Huis-stupiditeit' noemde. Hij sprak goed, in het Turks, en het duurde niet lang voordat zijn bijtende, veroordelende, maar vreemd genoeg opgewekte verslagen een belangrijk onderdeel van het programma werden.

In november van dat jaar, toen een politieke crisis een paniekgolf veroorzaakte die tot gevolg had dat de waarde van de Turkse munteenheid binnen een dag werd gehalveerd, deed hij een programma voor de BBC World Service; kort daarna praatte hij via ISDN-verbindingen met radiostations over de hele wereld als er in Turkije weer eens een bom of een aardbeving of een schandaal was waar de wereld zich over opwond dan wel voor interesseerde.

In november 2002, toen het electoraat, moe van de corruptie, het grootste deel van het politieke establishment naar huis stuurde en koos voor de pro-Europese islamitische AK-partij, verscheen William Wakefield voor het eerst op CNN.

Zijn laatste optreden was tijdens de nasleep van de vier bommen die het jaar daarna het centrum van de stad verwoestten en die in verband werden gebracht met Al Qaida. Door zijn heftige stelling dat de wereld gevaarlijker was geworden sinds Bush probeerde de veiligheid te verbeteren, verspeelde hij zijn krediet bij CNN, maar werd hij elders juist populair. Hoe meer de media van zijn diensten gebruikmaakten, hoe feller hij werd en hoe meer nieuwswaarde hij kreeg.

Toen hij op de Turkse televisiezenders werd gevraagd om over zijn eigen land te spreken, deed hij dat met opgewekte onbeschoftheid, alsof hij er trots op was om onbeschoft te zijn. Als iemand hem daarvoor ter verantwoording riep, zei hij: 'Dat is mijn manier om van mijn patriottisme blijk te geven.'

Op de Amerikaanse, Australische en Europese televisiezenders sprak hij heel weloverwogen over Turkije, zelfs als hij zich ergerde aan de vragen. 'Je moet altijd de gelegenheid aangrijpen om geschiedenisles te geven,' zei hij. 'Zelfs al schrijf je in het zand.' Hij wilde 'dit land' aan 'die mensen' verklaren, ook al was het het laatste wat hij deed. 'Zet dat maar op mijn graf,' zei hij dan. Dat zou ik doen, als het kon.

Tussen september 2001 en april 2005 maakte Sinan een opzichzelfstaande documentaire en twee televisieseries. Ze waren duidelijk politiek getint (omdat William Wakefield zijn vuur had opgestookt of omdat Sinan ook door de tijdgeest was aangestoken?) en ze bezorgden hem een plaats op het wereldtoneel. Hij werd nu volledig door Europa gefinancierd – hij kon niet meer rekenen op de culturele stichting van Haluk – en het budget was door de monetaire crisis flink beknot. Daardoor werden er in de pers vragen gesteld over de financiers van zijn werk. Bij gebrek aan namen werden die 'vijanden van Turkije' genoemd.

Hij weigerde zich te laten intimideren.

De eerste serie in die periode heette *Turkey: an Interim Report.* Het begon met de gedwongen verplaatsing van een aantal Koerdische dorpen die plaats moesten maken voor een dam; daarna werd een beeld geschetst van corrupte projectontwikkelaars in Antalya en de keerzijde van de humanitaire hulp aan de slachtoffers van de aardbeving. In het laatste deel, over de hongerstakers die destijds in groten getale in de gevangenissen stierven, werd niet alleen kritiek geleverd op de autoriteiten, maar ook op de stalinistische groepen waar ze deel van uitmaakten. Dat weerhield een toonaangevende columnist er niet van om hem te beschuldigen van belediging van de staat, iets waar gevangenisstraf op staat.

In *Torture without Marks* liet hij de paradox van militant links dus voor wat die was en concentreerde zich op het door de staat gebruikte geweld. Hij gaf de mensen zelf het woord, filmde ze in hun huis, in hun al dan niet geslaagde pogingen om terug te keren tot het gewone leven. Sommigen woonden in Hisar Üstü, in de heuvels vlak boven het huis van mijn ouders. In zijn tweede serie, die hij filmde van 2001 tot 2003, kwamen dezelfde gezinnen voor. *The War* werd per toeval een serie. Oorspronkelijk was het zijn bedoeling om de 'strijd' weer te geven tussen de Alevimoslims aan de ene kant van Hisar Üstü en de Soennieten aan de andere kant. De Alevi-vrouwen droegen geen hoofddoeken, maar hun Soennitische buren wel; als de Alevi een politiek statement wilden maken, liepen ze blootshoofd door de Soennitische buurt.

Op 11 september 2001 zat hij toevallig in een koffiehuis tussen die twee buurten in toen hij op de televisie die daar aan de muur hing een wolkenkrabber zag instorten. Hij had de tegenwoordigheid van geest om de commotie te filmen die daarna ontstond. Hij keerde terug in de aanloop naar de oorlog in Afghanistan, tijdens de invasie in Irak in het voorjaar van 2003, en de nasleep van de bomaanslagen in Istanbul in november van dat jaar, die in verband werden gebracht met Al Qaida. Die aanslagen dreigen bij elke nieuwe terroristische gruweldaad van de lijst te verdwijnen, dus daarom moet ik je er misschien aan herinneren dat er toen vier grote zelfmoordaanslagen werden gepleegd op twee synagoges, het Britse consulaat en het hoofdkwartier van de HSBC. Niet alle reacties op die gebeurtenissen waren weldoordacht of gematigd, maar er waren er geen twee gelijk: je kon nooit voorspellen wie wat ging zeggen, of hoe hun ideeën zouden kunnen veranderen.

De film deed het in Europa heel goed en in de VS was het een sensatie, misschien omdat hij precies op het juiste moment kwam, en omdat hij moslims in alle soorten en maten liet zien en daardoor de dwingende oost-westretoriek doorbrak. Toen Sinan nog aan het laatste deel van de serie werkte, werden de eerste drie al op allerlei universiteiten in het hele land vertoond.

In januari 2005 belde een agent uit New York die voorstelde dat Sinan met de film op toernee zou gaan. Hij nam het vliegtuig om hem daar persoonlijk van te overtuigen en stak uitgebreid de loftrompet over hem. Steeds als Sinan iets zei over een gebeurtenis uit het verleden, zei de agent: 'Goh, daar zou je een film over moeten maken.' Had hij Sinan op het idee gebracht? Of had William Wakefield dat al eerder gedaan?

Kort na het bezoek van de agent begon Sinan met het project dat zijn ondergang zou worden.

Hij verkocht het zo: de wereld was veranderd en de veronderstelde vijand was ook veranderd: we hoefden niet meer bang te zijn voor het communisme, we moesten bang zijn voor de islam. Maar er was ook iets positiefs te melden. Nu het communisme geen bedreiging meer vormde, konden we in elk geval vrijuit praten over wat we uit naam van de Vrije Wereld allemaal hadden doorstaan. Zodat we konden inzien hoe vreemd dat hoofdstukje uit de geschiedenis was geweest.

Maar het vreemdste was nog wel dat de wereld ondanks alle veranderingen die we hadden meegemaakt steeds meer begon te lijken op de wereld van 1970. De oorlog in Irak, het verzet tegen de oorlog. De opstanden. De bommen. De anti-Amerikaanse sentimenten, de terroristen en de strijd tegen de terroristen. De *ismes*. De gruweldaden. De onzichtbare dreiging. De paranoia. De spionnen. Die maar al te vaak dezelfden waren.

Hij voltooide *My Cold War* in de winter van 2005. Het volgende voorjaar ging hij ermee naar de filmfestivals, en won hij een paar eervolle vermeldingen en een kleine prijs. Op 6 juli 2005 deed hij een screening in de Frontline Club in Londen. Onder het publiek bevond zich Jordan Frick.

Toen er na afloop vragen gesteld konden worden, hield Jordan zich stil. Sinan herkende hem niet of wilde hem niet herkennen.

Datzelfde gebeurde, of gebeurde dus niet, aan boord van het vliegtuig dat ze de volgende ochtend allebei namen.

49

In de jaren negentig, toen Chloe tijdelijk zonder werk zat, volgde ze een of andere culinaire cursus. Ze was een avontuurlijke kok die graag de aandacht trok, hoewel ze nooit iets scheen te kunnen maken zonder te zeggen dat het er verschrikkelijk uitzag. Die rol kwam haar goed van pas toen ze bij een kookprogramma werd gehaald dat een van Haluks bedrijven voor de televisie ontwikkelde. De chef-kok was het met juwelen behangen lid van de beau monde dat in de villa naast haar woonde. Chloe speelde haar dommige Amerikaanse koksmaatje. Hoewel Chloe vloeiend Turks sprak, maakte ze nog steeds wat Suna 'typisch Amerikaanse fouten' noemde, wat scheen bij te dragen aan haar komische charme.

Op 7 juli 2005, op de tweede verjaardag van hun samenwerking, haalden Chloe en haar buurvrouw het hek weg tussen hun beider fantastische tuin met verbluffend uitzicht op de Bosporus en nodigden al hun vrienden uit voor een tuinfeest. Mijn ouders waren ook uitgenodigd; ze herinneren zich nog dat Sinan arriveerde, met zijn koffers, want hij kwam rechtstreeks van het vliegveld. Hij was heel vriendelijk, maar het was alsof hij ergens mee zat.

Mijn moeder weet nog dat zijn blik het eerst naar Amy Cabot ging, die er in haar rood-witte cocktailjurkje heel gebruind uitzag. Naast haar aan tafel zaten Hector en Jeannies vader, die met een trotse, bezitterige glimlach naar haar keken. Daarnaast mijn moeder, wier glimlach hij niet goed kon peilen.

Hij lachte terug. Misschien een beetje te snel. 'Hebben jullie Jeannie en Emre gezien?'

'In het zwembad,' zei mijn moeder.

'Het zwembad?'

Ze gebaarde naar de tuin van de societykok.

Hij liep erheen. Voelde hij mijn moeders ogen in zijn rug? Toen hij langs een groepje ongedurige tieners kwam, bleef hij staan.

Kwam dat door iets wat ze zeiden? Hun ouders, die bij elkaar onder de volgende boom zaten, hadden allemaal een zomerhuis in hetzelfde complex in Bodrum als Chloe en de societykok. Een van hen was de architect die het complex had ontworpen. De anderen waren arts, ingenieur, projectontwikkelaar, of deden iets bij de televisie.

Hij knikte naar hen en liep toen door. Maar bleef opnieuw staan. Ja, er was iets mis. Aan de overkant van het grasveld zat de Spaanse consul te praten met de Britse consul, die zich nu omdraaide naar de man van Procter and Gamble. Daarnaast zat een Turkse kunstenaar met haar Duitse echtgenoot, en een natuurkundige wiens opleiding onderbroken was geweest door een verblijf in een politieke gevangenis. Nu was hij rector van een van de nieuwe particuliere universiteiten.

Suna zat onder een boom. Er zaten twee journalisten bij haar. Ze knikten minachtend in de richting van een andere voormalige 'kameraad' die zich nog net op tijd had bekeerd en nu leiding gaf aan de wapenhandel van zijn familie. Al die voorgeschiedenissen! Al die rancunes en tegenstrijdigheden! Zulke dingen vielen hem op als hij uit een vliegtuig stapte. Het hing in de lucht. De dreiging achter de gemaakte glimlachjes. Wat Suna de 'kunst van de beschaafde terreur' noemde.

Zijn blik ging verder, naar het terras van de kok. Daar stond Chloe met iemand te praten, een buitenlander. Hij droeg een zonnebril, maar hij had iets bekends. Wie was dat? En waarom keek Chloe steeds achterom? Misschien was ze nerveus door de geruchten die iedereen, ook Sinan, die dag in de krant had gelezen. Een insinuerend stuk in een roddelblad dat eigendom was van een familielid van İsmet en waarin werd gesuggereerd dat er in Chloe's kliniek geld werd witgewassen voor een oude vriend (het was duidelijk dat daarmee Haluk werd bedoeld) in ruil voor 'diensten'. Dat was niet waar, maar er stonden details in over Chloe's vroegere relatie met Haluk die alleen afkomstig konden zijn van iemand die haar in de jaren zeventig goed had gekend.

Sinans ogen bleven dwalen, tot hij zijn vrouw en kind vond. Daar was Jeannie, naast het zwembad van Chloe's buurvrouw. En daar was Emre, lachend en spetterend. Hij keek op naar een man die gehurkt aan de waterkant zat. Hij droeg een zonnebril en hoewel Sinan alleen zijn profiel zag, herkende hij hem. Zelfs na al die jaren.

Het eerste wat in hem opwelde was woede, iets waarover hij later eindeloos zou blijven piekeren. Waarom nu? Waarom hier? Waarom nam hij dit enorme risico?

De man draaide zich naar hem om. Wilde hij naar het gazon kijken? Zijn oude kameraad verwelkomen? Hem berispen omdat hij zich verbaasd toonde? Hem tot stilte manen? Sinan zag dat hij nog meer chirurgische ingrepen had laten doen. Zijn neus was langer en scherper. Bijna mediterraan. Maar toch weer niet mediterraan genoeg.

Toen Sinan over het gras liep, bestudeerde hij de rug van zijn vrouw. Hij kon altijd aan haar schouders haar stemming aflezen. Aan haar schouders kon hij zien of ze al met elkaar gesproken hadden, of hij te laat was. Maar toen voelde hij een hand op zijn arm. Het was een oude klasgenoot van hem, die hem wilde voorstellen aan een archeoloog die hier op bezoek was. Daarna hield een oude vriend van zijn moeder hem staande. En toen hij weer naar het zwembad keek, zag hij alleen nog zijn vrouw en zijn zoon. Zijn oude kameraad was weg.

Of stond hij aan de andere kant van het heuveltje? Sinan versnelde zijn pas en liep langs de zus van de societykok. Maar ook zij pakte hem bij zijn arm en hield hem een tijdje aan de praat. Daarna was het Chloe zelf die hem staande hield.

'Eindelijk! We dachten al dat je niet meer zou komen! Heeft iemand al een drankje voor je gehaald? Moet je horen, ik heb hier een verrassing uit het verleden voor je. Ik herkende hem pas na twintig minuten, ik ben benieuwd hoe lang jij erover doet.'

'Ik ken jou wel,' zei Sinan. Hij stak zijn hand uit. 'Of vergis ik me? Ben jij niet Jordan Frick?'

Wat dacht William Wakefield toen hij Jordan aan zag komen? Hij liet in elk geval niets merken. Hij speelde het welkomstcomité, schoof stoelen bij, stelde mensen aan elkaar voor, haalde drankjes.

Daarna volgden de gebruikelijke uitwisselingen. William had

iets van Jordan gelezen in de *Observer*, en Jordan had William op de World Service gehoord. 'Wat staat er nu op het programma?' vroeg William. Jordan leunde achterover in zijn stoel, sloeg zijn armen over elkaar en vertelde dat hij een boek aan het schrijven was.

'Een boek. Interessant! Weer zo'n onverschrokken exposé?'

'Jij mag hopen van niet,' zei Jordan.

'En waarom dan wel niet?'

'Omdat jij er ook in voorkomt.'

Een klaterend lachje. Jordan keek naar Sinan.

'Ik heb je film gezien.'

Sinan glimlachte en wachtte op het oordeel.

'Interessant verhaal.'

Sinan bedankte hem. Maar Jordan was nog niet klaar. 'Weet je wat ik raar vind?' vroeg hij.

'Nee. Geen idee. Maar voor de draad ermee.'

'Oké. Laat ik het zo formuleren. Je cirkelt als een havik om je onderwerp heen. Maar wat je nooit doet...'

Hij zweeg, misschien in de hoop dat Sinan iets zou zeggen. Waarom zou hij het hem gemakkelijk maken? Jordan probeerde het nog eens. 'Elke film heeft een gat... de belangrijkste persoon is afwezig.'

'Wat wil je daar precies mee zeggen?' vroeg Sinan.

Jordan keek hem recht in de ogen en zei: 'Volgens mij weet je dat wel.'

'Ik wil het graag van jou horen,' zei Sinan.'

'Ik heb genoeg van insinuaties. Ik wil rechtstreekse antwoorden op rechtstreekse vragen.'

'Wat was die vraag dan?' vroeg Sinan.

'Wie heeft Dutch Harding vermoord?'

'Is dat alles wat je wilt weten? Je stelt me teleur!' Sinan vreesde dat zijn stem zou stokken of zijn lippen zouden trillen, en hij probeerde superieur te lachen. 'Je jaagt al jaren achter ongefundeerde geruchten aan, heb je je nu nooit eens afgevraagd of...'

'Ja, dat heb ik zeker. Natuurlijk. Maar wat ik niet begrijp is waarom jij hem na al die jaren nog steeds in bescherming neemt.'

Dat is in elk geval wat mijn eigen moeder hem meent te hebben horen zeggen. Mijn moeder moet je niet onderschatten. Zij kan zich niet alleen herinneren wat mensen dertig jaar geleden op een feestje hebben gezegd, maar ook wat ze aan hadden en hoeveel ze dronken.

Ze herinnert zich de stilte die aan tafel viel na Jordans 'verholen dreigement'. Toen kwam mijn vader door de glazen deur binnen. Hij zag iets bekends aan Jordan, maar herkende hem niet echt, dus hij begon het gesprek van voren af aan. Ze waren nog niet helemaal klaar met het uitwisselen van beleefdheden toen Suna binnenkwam. Haar ogen schoten vuur! Maar toen Jordan bij wijze van groet tegen haar lachte, lachte ze ostentatief terug. Wat de achterdocht van mijn moeder wekte. Of, zoals zij het zelf noemde, wat haar intrigeerde.

'Logisch dat ik me van alles ging afvragen. Hadden die twee iets met elkaar gehad? Wanneer, waarom, waar, wie, hoe? Sorry, M. Je kent me toch. Misschien ben ik wel degene die journaliste had moeten worden. Want weet je? Ik wist dat er meer aan de hand was. Vooral toen ik naar Jeannie keek. Ze stond naast het zwembad en ik zag aan de manier waarop ze haar armen over elkaar geslagen hield dat er iets heel erg mis was.'

> Ik stond naast het zwembad naar Emre te kijken (schreef Jeannie op de laatste bladzijden van haar brief). Hij trappelde met zijn mollige beentjes. Er kwam een druppel water in zijn oog. Hij knipperde van schrik. Toen begon hij te lachen en hij keek omhoog. Heel ver omhoog, alsof hij de zon wilde bedanken.
>
> Maar die besloot net op dat moment te verdwijnen achter de heuvel. Terwijl de schaduw over zijn gezichtje viel, zag ik zijn lach verdwijnen. Toen ik opkeek, zag ik hem. Een man. Een vreemde. Een samengesteld beeld. Zijn pikzwarte haar paste niet bij zijn bleke huid. Zijn vierkante kaak paste niet bij zijn smalle, puntige neus. Hij had een donkere zonnebril op, waardoor ik zijn ogen niet kon zien.
>
> 'Is dat je zoon?' vroeg hij. Hij had een vaag Duits accent. Ook dat vond ik vreemd. Ik kon die stem niet

plaatsen, maar hij deed me wel iets. Hij trapte een deur in. Toen hij zich vooroverboog naar Emre en naar hem lachte, werd ik overspoeld door wat ik alleen maar een verschrikkelijk voorgevoel kan noemen. Ik kreeg de aandrang om Emre op te pakken en weg te rennen. Maar zoals gewoonlijk zag ik het gevaar op de verkeerde plaats. Deze man gooide Emre alleen maar zijn bal toe.

Er stak een heel licht briesje op. Dat greep ik aan als excuus. Toen ik Emre in het enorme badlaken had gewikkeld, was zijn vriend verdwenen. Ik draaide me om en wilde met Emre teruglopen naar het huis. En toen zag ik dat ik gelijk had gehad.

Ik herkende hem meteen.

Dat beschouw ik als het moment waarop mijn geluk eindigde.

Haar vader wenkte haar. 'Jullie kennen elkaar toch nog wel?' Ze glimlachte met moeite. Jordan ook? Wat dééd hij hier? Waarom kon hij haar niet gewoon met rust laten? Had ze niet genoeg geleden? Of zou hij het pas opgeven als ze net zo eenzaam en van liefde verstoken was als zij?

Jordan verbrak de stilte. 'Nou, wat zullen we doen? Gaan we praten of niet?' Aller ogen richtten zich op Sinan, wiens gezicht zo strak stond als een masker. Toen hij opstond uit zijn stoel, wenkte hij Jeannie.

'Waar hadden jullie het over?' vroeg ze toen ze in hun taxi stapten.

'Dutch Harding.'

'Dutch Harding? Waarom?'

'Laat maar.'

Ze probeerde zich te herinneren hoe lang het geleden was dat ze voor het laatst aan Dutch Harding had gedacht. Ze kon zich nauwelijks herinneren hoe hij eruit had gezien. Later die avond, toen ze Emre naar bed hadden gebracht, zei ze iets van die strekking tegen Sinan. Hij gaf geen antwoord, maar ze zag aan zijn handen hoe gespannen hij was. Dat zei ze ook. Hij ontkende het kortaf. Toen liep hij de kamer uit.

De volgende dag vroeg Jeannie het aan haar vader. 'Jij schept toch altijd zo op over al je avonturen? Wat weet jij nog over Dutch Harding?'

'Dutch Harding,' herhaalde haar vader. 'Dutch Harding. Hmm. Eens denken. Dat was een communist. Hij was echt lid van de Communistische Partij. Hij had iets met die lerares van jou, Miss Hoe-heet-ze-ook-alweer. O ja, Miss Hersenloze SDS-groupie.'

Dat was alles wat hij over Dutch Harding zei. Ze ging verder over Jordan. Ze vroeg haar vader wat Jordan dat jaar echt voor werk deed.

'In 1970? Eens denken. Wat had ik hem ook alweer gevraagd? Hij moest geloof ik de studenten leren kennen. Maar hij was veel te vol van zichzelf om andere mensen goed te kunnen observeren. En dat is nog steeds niet veranderd. Ik zou hem maar negeren als ik jou was.'

Maar Jordan was die week overal. Als ze met Emre en zijn driewieler naar het terras van het College ging, stond hij daar tegen een muur geleund om de studenten te leren kennen. Hij scheen iedereen te kennen en iedereen wilde hem aan Jeannie voorstellen. Op woensdag was ze minstens twaalf keer aan hem voorgesteld.

Op woensdag was er weer iets anders voorgevallen. Vanuit het niets verscheen er een ploeg mannen die in de tuin van de Pasha's Library ging graven. Ze wilden niet zeggen waarom, en omdat Sinan weg was, belde Jeannie haar vader op. Aanvankelijk scheen hij nogal verontrust, maar hij ging met de mannen praten en zei daarna dat ze zich geen zorgen hoefde te maken, dat het voor het nieuwe rioleringssysteem was dat in de stad werd aangelegd. Toen Jeannie opmerkte dat ze die in dit deel van de stad al een jaar geleden hadden vervangen, zei hij dat de werklieden hadden gezegd dat ze nog wat 'losse eindjes' moesten afwerken. Wat best een leugen zou kunnen zijn, gaf hij toe. Maar omdat ze er toch niets aan konden doen, konden ze maar het beste gewoon afwachten. Toen Jeannie later die dag Sinan opbelde in Parijs, reageerde hij met een lange stilte. 'O, nou ja,' zei hij ten slotte. 'Jammer van onze bomen.'

Dus ging ze maar naar Chloe. Chloe leek absoluut niet van haar stuk gebracht. 'Dat stelt niks voor, wind je maar niet op,' zei ze. Maar ze was wel zo bezorgd dat ze Suna belde, en die was er binnen een uur. De werkmannen waren inmiddels vertrokken, maar ze waren nog niet klaar. Het eerste gat lag nog open en ze waren al begonnen aan het tweede.

Suna keek vanaf een afstandje naar de kuilen, met haar armen over elkaar en haar handen om zich heen geklemd. Ze was heel bleek, maar waar Jeannie nog meer van schrok was haar vastbe-raden vrolijkheid. 'Dat is de vloek van deze stad,' zei ze. 'Ze gra-ven altijd wel weer iets op. En ze zeggen het nooit van tevoren. Waarom nou weer een riolering? En waarom hier? Dat zou in Europa nooit gebeuren.'

Vrijdag was er een feestje in de Kennedy Lodge. Jordan en Jeannie kwamen op de een of andere manier aan dezelfde tafel terecht. Een van zijn onnozele nieuwe vrienden vroeg hem wat hij de rest van de zomer ging doen, wat hij opvatte als uitnodi-ging om iedereen aan tafel over zijn boek te vertellen. Hij begon over het verhaal van Dutch Harding, de vriend die een dubbel-spion bleek te zijn. De legende die treurig en mysterieus aan zijn einde was gekomen. Jeannie wendde hoofdpijn voor en vertrok na de eerste gang.

Ze had Emre achtergelaten bij de hulp, die van plan was geweest om hem meteen naar bed te brengen, dus ze was ver-baasd toen ze hem nog in de tuin hoorde lachen.

Daar zat hij, bij zijn vader op schoot. En naast hem zat İsmet. Deze keer hadden ze geen ruzie. Ze zaten ook niet met elkaar te praten. Meteen toen İsmet haar zag, stond hij op, gaf haar een snelle handdruk en vertrok.

'Wanneer ben je teruggekomen?' vroeg Jeannie aan Sinan. 'Ik dacht dat je tot vrijdag in Venetië bleef.' Hij legde zijn vinger op zijn lippen. Ze luisterden naar İsmets auto die wegreed van de *meydan*. Toen draaide Sinan zich om en lachte uiterst kil naar Jeannie.

Hij ging staan. Hij had Emre nog op zijn arm. 'Laten we dan maar eens naar die gaten kijken.' Het waren er inmiddels drie. 'Nou,' zei hij. 'Dus dat is een riolering.'

'Dat zeggen ze.'

'Wat zeggen ze nog meer?'
'Niks. Het zijn werklui. Ik heb ze nauwelijks gesproken.'
'Wie heb je wel gesproken?'
'Mijn vader. Chloe. Suna.'

Ze noemde Jordan niet, omdat ze die niet echt gesproken had, ook al had ze twee uur met hem aan tafel gezeten. Maar later noemde ze zijn naam wel, toen zij en Sinan samen aan de tafel buiten een salade aten, op maar een paar meter afstand van de gaten, die ze nu niet konden zien omdat het donker was.

Toen ze opbiechtte dat ze verward, maar ook van streek was door 'die scène op Chloe's feestje', en door wat Jordan had gezegd over Dutch Harding, snoof Sinan verachtelijk. 'Hij bluft. Dat snap je hopelijk wel.'

'Hoe kun je dat zo zeker weten?'
'Ik weet het gewoon.'
'Vertel dan.'
'Ja, dat moet ik ook eigenlijk maar wel doen. Ik heb weinig keus. Want voor hetzelfde geld hebben ze het al gevonden en meegenomen voor allerlei testen.'
'Hebben ze wat meegenomen?'
'Het lijk.'
'Van Dutch Harding?'
Geen antwoord.
'Wat is er dan met hem gebeurd?'
'Wat denk je?'
'Je gaat me toch niet vertellen dat jij Dutch Harding hebt vermoord?'

Daarna viel er een lange stilte. Ik vind het erg pijnlijk om me de gedachten voor de geest te halen die toen door mijn hoofd gingen terwijl we daar in het donker zaten, bij die gapende gaten.

Er liepen twee vrouwen over het lager gelegen pad aan het einde van onze tuin. Ze praatten op fluistertoon met elkaar en bleven zo nu en dan staan om op adem te komen. Droegen ze soms iets zwaars? Voor het eerst in drie jaar, voor het eerst sinds ik het geluk vond, dacht ik aan Suna en Lüset op dat pad, met die zware koffer.

Ik dacht aan wat ik op dat pad tegen hen had gezegd.

Mijn grootste angst. Die bewaarheid was geworden.

'Laat me eens raden,' zei Sinan met een harde stem die ik niet van hem kende. 'Je vraagt je af of hoe het mogelijk is dat een jongen zijn mentor die hij vertrouwt om het leven brengt.'

Ik schudde mijn hoofd. Want dat was de enige vraag waar ik het antwoord wel op wist. Hij had het gedaan omdat ik hem ertoe had aangezet. Omdat ik met de beschuldigende vinger had gewezen. Omdat hij mij had geloofd. Het kwam door mij, door mij, door mij.

Zo eindigt de brief die Jeannie op haar computer voor me had achtergelaten. De verwarde, volgekrabbelde bladzijden van haar laatste dagboek zijn daarmee vergelijkbaar. Die beginnen op 16 augustus 2005, de dag na Sinans arrestatie op JFK. Het is een masochistisch meesterwerk, waarin ze gedetailleerd vertelt dat ook dát allemaal door haar toedoen is gebeurd. Ze raakte in paniek terwijl ze rustig had moeten blijven. Ze had zichzelf wijsgemaakt dat de hemel op hen zou neervallen tenzij ze hun spullen pakten en vluchtten. Als ze bleven, zou İsmet de volgende ochtend terugkomen om Sinan te beschuldigen van moord. Als ze bleven, zou İsmet in het holst van de nacht terugkomen om Emre te ontvoeren.

Sinan had geprobeerd om haar tot rede te brengen. Hij had haar ervan proberen te overtuigen dat ze hier moesten blijven, temidden van die gapende gaten. Dat ze rustig moesten blijven. Hun angst moesten verbergen.

Hij had geprobeerd haar duidelijk te maken dat hij verantwoordelijk was voor deze crisis, dat hij die met opzet had uitgelokt. Om de slang uit het donker te lokken, zei hij. Om de waarheid aan het licht te brengen. Maar zij zei dat de waarheid haar niet meer interesseerde. Ze wilde er alleen maar zeker van kunnen zijn dat haar kind in veiligheid was.

'Ik had nooit gedacht dat ik jou ooit nog eens zoiets zou horen zeggen.'

'Nou, ik heb het gezegd en ik neem het niet terug,' zei ze.

Pas toen hij zich liet vermurwen, toen ze naar boven ging om hun koffers te pakken, dacht ze aan haar paspoort. Dat ze nog steeds niet terug had gekregen. Maar ze had zich geen moment afgevraagd wat dat te betekenen had.

Het was haar schuld dat Sinan was gearresteerd. Haar schuld dat ze haar zoon kwijt was. Haar schuld en alleen háár schuld. Wat een ander ook zei.

50

15 oktober 2005

’s Nachts krijgen de duivels het voor het zeggen: ik hoor Emre’s doodsangst als hij door geüniformeerde monsters uit de armen van zijn vader wordt getrokken; ik zie dat hij zijn armpjes uitstrekt, uit alle macht de mouw van zijn vader probeert te grijpen, ik zie zijn ogen, zijn onschuldige, smekende, niet-begrijpende ogen.

Maar ’s ochtends ben ik sterk genoeg om mijn verbeelding een andere kant op te dwingen. Nu is het een geüniformeerde mevrouw met een vriendelijk gezicht die de verhoorkamer binnenkomt om hem mee naar haar huis te nemen. Ze heeft wat speelgoed bij zich. Een paar actiepoppetjes. Een vrachtwagen met een interessante kraan. In haar kantoor staat een nog grotere. Wil Emre even mee om die te zien? Misschien wil hij zijn teddybeer en zijn dekentje ook wel meenemen, want papa gaat heel lang hier met deze meneren praten en als ze klaar zijn, is het allang bedtijd geweest. Heeft hij honger? Wat is zijn lievelingseten? Is hij wel eens bij een Chuckie Cheese geweest? Ik zie voor me dat de vrouw de deur opendoet en dat Emre achter haar aan loopt, met een blij, verwachtingsvol gezicht.

Ik stel me voor wat hij nu – hier is het middernacht maar daar vijf uur ’s middags – aan het doen is. Hij zit op een grote, blauwe bank en kijkt naar Sesamstraat. In een huis in een rustige buitenwijk, met aardige, gewone pleegouders die veel van hem houden. Die nooit vergeten tegen hem te zeggen dat wij ook veel van hem houden. ‘Ze moesten alleen een tijdje weg,’ hoor ik ze zeggen. ‘Maak je geen zorgen. Ze komen je halen zodra het kan.’

En dan de finale. Er wordt op de deur geklopt. Mijn

paspoort! De telefoon gaat. Sinan is vrijgelaten! Excuses in overvloed, het een nog kruiperiger dan het ander. Ik wuif ze allemaal weg en ga aan boord van het vliegtuig. Op JFK ga ik door de douane en daar is Sinan met Emre in zijn armen en dan beginnen we zoals gepland aan onze tournee. Ons vervelende avontuur wordt onderwerp van gesprek: een waarschuwende anekdote over de islamofobie van tegenwoordig.

Maar dan vervaagt het beeld en ben ik terug in deze kamer, zit ik voor dit scherm en lees ik de krankzinnige aanklachten. Tijdens filmopnames in het zuidoosten van Turkije heeft Sinan Sinanoğlu terroristen geholpen en opgestookt. Ze zeggen dat ze namen en adressen op zijn laptop hebben gevonden die hem in verband brengen met mensen van wie bekend is dat ze contacten onderhouden met groeperingen met terroristische sympathieën...

Hij is erin geluisd, volgens mijn vader. Hij weet zeker dat İsmet en consorten de Binnenlandse Veiligheidsdienst hebben getipt. Maar alleen om hun eigen sporen uit te wissen. Nu hoeven we dat alleen nog maar te bewijzen.

Op 16 oktober, de dag nadat ze dit opschreef, werd haar vader doodverklaard en weggehaald uit zijn appartement voordat een familielid hem kon identificeren.

Ze beklaagde zich daar natuurlijk over. Ze ging tekeer. Ze sloeg met haar vuist op tafel. Maar de aardige meneer aan de telefoon, die beweerde dat hij van het consulaat was, kon haar niet helpen, hij kon alleen nog melden dat het lichaam was overgebracht naar Kansas City.

Waarom hadden ze dat godverdomme gedaan? schreeuwde ze. De man schraapte zijn keel en zei: 'Ik heb begrepen dat ze het lichaam hebben overgebracht naar Kansas City op verzoek van zijn echtgenote.'

Zijn echtgenote? De voorkomende meneer die beweerde van het consulaat te zijn, probeerde zijn blunder snel recht te zetten. Het speet hem enorm, het was een verschrikkelijke manier om dat te horen, had hij het maar geweten... Hij gaf Jeannie de naam van de echtgenote van haar vader, Angwo, en vertelde waar hij haar kon bereiken. 'Zij zal u wel vertellen waar hij is begraven.' Misschien wel, als ze tenminste de telefoon opnam.

17 oktober 2005

Ten eerste betwijfel ik of ze echt bestaat. Maar nu ik door schade en schande heb ondervonden hoe terughoudend mijn vader kon zijn, lijkt het me toch mogelijk. Het kan best dat hij was getrouwd zonder het mij te vertellen. Ik vermoed dat die vrouw van hem allang verleden tijd was en dat ze niet op het vliegveld op zijn lichaam stond te wachten.

's Nachts stel ik me voor wat ze met hem gedaan hebben. Als het ochtend wordt, stel ik me voor dat Sinan me voorhoudt dat ik nooit moet geloven wat ik niet met eigen ogen kan zien. Hij weet dat ik weet dat hij onschuldig is. Hij weet dat ik zal wachten. Het is zijn handschrift, dat weet ik zeker, op de kaart die ik elke ochtend herlees, meteen als ik aan zijn bureau ga zitten.

Die kaart werd bezorgd in een envelop die was afgestempeld in Chicago, en omdat er geen afzender op staat, kan ik niet weten wie hem heeft gestuurd, of hoe die persoon aan die kaart is gekomen. Maar het is vrijwel zeker een vriend. Het is een troost te weten dat we zoveel vrienden hebben, het maakt nederig als je bedenkt hoe hard ze voor ons gestreden hebben sinds Sinans benarde positie in de openbaarheid is gekomen.

'We openen deuren,
we sluiten deuren,
we gaan door deuren,
en aan het einde van de enige echte reis
is er geen stad
geen haven;
de trein ontspoort,

de boot zinkt,
het vliegtuig stort neer.
De kaart wordt getekend op ijs.
Maar als ik kon kiezen om deze reis
wel of niet aan te vangen
zou ik het opnieuw doen.'

22 oktober 2005

Ik ben niet alleen. Ik heb mijn vrienden. We gaan elke vrijdag uit. Bijna altijd met z'n vijven: Suna, Chloe, Lüset, Haluk en ik. Altijd de onvermijdelijke grapjes over zijn harem, maar elke week is het moeilijker om hem aan het lachen te krijgen. Het familie-imperium brokkelt af. Deze week is het cultureel fonds opgeheven dat Haluks vader heeft opgericht. Maar toen we gisteravond uitgingen, naar een Bosnische tent in een verbouwde fabriek in Cihangir, begon niemand daarover. Hij ging uit om zijn zorgen te vergeten, net zoals wij allemaal.

Alleen Suna weet van mijn nachtelijke bezoek.

Ik dacht dat het een insluiper was. Daar had ik er al een paar van gehad, maar alleen in de tuin. Dit was voor het eerst dat ik iemand binnen hoorde. Ik had niet geslapen: ik voelde me niet veilig en het bleek dat ik gelijk had.

Ik ging met mijn honkbalknuppel naar beneden en zag dat hij aan zijn bureau in de werkkamer zat en aan zijn mobiel zat te prutsen. Het was, herinner ik me nu, precies dezelfde plek waar hij had gezeten toen ik hem jaren geleden voor het eerst zag.

Hij vertelde me een verhaal. Een verhaal dat zo idioot was dat het me niet lukt om het te herhalen. Hij had ook nog het lef om te suggereren dat het iedereen zou vrijpleiten. Iedereen, behalve de boef die hij noemde. We hoefden alleen maar de handen ineen te slaan en de publiciteit zoeken.

'Dat meen je niet,' zei ik.

'Weg, mijn huis uit,' zei ik.

'Wat ben jij verdomme van plan?' vroeg ik. 'Wat voor idiote organisatie heeft jou hier eigenlijk naartoe gestuurd?'

Toen probeerde hij me om te praten.

We konden samenwerken! Die boef ontmaskeren! Het hele verhaal vertellen, van 1970 tot nu. Dat het die andere vent was geweest – niet Jordan – die naar het Robert College was gegaan om de studenten te leren kennen. Dat hij ze op het verkeerde pad had gebracht, zoals zijn opdracht luidde. Dat hij bijna was ontmaskerd. Niet door mij, maar door Rıfat. Hij was, vertelde Jordan me, de enige van het stel die mijn beschuldigingen serieus nam.

'Je herinnert je Rıfat toch nog wel? O, dat kan niet anders. Die leuke. Die serieuze vent. Die oproerkraaier. Met z'n groene ogen. Geloof je me niet? Vertel me dan maar eens wanneer je hem voor het laatst hebt gezien. Dat was in de garçonnière, toch? Die laatste dag. De dag waarop jij bent weggegaan. Vind je het niet vreemd dat niemand, echt niemand van hen het ooit over hem heeft?'

'Wil je bewijs? Dat heb ik wel.' Helaas bevond zich dat in Londen. Maar de tijd drong. Ik moest hem maar vertrouwen. Want ik had bijna geen tijd meer. Onze boef was opgestoomd in de vaart der volkeren. Hij had een nieuwe missie: het Westen beschermen tegen het Oosten! Maar zoals altijd was onze boef niet wie hij beweerde te zijn. En daarom moest ik Jordan helpen om hem tegen te houden.

'We staan aan dezelfde kant, Jeannie. Snap je dat dan niet?'

Het was uitputtend, al die idiote leugens. Maar hij hield vol en het was vier uur in de ochtend toen hij vroeg of hij op mijn bank mocht 'crashen'. Terwijl ik naar hem keek zoals hij daar op de kussens lag te snurken met zijn mond wagenwijd open, wist ik voor het eerst hoe het voelt als je iemand dood wenst.

's Ochtends maakte ik een ontbijt voor hem. Daarna

pakte hij zijn tas en ging naar het oosten. Wat dat ook moge betekenen. Hij vertrok in de veronderstelling dat we tot overeenstemming waren gekomen. Het leek me gevaarlijk om hem te laten vertrekken met een ander idee.

Toen mijn handen niet meer zo trilden, belde ik Suna.

Ze kwam meteen.

Ik vertelde haar wat Jordan me had verteld, waarna ze heel stil bleef zitten.

Toen stond ze op en zei dat ze in mijn logeerkamer zou bivakkeren. 'Ik wil hier zijn om die vent te spreken als hij nog een keer langskomt.'

Ik kan me nu niet meer herinneren of Suna me op die avond over de website vertelde of pas een paar dagen later. In elk geval zaten we hier naar de brug te kijken, zoals ik nu weer naar de brug zit te kijken. Ze sprak op lichte toon.

We hadden Sinans bestanden doorgeploegd, op zoek naar een aanwijzing, hoe klein ook, waar we iets aan zouden hebben; we speurden internet af naar alles wat we over mijn vader konden vinden. We hadden contact opgenomen met zijn relaties bij CNN en de BBC en de *New York Times*, die ons de e-mails stuurden die ze hadden bewaard. De meeste daarvan gingen over de puinhoop in Irak, maar in sommige werden parallellen getrokken met 1971. De man van de BBC was ook zo hulpvaardig geweest om ons een paar gefilmde interviews te sturen en we besteedden een groot deel van de avond aan het bekijken daarvan. Het zal tegen elf uur zijn geweest toen we met een kop kruidenthee op de veranda gingen zitten.

'Het was wel een erg boeiende man, je vader,' zei Suna heel terloops. 'Je kunt zeggen wat je wilt, maar hij had wel zijn principes. Als je hem nou vergelijkt met die Jordan van je...'

'O, is hij nu ineens mijn Jordan?'

'Als je hem vergelijkt met die Jordan van je, dan zie je meteen hoe treurig het tegenwoordig met principes gesteld is. Aan de ene kant een universeel genie. Aan de andere kant een loopjongen. Een cowboy met een pistool en een vlotte babbel.'

'Wat moet ik nou doen, Suna?'

'Misschien moet je zelf informatie verzamelen. Beschouw het maar als wapenrusting. Hij kan je niet kwetsen met wat je al weet.'

Ze ging er verder niet op door. Een halfuur later, toen we het nota bene over een Mexicaanse film hadden, begon ze over een interessante website die ze toevallig had ontdekt: alles wat je altijd al wilde weten over geheime activiteiten in Chili en Guatemala eind jaren zeventig.

Om een uur of één 's nachts zat ik weer achter de computer om die site op te zoeken.

Hij was niet zo interessant als ze het had doen voorkomen, maar er stonden een paar links op. Via de ene site kwam ik op de andere en uiteindelijk kwam ik terecht op de site van het openbare archief van het Amerikaanse ministerie van Buitenlandse Zaken waar ik de naam van mijn vader intikte.

En las ik over Sergeyev, en zijn gemene geruchten.

26 oktober 2005

Of zijn ze waar? Als ze waar zijn, wat moet ik dan in godsnaam doen? Wat moet ik dan beginnen?

De herinneringen komen steeds weer terug en vragen om herziening.

Die keer dat ik de radiostudio binnenkwam en Suna en mijn vader in een schemerige ruimte aantrof. Suna vol stil verwijt, mijn vader voorovergebogen, met een grimas op zijn gezicht alsof hij pijn had. Ze konden me niet zien en ze wisten niet dat de intercom aan stond. Mijn vader schudde zijn hoofd en zuchtte bedroefd. Op een verslagen toon, die ik nooit eerder van hem had gehoord, zei hij: 'Goed, ik zal het zeggen. Ik heb geen schoon geweten.'

Ik dacht dat Suna hem een of andere spionnenbiecht ontfutselde. Maar misschien was dat niet zo. Misschien ging het hier wel over.

De dingen die mijn vader zei, de laatste keer dat we hem spraken:

'Luister. Ik wil dat je ophoudt met jezelf zo te kwellen. Het was jouw schuld niet. Het was doorgestoken kaart. Een klassiek geval van doorgestoken kaart.'

'Luister. Er is iets wat ik je nooit heb verteld.'

'Luister. Ik weet dat jij me ziet als iemand die in geheimen handelt.'

'Luister. Er zitten heel veel lijken in mijn kast, allemaal oude lijken. Maar ik heb niets te verliezen. Als jij dat wilt, schrijf ik ze allemaal voor je op. Maar wat ik niet voor je kan opschrijven zijn de leugens.'

'Luister nou. Als jij op een dag wilt weten hoe de vork in de steel zit, dan kom je het me gewoon vragen, oké?'

Ik zou het niet kunnen verdragen als Emre dit te weten komt. Hoe kan ik hem dan nog onder ogen komen? Hoe kan ik daar zelfs maar aan denken?

Ik heb M gemaild en gevraagd of ze hierheen kan komen.

Dat is al vier uur geleden, maar ik heb nog niets gehoord.

Vertrouwt ze mij ook niet meer?

Het is al vijf dagen geleden dat Jordan de Grote naar oostelijke streken is vertrokken.

Ik heb nieuwe sloten op de deuren laten zetten.

Mijn telefoon wordt afgeluisterd, dat weet ik bijna zeker. Als ik opneem, hoor ik altijd een klik en daarna een zachte bromtoon. De vloer lijkt elke avond harder te kraken. Ik heb mezelf aangeleerd om me geen voetstappen in te beelden, maar ik was niet voorbereid op wat er vanmorgen gebeurde: toen werd ik wakker van het geluid van een kind dat door de gang rende. O, wat een stomme blijdschap!

Maar het was het zoontje van Handan Hanım, ze had gezegd dat hij boven met Emre's speelgoed mocht spelen terwijl zij de vloer dweilde.

Ik mag de hoop niet opgeven. Ik mag niet toegeven. Als ze zien dat ik bang ben, is het gebeurd.

Toen ik er gisteravond over nadacht werd me één ding duidelijk: ik maak schoon schip en vertel de waarheid in mijn eigen woorden, of ik hou het voor me en neem het risico dat Jordan het tegen ons gebruikt. Wat een impact zou dat hebben. Sinan, de onschuldige die wordt vervolgd, de *cause célèbre*, is getrouwd met zijn zus.

Nee, ik moet het doen.

Wist Suna het, of heeft ze het geraden?

28 oktober 2005

Vanavond heb ik het haar gevraagd, maar ze draaide eromheen.

29 oktober 2005

Vandaag ben ik naar İsmet gegaan.

Zijn kantoor ligt op de vierentwintigste verdieping van de wolkenkrabber die volgens iedereen door de maffia is gebouwd in flagrante strijd met het bestemmingsplan, alleen maar om te bewijzen dat ze dat konden.

Hij begon me uitgebreid te condoleren. En hij betreurde de rechtszaak ten diepste. 'Om eerlijk te zijn,' zei hij, 'kan iedereen in dit hysterische klimaat overkomen wat er met die arme Sinan is gebeurd. Gisteren vroeg ik me nog af of het misschien verstandig was om het bezoek af te zeggen dat ik binnenkort aan de fraaie hoofdstad van uw land zal brengen.

Maar uiteraard laat ik me niet door angst leiden. Nu de kloof tussen oost en west breder wordt, is het van groot belang om alle communicatiekanalen open te houden. Er zijn trouwens urgentere vragen.

Waarom heeft Turkije zijn oude bondgenoot teleurgesteld door te weigeren de handen ineen te slaan en democratie te brengen in Irak? Waarom vergeet Turkije zijn wereldlijke erfgoed? Waarom staat het toe dat het door een stel lachende islamisten wordt geregeerd?

Die mensen doen dan wel alsof ze ons nader tot Europa zullen brengen, maar ik geef je op een briefje dat het niet lang zal duren voordat ze ervoor zullen zorgen dat onze dochters met een hoofddoek over straat moeten. Nee, we kunnen niet werkloos toezien terwijl het gevaar op de loer ligt. Patriot Act of niet, ik laat me niet tegenhouden.'

Hij boog zich naar voren en zei: 'Als ik daar ben, zal ik natuurlijk ook mijn grote bezorgdheid en ongenoegen uiten over de inhumane en naar ik vermoed bovendien illegale en ongrondwettelijke detentie van je echtgenoot. Maar je grootste zorg is op dat moment, uiteraard, je zoon.'

'Alstublieft,' zei ik. 'Ik wil alles doen. Zeg me wat ik moet doen om hem terug te krijgen. Laat me met u mee terug reizen. Laat me zelf met die mensen praten. Als u ze zover kunt krijgen dat ze mij immuniteit verlenen...'

Hij trok zijn wenkbrauwen op. 'Denk je echt dat dat verstandig is? Nee, natuurlijk denk je dat niet. Als je alles in overweging neemt, zul je het met me eens zijn dat bepaalde dingen het daglicht niet kunnen verdragen. Laten we ze overtredingen noemen. Ik denk daar zo over: als ze niet ongedaan gemaakt kunnen worden, moeten ze in elk geval niet bekend raken. Er kan alleen een brug tussen oost en west geslagen worden als we onszelf als zuiver beschouwen. Wat de mensen van zichzelf vinden is belangrijker dan wie ze werkelijk zijn. Dat is altijd mijn overtuiging geweest.'

Ik was uit laffe wanhoop hierheen gegaan, om hem over te halen, om te doen wat nodig was. Maar ik kon me niet inhouden. 'U hebt het mis!' riep ik. 'U bent slecht!'

Steeds als ik terugdenk aan deze ruzie die ik nooit had moeten beginnen zie ik weer een walgelijke belediging tussen de regels door glibberen. Zijn bezorgdheid om Emre, zijn gezondheid en welzijn, zijn 'speciale behoeften'. Impliceerde İsmet dat hij zwakzinnig was? Of, om zijn term te gebruiken, onzuiver?

De plechtige verklaring van zijn onschuld: 'Refererend aan wat ik eerder zei, is het evident dat wat je over mij bent gaan geloven een veel grotere invloed op je gedachten heeft dan wat voor feiten ik ook zou kunnen aandragen. Het meeste van wat je over mij weet, weet je van mensen die mij al jaren als boksbal gebruiken. Als je hen moet geloven, ben ik de oorzaak van alle kwaad in Turkije. Je zou haast denken dat ik al veertig jaar in m'n eentje aan het roer sta van de regering, de economie, de geheime dienst en de maffia.'

De nonchalante manier waarop hij Sinan neerzette: 'Ik heb me natuurlijk altijd verantwoordelijk voor hem gevoeld. Zoals je weet, heb ik hem in het begin op uitdrukkelijk verzoek van zijn vader in de gaten gehouden. Wat ik voortdurend bij hem heb waargenomen is zijn felle woede. Dat die wordt veroorzaakt door onzekerheid over zijn afkomst lijkt me voor zich te spreken, dat ben je vast met me eens. Het is niet zo gemakkelijk om een oosterling te zijn met een westerse opvoeding. Het hoofd is dan nooit in harmonie met het hart. Dat wordt zelfs nog pijnlijker als de oosterling niet eens zeker weet of hij wel echt een oosterling is. Als zijn moeder Grieks is en zijn vader... onbekend.'

Het gemak waarmee hij mijn beledigingen van zich af liet glijden: 'Je zou zulke dingen niet zeggen als je niet wanhopig was. Dat doet me natuurlijk pijn. Ik heb het over je leed. Maar dat heb ik steeds gezegd. Ik heb dat op de eerste dag tegen je vader gezegd. Hij had de deur nooit mogen openzetten. Sinan en jij hadden elkaar nooit mogen ontmoeten. Jullie kind had nooit geboren mogen worden.'

Ik had die asbak nooit naar zijn hoofd moeten gooien.

'Wat hebben jullie met hem gedaan?' schreeuwde ik. 'Wat hebt u voor deal gesloten? Denk maar niet dat u zomaar van me af bent!'

Zijn assistent greep me stevig bij mijn arm en werkte me de deur uit, maar İsmet stak zijn hand op en zei: 'Een goede raad, mevrouw Sinanoğlu. Uw echtgenoot is op dit moment niet in de positie om zelf zijn bondgenoten te kunnen kiezen. Als hij u op dit moment zou kunnen zien...'

'Ik heb het niet over Sinan!' riep ik. 'Ik heb het over mijn vader!'

Aangemoedigd door de nauwelijks zichtbare verbazing in zijn ogen zei ik: 'Ik laat het er niet bij zitten. Ik zal uitzoeken waar ze hem mee naartoe hebben genomen, waar u hem heen hebt gestuurd. Sterker nog: ik ga uitzoeken waarom!'

Wat heb ik gedaan? Wat heb ik gedaan?

Als Sinan en ik elkaar nooit hadden ontmoet, zou ik mijn jaar in het buitenland hebben doorgebracht als een toeriste, zoals ik dat volgens İsmet had moeten doen. Ik zou naar huis zijn teruggegaan met mijn dagboeken barstensvol archeologische opwinding en een ongeschonden Amerikaans hart. Ik zou cum laude zijn afgestudeerd, summa cum laude, en ik zou... curator zijn geworden. Op mijn dertigste zou ik zijn getrouwd... met een andere curator. Inmiddels zouden we twee prachtige kinderen hebben, tieners. Ik zou aan de keukentafel zitten in Evanston of Boston of San Francisco en plannen maken voor een reis naar de stad die me altijd zo levendig was bijgebleven. En ik zou me afvragen of het daar wel veilig genoeg was. Ik zou een voorzichtige brief aan Chloe schrijven, met wie ik al vijfendertig jaar een warme briefwisseling voerde...

Als Emre nooit was geboren... maar dat hoef ik me niet voor te stellen. Als Emre nooit was geboren, dan zou ik net zo verlaten, leeg en verdrietig zijn als nu.

Stel dat hij mijn laatste kans was? Wat zou ik daarmee opgeschoten zijn? Eerst heb ik mezelf vernederd. Toen heb ik die asbak gegooid. Hem van moord beschuldigd. Gezegd dat ik bewijzen zou vinden...

En dat waar zijn assistent bij was. Volgens Suna was dat mijn allergrootste fout. Iemand beledigen is al erg genoeg. Maar iemand gezichtsverlies laten lijden is nog een graadje erger.

Uiteraard greep hij dit met beide handen aan.

'Alstublieft, geen verontschuldigingen. Het is alleen maar natuurlijk. Heel menselijk! Tegenwoordig vergeten we soms hoe sterk het instinct is. Als iemand tegen mijn moeder had gezegd dat ik nooit geboren had mogen worden, had zij hetzelfde gedaan.'

Het laatste wat hij tegen me zei was: *'Hebt u nog iets van Jordan gehoord?'*

Vanavond draaide ik steeds maar in kringetjes rond. Wat heb ik gedaan? Hoe lang hou ik het nog vol in dit niemandsland? Wat moet ik doen? Wat kan ik doen? En dan ineens is het overduidelijk. Ik heb geen andere keus dan 'de baan aannemen'. Als ik Jordans vertrouwen win, de echte wereld leer kennen, probeer te ontdekken hoe het er in werkelijkheid aan toe gaat in plaats van poëtisch te zeveren over hoe het zou moeten, en dan, als hij denkt dat ik uit zijn hand eet, hou ik hem aan zijn belofte. Dan brengt hij me bij Dutch Harding, dood dan wel levend. En hij zal me naar het graf van mijn vader brengen.

Als ik dat kan opbrengen – als ik kan zien wie Jordan

> is en wat hij doet, en het kan navertellen – dan moeten ze wel toegeven. Dan krijgen ze spijt. En dan laten ze Sinan vrij.

Zo eindigt het laatste dagboek van Jeannie Wakefield.

In antwoord op de vraag die je vast wil stellen: het ligt hier naast me, op het balkon van dit prachtige appartement in Bebek, waar zo veel figuren uit ons verhaal hebben gewoond en waar ik Sinan voor het eerst heb ontmoet. Op dit balkon. Tussen mij en mijn duivel in. Wie had dat kunnen denken?

Als ik de volgende stap zet – als ik daar tenminste toe in staat ben – zal ik het betreffende dagboek in de kluis leggen waarover we eerder hebben gesproken.

Maar nu is het tijd om het verhaal af te maken op het punt waar Jeannie noodgedwongen moest stoppen.

51

Ik heb al beschreven hoe ik in deze intrige terecht ben gekomen, soms tegen mijn zin en altijd tegen beter weten in. Ik hoop dat ik duidelijk heb gemaakt dat ik altijd al mijn twijfels heb gehad. De meest voor de hand liggende vraag was: 'Waarom ik? Waarom halen ze hier een journaliste bij die vooral bekend is vanwege haar pionierswerk op het gebied van moeders en kinderen?' Ik zat er meteen al tot over mijn oren in, omsingeld door zwijgzame oorlogscorrespondenten, arrogante sociologen en gepensioneerde spionnen. Al van meet af aan hebben ze me tegen elkaar uitgespeeld. Me verhalen gevoerd in de hoop dat ik ze zou geloven. Misschien ook in de hoop dat ik anderen van het waarheidsgehalte zou kunnen overtuigen?

De eerste keer dat de vraag bij me opkwam, was in de Pasha's Library. Ik bedoel de laatste uren van mijn laatste bezoek daar, de dag na de verdwijning van Jeannie. Toen ik aan Jeannies bureau zat. Toen İsmet beneden de deur zat te bewaken. Misschien heb je je afgevraagd hoe het mogelijk was dat alles me zo makkelijk werd gemaakt: daar op de computer stond Jeannies brief aan mij. In de kast stonden haar dagboeken. En daar, tussen de bladzijden van dat ene dagboek, zaten haarlokjes waarvan ik moest aannemen dat ze van William Wakefield en Sinan waren. En voor het geval ik de noodzakelijke verbanden nog niet mocht hebben gelegd, was daar İsmet zelf, die veelzeggend naar de poster voor *My Cold War* wees, waar Sinans familie door William Wakefield op één foto was verenigd. Ik moest nu naar adem happen en 'Eureka!' roepen. En 'incest!'. Jeannie en Sinan hadden nooit bij elkaar mogen komen omdat ze broer en zus waren. Jeannie was krankzinnig geworden van verdriet nadat ze had gehoord dat haar kind de vrucht van incest was. Jordan was degene die haar te gronde had gericht. De informant. De agent-provocateur. Ze was die ochtend uit de Pasha's Library vertrokken om hem op te sporen. Hem op te blazen desnoods. Hem tegen te houden voordat hij nog meer schade aanrichtte. Hem tegen te houden om haar zoontje te redden. Dat was het verhaal dat İsmet en sommige anderen me wilden laten vertellen, zo leek het. En terwijl ik voor het raam het weidse uitzicht stond te bewonderen, moest ik me afvragen waarom.

Als ze me aanmoedigden in de richting te kijken die zij aanwezen, gebeurde er dan achter me iets waarvan ze hoopten dat een journaliste die bekendheid heeft verworven dankzij haar pionierswerk over moeders en kinderen het over het hoofd zou zien?

Ik kan niet beweren dat ik meteen wist waar ik naar moest zoeken, of waar ik het misschien zou kunnen vinden. Maar ik moet toegeven dat ik opgewonden was door de vijandige reacties op het artikel dat ik drie dagen later had geschreven. Zoveel aandacht krijg je in 'moeder-en-babyland' maar zelden. Ik begrijp nu wel dat die me naar het hoofd was gestegen. En ik was ook doodsbang, dat wil ik best toegeven. Maar mijn ijdelheid speelde wel een rol. Als ik helemaal eerlijk ben, Mary Ann: misschien voelde ik me voor het eerst van mijn leven belangrijk.

Een verhaal had mij uitgekozen. Het trok me vijfendertig jaar terug in de tijd, naar een oord dat alleen ik kon zien. Naar het kasteel op de beboste helling; de Bosporus met zijn eindeloze parade tankers, veerboten en vissersschuiten, de Aziatische oever met zijn paleizen en villa's, de bruine, glooiende heuvels die zich vast wel tot in China moesten uitstrekken, dacht ik. Het gouden reisdoel! Het eerste van vele! Maar nu is de cirkel rond. Er komt iemand achter me aan die mijn sporen uitwist.

Hij heeft ons afgeluisterd, Mary Ann. Hij bestookt me al met zijn anonieme bedreigingen sinds de dag dat jij en ik met onze correspondentie begonnen. Het was al van meet af aan duideljk dat hij alles wat ik met iemand besprak naar anderen doorspeelde. En ja, dat zette me aan tot speculaties. Of liever gezegd, tot die spiraal van gissingen die helder denken onmogelijk maakt.

Ik had moeten weten wat hij zou gaan doen als ik met botte intimidatie niet tot zwijgen werd gebracht. En misschien waren er ogenblikken dat ik het inderdaad voorzag – zijn laatste, verraderlijkste, meest verfijnde actie. Maar als je risico's met woorden neemt, als je helemaal op jezelf bent aangewezen, kun je je niet veroorloven buiten jezelf te treden om te vragen hoe je woorden bij een ander kunnen overkomen. Om in evenwicht te blijven, moet je in het hier-en-nu blijven, je aan de waarheid vasthouden en blind zijn voor de eventuele gevolgen.

Tot gisteravond, toen ik mijn voicemail afluisterde en zijn stem hoorde. Ik doel nu niet op onze kwelgeest, maar op zijn belangrijkste pion. Hoewel ik vijfendertig jaar niets meer van hem had gehoord, vond hij het niet nodig zich bekend te maken. Hij viel meteen met de deur in huis.

Het doet te veel pijn om me zijn letterlijke tekst weer voor de geest te halen, laat staan die te citeren. Ik zal ermee volstaan te zeggen dat onze hele correspondentie hem onder ogen is gekomen. Ik begrijp waarom hij mijn motieven in twijfel trekt – weinig achting voor mijn bronnen heeft – zegt dat ik Jeannies beul en İsmets pion ben – maar nog steeds gloei ik van verontwaardiging om zijn onrechtvaardigheid.

Open je ogen, Sinan! Kijk voor één keer in je leven de boodschapper recht aan. Dit is de laatste keer dat je van me hoort. Ik ben te kwaad voor woorden.

Dus morgen gaat het licht in het theater weer uit. Morgen gaat de bel en komt mijn duivel binnen. Hij denkt dat hij gewonnen heeft. Zal hij me naar haar toe brengen, zoals beloofd? Of zal ik zelf de weg moeten zien te vinden?

Zoveel onbekende factoren. Moeilijk te beslissen wat ik mee moet nemen. Maar er is in elk geval één ding dat ik beter thuis kan laten. Mary Ann, het moment is gekomen om namen te noemen.

Ik heb veel aan onze correspondentie gehad. Ik heb er zelfs zoveel plezier aan beleefd dat het me verdriet doet dat die binnenkort afgelopen zal zijn. Maar als ik helemaal eerlijk ben, Mary Ann, moet ik toegeven dat ik er nog het meeste plezier aan heb beleefd dit geheim achter te houden. Heb je je ooit afgevraagd waarom het ons mogelijk is gemaakt met elkaar te corresponderen? Had je soms al geraden wat ik je nog niet heb verteld?

De afgelopen weken heb ik me gedocumenteerd over het vele

wat je hebt bereikt, vooral in je tegenwoordige positie. Ik heb onderzoek gedaan naar de achtergrond van een paar illustere collega's van je bij het Center for Democratic Change omdat ik wilde weten wie zich voor dit land interesseert. Dat zijn er verschillende, maar de interessantste is een zekere Stephen Svabo. In 1948 geboren uit academisch gevormde ouders die erin geslaagd zijn na de opstand in 1956 naar Princeton, New Jersey, te vluchten. Afgestudeerd aan Columbia én Harvard. Sinds de jaren zeventig actief in de mensenrechtenbeweging en (naar zijn eigen zeggen) een veel geziene bezoeker in Turkse gevangenissen. Verbonden aan een aantal denktanks zoals die van jou, maar niet aan een universiteit. Geen openbaar profiel en geen foto's op Google, maar althans in druk zeer kritisch ten opzichte van de recente beknottingen van de vrijheid in de VS, vooral de manier waarop die tot uiting kwamen bij het proces tegen Sinan Sinanoğlu. Zijn recentste 'verkorte' bibliografie telt zes pagina's.

Op een oudere, minder verkorte lijst staat een inleiding die hij in 1980 voor een bloemlezing van 'tot zwijgen gebrachte stemmen' heeft geschreven. Een van die stemmen was een obscure Oost-Duitse dichter, een zekere Manfred Berger. Die naam ben ik op andere onwaarschijnlijke plaatsen tegengekomen, dus heb ik verdere naspeuringen gedaan. Daarbij heb ik ontdekt dat ene Manfred Berger in Oost-Berlijn in de jaren zeventig en tachtig inderdaad een zekere reputatie heeft verworven en dat hij het na de hereniging niet onaardig heeft gedaan onder zijn 'echte' naam, Dieter Dammer. Na een paar jaar bij de partij van Schroeder heeft hij de politiek de rug toegekeerd, en tegenwoordig werkt hij voor een culturele stichting die veel belangrijke projecten in Oost-Europa en Turkije financiert. In die hoedanigheid heeft hij een aantal delegaties van de EU begeleid die in de afgelopen jaren Turkije hebben bezocht. Hij staat op een aantal groepsfoto's, met een ernstig gezicht. Een man met een neus als een snavel en haar dat langer is dan de gemiddelde bureaucraat het draagt. Niet te verwarren met de Manfred Berger die de laatste jaren in de Amerikaanse pers zo briljant over de crisis bij de inlichtingendiensten in de VS schrijft.

Of de Manfred Berger die zitting heeft in de raad van bestuur van een nieuw Oost-Europees telecommunicatiebedrijf waarvan İsmet Şen een belangrijk investeerder was.

Of de Manfred Berger wiens monografie Sinan in het voorjaar van 1971 in de kamer van Dutch Harding aan Jeannie heeft laten zien.

Dat was natuurlijk een pseudoniem. Een grapje voor de insiders. Een van de vele.

Dutch Harding heeft ook nooit bestaan. In de jaren dat hij aan de universiteit van Columbia zou hebben gestudeerd, stond daar althans niemand met die naam ingeschreven. Maar in het jaarboek van 1968 stond wel een zekere Stephen Svabo. Dat is te zeggen, zijn naam. Geen foto. Geen bewijs.

Tot vandaag.

Vanwaar die bijzondere belangstelling voor Turkije? Wiens belangen dient hij daar? Dat wil hij me vast niet vertellen, maar ik denk dat ik het wel kan raden.

Wat ik nog niet begrijp is waarom Suna toen ik haar gisteravond sprak en haar vertelde wat ik wist, de brutaliteit had te beweren dat —

Nawoord

door Suna Safran

September 2006

Misschien was het een wrede gril van het lot die mijn gewezen vriendin, de onversaagde onderzoekster van allerhande zaken moeder en kind betreffende, ertoe heeft bewogen haar geschiedenis – die ook de mijne is – zonder slot de wereld in te zenden. Wij kunnen slechts gissen naar de reden van het ontbreken van een ordelijke afsluiting, maar dit kan zeer wel een eenvoudige kwestie van ongeduld zijn geweest. Als iemand die bij tijd en wijle met haar heeft samengewerkt, heb ik te mijnen nadele ondervonden dat emotionaliteit een negatief effect heeft op haar vermogen kleine foutjes op te sporen. Het is dus mogelijk dat mijn dierbare, doch feilbare vriendin het verkeerde document heeft uitgezonden. Het bericht dat ik heb ontvangen was gedateerd op 16 maart 2006. Het ging vergezeld van een aantal bijlagen en een onvoltooid briefje:

> 'Lieve Suna,
>
> In de hoop dat wij nog *on speaking terms* zijn, wil ik je vragen...'

We hadden de voorgaande avond – de iden van maart – samen doorgebracht. We mogen dus aannemen dat ze zinspeelde op de onenigheid die wij toen hadden en die ze hoopte bij te leggen.

Wij kunnen derhalve uitgaan van het bestaan van een later document, waarin hier nader op wordt ingegaan. Wellicht zullen we het ooit vinden, op een oude computer, in de inbox van een ambtenaar in Washington, of ergens in de zielloze cyberspace.

Natuurlijk kunnen we ook van sinisterder mogelijkheden uitgaan.

Zo zouden we ons kunnen voorstellen dat de man met het sluike haar die op zijn pantoffels door de gang slofte geen product van de oververhitte fantasie was, maar de snoodaard in eigen persoon.

Of we stellen ons een verraderlijker scenario voor: hij is nog niet ten tonele verschenen, maar zij heeft het gevoel dat ze hem naderbij haalt met ieder woord dat ze schrijft. Ze is zo rustig! Voor het eerst in haar leven laat zij de machtigen sidderen. Ze loopt niet langer weg voor haar angsten. Ze ziet ze onder ogen! Ze heeft zich zojuist in de rijen der rechtvaardigen geschaard! Maar dan gaat de bel. De doodsklok die voor haar luidt. Ze zit opgesloten in haar harnas van bravoure en krijgt het benauwd. De reis van haar stoel naar de voordeur is de langste en hachelijkste die ze ooit heeft moeten maken.

Maar te elfder ure hervindt ze haar stem. Dan volgt het korte, schijnheilige gesprek over de intercom. Zij snelt naar haar bureau en verzendt in allerijl het document, en wellicht kon ze in de haast haar bril niet vinden. Ze tuurt naar het venstertje op haar beeldscherm, en door het wilde bonken van haar hart selecteert ze het bijna voltooide document in plaats van het stuk dat ons de opheldering, de verlichting verschaft waarnaar wij zo smachten.

Later die dag – en wij stellen ons nu voor dat ze zich in een plaatsje in Anatolië bevindt, zo'n dorp dat alleen uit het stof is opgerezen om busreizigers te spijzigen. Dürze misschien, als onze vriendin en haar zelfbenoemde gids hebben verkozen via Ankara naar het oosten te rijden. De dichteres in mij zag deze wolf in gidsenkleren natuurlijk liever op weg naar Izmir, en dus gedwongen over Susurluk te reizen en in dat knooppunt van schandaal en *deep state*-intriges een verversing te gebruiken. Omdat hij een heer is – althans voorgeeft een heer te zijn – is hij uitgestapt om te betalen, en die gelegenheid grijpt mijn vriendin M aan om haar geheime telefoon uit haar zak te halen teneinde de enige vrouw die ze vertrouwt van haar reisroute op de hoogte te stellen en deze trouwe vriendin een indicatie te geven van de mogelijkheden die haar ter verdere communicatie ten dienste zullen staan.

En zo valt het helaas mij, Suna Safran, te beurt het verhaal te voltooien dat ik nooit had willen vertellen. Daarmee bedoel ik niet dat ik het waarheidsgehalte van het bovenstaande bevestig. Dat dient te worden opgevat als de pure, onbevestigde speculatie die het is. Het is slechts mijn intentie het verhaal te voltooien waar M zojuist aan was begonnen toen ze zo ruw werd onderbroken – kortom, een volledig verslag aan te bieden van de woordenwisseling waar ze aan refereerde toen het noodlot toesloeg.

Maar voordat ik daarmee begin, wil ik mijn lezers nadrukkelijk verzekeren dat – hoe vertoornd mijn woorden ook mogen zijn, zowel bij de gelegenheid in kwestie als in sommige, zo niet alle passages van deze tekst – zij en ik nog steeds verbonden zijn door de gouden draad van de vriendschap en dat ook altijd zullen blijven.

Die draad is in ons land van de grootste waarde. Wat onze tekortkomingen ook mogen zijn, welke gemoedsbewegingen ons hart ook doen ontvlammen, onze vrienden houden we in ere. En onze leermeesters. Wellicht ten onrechte, maar altijd van ganser harte, gaat onze dank altijd uit naar onze leermeesters, die ons hun vriendelijkheid hebben betoond en onze geest hebben geopend.

Billie Broome. Zij was een voorbeeld. Waar zou ik nu zijn zonder haar boeken, zonder haar welwillende glimlach?

Dutch Harding – hij was ook haar idool. Voor Sinan, Haluk, Rıfat en vele anderen was hij nog meer. Hij was het woord van God. Het stralende licht dat betekenis gaf aan hun leed.

Het sprak dus vanzelf dat we hem beschermden. Tegen de laster van anderen en tegen onze eigen twijfels. Natuurlijk waren we verontwaardigd – we voelden ons verraden! – toen Jeannie Wakefield op die noodlottige junimiddag in 1971 met haar beschuldigingen naar de garçonnière kwam. Natuurlijk was het voor onze geliefde mentor de eenvoudigste zaak van de wereld ons ervan te overtuigen dat de ware schuldige in ons midden – de informant – de agent-provocateur – niet de man was die onze blik op de buitenwereld had verruimd, maar een afgunstige groenogige leerling die naar de vijand was overgelopen.

Waren we verbaasd dat onze mentor, die studeerkamergeleerde, zo bedreven met vuurwapens was? Waarom had ons dat moeten verbazen? Hij was immers Amerikaan? Alle Amerikanen hadden toch een vuurwapen? En toen we bij de Pasha's Library aankwamen, waren we toen verbaasd dat hij de sleutel bleek te hebben en zelfs wist waar hij een schep kon vinden? Misschien wel, maar we waren ook onder de indruk van zijn diepgaande, grondige kennis van het territorium van de vijand. Ónze vijand. Hebben we hem geholpen de arme Rıfat te begraven, de informant, de verrader, de slang aan onze boezem? Ja, natuurlijk. Wij vreesden voor het leven van onze Dutch Harding. We wisten – we geloofden – dat hij in groot gevaar verkeerde. Dat İsmet achter hem aan zat, en William Wakefield met hem. Dus: ja. We hebben hem geholpen bij zijn ontsnapping. Om zijn sporen uit te wissen zijn we zelfs uit ramen gesprongen.

Wisten we waar hij heen was gegaan? Natuurlijk – we hebben hem zelf geholpen bij het organiseren van zijn vlucht. We werden geholpen door een Russische beambte die ons een goed hart toedroeg en die ongenoemd zal blijven. Wat de rest betreft – ik weiger details weg te laten omdat ze niet in het verhaal zouden passen. Wat Dutch Harding betreft, of wie hij dan ook maar in werkelijkheid is: die is ons niet vergeten. Hij heeft ons ook beschermd. Toen hij veilig en wel in Oost-Berlijn zat, vonden Sinan en Haluk onderdak bij hem. Dankzij de goede zorgen van Dutch Harding konden zij althans tot op zekere hoogte genezen. Nu mijn beeld van hem zo wreed is afgerond, nu we weten dat hij altijd de schaduw achter İsmet is geweest, vraag ik me af of ook het beetje medische zorg dat ik mocht ontvangen nadat ik uit het raam was gesprongen aan hem te danken was. Die zorg was niet de beste die ons arme land te bieden had, maar toch beter dan de behandeling die anderen ten deel viel. Hetzelfde geldt voor de korte tijd die ik in 1981 in de gevangenis doorbracht. Daar werd de roede niet gespaard, maar wij troffen het beter dan de meesten. De engel der duisternis waakte over ons.

In die tijd hadden we geregeld contact. Maar na het begin van de jaren tachtig – nadat we wederom aan de wensen van onze leermeester gehoor hadden gegeven en zijn geheim hadden bewaard door Jeannie met haar gevaarlijke vragen uit ons midden te verbannen – sloeg hij andere wegen in. De Berlijnse Muur was er niet meer. De Koude Oorlog was ten einde. Er vonden grote historische verschuivingen plaats en hij zat daar middenin. Ik ben ervan overtuigd dat hij die eerste jaren na de hereniging goed, heilzaam werk heeft gedaan. Ik sta zelfs open voor de gedachte dat voor Dutch Harding – althans voor de werkelijke persoon achter die valse naam – de val van het IJzeren Gordijn een droom moet zijn geweest. Als hij inderdaad Stephen Svabo was, Hongaar van geboorte, en als hij de opstand van 1956 heeft meegemaakt...

Dat was de strekking van mijn discussie – inmiddels een halfjaar geleden – met mijn weerspannige, maar niettemin dierbare en node gemiste vriendin M op de vooravond van haar verdwijning. Ze had haar bewijzen openbaar zullen maken – en mijn leven vernietigen, mijn dromen, en daarmee ook de geheime, nobele missie die meer dan dertig jaar lang door alle ontberingen en beproevingen heen mijn pad heeft verlicht – en zou dan verder gaan met de volgende kwestie! Geen tijd om op adem te komen, alles te heroverwegen, haar bewijzen in ogenschouw te nemen, mijn herinneringen te ontleden en opnieuw in te richten. Geen consideratie voor mijn gekneusde, gekwetste hart. Zelfs geen gedachte aan haar ouders, wier liefde en vertrouwen ze zo wreed heeft afgewezen, wier onberispelijke leven ze heeft verwoest. Ze dacht alleen aan zichzelf. Ze wilde alleen weten waarom we tegen haar hadden gelogen!

Er waren ogenblikken dat de jaren leken weg te vallen en ik bijna kon geloven dat we weer zeventien waren en de bliksems en banvloeken de wereld in slingerden waarvoor onze schoolkrant destijds al niet veilig was. Hoe tragisch! Geboren te worden in een land dat men niet zijn thuis kan noemen! De schande! Een paspoort te bezitten van een land met een bezoedelde naam! Ieder woord dat M schrijft, is van dit trauma doordrenkt. Natuurlijk moest ze ons – en zichzelf – ervan zien te overtuigen dat Jeannie dit ook zo voelde.

Maar terug naar onze discussie. De discussie die onze laatste zou zijn. We moesten een ware oceaan van beschuldigingen overbruggen – en van tranen, want de tranen vloeiden rijkelijk –

voordat ze bereid was naar rede te luisteren. Maar tegen het einde van onze iden van maart gaf ze eindelijk toe dat we weliswaar misschien het verkeerde hadden gedaan, maar dat we te goeder trouw waren. Dat wij, idealistische studenten die de echte wereld niet kenden, als was waren in de handen van de man die we kenden als Dutch Harding. Ja, uiteindelijk was ze zelfs bereid onze noodlottig hardnekkige loyaliteit te bewonderen. Ze erkende de verschroeiende pijn die ontgoocheling kan brengen. Ze weigerde weliswaar te begrijpen waarom het zo beschamend, zo vernederend was om de verlichting in te worden gesleurd door een journaliste wier beste werk over moeders en baby's ging, maar ik moet toegeven dat mijn koppige, doch warmvoelende vriendin wel aandachtig luisterde naar het lange, volledig eerlijke verslag van de eenzame weg die ik de laatste jaren heb afgelegd, met Sinan als enige vertrouweling. Ik op mijn beurt deed mijn enige concessie aan M: het was verkeerd geweest Jeannie geen deelgenoot van onze besprekingen te maken. Als onze arme, onschuldige Jeannie had geweten dat Dutch Harding nog leefde en zich van eindeloze hoeveelheden aliassen bediende – dan zou ze ons onze blinde vlek hebben getoond. Zij zou hebben begrepen dat niet İsmet, maar de man achter hem onze vijand was.

Als we dat hadden geweten – als we van deze gewetenloze, verraderlijke werkelijkheid op de hoogte waren geweest – zouden we deze man niet tot het uiterste in bescherming hebben genomen. Sterker nog: dan hadden we zijn instructies niet langer opgevolgd. Want ja, Dutch Harding was degene die Sinan had aangeraden het land uit te vluchten voordat de opgravers van İsmet in augustus 2005 het lijk in zijn tuin vonden. En Dutch Harding was degene die later tegen mij, Suna Safran, zei dat Jordan hem op het spoor was en dat Jordan bij Jeannie op bezoek was geweest. En dat Jordan er weliswaar niet in geslaagd was Jeannie te overtuigen dat Dutch Harding nog leefde, maar dat het leven van onze mentor niettemin in gevaar was. Dat de veiligheid van Dutch Harding nu afhing van de vraag of ik Jeannie kon afleiden met andere zaken. En tot mijn schande heb ik gedaan wat hij vroeg. Ik heb mijn lieve Jeannie, die me vertrouwde, de oude, op niets gebaseerde geruchten over incest onder de neus geduwd die haar tot het randje van de waanzin hebben gedreven.

Maar – lieve God – genoeg.

Rest ons nog een vraag. Als het ons doel was onze geliefde mentor te beschermen, waarom sleepten we dan dat oude geheim erbij dat al zo lang veilig begraven lag? Dat had mijn verdoemde, onbevreesde vriendin M althans goed geraden. İsmet was degene die we wilden ontmaskeren. William Wakefield had het balletje aan het rollen gebracht. Daar was hij al direct na zijn terugkeer naar onze stad mee begonnen. Hij was kwaad, natuurlijk! Die incestgeruchten, die hem voor het eerst bereikten op het moment dat zijn kleinzoon ter wereld zou komen – dat was het toppunt, de druppel die de emmer deed overlopen! Hij wilde wraak! En wij waren de werktuigen, niet voor de eerste keer. Hij gaf ons een kleine aanwijzing, en dan stelde hij een vraag. Het resultaat was *My Cold War*. Ik weet zeker dat Jordan ook een dergelijk verhaal te vertellen heeft, als hij ooit terugkomt.

De reis die ons verhaal door het publieke domein heeft gemaakt, is goed gedocumenteerd en haast al te grondig geanalyseerd – maar ik zou deze gelegenheid graag aangrijpen om een paar essentiële punten aan te stippen.

1) Ik, Suna Safran, ben niet de oorspronkelijke verspreidster van dit verhaal. Ik heb alleen het nawoord geschreven dat u nu leest. Het verhaal dat u hebt gelezen, is door M in de vorm van zeven elektronische documenten aan Mary Ann Widener van het *Center for Democratic Change* toegezonden. Pas op de avond van haar verdwijning achtte M het noodzakelijk mij een kopie te doen toekomen. Zoals we reeds hebben gezien, was die kopie mogelijk onvolledig.

2) Mary Ann Widener blijkt werkelijk te bestaan (degenen die meer informatie over haar wensen, verwijs ik naar de website van bovengenoemde denktank, waar op de pagina met haar naam haar werk wordt gedocumenteerd), maar de identiteit van degene die heeft besloten alle zeven delen van M's verhaal op een rivaliserende website te plaatsen, is nog niet achterhaald.

3) Er is echter geen verschil tussen de zeven documenten op die website en de tekst die M mij rechtstreeks heeft toegestuurd.

4) Hoewel het belang van haar verhaal me meteen duidelijk was (ik heb dan ook contact opgenomen met de advocaten die Sinan Sinanoğlu in de vs vertegenwoordigen) had ik toch gehoopt (net als voornoemde advocaten) er oordeelkundig en met mate gebruik van te maken. Dat wil niet zeggen (al werd dat wel beweerd) dat we het wilden censureren. We wilden het juist stapsgewijs openbaarmaken, op zodanige wijze dat het proces er niet nadelig door kon worden beïnvloed en Jeannie, waar ze ook is, niet in gevaar werd gebracht.

5) We zullen nooit zeker weten of het proces van Sinan Sinanoğlu werkelijk werd overschaduwd door de openbaarmaking van die warmbloedige, heftige 'Ware Bekentenis' met alle kenmerken van een goedkope liefdesroman – een mysterieuze, stoere, donkere held met een geheim, een blonde, lelieblanke, belaagde maagd, een liefde, gedoemd ten onder te gaan door de listen en lagen van een gezelschap Koude Oorlogskrijgers, meedogenloze terroristen en kleurrijke, charmante autochtonen met schilderachtige gebruiken en een merkwaardig taaltje. En als klap op de vuurpijl... een mol! Natuurlijk is zo'n lieflijk oriëntaals sprookje niet toelaatbaar als bewijs.

6) Maar het lijdt geen twijfel dat de belangstelling voor het proces door alle publiciteit, en ook door de toegankelijkheid van het verhaal op internet, tot het honderdvoudige is vergroot. Analisten van het vreemde beest dat de Amerikaanse publieke opinie is, verzekeren me dat uiteindelijk het treurigstemmende vonnis de morele verontwaardiging zal aanwakkeren, wat op den duur in het belang zal zijn van degenen die in deze tijden van terrorisme en onredelijkheid nog steeds het vliegtuig durven nemen, ook als ze donker van uiterlijk zijn.

7) Dat Sinan zelf standvastig blijft bij tegenslag, weten we uit de rechtbankverslagen en de artikelen in de betere kranten. Hij mag dan veroordeeld zijn, maar allerwegen gaan verontwaardigde stemmen op. Wat betreft de stemmen in zijn hart toen hij de waarheid over onze trouweloze mentor vernam, daarnaar kunnen we slechts gissen. Zijn fiere houding en zijn heldere blik op de foto die altijd op de televisie verschijnt als zijn naam wordt genoemd, geven aanleiding tot de geruststellende gedachte dat hij

de giftige pijl van waarheid in de kern van M's biecht heeft geaccepteerd, en dat hij misschien zelfs de mogelijkheid onder ogen ziet dat haar bedoelingen weliswaar niet geheel zuiver, maar wel oprecht waren.

8) Maar we hebben ook zijn eigen verklaring: als we zijn woorden negeren, doen we onszelf tekort. Ik citeer dus:

> *'Ik sta hier voor u, beschuldigd van het onderhouden van betrekkingen met een terroristische organisatie, waarvan de naam me overigens nog steeds niet is onthuld. Terwijl ik nadere toelichting afwacht, is mijn kind toevertrouwd aan de zorgen van vreemden die daartoe door de rechtbank zijn aangewezen. Waar mijn echtgenote zich nu bevindt is niet bekend. Sinds ze in november 2005 bij de Canadese grens in handen van de autoriteiten is gevallen, is het enige bericht over haar mogelijke verblijfplaats afkomstig van een onderzoeksjournalist die op de hoogte is van geheime CIA-vluchten. Ik vraag alle fatsoenlijke mensen die hier aanwezig zijn waarom zij instemmen met dergelijke kwaadaardige, onwettige maatregelen tegen mijn gezin. Ik vraag de bevolking na te denken over de vraag wiens belangen hiermee gediend zijn. Ik smeek mijn vrienden het web van leugens te ontwarren waarin men hun gedachten gevangen wil houden, niet alleen met woorden, maar ook met beelden.'*

9) Hieruit maken we op dat onze ongelukkige vriend ons op het hart drukt geen genoegen te nemen met compromissen. En daar moeten we uit afleiden dat Sinans gevangenhouding in zijn geboorteland van lange duur zal zijn. Als we naar de toekomst kijken, kunnen we slechts van één ding zeker zijn: een snelle oplossing bestaat niet. Het land dat *fast food* heeft uitgevonden, heeft een onwrikbaar vertrouwen in een trage rechtsgang. Als buitenlander komt men in de verleiding spottend te lachen vanaf de zijlijn. Maar omdat ik goed op de hoogte ben van de geschiedenis van de Amerikaanse politiek en de achterliggende filosofie, moet ik daaraan toevoegen dat ik er het volste vertrouwen in heb dat het systeem zich mede onder druk van de welgemeende pro-

testen in den lande tot zijn oorspronkelijke grootsheid en generositeit zal hebben hersteld tegen de tijd dat het hoger beroep dient.

10) Intussen putten we troost uit het feit dat we erin zijn geslaagd in de kwestie omtrent hun kind een zeer bevredigende oplossing te bereiken, hoewel het lot van Sinan Sinanoğlu en Jeannie nog steeds onzeker blijft.

Dit boek is in zijn huidige, geredigeerde vorm verschenen naast een meer uitputtende (en als ik dat zo mag zeggen, ook serieuzere) studie over de onderwerpen die erin ter sprake komen. Dat laatste werk is het resultaat van een drievoudige workshop die deze zomer direct na de verdwijning van M en de gelijktijdige verspreiding via internet van haar bekentenis in ruwe, ongeredigeerde vorm. Deze drievoudige workshop werd gelijktijdig, in hetzelfde fraaie weekend in juni, in de VS, het Verenigd Koninkrijk en aan onze eigen Boğazçi-Universiteit gehouden. De titel, *The East, the West, and the Other*, dekt de gezamenlijke intenties. Daarbij moet ik benadrukken dat het niet, zoals sommige critici beweren, ons doel was uit te halen naar de *deep state*.

We richtten onze blik weliswaar veel verder dan het individualisme dat zo hartverscheurend ten toon werd gespreid door onze al te breedsprakige, maar goedbedoelende auteur en indirect ook door mijn dierbare, zeer gemiste hartsvriendin Jeannie Wakefield, maar toch bevat onze academische bundel ook drie hoofdstukken waarin wij ons speciaal met de kwestie van het auteurschap bezighouden. In twee daarvan wordt de authenticiteit van de bronnen van onze sterauteur M tegen het licht gehouden – staat bijvoorbeeld onomstotelijk vast dat Jeannie een brief op haar computer heeft achtergelaten of een dagboek heeft bijgehouden? Hoeveel heeft haar ongeautoriseerde biografe verfraaid en verzonnen? In het derde, belangrijkste hoofdstuk proberen we in een geest van sympathie en solidariteit een aantal lamentabele lacunes in kennis en begrip van ons land bij de auteur aan te vullen, alsook in dat van die delen van onze geschiedenis waarvan zijzelf getuige beweert te zijn geweest. Want hoewel zij ons voortdurend haar nauwe emotionele banden met het land van haar verloren kinderjaren in herinnering brengt, begrijpt zij ons nog steeds niet. Als ik daaraan toevoeg dat ze dat waarschijnlijk ook nooit zal doen, zullen mijn lezers daarin hopelijk mijn oprechte wens herkennen dat zij behouden zal weerkeren.

Het laatste hoofdstuk van onze bundel behandelt het effect van het schandaal op het publieke debat. De titel (*How Does the World See Us?*) zal voor de westerse lezer wellicht geen vertrouwd begrip zijn: het is een veel voorkomende kop in de Turkse kranten, die al heel lang de internationale media afspeuren naar artikelen waarin Turkije wordt genoemd en daarvan dan een pirateneditie (lees: slechte vertaling) in het eigen blad afdrukken. Zoals iedereen die zelf wel eens in de internationale media heeft gespeurd naar artikelen waarin Turkije wordt genoemd zal bevestigen, is de gemiddelde jaarlijkse oogst teleurstellend mager. Tegen deze achtergrond mag het onvermijdelijk worden genoemd dat het plotseling verschijnen in de virtuele wereld van deze sappige, hoewel ondoordachte moderne versie van *J'Accuse*, compleet met de onvervalste Amerikaanse schurk, een orkaan van kritiek, bezorgde reacties en morele verontwaardiging teweegbracht.

Te midden van deze grotendeels zinloze *Sturm und Drang* kunnen we niettemin verschillende significante ontwikkelingen onderscheiden:

1) Hoewel İsmet nooit ter verantwoording is geroepen voor zijn daden in het grijze verleden, en hoewel dat ook wel nooit zal gebeuren, kunnen we veilig stellen dat het schandaal dat de onthullingen over zijn ontuchtige gedrag heeft teweeggebracht, zijn politieke aspiraties in de kiem heeft gesmoord.

2) Hoewel hij altijd zeer behulpzaam is gebleven voor zijn Amerikaanse vrienden uit zijn tijd bij de inlichtingendienst en zijn daaropvolgende loopbaan als universeel inzetbare tussenpersoon, en hoewel de hulp die hij in zijn tegenwoordige hoedanigheid van voornaamste wapenhandelaar van Turkije aan terreurbestrijders kan bieden ongetwijfeld van onschatbare waarde is, lijkt het niet waarschijnlijk dat İsmet Şen ervoor kan zorgen dat ons vaderland als trainingskamp mag dienen voor de zogeheten 'privélegertjes' die bepaalde niet nader te noemen westerse groot-

machten tijdig willen opleiden voor het plaatselijk Armageddon dat ze met zoveel moeite hebben opgestookt.

3) We kunnen er echter van verzekerd zijn dat de verspreide, maar zeer belastende filmfragmenten die mijn vriend Sinan Sinanoğlu in het jaar voor zijn onwettige gevangenneming in het diepste geheim heeft verzameld deze verheugende uitkomst zullen consolideren, net zoals we er ook zeker van kunnen zijn dat de dreiging van openbaarmaking van voornoemde fragmenten zijn arrestatie heeft verhaast.

4) Helaas staat nog te bezien welk effect deze filmfragmenten – overhaast, en naar ik vrees nogal onhandig, door mijzelf en andere welgezinden verzameld, en derhalve ongelukkigerwijze zonder veel artistieke kwaliteit – op het toekomstig verloop van het imperialisme zullen hebben.

5) En nu terug naar de ware schurk – want İsmet was, ondanks al zijn bravoure, slechts zijn loopjongen. In welke gedaante onze mentor – onze verrader – ook weer opduikt, het is niet waarschijnlijk dat Dutch Harding onder een schuilnaam effectief zou kunnen optreden als woordvoerder voor de EU en de democratie en er tegelijkertijd voor zorgen dat Turkije zich buigt voor de militaire wil van Amerika.

6) Het onderhavige verhaal heeft het publiek ongetwijfeld geïnformeerd omtrent de banden tussen de inlichtingendiensten van beide landen, maar mijn voormalige vijand Jordan Frick verdient hiervoor toch de meeste erkentelijkheid.

7) Misschien ben ik hem dus een openbaar excuus schuldig. Ik haast me hieraan toe te voegen dat hijzelf van mijn mening op de hoogte is, al staat het me niet vrij het waar, hoe en wanneer te onthullen. Wat ik ook van Jordan Frick tussen de lakens mag vinden, mijn bewondering voor zijn onverschrokkenheid te velde kent geen grenzen. Het monster dat hij bejaagt verschuilt zich nog in het duister, maar dankzij Fricks eminente onderzoek naar de ware identiteit van onze trouweloze mentor is de wereld in ieder geval gewaarschuwd voor de ware spionagecrisis.

8) Als hij daarbij suggereert dat het hoofdkwartier van de *deep state* niet in Ankara is gevestigd maar in Washington, moet dat wellicht niet al te letterlijk worden opgevat. Want er is helemaal

geen *deep state*. Zolang hij dat niet bewijst, maakt hij zich schuldig aan journalistieke luiheid.

9) Althans voorlopig.

10) Over onze dierbare vriendin Jeannie Wakefield is er tot mijn spijt nog geen nieuws. De Amerikaanse overheid houdt nog steeds vol dat de onscherpe foto van een vrouw in een jack dat volgens hen vol explosieven zat, het enige 'bewijs' is. De organisatie in Michigan die zich 'De Vrienden van Sinan Sinanoğlu' noemt, heeft de foto echter geanalyseerd, waarbij ernstige twijfels aan de authenticiteit zijn ontstaan. Er zijn ook nog andere onregelmatigheden voorgevallen: haar 'verhinderde poging' zou hebben plaatsgevonden toen ze vanuit Canada haar vaderland in probeerde te komen. Maar aan geen van beide kanten van de grens is daar enig bewijs van te vinden. Het doorploegen van alle immigratieformulieren van het hele continent heeft geen enkel spoor van haar opgeleverd.

11) Bij gebrek aan harde feiten zijn er geruchten. Men zou haar hebben gezien. Honderden keren! Wat alomtegenwoordigheid betreft laat ze Elvis ver achter zich – van de Atlantische Oceaan tot de Stille Zuidzee, van de Middellandse Zee tot de Kaspische Zee is ze gesignaleerd.

12) Niet alle waarnemingen waren echter even veelbelovend. Als men beweert haar te hebben gezien in een land dat betrokken is bij het schandaal over de geheime CIA-vluchten, kunnen we zelf onze conclusies trekken.

13) Over onze Misleide Mw M, de weerspannige maar geliefde klasgenote die zonder ons om toestemming te hebben gevraagd haar leven heeft gewaagd om ons tot *causes célèbres* te maken, is er ook nog geen nieuws.

14) Daarmee bedoel ik dat we in het openbaar verder niets willen loslaten. Als de lezer me mijn terughoudendheid verwijt, kan ik alleen maar zeggen dat ik me vasthoud aan de gouden draad van de vriendschap en dat nadere onthullingen groot gevaar met zich mee zouden brengen.

De roekeloze mw M verdient ons respect, onze bescherming, onze heilwensen en – ondanks alles – ook onze liefde. Het is dus met een bezwaard gemoed dat ik nu de grotere onderwerpen aansnijd die onze vermiste vriendin (overigens met de nobelste bedoelingen) voor het voetlicht heeft gesleurd. Hoe moeilijk het ook is om een volksheld te bekritiseren, toch zou ik mijn plicht als redacteur verzaken als ik niet toegaf dat ik ernstige twijfels over haar verhaal heb gehad. Ik heb het als mijn plicht beschouwd het in de oorspronkelijke vorm te presenteren, alleen de vele tikfouten te verbeteren en me te onthouden van voetnoten. Het verhaal was echter zeer pijnlijk voor ons die als haar personages werden opgevoerd. Misschien is het wel heel eenvoudig en heeft ze ons in een verhaal gevangen dat wij niet hebben gemaakt, een verhaal dat haar eigen passies en obsessies etaleert ten koste van de onze, en nu – dankzij de legendarische status van deze geschiedenis – moeten we allemaal ons leven blootgeven, tot in de kleinste details.

Maar wat heeft ze ons schriel en bleekjes geportretteerd! Hoe fier ik ook over haar toneel paradeer, ik blijf een luidruchtige nul – mijn familie, mijn avonturen, mijn filosofische evolutie en zelfs mijn werk zijn allemaal naar het duister verbannen. En daar is zijzelf – haar angsten tegen de boezem geprangd en roepend om de waarheid, de waarheid en niets dan de waarheid... maar op de een of andere manier lijkt ze de feiten nooit helemaal te begrijpen. En wat misschien nog wel het meest tragische is: ze lijkt de ware essentie nooit helemaal te kunnen vatten. Haar verslag (en ik ben niet de eerste die dat beweert) zit vol onjuistheden, culturele misvattingen en verkeerde interpretaties van nuances in gesprekken die – hoe onbelangrijk ze op zichzelf meestal ook zijn – toch twijfels aan haar verhaal oproepen.

Ik zou me kunnen voorstellen dat zij bij het lezen van deze regels – en ondanks alles hoop en bid ik dat ze dat zal kunnen doen – erop zou wijzen dat ze nooit de pretentie heeft gehad dat ze hierover het laatste woord had gezegd en dat het ene goede verhaal hopelijk het andere oproept. Dat niets ons ervan weerhoudt om haar verhaal aan te vechten en aan te vullen. Dat een goed verhaal alleen zin heeft als het anderen oproept iets terug te zeggen. Ze zou er ongetwijfeld op wijzen dat ik daar nu in dit nawoord al mee bezig ben. Maar in dit boek ben ik net als in de echte wereld een kleine, eenzame coda van een oosterse ode.

En hoe had dat ook anders kunnen zijn? De God van de Bloedstollende Vertelling heeft niet al zijn onderdanen even lief. Hij bevoordeelt bovenal de westerse blik. En hoe verstikkend is die voor zijn nietswaardige oosterse slaven! Hoe vereenvoudigend, mystificerend, misvattend en verdraaiend! Wij zijn alleen interessant als we de westerse angsten reflecteren. Wij zijn alleen van belang als we de westerse strijdende partijen een nieuwe, exotische speeltuin kunnen bieden. Of nog erger: onze tekortkomingen worden weggepoetst. We worden als heldhaftig voorgesteld als we over deugden beschikken die in andere, meer verlichte landen als die van een holenmens worden beschouwd.

Ach, wat zien we er allemaal aandoenlijk uit op het terras van hotel Bebek! De mensheid in al zijn talloze verschijningsvormen, verrukt het azuurblauwe uitzicht bewonderend! Terwijl ik op datzelfde terras deze woorden schrijf, heeft mijn uitzicht een zure ondertoon: van alle lachjes die ik om me heen zie, is er niet één vrij van ontevredenheid, berekening of hypocrisie. Die twee met goud omhangen vrouwen aan het tafeltje naast me spreken de arme, moedeloze en dus zeer waardige ober toe alsof hij een stuk vee is. Alsof zijzelf zoveel bijzonders zijn. Alsof de vader van de een zijn geld niet verdiende met grondzwendel en de andere niet in Rio tijdens een ongeoorloofd snoepreisje gonorroe had opgelopen doordat ze met haar salsaleraar had 'gedanst'.

En die zakenlui daar. Met die 'modellen'. De vrouw van een van hen zat vroeger op school bij mij in de klas. Wat heeft hij tegen haar gezegd dat hij vanavond ging doen? Overwerken? De man aan het tafeltje achter hen – die dikke met die brede tandenlach die daarnet overeind sprong om de beroemde schrijver die net binnenkwam warm en luidruchtig te omhelzen. Die man is mijn collega, en gisteren nog heeft hij diezelfde schrijver ongedierte genoemd. Een verrader van de natie. Wat zal ik zeggen? Dit is een land van insinuaties, schijnheiligheid en pose.

Een land van criminelen. Criminelen die vrij rondlopen en steeds arroganter met hun door misdaad verworven rijkdom pronken. Kijk eens naar dat tafeltje in de hoek, die man die met dat zoete stemmetje zijn tweede fles champagne bestelt, zijn armen duizelingwekkend hoog geheven zodat de hele wereld zijn Rolex kan zien. Dat is de neef van İsmet. Wat begroette hij me hartelijk toen ik binnenkwam! En wat vroeg hij attent naar Haluks gezondheid! Alsof hij niet over die hartkwaal had gehoord. En alsof niet iedereen last van zijn hart zou krijgen als hij hier hulpeloos op nieuws over verdwenen vrienden moest zitten wachten.

Weet die zoetgevooisde neef iets wat ik nog niet heb vernomen? Moet ik concluderen dat die domme jongen aan zijn vriendjes in het kwaad iets over mij heeft doorverteld dat hij in het Boek der Boeken heeft gelezen? Of moet ik uit die brede lach opmaken dat hij me al een stap voor is in het wraakspelletje? Zou hij me kunnen vertellen waar onze vriendin Jeannie nu zit weg te kwijnen? Het feit dat ik me dat afvraag geeft al aan dat ik steeds minder vertrouwen in ons land, de toekomst en mijn eigen ziel begin te krijgen. En dat doet me weer denken aan die gekmakende vraag die Jeannie zo graag stelde. Hoe is het mogelijk, vroeg ze altijd, en dan tuitte ze haar lippen verbaasd en peinzend, zoals ze dat kon doen – hoe is het mogelijk dat je, na alles wat je hebt meegemaakt je leven gewoon weer oppakt en *zelfs de kracht en de zelfbeheersing weet te vinden om samen te werken met de mensen die je erbij hebben gelapt?* Goed, Jeannie, zal ik je vertellen waarom ik al die jaren te midden van mijn vijanden heb gewerkt? Ik had gewoon geen keus. Die mensen gaan maar niet weg.

We verliezen alleen onze helden. De schoonheid van ons geloof in hen. Ja, dat mis ik nog het meest van de tijd dat Dutch Harding ons geheim en onze held was. Maar het leven gaat verder. Harten breken en genezen weer. Snel, heel snel al, zal ik voor de duizendste keer wanhopig naar de deur van dit vervloekte terras kijken en dan Chloe zien binnenkomen, heel nonchalant, zelfs als ze langs de zogenaamde psychotherapeut moet die al haar geheimen aan het niet zo dierbare zusje van haar dierbare overleden man heeft doorverteld. En dat zusje, ontdekten we al snel, onderhield amoureuze betrekkingen met İsmet. En die wachtte tot hij genoeg details had gehoord en gaf alles door aan de pers, met zijn eigen leugens er tussendoor geweven, zodat al snel de hele stad ten onrechte dacht dat Haluk Chloe als maîtresse erbij had genomen.

Wat een geklets. Maar wat voor effect heeft het op ons? Het geeft ons een doel: we moeten publiekelijk laten zien dat het ons niets kan schelen. En daarom zal Chloe dadelijk bij me komen zitten en een gin-tonic voor mij bestellen en twee voor haarzelf, en dan zal ze over de nieuwste rampen in de kliniek vertellen en een opmerking over een salsaleraar maken, en dan pakt onze met goud behangen vriendin aan het tafeltje naast ons vlug haar zonnebril en verdwijnt overhaast.

En dan kan ik me ook niet meer inhouden. Dan haal ik de ansichtkaart tevoorschijn die ik net heb gekregen, de ansichtkaart met het Libanese poststempel en een bepaald gedicht van een zekere Nâzim Hikmet achterop. Wiens handschrift is dat? Wiens onthullende initialen? Staat daar een J naast de M? Is het mogelijk dat M haar zoektocht tot een goed einde heeft gebracht, dat ze haar heeft gevonden? Moeten we hieruit begrijpen dat ze haar nu beschermt? Chloe zal mijn vragen opmaken uit mijn stilte. Ze zal zich over de kaart buigen en...

Niets zeggen. Alleen glimlachen. Want dit is niet het juiste moment, en de letters zijn bij het licht van de ondergaande zon moeilijk te lezen. We zullen achterover leunen en kijken hoe het azuurblauwe uitzicht aan de randen roze kleurt, en net als onze laatste restjes geduld op dreigen te raken, kijken we naar de deur, en daar staat dan Haluk, gebronsd en veel krachtiger na die maand in Bodrum, en naast hem Lüset, met in haar armen onze Emre.

En die is volmaakt, en die is van ons, en die heeft geen bewijs, geen test, geen papieren nodig om dat te kunnen zijn. En die wacht, net als wij allemaal, op de dag dat zijn ouders weer thuiskomen. En die vertrouwt ons met zijn grote, ontroerende ogen als we tegen hem zeggen dat het alleen een kwestie van tijd is.

Maar eerst gerechtigheid. Eerst de waarheid.

Dankwoord

Ik zal nooit weten wat er op het Robert College is gebeurd in de laatste jaren dat het nog een Amerikaanse universiteit was. In deze roman heb ik een parallelle wereld geconstrueerd om wegen te verkennen die in het echte leven voor mij ontoegankelijk zijn. Hoewel mijn romanfiguren net zo fictief zijn als de moord waarmee ze in verband worden gebracht, heb ik getracht de grotere gebeurtenissen die hun leven hebben bepaald zo nauwkeurig mogelijk op te tekenen. Waar mogelijk verwijs ik naar de krantenartikelen die de romanfiguren destijds gelezen zouden kunnen hebben. Die worden in de tekst genoemd.

De cijfers die in Jeannies 'gruwelijke voetnoot' op pp. 276-277 staan, zijn afkomstig uit *File of Torture: Deaths in Detention Places or Prisons (12 september 1980 – 12 september 1995)*, gepubliceerd door de Turkse Stichting voor de Mensenrechten in Ankara in 1996.

Mijn enige andere bron bestond uit een aantal niet vertrouwelijke CIA-gesprekken met een misnoegde Sovjetburger. Deze zijn te vinden op www.foia.ucia.gov: Case nr. EO-1991-00231. Ze staan niet direct in verband met het verhaal: ik was vooral geïnteresseerd in het taalgebruik.

Ik wil graag Ruth Christie bedanken omdat ze toestemming heeft gegeven om te citeren uit haar vertaling van 'A Journey' van Nazim Hikmet.

Ik wil ook graag Pat Kavanagh, mijn agent, bedanken omdat ze zo geweldig is, Catheryn Kilgarriff, Rebecca Gillieron en Amy Christian van Marion Boyars voor hun geïnspireerde vakmanschap, en mijn partner en kinderen voor hun liefde en begrip.

Verder ben ik mijn vrienden Nicci Gerrard, Joseph Olshan, Jennifer Potter, Joan Smith, Richard en Sheila Thornley en Becky Waters enorm dankbaar. Jullie weten wel waarom.